Religions-Politik I

Religion – Wirtschaft – Politik

Schriftenreihe des Zentrums für Religion, Wirtschaft und Politik

Herausgegeben von

Georg Pfleiderer (geschäftsführend), Martin Baumann, Pierre Bühler, Gerd Folkers, Antonius Liedhegener, Jürgen Mohn, Wolfgang W. Müller, Daria Pezzoli-Olgiati, Konrad Schmid, Peter Seele und Jörg Stolz

Band 6 – 2013

Georg Pfleiderer, Alexander Heit (Hg.)

Religions-Politik I

Zur historischen Semantik europäischer Legitimationsdiskurse

PVERVALAERNGLAGO

Nomos

Bibliografische Informationen der Deutschen Nationalbibliothek

Die Deutsche Nationalbibliothek verzeichnet diese Publikation in der Deutschen Nationalbibliografie; detaillierte bibliografische Daten sind im Internet über http://dnb.d-nb.de abrufbar.

Umschlaggestaltung: Simone Ackermann, Zürich

Druck: ROSCH-BUCH, Scheßlitz

Pano Verlag, Zürich www.pano.ch
Nomos Verlagsgesellschaft, Baden-Baden www.nomos.de

ISBN 978-3-290-22016-7: Pano Verlag
ISBN 978-3-8329-7729-0: Nomos Verlag

Gesamtinhaltsverzeichnis

Einführung

1. Zum Entstehungshintergrund

Die Beiträge des vorliegenden Bandes sind aus der gemeinsamen Arbeit im Forschungskolleg des Zentrums für Religion, Wirtschaft und Politik/Collegium Helveticum-Basel an der Universität Basel hervorgegangen. Diese neue Verbundseinrichtung der Universitäten Basel, Luzern, Zürich, Lausanne sowie des Collegium Helveticum wurde ermöglicht durch die Förderung der Schweizerischen Universitätskonferenz im Rahmen des Programms «Innovations- und Kooperationsprojekte» (2008–2011) sowie durch ergänzende Förderung durch die Universität Basel.

Die Forschungsperiode 2009/10 hatte das Gesamtthema «Religion und Legitimität». Während des Zeitraums von zwei Jahren wurden mehrere Arbeitstreffen und Seminarwochen durchgeführt, in denen das Thema konkretisiert, die einzelnen Beiträge in ihren Grundideen vorgestellt, auf einander abgestimmt, diskutiert und gemeinsam erarbeitet wurden.[1]

Wegen der Weite und des Aspektreichtums der Thematik sowie um der Diversität möglicher methodischer Zugänge willen wählte die Gruppe ein niedrigschwelliges Systematisierungsverfahren: Jeder der fünf Beiträge orientiert sich an einem Grossbegriff politischer Semantik, der in legitimationstheoretischen Perspektiven auf religiöse Kodierungen hin analysiert wird. Diese Grossbegriffe sind «Entscheidung», «Souveränität», «Menschenwürde», «Europa» sowie «Recht» (bzw. «Gesetz»). Gewiss ist diese Auswahl einigermassen zufällig und unvollständig; sie verfolgt eher topografische Interessen. Ausserdem spiegeln sich in den ausgewählten Begriffen die individuellen Forschungsinteressen der beteiligten WissenschaftlerInnen. Auch nicht intendiert war die Erarbeitung und Anwendung einer gemeinsamen Methodik bzw. Systematik. Vielmehr wurde für die Durchführung jedem Autor freie Hand gelassen, so dass die unterschiedlichen Wissenschaftsdisziplinen und -traditionen zur Geltung kommen können.[2] So wer-

1 Der Zeitraum, in dem die Beiträge abgefasst wurden, reicht teilweise bis Mitte 2012 (insbesondere Beitrag Kallscheuer).

2 Hinsichtlich des Umfangs wurde den Autoren (zwar gewisse, aber) keine sehr strengen Vorgaben gemacht. Darum variiert die Länge der Beiträge deutlich.

den im Einzelnen auch jeweils bestimmte selektive Perspektivierungen vorgenommen.

Der Beitrag zum Entscheidungsbegriff stammt von dem in Bonn, inzwischen in Freiburg/Schweiz lehrenden Politik- und Religionswissenschaftler Helmut Zander, derjenige zum Souveränitätsbegriff von dem Historiker und Spezialisten für die Epoche der Frühen Neuzeit Thomas Maissen (Heidelberg), den Artikel zu religiösen Konnotationen der Menschenwürdethematik schrieb der protestantische Systematische Theologe Arnulf von Scheliha (Osnabrück), den Europa-Artikel verfasste der Politikwissenschaftler Otto Kallscheuer (Sassari/Berlin). Der Rechts- bzw. Gesetzesbegriff schliesslich ist auf den Islam bezogen; er stammt aus der Feder der aus Tunesien stammenden Juristin und Soziologin Raja Sakrani (Bonn).

Die einzelnen Beiträge referieren auf unterschiedliche historische Zeiträume. Am weitesten zurück greift Helmut Zander bei seinen Überlegungen zur formativen Bedeutung der Kategorie der Entscheidung für das Christentum und die Folgen für seinen Umgang mit dem Politischen: Er setzt bei der formativen Epoche des Christentums in der Antike an. Thomas Maissens Referenzzeitraum ist schwergewichtig die Epoche der Frühen Neuzeit (mit Vor- und Nachgeschichte). Arnulf von Scheliha bedient sich bei seinen Überlegungen zur aktuellen legitimationstheoretischen Bedeutung des Menschenwürdebegriffs eines Vergleich mit der Rolle des Nationbegriffs im 19. Jahrhundert und dessen religiösen Konnotationen; in den Beiträgen von Otto Kallscheuer und Raja Sakrani spielen brandaktuelle Bezüge eine wichtige Rolle. Während Otto Kallscheuer seinen Europa-Artikel vor allem an den derzeitigen krisenhaften Entwicklungen der europäischen Gemeinschaftswährung ausrichtet, bezieht sich Raja Sakrani auf die Dynamiken, die der «Arabische Frühling» des Jahres 2011 ausgelöst hat. An dieser zeitlichen Abstufung der Referenzzeiträume orientiert sich die Anordnung der Aufsätze im vorliegenden Band. Vorausgeschickt ist eine von den Autoren gemeinsam verfasste Einleitung in die Thematik.

Als Ergänzung zu dieser Projektarbeit hat die Fellowgruppe 2009/10 eine wissenschaftliche Konferenz zum Thema «Wieviel Religion er-/trägt der/den Staat?» organisiert, die im November 2010 in Basel stattfand. Die ausgearbeiteten Beiträge zu dieser Konferenz, von denen ebenfalls wiederum fünf von den Fellows stammen, wurden unter dem Titel «Religions-Politik II. Zur pluralistischen Religionskultur in Europa» als Schwesterband zum vorliegenden bereits im Juni 2012 veröffentlicht.

Die Bandherausgeber, die zugleich die Organisatoren und Moderatoren des Forschungskollegs waren, haben an den Arbeitssitzungen der Gruppe teilgenommen. Die nachfolgende Darstellung bzw. Würdigung wichtiger Inhalte der fünf Beiträge soll darum auch etwas von den Diskussionen spiegeln, die im ZRWP-Forschungskolleg in Basel über mehr als zwei Jahre geführt wurden.[3]

2. Zu den Inhalten – Versuch einer systematischen Durchsicht und Würdigung

2.1 «Entscheidung» – Zur Ambiguität religiöser Toleranz (Helmut Zander)

Dass der Begriff der (individuellen) Entscheidung zu den Grundbegriffen der politischen bzw. religiös politischen Semantik zu zählen sei, mag auf den ersten Blick nicht sonderlich evident erscheinen. In höherem Masse als bei den in den übrigen Aufsätzen thematisierten Leitkategorien steckt in Helmut Zanders Beitrag die Hauptthese und das Demonstrandum bereits im ausgewählten Leitbegriff. Die – doppelte – These ist näherhin, dass (a) der neuzeitliche Toleranzbegriff – als normative politische Leitkategorie zur Organisation religiöser Pluralität – ohne die Einschreibung von (individueller) «Entscheidung» in die gesellschaftliche Konstruktion von Religion nicht zu denken und dass (b) diese grundbegriffliche Konjunktion von «Religion» und «Entscheidung» als Spezifikum christlicher Religion zu verstehen sei.

Das wichtigste Plausibilitätshindernis für den ersten Teil der These dürfte in dem als Kontrollfrage formulierbaren Gedanken liegen, dass doch auch sozial, insbesondere ethnisch tradierte Religionen Entscheidungsdimensionen kennen – wenngleich es zumeist um Optionen innerhalb einer Religion geht und Entscheidungen in aller Regel nicht mit der Forderung nach Exklusivität verbunden sind. Gegen den zweiten Teil der These scheint wiederum zweierlei zu sprechen: einmal die Tatsache, dass über weiteste Teile der christlichen Religionsgeschichte nicht individuelle Entscheidung, sondern familiär-ethnische Tradition selbst das Tradierungsmedium bildete; zum andern aber vielleicht auch die – theologisch begründete – Auffassung, dass selbst wo dies nicht der Fall ist, wo Religion sich mit arbiträren individuellen Entscheidungen verbindet, diese ihrerseits in

3 Selbstverständlich ist dieser Versuch einer Zusammenfassung aus der Position ‹teilnehmender Beobachter› subjektiv und erhebt keine darüber hinausgehenden Geltungsansprüche.

der Regel (gewiss ebenfalls) Evidenzerfahrungen folgen, die für das betreffende Individuum oft geradezu den Charakter von Nötigungen haben. «Religion», so liesse sich dieser zweite Einwand auch systematischer oder philosophischer fassen, beschreibe das Ensemble der fundamentalen weltanschaulichen Überzeugungen des Individuums, vor deren Hintergrund und mit Bezug auf welche es sein Präferenzverhalten im Bereich sonstiger grundsätzlicher Lebensentscheidungen treffe. So könne ein Individuum durch aktive Entscheidung (Konversion) allenfalls seinen Wunsch nach Zugehörigkeit zu einer bestimmten Religion oder Konfession bestimmen, nicht aber die solchen Zugehörigkeitswünschen bzw. -entscheidungen ihrerseits immer schon zugrunde liegenden und diese motivierenden fundamentalen Überzeugungen und Erfahrungen. Sowohl religionssoziologisch, wie auch theologisch und philosophisch scheint «Entscheidung» keine traditionale bzw. für den Religionsbegriff systematisch grundlegende Kategorie zu sein, sondern eine, die ihrerseits erst durch die Einflüsse der politischen und kulturellen Moderne oder gar Postmoderne in die Religion eingedrungen ist und dort einen «Zwang zur Häresie» (P. L. Berger) allgemein hat werden lassen, der möglicherweise Religion in ihrem ‹genuinen› Bestand eher alteriert als charakterisiert.

Gegenüber solchen Erwägungen erinnert Zander wohl zu Recht an die Bedeutung des Theologumenon exklusiver Entscheidung für das Christentum (unter Ablehnung aller anderen Religionen) in dessen formativer Anfangsphase. Zwar habe das Christentum den Dezisionismus als Mitgliedschaftsprinzip nicht erfunden, sondern teile ihn mit dem antiken Vereinswesen und einem kleinen Teil des Judentums, den Proselyten, aber doch habe es diesen überaus erfolgreich propagiert. Auch die Tatsache, dass sich die Praxis der Vermittlung und Verbreitung des Christentums schon bald wieder in Richtung auf familiale und ethnische Tradierung «normalisiert» hat, ändere nichts an der insbesondere von den Reflektionseliten immer eingeforderten Bedeutung des Entscheidungsmoments für die Struktur des christlichen Glaubens. Denn dieses sei ein konstitutives Element in dem für das theologische Selbstverständnis des Christentums insgesamt charakteristischen «Syndrom von Entscheidung, Monotheismus und Exklusivität».

Ergänzend könnte auf die Mönchsbewegung und den Klerus (und dessen asketische Ordinationsgelübde) verwiesen werden, die sich in Antike und Mittelalter geradezu als der lebensweltliche Ort der Realisierung jenes Theologumenon verstehen liessen, das als Entscheidung der Zugehörigkeit zum Christentum zur «Residualkategorie» geworden war. Einen gesellschaftlichen Grossversuch, die «Konzeption einer entscheidungsbegründeten

Mitgliedschaft» im Christentum wieder durchzusetzen, sieht Zander in der Reformation, die jedoch – wie alle Vorgängerunternehmungen – diesbezüglich schon bald wieder an den harten sozialen Realitäten gescheitert sei. Denn in vormodernen Gesellschaften sei der mit dem religiösen Entscheidungsexklusivismus verbundene «Bruch mit dem sozialen Netz» faktisch niemals massentauglich gewesen. Erst das bürgerliche Vereinswesen und der Sozialstaat der Neuzeit hätten die damit verbundenen sozialen Kosten auf ein allgemein akzeptierbares Niveau gesenkt.

Desgleichen sei, und das ist nun Zanders eigentliche religions-politische Pointe, das aufklärerisch-moderne Verständnis von Religionsfreiheit und Toleranz ohne die im christlichen Religionsraum beheimatete Konjunktion von Religions- und Entscheidungsbegriff nicht zu denken. Die damit verbundene «Asymmetrie», d. h. die sublime strukturelle Präferierung des Christentums gegenüber anderen Religionen, komme beispielsweise dort zum Vorschein, wo wie im postkolonialen Indien Religionskonflikte oder Konkurrenzverhältnisse von Christentum und Buddhismus bzw. Hinduismus toleranzpolitisch zu regeln versucht würden. Die damit zutage tretende kulturelle Pfadabhängigkeit des Toleranzprinzips zeige, dass schon religionspolitische Legitimitätsmodelle als solche auf ihre sublime religiöse Tingiertheit hin reflektiert werden müssten.

Wenn Zander mit seiner These recht hat, und wenn sie sich auf die religiös-politische Semantik (wie sie im vorliegenden Band im Blick ist) insgesamt erweitern lässt, dann scheint eines ihrer wichtigen Kennzeichen ihr kontrafaktischer Duktus zu sein, in denen die theoretischen Forderungen gegenüber der Praxis nicht durchsetzbar waren.

2.2 «Souveränität» – Zur Evidenzerzeugung politischer Machtakkumulation (Thomas Maissen)

Genau dies gilt jedenfalls für das von Thomas Maissen thematisierte neuzeitliche Konzept der Souveränität; denn es versuche, die traditionale (praktische) Funktionalität von Herrschaft – Ausübung von Schutz und Gerechtigkeit – durch ein ideelles, konstitutionstheoretisches zu ersetzen: Herrschaft gründe nach J. Bodin auf der «Kompetenz-Kompetenz» zur Erzeugung von Herrschaft, nämlich und vor allem durch autokratisches Erlassen von Gesetzen. Dieser Versuch, die Legitimitätsproblematik («Quis regnabit?») selbst zur Quelle politischer Macht zu erklären, erzeuge angesichts seiner hohen Kontrafaktizität gegenüber der frühneuzeitlichen Wirklichkeit und etwa den Nachteilen, die sich für viele bisherige Machtträger damit verbanden, seinerseits, so lautet die Grundüberlegung des Beitrags von Thomas Maissen, einen neuen, mindestens so hohen Legitimitäts- bzw. Evidenzplausibilisierungsbedarf. Dieser beziehe sich zum einen auf den angezielten Träger von Souveränität, den Staat, zum andern auf dessen Repräsentanten, also in der Regel den Monarchen. Entsprechenden Versuchen kommt entgegen, dass das Souveränitätskonzept zwar mit einem hohen Mass an Kontrafaktizität und Abstraktheit behaftet, dass in ihm aber doch auch wiederum ein gewisses Anschauungspotenzial angelegt ist, welches in seiner tugendethischen bzw. handlungstheoretischen, also grundsätzlich personalen Herkunft begründet ist. Die Personalisierung von Ländern ist sowohl grammatikalisch wie auch ikonografisch eine alte, antike Tradition. Durch Humanismus und Renaissance war diese Assoziation in der Frühen Neuzeit vital präsent; umso erstaunlicher ist zumindest auf den ersten Blick, dass in den epochentypischen ikonografischen Plausibilisierungsstrategien von Souveränität jene antiken Bildmuster häufig durch solche ergänzt, überlagert oder gar ersetzt werden, die eindeutig christlicher Herkunft sind. Erklärbar ist diese performative Strategie durch den Sachverhalt, dass es vor allem christlich-traditionale, also religiös-theologisch begründete Legitimierungsmodelle politischer Herrschaft waren, gegen die sich das neuzeitlich-autokratische Modell durchzusetzen hatte: So dient die Bild-Politik des sich Souveränität zuschreibenden frühneuzeitlichen Staates der traditionalistischen Camouflage des eigentlich Revolutionär-Neuen seines Konzepts. Dabei illustriert und funktionalisiert freilich diese Verschiebung zugleich auch wiederum eine sublime, strukturelle Verwandtschaft des neuzeitlichen Konzepts mit jener christlichen Tradition, insofern (absolute) Souveränität («legibus solutus») in dieser zumindest partiell, etwa in Teilen der scholastischen (Duns Scotus, William von Occam), aber auch der reformierten Theologie (Johannes Calvin), wohl vertraut ist – nämlich als Gottesprädikat. Hier – also in Gott selbst – scheint, solchen theologischen Konzepten zufolge, auch der Ursprung jener schöpferischen Entscheidungsmächtigkeit zu liegen, die Zander für den christlichen Glauben herausarbeitet.

Darüber hinaus gibt es aber vielleicht noch einen weiteren inhaltlichen Grund, der die christliche Vorstellungswelt und das ihr zugehörige Bildmaterial aus Sicht seiner frühneuzeitlichen Nutzer so geeignet machte für die Insbildsetzung zentraler Strukturelemente des Souveränitätskonzepts. Dieses verlangte nämlich vor allem eine plausible Abbildung der Beziehung von souveränem Gemeinwesen bzw. Volk (als quasi transzendentem Absolutem) und einem – möglichst exklusiven und singulären – «irdischem» Repräsentanten. Neben der mariologischen Beziehung von irdischer Mutter und göttlichem Kind kam dafür vor allem die im Epheserbrief geschilderte

Beziehung von Christus und Kirche als mystische Ehe in Frage. Die christliche Prägung der neuen politischen Bildwelt wirkte sich von daher motivisch vor allem aus in einer Familiarisierung und Sexualisierung der neuen politischen Grundbeziehung (von Souverän und Repräsentant). Ehe, aber auch Jungfräulichkeit, Ehebruch, Scheidung, Vergewaltigung etc. werden, wie Maissen an vielen europäischen Beispielen zeigen kann, zu bevorzugten Bildmotiven, um die exklusive Geltung, Bedeutung, Glorie, das mit ihr verbundene Schutz- und Drohpotenzial, aber auch das Schutz- und Solidaritätsbedürfnis gegenüber inneren wie äusseren Freunden und Feinden zu illustrieren. Dabei kommt neben den grossen europäischen Nationen vor allem der ikonografischen Produktion eines kleinen politischen Gemeinwesens besondere Bedeutung zu, das seiner politischen Struktur nach dem neuzeitlichen Souveränitätskonzept ebenso konstitutiv verhaftet, wie zugleich, nämlich hinsichtlich seines eben gerade nicht singularischen, sondern kollektiven «irdischen» Repräsentanten, über dessen übliche frühneuzeitliche Realisierungsform strukturell weit hinaus weisend war: der Schweizerischen Eidgenossenschaft, dem «wunder Schweizerland».

Weiterer, diachroner und transkultureller Untersuchungen könnte die Klärung der Frage bedürftig sein, wie sich diese christlich tingierte politische Bild-Semantik der Frühen Neuzeit zu antiken Bildkonzepten von politischen Schutzgöttern oder zu aussereuropäischen Hieros-gamos-Anschauungen verhält. Ist die politisch-lokale Repräsentation der ja im Christentum – anders als in jenen Vorstellungen – grundsätzlich universalen und unteilbaren Souveränität Gottes eine Quelle der Stabilisierung der politischen Ordnung – oder ihrer permanenten sublimen Irritation?

2.3 «Menschenwürde» – Zivilreligiöser Schirmbegriff nationaler Rechtskultur (Arnulf von Scheliha)

So sehr der «moderne demokratische Staat […] auf eine direkte religiöse Legitimation seiner politischen Ordnung verzichten [kann]», so wenig werden in dessen weiterer Geschichte religiöse Legitimationsmuster Relikte eines frühneuzeitlichen «Übergangsdiskurses» (Maissen). Auch bleiben religiöse Legitimationsmuster keineswegs auf den Bereich plausibilitätsstrategischer Imaginationstechniken beschränkt. Im Gedanklich-Begrifflichen selbst schon scheint das – nach wie vor als abstrakt empfundene – Konzept der Souveränität einen Bedarf an Füllung, zwar nicht notwendig durch religiöse, wohl aber durch ideelle, ethisch-normative Konkretion und damit verbundene emotionale Attraktionsqualität zu haben. Dazu bot sich nach der Französischen Revolution – für Freunde wie Gegner ihrer ideellen

Ziele – besonders der Begriff der Nation an. Nachdem jedoch im 20. Jahrhundert zwei Weltkriege die polemogenen Potenziale dieses Konzepts zur allgemeinen Evidenz gebracht hatten, war insbesondere in der diesbezüglich besonders einschlägigen Nation Deutschland Ersatzbedarf gegeben. Dieser wird (nicht nur) dort seither durch konstitutionell juridischere Begriffe zu decken versucht. Da die Verfassung als solche, und ihr zugeordneter «Verfassungspatriotismus», zumindest jene emotionale Attraktionsqualität nur für die wenigsten entwickelt und ausserdem per se noch keine ethische Valenz garantiert, ist es vor allem der Begriff der Menschenwürde, der insbesondere in Deutschland, aber auch in anderen Ländern als materialer Grund- und Kristallisationskern der Verfassungsnormen für das Politische legitimationstheoretische und -praktische Kraft entfaltet hat.

Wiewohl, wie gesagt, selbst nicht notwendig religiös begründet, haben sowohl das Konzept der «Nation» als auch das der «Menschenwürde» mehr oder weniger intensive religiös-theologische Aufladungen erfahren. Deren Quantität und Qualität sowie Perseveranz deuten darauf hin, dass das neuzeitliche politische Gemeinwesen seine Legitimationsbasis aus einem Konsens seiner Mitglieder zu ziehen sucht, der die mit Mehrheitsverhältnissen operierende Demokratie gerade dadurch zu begründen sucht, dass er selbst allen empirisch-faktischen Mehrheitsbildungen entzogen gedacht wird – obwohl er sich nur durch solche Mehrheitsbeschlüsse politisch etablieren lässt. Die Symbolsprache der Religion und die Reflexionssprache der Theologie scheinen besonders geeignet zu sein, um diese normative Konstitutionsdialektik des Politischen und seiner Legitimationsfiguren, die man zivilreligiös nennen kann, darzustellen. In beiden Fällen scheint diese Verwiesenheit auf dem Postulat unvorgreiflicher normativer Faktizität zu beruhen, wie es im Geborenseins des Individuums als ein einzigartiges menschliches Wesen von unveräusserlichem und in diesem Sinne absoluten Wert, d.h. eben eines *Geschöpfs*, zum Ausdruck kommt. Im Menschenwürdebegriff ist diese Wertinsinuation leitend; aber auch schon im Nationbegriff ist sie – wenn auch noch in kollektiver Form – vorstellungsleitend («nasci»!), zumindest dort, wo die Nationen (charakteristischer Weise im Plural), wie etwa bei Leopold von Ranke, als ««Geschöpfe, gleichsam Gedanken des göttlichen Geistes»» gedeutet werden.

Nation- und Menschenwürdebegriff ‹stehen dabei nicht einem Verhältnis eines zeitlichen Nacheinanders zueinander. In seinen historisch-systematischen Analysen der Debatten der Frankfurter Nationalversammlung von 1848 kann von Scheliha vielmehr zeigen, dass der legitimationstheoretische Aufstieg des Begriffs Nation seinerseits eine Reaktion auf den naturrechtlichen Diskurs der Aufklärung darstellt, dem das Gros der in Frankfurt Versammelten darum ablehnend gegenüberstand, weil er in ihren Augen den individuellen Differenzen der Menschen, aber auch dem kommunitären Charakter des Politischen bzw. des Gemeinwesens zu wenig Rechnung trug. Umgekehrt sollte der stattdessen vorgenommene Rekurs auf den Nationbegriff in der Regel gerade nicht einem abstrakten Kollektivismus oder unkritischer Affirmation aller bestehenden sozialen Verhältnisse dienen, sondern seinerseits als normative Begründungsbasis der bürgerlichen Grund- und Freiheitsrechte, insbesondere auch des Rechts auf positive wie negative Religionsfreiheit, fungieren. So sollte der Begriff Nation gerade nicht strikt auf einen biologisch-ethnischen Konnex (der ‹Gebürtlichkeit›) restringiert, sondern als ein – allerdings solche Anhaftung immer noch assoziierendes, sie aber doch auch transzendierendes – kulturelles Konzept verstanden werden. Dies zeige sich etwa an den Frankfurter Debatten über die positive Religionsfreiheit für die jüdische Religionsgemeinschaft und die staatsbürgerliche Zugehörigkeit jüdischer Mitbürger. «Für die überwiegende Mehrheit der Frankfurter Nationalversammlung war die bürgerliche und religionsrechtliche Gleichstellung der Juden eine klare Folgerung aus der Grundrechtssystematik.»

Auch in Bezug auf die heutigen Debatten um den Menschenwürdebegriff zeige sich dessen zivilreligiöse Signatur vor allem, so von Scheliha, an Diskursen um die Partizipation von, insbesondere religiösen, Minderheiten. Dabei sind die Grenzverläufe der Exklusions-/Inklusionsdynamik des neuen Leitbegriffs (Menschenwürde) gegenüber dem früheren (Nation) insofern charakteristisch verschoben, als nun – zumindest auf der Ebene des ideologischen Konzepts – biologisch-ethnische Zugehörigkeit keine Rolle mehr spielt, bzw. spielen kann. Darum wiederholt sich in den an der Partizipationsproblematik orientierten Debatten um den Menschenwürdebegriff auf höherer Ebene das, was im juristischen Bereich mit der Frage nach der Verfassungskonformität der politischen Überzeugungen bestimmter Minderheiten oder Individuen thematisiert wird. Der legitimationstheoretische Mehrwert des Menschenwürdebegriffs gegenüber der Verfassung und seine zivilreligiöse Signatur erwiesen sich vor allem an seiner Bedeutung, den er in den Partizipationsdiskursen betroffener Minderheitsvertreter selbst gewinnt. Dafür sind derzeit besonders die muslimischen Diskurse signifikant, die von Scheliha darum am Beispiel der in Deutschland geführten untersucht.

Diese muslimischen Diskurse hätten vor allem den Sachverhalt zu bewältigen, dass der «Begriff der Menschenwürde […] kein genuin islamischer

Begriff», sondern vom «Menschenrechtsdenken der westlichen Tradition» herkomme. Dass freilich solche hermeneutischen Aneignungsprozesse politisch-ideologischer Grundbegriffe durch religiöse Gemeinschaften zwar nicht einfach beliebig, aber doch stets biegsam, dynamisch und entwicklungsoffen sind, zeigt nicht zuletzt ein Blick in die entsprechende Geschichte des neuzeitlichen protestantischen – oder wahlweise auch römisch-katholischen Christentums. Auch auf der Interpretationsebene wird man gegenüber allen Essentialisierungstendenzen vorsichtig sein müssen. Die von Scheliha differenziert herausgearbeiteten unterschiedlichen Positionen führender Vertreter eines europäischen Islam dürften darum als im Fluss begriffene Standortbestimmungen und Vermittlungsversuche unterschiedlicher kulturell-religiöser Denkweisen und damit zusammenhängender Lebensformen zu verstehen sein. Dass dabei freilich auch Umdeutungen des Menschenwürdebegriffs vorgenommen werden können, die dessen ‹eigentlichen›, nämlich notorisch am Individuum und nicht am Kollektiv orientierten Gehalt kaum noch erkennen lassen, wird von Scheliha u. E. mit Recht vermerkt.

Aber nicht jede Einschärfung einer inneren, konstitutiven Verbindung von Menschenrechten und Menschenpflichten ist als eine westlichem Verständnis fremde Moralisierung zu deuten. Auch westlich-säkulare Denker haben immer wieder solche Verbindungen betont. Desgleichen wird unerachtet der mitunter «heissen» religiösen Rhetorik nicht jede Behauptung einer allererst durch die Religion, hier: den Islam, nämlich durch dessen «‹Licht und […] Führung› ‹wahrhaft›» begründeten Freiheit, als unstatthafter Versuch einer exklusiven religiösen Okkupation der letzten Grundlagen des Politischen zu werten sein (was von Scheliha auch nicht tut). Und dieses Caveat dürfte auch dann gelten, wenn, wie oft der Fall, solche islamisch-theologischen Einholungsversuche des Menschenwürdebegriffs mit einer Kritik an bestimmten «Auswüchsen» westlich-moderner Lebensformen einhergehen. Auch diese ist bekanntlich kein Spezifikum des Islam. Dass gerade religiös-theologische Hermeneutiken des zivilreligiösen Allgemeinbegriffs um tendenziell exklusive Begründungsansprüche (und oft damit zusammenhängende Moralkritik) kaum herumkommen, würde ein vergleichender Blick in viele christlich-theologische Texte (beider grosser Konfessionen, auch übrigens – und vielleicht gerade – zumindest was das Begründungstheoretische angeht, «liberaler» Protestanten) zeigen. Die spezifische «Begründungsoffenheit» des Begriffs Menschenwürde darf nicht gegen jedwede religiös-theologischen (oder philosophischen) Begründungsversuche ausgespielt werden. Kriterium der Legitimität solcher Beteiligungen an der politischen Legitimationsdebatte kann nicht ideologische Begründungsabstinenz sein, sondern vielmehr die Bereitschaft zu ‹second-order-Reflexionen› auf das Verhältnis solcher ethisch-weltanschaulicher Diskurse zur juridisch-politischen Verfassungswirklichkeit und zum Zusammenleben in weltanschaulich pluralen Gesellschaften.[4] Inhaltlicher, nämlich juridischer Massstab aller performativen oder diskursiven Beiträge zur Debatte um den Menschenwürdebegriff kann letztlich wiederum nur die Verfassung (im Licht ihrer juristischen Auslegungspraxis und -debatten) sein. In dieser ist jedoch bekanntlich die Freiheit des Individuums zur Führung und Gestaltung seines eigenen Lebens und die auf deren Wahrung zielenden Freiheitsrechte, also die «Schutz- und Freiheitsqualität des Einzelnen», der Grund- und Eckstein.[5]

Die von von Scheliha gebotene doppelte Perspektivierung der Menschenwürdethematik im Licht der historischen Debatten der Frankfurter Nationalversammlung von 1848 zum Nationbegriff (unter besonderer Berücksichtigung der jüdischen Minderheit) einerseits, aktueller muslimischer Debatten und Beiträge zur Menschenwürde- und Menschenrechtsthematik andererseits, kann zugleich indirekt auf eine bedeutsame Charakteristik und vielleicht auch damit verbundene Entwicklungstendenz zivilreligiöser bzw. wertkonsensueller Debatten (in Deutschland) aufmerksam machen: Mit dem (mehr oder weniger) religiös kodierten fundamentalen Wertekonsens, den der betreffende Leitbegriff bezeichnen soll, verbinden sich In- und Exklusionseffekte. Diese sind zwar zunächst und per se metajuridischer Art, sie weisen aber doch auch wiederum bestimmte Kopplungen mit der juridischen Sphäre auf: Menschenrechte müssen in Bürgerrechten konkretisiert werden, können aber nicht einfach identisch mit ihnen sein. Nun scheint evident, dass die Differenz beider Leitbegriffe, «Nation» und «Menschenwürde», bzw. der Übergang vom ersten zum zweiten, mit unterschiedlichen Kopplungen der ethisch-religiösen mit der juridischen Konnotation bzw. Funktion der Begriffe zu tun hat. Im Nationbegriff ist die bürgerrechtliche Partizipationsregelung ungleich deutlicher angelegt als im Menschenwürdebegriff. Dieser Leitbegriff verlangt darum in sehr viel

4 Auch dem Islam müssen, um ein aktuelles Beispiel aufzugreifen, u. E. missionarische Praktiken inklusive des kostenlosen Verteilens seiner religiösen Schriften zugestanden werden, selbst dann, wenn die Inhalte dieser Schriften für sich genommen dem Anspruchsniveau moderner Menschenrechtsdiskurse nicht gerecht werden. – Sonst müsste man die Praktiken des Gideonbundes ebenfalls verbieten.

5 An diesem beissen sich freilich emphatische Verfechter traditionalistischer Religionen ebenso die Zähne aus wie mitunter auch liberale Theologen – oder Nichttheologen.

höherem Mass juristische Zusatzbestimmungen als jener. Eklatantes juristisches – wie ethisches – Testfeld der damit verbundenen Problemlagen ist bekanntlich die Asylrechtsproblematik.

Auf zwei weitere Felder derselben Problemlage machen die Beiträge von Otto Kallscheuer und Raja Sakrani aufmerksam. Ihnen ist, wie erwähnt und nicht zufällig, gemeinsam, dass sie ihren Ausgangspunkt bei Entwicklungen nehmen, die in der unmittelbaren Gegenwart angesiedelt sind: die aktuelle Krise der europäischen Leitwährung und des europäischen Wirtschaftsraums sowie der «Arabische Frühling». Beide krisenhaften Dynamiken sind bekanntlich noch nicht zum Abschluss gekommen; die darauf bezogenen Reflexionen sind notwendig «work in progress».

2.4 «Europa» – Legitimitätskrisen als Lehrstück ‹europäischer› Identitätsfindungsprozesse (Otto Kallscheuer)

Dass die aktuelle Krise der europäischen Gemeinschaftswährung und des von ihr bestimmten Wirtschaftsraumes auch legitimationstheoretische Fragen bezüglich der «heutigen demokratisch verfassten Politik im Westen» aufwirft, dürfte klar sein. Ebenfalls leuchtet ein, dass es bei diesen, durch die aktuelle europäische Währungs-, Schulden- und Wirtschaftskrise induzierten Problemen für das politische System Europa und dessen Kohärenz um religiöse Fragen und Differenzen nur am Rand gehen dürfte. Vor dem Hintergrund dieser relativierenden These wird Kallscheuers Analyse der Eurokrise gewissermassen zur Grenznutzenreflexion für die Valenz der Gesamtfragestellung des Projekts und dieses Bandes.

Kallscheuer analysiert zunächst den komplexen Ablauf der «griechischen Tragödie» vom Herbst 2011 bis zum Frühsommer 2012 unter der Fragestellung, was das Konfliktmanagement «über den Charakter der Europäischen Union…» und den «…State of the Union» offenbare. Hier zeige sich zum einen, dass – hinsichtlich der *policy* – die Vermeidung eines Austritts Griechenlands (und eventuell weiterer Länder) aus der Gemeinschaftswährung das handlungsleitende Ziel der führenden Akteure gewesen, dass aber andererseits «*keine* gemeinschaftliche Schuldenversicherung», keine umfassende «Haftungsunion», anvisiert worden sei. Hinsichtlich der *polity* bzw. *politics* seien zwar die gewählten Konfliktsteuerungsmechanismen grundsätzlich nicht als undemokratisch zu bezeichnen, es habe sich aber doch eine beträchtliche Machtverschiebung von formellen Gremien, insbesondere dem kaum involvierten Europäischen Parlament, zu informellen Gremien von Hauptakteuren (Frankfurter Kranz) vollzogen. Generell hätten die supranationalen Instanzen der EU gegenüber den Vertretern führender Nationalstaaten (insbesondere Deutschland und Frankreich: «‹Merkozy›») beträchtlich an Einfluss verloren. Dies habe die ohnehin «in der jeweiligen nationalen öffentlichen Meinung» vorhandenen Legitimitätsdefizite verstärkt; die EU bleibe von daher «weiterhin ein Elitenprojekt».

Dies hänge auch mit der Komplexität der EU zusammen, die sich auch in der Diversität ihrer theoretischen Beschreibungsversuche spiegle; vielleicht am treffendsten sei sie «als ein [...] neuartige(r) Staaten- oder gar Verfassungsverbund mit mehreren Ebenen – freilich ohne eigene, übergeordnete Staatlichkeit» zu charakterisieren, der es «zunehmend schwieriger [...]» mache, «[...] den Ort der demokratischen Kontrolle präzise zu identifizieren» und sich zugleich möglicherweise nur nach Massgabe des «rationale(n) Eigeninteresse(s) der Nationalstaaten» bewegen lasse, denn eine «supranationale ‹Kompetenz-Kompetenz›» zum Eingriff in die EU betreffende nationale Verfassungsbestimmungen besitze diese ja nicht. Die zahlreichen neueren Urteile des deutschen Verfassungsgerichts und namentlich die metaphorische Rede von der «schutzbedürftigen ‹Identität› der Verfassung», seien allerdings nur selten dazu angetan, Licht in die oft verwickelten Verhältnisse zwischen EU und nationalem Verfassungsrecht zu bringen. Jene Metapher zeige möglicherweise eine Tendenz zur Psychologisierung von Souveränitätskonzepten auf, die an die Stelle theologischer Imaginationen wie bei C. Schmitt trete – was zugleich auch das Zurücktreten von allegorischen Personifikationen wie in der Frühen Neuzeit erkläre. Allerdings verbinde die heutige psychologische mit jener theologisch-metaphysischen Konzeptionierung von Souveränität eine unverkennbar monistische Tendenz bzw. die relative Geringschätzung von föderalen Konzepten oder auch nur eines «einvernehmlich geregelten Aushandlungsprozess(es)» – der als Kohärenzgenerator durchaus ausreiche.

Da die Einheitswährung ökonomisch gerade nicht homogenisierend, sondern – was die Leistungskraft der integrierten Volkswirtschaften angeht – differenzverstärkend gewirkt habe, sei es in gewisser Weise die Leistung der aktuellen Krise und der von ihr geforderten Opferbereitschaft, dass sie zu einer neuen Verständigung über solche Fragen, generell: über die «‹Finalität›» des europäischen Prozesses, zwinge. Diesbezüglich ähnlich wie in der Religion erweise sich die Krise als sinnfragenproduktiv. Auch aufkommende Sekundärdeutungsversuche der betreffenden Prozesse (waltet in der «EURO-Krise [...] eine unsichtbare Hand»?) gehen in diese Richtung. Gleichwohl bleibe die (kollektiv-)psychologische Beschreibung die dominante, welche die Krise als Frage und Suche nach der «*Identität* Europas» auslege. Diesbezüglich stünden sich vor allem zwei Deutungsmodelle gegenüber: ein kultur-essentialistisches («Europas ‹christliche[ ] Seele›») und ein pluralistisches («kulturelle[ ] Vielfalt der Staatenwelt Europas»). Entsprechende kulturphilosophische Versuche hätten im 20. Jahrhundert einige Tradition. Möglicherweise sei auch jetzt die wichtigste Vision die traditionelle, negative: Vermeidung von Krieg; aber auch diese lasse einige miteinander konkurrierende, aber auch kombinierbare positive Näherbestimmungsversuche zu; die neuere Ideengeschichte «zu Europa» bietet dazu, wie Kallscheuer gegen Ende seines Beitrags aufzeigt, reiches Material. In diesen spielten nun auch religiöse Faktoren zumindest teilweise eine grosse Rolle, so seien etwa christliche Parteien oft treibende Kräfte im europäischen Einigungsprozess gewesen.

Die Krise stelle mithin Europa als Kultur-, Politik- und Wirtschaftsraum auf die Probe und verlange ihm ein Mehr an «Koordination und an Selbstvertrauen» ab, als es bislang aufzubringen gewillt gewesen sei. Dies betreffe namentlich auch kultur- und religionspolitische Fragen, etwa den Umgang mit religiösen Minderheiten.

So endet Kallscheuers differenzierte Aufarbeitung der komplexen Identitätsfindungsprozesse «Europas», wie sie von der Krise induziert – und in gewisser Weise auch für sie verantwortlich sind – offen; aber die Offenheit ist eine durchaus positive: «Europa» scheint ein ‹Wesen› zu sein, das seine ‹Identität› durch zumindest partiell selbstverschuldete, krisenhaften Ereigniszusammenhänge wie die gegenwärtigen grundsätzlich zur Disposition gestellt sieht; die durch solche Erfahrungen ausgelösten Reflexions- und Reaktionsprozesse scheinen zugleich aber auch wiederum das Bildungsprinzip jener Identität zu sein bzw. werden zu können. Dass sich hierbei in und für «Europa» sowohl philosophische («Der Krieg als Vater aller Dinge») als auch theologische Beschreibungstraditionen («simul justus et peccator», «*coincidentia oppositorum*») mobilisieren lassen, besagt freilich für die politische *governance* der Krise der Europäischen Union – und für ihre operative institutionelle Reform – nur wenig.

2.5 «Recht» – Zwischen religiöser und säkularer «Geltungskultur» (Raja Sakrani)

An die bei Kallscheuer dominierende Beobachtung der relativ geringen Bedeutung von religiösen Legitimierungsstrategien und Konsenssymboliken für reale politische, näherhin wirtschafts- und währungspolitische Konflikte in Europa knüpft R. Sakrani an, wenn sie sich in ihrem Artikel den Konflikten zwischen der solchermassen umrissenen säkularen (europäischen) «Geltungskultur» mit einer spezifisch religiös begründeten, nämlich der islamischen, zuwendet.

«Geltungskultur» – mit dem von ihr in einem gemeinsam mit Werner Gephart im Rahmen des (von ihnen geleiteten) Bonner Käthe Hamburger Kolleg erarbeiteten Begriff, den sie im rechtsphilosophischen Diskurs zu etablieren sucht, versucht Sakrani legitimierungstheoretische Analysen, wie sie etwa im vorliegenden Band in den bisherigen Beiträgen vorgeführt wurden, mit rechtssoziologischen Mitteln metatheoretisch zu systematisieren. In der Perspektive einer solchen Theorie der Geltungskulturen wären jene Beiträge als Analysen von Zentralbegriffen der westlich-europäischer Geltungskultur des Politischen zu bestimmen. Für diese gelte die Zentralstellung des Rechts bzw. eines bestimmten, nämlich in seinem Kern als säkular, will heissen: konsensuell und insofern prinzipiell historisch wandelbaren, «von Menschen gemachten» Rechts. Sakrani geht ferner davon aus, dass dieses Recht in seiner Grundstruktur ein rein formelles Verfahrensrecht sei, das zwar darum durchaus «eine bestimmte Idee der Gerechtigkeit impliziere […]», die aber ihrerseits wiederum stark auf dieses formale Rechts- bzw. Gerechtigkeitsverständnis zurückbezogen sei, wie sich in zentralen Ausprägungen jener Idee in Gestalt etwa der Prinzipien «des Bürgers als eines Rechtssubjekts, der Verteilung von Rede- und Verfahrensrechten im Prozess, von Gerechtigkeit als Gleichheit der Rechtsbehandlung» zeige. Gegenüber dem (tendenziell prinzipiellen) Formalismus okzidentaler Rechtskulturen spiele etwa und insbesondere «das islamische Recht einen Wert materialer ‹Gerechtigkeit› ein», der sich seinerseits einer traditionalistisch-theologischen Deutung des Ursprungs des Rechts einmalig-ewiger göttlicher Offenbarung (statt menschlich-wandelbarer Setzung) verdanke.

In solcher begrifflicher Konstellation scheinen alle Versuche, modern-säkulares und autoritativ-religiös begründetes, islamisches Recht und die damit jeweils zusammenhängenden kollektiven oder individuellen Lebensformen zu vermitteln, zum Scheitern verurteilt sein. Ein «europäischer Islam» wäre eine contradictio in adiecto. Diese konfrontative Konstellation mit den Mitteln systematisch-theoretischer, aber auch soziologisch-analytischer Differenzierung zu überwinden, ist das Ziel der Überlegungen Sakranis.

Ersteren verdankt sich vor allem der bereits erwähnte Grundbegriff «Geltungskultur». Dieser schliesst an den Klassiker der europäischen Rechtssoziologie, Max Weber, und dessen Grundeinsicht an, dass alles Recht bzw. jede Rechtskultur, und eben auch das vermeintlich rein formalistische moderne Recht, einer transjuridischen Legitimierung bedürfe, deren Typen Weber in seiner Herrschaftslehre präsentiert hatte. Unter diesen habe zwar die bürokratische Herrschaft eine besonders hohe Affinität zum formalen modernen Recht; das ändere jedoch nichts an der Persistenz zumindest von

Elementen charismatischer und traditionaler Herrschaft auch in modernen Rechtsstaaten. Luhmanns und Habermas' Legitimierungstheorien liessen sich als in etwa antipodische Radikalisierungen der beiden bei Weber angelegten und in gewisser Weise vermittelten Tendenzen einmal zum Formalismus des Verfahrens (Luhmann), das andere Mal zur Betonung der Bedeutung des Konsenses der Bürger (Habermas) verstehen, der aber nicht nur rein formal und fiktional (Weber), sondern durchaus auch material und vernünftig sein könne. Habermas' Weberrezeption zeige so einen Weg auf zur (relativen) Bedeutungszuschreibung bzw. Wiedereinführung religiöser Überzeugungen für den bzw. in den vernünftigen Konsens rationaler Rechtsgesellschaften.

Selbst der solchermassen von der rechtskulturellen zur geltungskulturellen Reflexion erweiterte theoretische Blick scheint, wo er sich dem islamischen Rechtsverständnis zuwendet, immer noch ganz andere, mit jenen westlichen inkompatible Verhältnisse konstatieren zu müssen. Recht, Moral und Religion würden hier prinzipiell nicht differenziert, was sich in daran zeige, das islamisches Recht nicht nur – wie das westlich-rationale – binär zwischen verboten und erlaubt unterscheide, sondern vielmehr ein – aus westlicher Sicht deontologisch-tugendethisches – Geltungsgefälle (verpflichtend, empfehlenswert, indifferent, verboten, verwerflich) in Anschlag bringe. Diese juridisch-strukturell weichere Konstellation scheint aber wiederum der Anhaftungspunkt für das Phänomen des Pluralismus der Auslegungsautoritäten zu sein, der für den heutigen Islam kennzeichnend ist. Je strikter die Divinisierung des normativen Korantextes, desto auslegungsbedürftiger und auslegungsvariabler scheint seine Auslegung und Anwendung auf dort nicht eindeutig oder gegebenenfalls widersprüchlich geregelte Lebenssachverhalte zu sein – jedenfalls dann, wenn sich nicht eine bestimmte Auslegungstradition bzw. -autorität durchzusetzen vermag, was im Islam derzeit immer nur regional bzw. national der Fall ist. Für den Islam in Europa gelte dies aber gerade nicht. So komme es innerislamisch faktisch zu einer Pluralisierung der Geltungskulturen, die, jedenfalls dort, wo Muslime (wie in Europa) durch eine nichtmuslimische Rechtsordnung geschützt sind, faktisch zu einem beträchtlichen Mass der Individualisierung der Rechtsauslegung und -anwendung führen können. Die modernen elektronischen Medien, insbesondere das Internet, hätten erheblich zu dieser Entwicklung beigetragen.

Die andere grosse Diversifikations- und Pluralisierungsdynamik, die ihrerseits ebenfalls erheblich von Internet und Social Media profitiert, seien, wie erwähnt, jene revolutionären Prozesse des Arabischen Frühlings von

2011 und seiner – noch anhaltenden und oft noch unübersichtlichen – Folgeentwicklungen. Seither sei offen, ob und wie auch islamisch geprägte Staaten sich öffneten für westliches Rechtsdenken bzw. wie sie den faktischen Pluralismus islamischer Rechtskulturen politisch institutionalisierten. Ob freilich diese Dynamiken so stark seien, dass sie die – in nach wie vor gültiger Manier wiederum von M. Weber herausgearbeiteten – Grundtendenzen der islamischen Rechtskultur, die unerachtet ihres faktischen Auslegungspluralismus rechtsdogmatisch auf einem «radikalen Interpretationsverbot» beruhe, genügend zu relativieren vermöchten, stehe vorläufig dahin.

Für den Islam in Europa, der insbesondere angesichts der demografischen Entwicklungstendenzen nicht als Verlaufsphänomen unterschätzt werden dürfe, ergebe sich ein widersprüchliches Bild. Denn hochtraditionalistischen Autoritäten, die Europa als feindliches «Gebiet des Krieges» deuteten, stünden liberalere Vertreter eines Euro-Islam gegenüber, die gewissermassen einen ‹dritten Weg› in Gestalt einer islamischen bzw. islamkonformen Minoritätenjurisprudenz suchten. Materiale Konfliktfelder gebe es genug: ob Halal, Verschleierung, Konversion oder familienrechtliche Fragen wie Eherecht (Nichtigkeit) oder Adoptionsrecht – allenthalben kollidierten westliche und islamische Rechtsvorstellungen und -vorschriften, Letztere aber auch oft genug untereinander. Indizien für Konfliktverschärfungen seien ebenso vorhanden wie gegenläufige Tendenzen zu praktischen Vermittlungen, aber auch höherstufig zu «neuen Formen der Legitimitätsbildung und De-Legitimierung, die auch dem Westen vielleicht etwas zu sagen haben».

2.6 Bilanzierender Ausblick

Legitimationsmodelle des Politischen verweisen auf gesellschaftliche «Geltungskulturen»; diese sind in westlichen Gesellschaften dadurch gekennzeichnet, dass in ihnen bestimmte (material)-religiöse Überzeugungen als solche nicht bzw. nur in bestimmter Weise gefiltert auftreten können. Sollen die betreffenden Filterungen nicht manipulativ, hinter dem Rücken der Beteiligten wirksam werden, gilt es sie wahrnehmbar zu machen und dem öffentlichen und insbesondere auch wissenschaftlichen Diskurs auszusetzen. Dazu tragen die Beiträge des vorliegenden Bandes bei. Die hier gebotenen Analysen wären dann daraufhin zu befragen bzw. entsprechend auszuziehen, was aus dem hier analytisch Gebotenen folgt für die Beantwortung der normativ-politischen Frage nach dem religiösen Legitimierungsbedarf unserer heutigen Gesellschaften.

Dieser orientiert sich, auf diese (für sich genommen nicht allzu überraschende) These konvergieren die Beiträge, offenbar an einem bestimmten Menschenbild, näherhin an einem bestimmten Subjektverständnis. Für dieses ist freie, rationale Entscheidung, an ein Kollektiv bzw. einen Kollektivrepräsentanten delegierbare Souveränität der Individuen, eine durch gemeinsame Prägungen zusammengewachsene Sozialität («Nation») bzw. allgemein ein unveräusserlicher Höchstwert («Menschenwürde») kennzeichnend. Schwierig wird es für diese Art ethisch-konsensueller Legitimierung des Politischen, wenn dieses so hochkomplexe Formen wie das heutige Europa annimmt. Dann gerät das Legitimierungsdenken selbst in zirkuläre Schleifen und sich an Hochstufigkeit überbietende Reflexionsspiralen. Der schillernde «Europa»-Begriff zeigt dabei nichts anderes an, als die Polyvalenz jener Legitimierungsversuche im Bereich politischer Ordnungskonzepte. Demokratie, ja gewiss, aber sobald die vielfältigen Schichtungen von Repräsentationalität in der Demokratie in den Blick kommen, scheint das Legitimationsdenken seine Kraft zu verlieren.

Dem scheinen vom Islam geprägte Geltungskulturen ein traditionalistisches Gegenbild gegenüberzustellen, das angesichts der geschilderten Lage in Europa für die einen umso bedrohlicher, für andere umso anziehender wirken mag. Die für die Legitimationsprobleme moderner Staaten verantwortlichen funktionalen Entflechtungen von Religion, Politik, Recht und Moral werden hier durch ein synthetisches Modell ersetzt. Bei genauerem Hinsehen zeigt sich aber, dass die Synthesen ihrerseits von regionaler und personeller Begrenztheit sind. Ein grosser Teil der Konflikte, in welche der Arabische Frühling von 2011 im Sommer 2012 ausgelaufen ist, verdankt sich den höchst unterschiedlichen Auffassungen von islamischer Politik und kollektiver Moral in den arabischen Ländern. Der Gefahr des Zerfalls in unterschiedlich religiös bestimmte tribale «Geltungskulturen» ist in vielen, vielleicht potenziell in allen arabischen Ländern, allen voran derzeit in Syrien, real. Dies verweist einmal mehr auf das polemogene Potenzial von Religion. Europäer wissen aus jahrhundertelanger eigener leidvoller Erfahrung, wovon die Rede ist.

Aber wovon ist die Rede? Vom Gewaltpotenzial aller – politischen – Religion oder nur bestimmter Religion? Ist die nicht friedliche Seite der Religion nur dort anzutreffen, wo sie in der Religion bereits eingelagert ist, nämlich als strikter Exklusivitätsanspruch? Ist der Monotheismus also solcher der Feind politischer Verständigung und menschlicher Gemeinwesen? Die These ist bekannt. Ebenso bekannt ist die damit oft einhergehende These, das von Europa entdeckte und um die Welt gesandte Gegenmittel –

Pluralismus, Menschenwürde ohn' Ansehn der Person und ihrer religiösen Überzeugungen sowie Toleranz – seien in Wahrheit nur bei innerer Akzeptanz eines weltanschaulichen Pluralismus, theologisch: eines weltanschaulichen Polytheismus, zu vertreten. Dem widerspricht freilich das – tendenziell monistische – neuzeitliche Vernunftdenken, das sich insbesondere im Begriff der Menschenwürde gewissermassen sein Denkmal gesetzt hat. Der Beitrag H. Zanders kann überdies aufzeigen, dass das neuzeitliche Toleranzdenken weniger auf polytheistisch-antike als auf christliche, also ebenfalls, wenigstens auf den ersten Blick, monistische Wurzeln zurückgeht.

Gerade am (phänomenologisch) «monistischen» Christentum ist nun aber zugleich auch ein jahrhundertealter Prozess der reflexiven theologischen Klärung der immanenten Probleme monistischen Denkens zu beobachten. Dabei ist die sich durchsetzende Linie christlich-politischer Theologie diejenige, die auf die innere, geordnete Pluralität göttlicher Herrschaft (immanente Trinität) und auf deren eschatologisch-religiösen Charakter setzt, der die politische Herrschaft gerade dadurch begründet, dass er sie in ihrer Reichweite auf den Bereich des Vorläufigen beschränkt.

Dennoch kann Politik offenbar nicht einfach nur das technische Management des Vorläufigen sein. Es verlangt nach der Zielbestimmung eines «Woraufhin?». Gerade am heutigen «Europa» zeigt sich das. «Menschenwürde» ist der probate Suchbegriff für dieses «Woraufhin?». Dass es freilich hinter der Vielfalt der gedanklich-ethischen Begründungsoptionen von «Menschenwürde» ein gemeinsames (normativ-ideelles) Phänomen gebe, das diesen Namen berechtigter Weise trage, ist selbst ein Glaube, der seiner Struktur nach begründungstheorietranszendente, also (strukturell) religiöse Züge trägt. Dass diese jedoch wiederum nicht von einer bestimmten religiösen Position exklusiv vereinnahmt werden dürfen, hat die massgeblich durch das Christentum bestimmte europäische Religionsgeschichte gezeigt. Die Zukunft wird weisen müssen, inwiefern der Islam – innerhalb wie ausserhalb Europas – in diese Geschichte zu integrieren ist und inwiefern er sie produktiv fortzuschreiben vermag.

3. Dank

Die Herausgeber haben Anlass zu vielfältigem Dank, zuerst an die Fellows des ZRWP-Forschungskollegs der Periode 2009/2010, dafür dass sie sich – trotz vielfältiger weiterlaufender beruflicher Beanspruchung – auf das risikoreiche Unternehmen eines gemeinsamen zweijährigen Arbeitsprozesses eingelassen und ihn durch den vollen und unermüdlichen Einsatz ihrer unterschiedlichen wissenschaftlichen Kompetenzen zu einem, aus unserer Sicht, überzeugenden Ergebnis geführt haben. Darüber hinaus ist in der Gruppe in den beiden Jahren eine «Fachmenschenfreundschaft» entstanden, in die wir einbezogen wurden – wofür wir ebenfalls sehr dankbar sind.

Für die redaktionellen Arbeiten ist Dr. theol. Lucius Kratzert eigenverantwortlich zuständig gewesen. Wir verdanken ihm wiederum die aufmerksame Durchsicht des Bandes und die vielen organisatorischen Arbeiten, die hinter einem solchen Buch stehen. Frau stud. theol. Patricia Schneider hat erneut das mühsame Geschäft der Formatierungsarbeiten, die Einarbeitung von Korrekturen und vieles andere mehr übernommen. Auch ihr wollen wir unseren herzlichen Dank für die schnellen und wie immer sehr zuverlässigen Arbeiten aussprechen.

Den Herausgebern der Reihe *Religion – Wirtschaft – Politik* sind wir dankbar für die Aufnahme des Bandes. Ferner gilt ein grosser Dank den beiden Verlagen *Pano/Zürich* und *Nomos/Baden-Baden*, sowie insbesondere der Verlagsleiterin des *TVZ/Pano-Verlags*, Frau Marianne Stauffacher für das sorgfältige Lektorat sowie die überaus konstruktive verlegerische Betreuung.

Ermöglicht wurde die Arbeit des Forschungskollegs, wie bereits erwähnt, durch die grosszügige Unterstützung des Zentrums für Religion, Wirtschaft und Politik vonseiten der *Schweizerischen Universitätskonferenz* im Rahmen ihres Programms «Innovations- und Kooperationsprojekte». Dafür sind wir den Verantwortlichen sehr dankbar. Namhafte ergänzende Mittel wurden vom *Rektorat der Universität Basel* gesprochen, die überdies auch die gesamte Infrastruktur zur Verfügung stellte. Auch dafür sind wir überaus dankbar und wissen das damit verbundene Vertrauen sehr zu schätzen.

Der Band ist im Rahmen eines Kollektivbeitrags an die Publikationen des Forschungskollegs von der *Freiwilligen Akademischen Gesellschaft (FAG)* in Basel gefördert worden. Einmal mehr sind wir für diese Unterstützung dankbar.

Basel, im März 2013
Alexander Heit und Georg Pfleiderer

Otto Kallscheuer, Thomas Maissen, Raja Sakrani, Arnulf von Scheliha, Helmut Zander

Legitimität und Religion
Einleitung in die Thematik des Bandes

1. Direkte und politisch vermittelte religiöse Legitimation

Die demokratischen Verfassungsstaaten des 20. Jahrhunderts sind rein innerweltlich legitimiert durch die Entscheidung eines souveränen Volks von Bürgern (und Bürgerinnen), die qua Staatsangehörigkeit politische Grundrechte beanspruchen können. Dennoch lassen sich problemlos Spuren religiöser Legitimation identifizieren, etwa bei der *invocatio Dei* oder *nominatio Dei* in den Verfassungspräambeln, bei der sogenannten Ewigkeitsklausel im deutschen Grundgesetz[1] oder dort, wo das (gekrönte) Staatsoberhaupt zugleich Oberhaupt der Staatskirche ist und Andersgläubigen der Zugang zu diesem Amt versagt ist. Solche Phänomene verweisen auf lang anhaltende Auseinandersetzungen, in denen die europäischen Nationen seit dem 16. Jahrhundert eine revolutionäre Neubegründung politischer Herrschaftsausübung etabliert haben: den Anspruch auf Souveränität des Herrschers und seiner Herrschaft gegenüber anderen Quellen und Institutionen legitimer Macht.

Dabei konnten sehr unterschiedliche Konzepte einer religiösen Legitimation von politischer Herrschaft entstehen. Zwei Modelle lassen sich idealtypisch skizzieren: Das eine bildet eine religiöse Theokratie, in der z. B. der Monarch, der Diktator[2] oder die gesamte Verfassungsstruktur als direkter Ausdruck von Ordnungswillen und Gnade Gottes verstanden wird. Gott – und *de facto* die für ihn als angemessen erkannte Religionspraxis – legitimiert also den Souverän und seine Herrschaft. Das andere Modell wird

1 «Eine Änderung dieses Grundgesetzes, durch welche die Gliederung des Bundes in Länder, die grundsätzliche Mitwirkung der Länder bei der Gesetzgebung oder die in den Artikeln 1 und 20 niedergelegten Grundsätze berührt werden, ist unzulässig.» (Art. 79 Abs. 3 GG).

2 Im Sinne der berühmten «Rede über die Diktatur» (vom 4. Januar 1849) des spanischen katholischen Gegenrevolutionärs Juan María Donoso Cortés. Vgl. dazu Carl Schmitt, Donoso Cortes in gesamteuropäischer Interpretation, Köln 1950.

durch den Gesellschafts- und Herrschaftsvertrag repräsentiert, in dem die politische Ordnung und die souveräne Machtausübung durch Gewaltübertragung der Vertragspartner begründet werden. Dieses zweite hat zwar – genealogisch gesehen – wichtige Wurzeln in der reformierten Bundestheologie,[3] doch spielt die Religion nicht mehr unbedingt eine explizit konstitutive Rolle. Umgekehrt legitimieren vielmehr die säkular begründete Herrschaftsordnung und ihr Souverän den Rahmen, die Reichweite und die gesellschaftliche und politische Bedeutung der Religionspraxis. Indem in dieser vertragstheoretischen Variante der Souverän über die Zulassung der Religion entscheidet und ihre Ausübung kontrolliert, nimmt er für sich die «absolute» Macht in Anspruch – als «der sterbliche Gott».[4] In der theokratischen Variante ergibt sich dagegen die ‹absolute› Macht aus der Unmittelbarkeit des Souveräns zu Gott, die ihm ebenfalls uneingeschränkte Verfügungsgewalt gewährt, nicht zuletzt gegenüber konkurrierenden Ansprüchen der Kirchen auf weltliche Macht und Deutungshoheit. Zwischen diesen Polen kann das Verhältnis zwischen politischer Ordnung und religiöser Legitimation unterschiedlich bestimmt werden.

Die beiden skizzierten Linien kommen seit dem späten 18. Jahrhundert zusammen, insofern das Gottesgnadentum der europäischen Monarchen rechtsstaatlich-konstitutionalistisch rückgebunden wird an die Nation als Vertragspartner, sofern es nicht gar – in Republiken – gleichsam deistisch auf das naturrechtlich konstituierte Volk als Souverän übertragen wird. So lebt die amerikanische Verfassungstheorie und -wirklichkeit von einer zivilreligiös interpretierten Bundestheologie, die ihrerseits eine religiöse Rückbindung der Bürger an ihre Religionsgemeinschaft (oder *denomination*) voraussetzt, ohne diese jedoch zu regeln. Beide Wurzeln moderner Staatsbegründung – tendenziell monokratisches Gottesgnadentum und potenziell egalitärer Gesellschaftsvertrag – führen jedenfalls zu einer Unterordnung des geistlichen Schwerts unter das weltliche. Das schliesst nicht aus, dass die Kirchen bzw. die Repräsentanten der Religion(en) weite Einflussbereiche zugestanden erhalten. Entscheidend ist, dass allein der Souverän kraft seiner wie auch immer legitimierten Kompetenz-Kompetenz diese

3 Die calvinistisch inspirierte Lektüre von Israels *covenant* mit Gott spielte nicht zuletzt bereits in den englischen Kolonien in der Neuen Welt eine Rolle. Vgl. dazu die Interpretation Michael Walzers, Exodus und Revolution, Frankfurt/M. 1995.

4 Dies hat der Theoretiker des *Leviathan* Thomas Hobbes in den (leider selten gelesenen) Teilen III «Of a Christian Common-Wealth» und IV «Of a Kingdom of Darknesse» hinreichend deutlich gemacht.

Sphären festlegen kann. Die Durchsetzung dieses Anspruchs auf das Gewaltmonopol im umfassenden Sinn ist eine Zumutung gegenüber allen traditionell privilegierten Trägern von Herrschaft oder spiritueller Ordnungsgewalt. Entsprechend heftig, anhaltend, vielfältig und unterschiedlich motiviert sind in der Frühen Neuzeit die Widerstände gegen die Entwicklung eines Gewaltmonopols und die Streitigkeiten darüber, wer dieses innehaben soll: Die französischen Religionskriege, der Dreissigjährige Krieg und die englischen Bürgerkriege sind bloss Höhepunkte in einem europaweiten innen- wie aussenpolitischen Ringen in diesen Fragen. Für die folgenden Ausführungen ist das insofern von Bedeutung, weil dieser Konflikt auch auf symbolischer Ebene ausgetragen wird. Gerade weil die Souveränität einen Bruch mit traditioneller Herrschaftslegitimation darstellt, wird in denselben Jahrhunderten versucht, ihr Konzept durch den Rückgriff auf die herkömmliche Ikonografie zu vermitteln. Der frühneuzeitliche Staat nutzt das bildliche Reservoir der christlichen Religion zur politischen Legitimation und symbolischen Repräsentation seiner angestrebten oder noch umstrittenen Souveränität.

2. Zweierlei Säkularität des Staates

Der Souveränitätsanspruch des Staates steht gleichwohl in einer unaufhebbaren Spannung zu den Ansprüchen der Bürger auf Glaubens- und Gewissensfreiheit. In diesem Grundrecht manifestiert sich, dass im modernen Staat bürgerliche Partizipation am Staat und religiöse Orientierung prinzipiell voneinander unterschieden sind. Die negative Religionsfreiheit delegitimiert geradezu den Zwang zur religiösen Begründung von Bürgerlichkeit. Die positive Religionsfreiheit ermöglicht den Bürgern die gemeinsame Ausübung ihrer Religion – sie legitimiert ihren Status als Religionsgemeinschaft (oder Kirche). Das kann, namentlich in der modernen europäischen Ausprägung, bis hin zur Kooperation von Staat und organisierter Religion bei den sogenannten *res mixtae* führen: Religionsunterricht, Seelsorgebereiche, Friedhöfe, Kirchensteuer.

Solche *res mixtae* sollte es im US-amerikanischen (sogenannten separatistischen) Modell des Verhältnisses von Religion(en) und Staat intentional nicht geben, da dort beide Bereiche auf der Ebene des rechtlichen Verfassungsanspruchs strikt getrennt sind. Der Sinn dieser Trennung (Thomas Jefferson's «wall of separation») besteht ja gerade nicht in der Einschränkung religiöser Aktivitäten, sondern im Gegenteil in der Abwehr jeglichen positiven (*establishment*) oder negativen staatlichen Eingriffs in die Selbstorganisation von Heilsgemeinschaften.[5] In der Praxis gibt es allerdings keine strikte Trennung von weltlicher Politik und religiöser Sphäre. Die zivilreligiösen Praktiken in den Vereinigten Staaten, ihre historisch aus der Tradition christlicher Dissenter kommende religiöse Imprägnierung sämtlicher (also auch der politischen) Bereiche der Lebensführung, geht i. d. R. problemlos mit der radikalen Trennung aller staatlichen Offizialität für religiöse Bekenntnisse, Gemeinschaften und Denominationen einher.

Im kontinentalen Europa ist die religionspolitische Landschaft weitaus komplizierter[6] – und auch nicht frei von Aporien. Den Anspruch auf Trennung von Religion und Staat verwirklichen hier mindestens zwei Modelle: der «religiös neutrale» Verfassungsstaat (etwa in der Bundesrepublik Deutschland) oder aber der aktiv «laizistische» säkulare Staat des französischen Modells. Im französischen Fall stellt die strenge Limitierung und Reglementierung des Zugangs von religiösen Gruppen und Symbolen zur öffentlichen Sphäre selbst noch die Kehrseite (oder Revanche) einer jahrhundertelangen, konfessionell geprägten Geschichte der Staatlichkeit dar.

Das Problem der expliziten Kooperation von Religionsgemeinschaften und Staat ergibt sich somit vor allem im europäischen Fall. Das kooperative Modell u. a. Deutschlands impliziert eine potenziell intensive staatliche Befassung mit der inneren Struktur von Religionsgemeinschaften, insbesondere sofern sie als öffentlich-rechtliche Korporationen anerkannt werden wollen und nicht nur als eingetragene Vereine existieren. In den Vereinigten Staaten beschränken sich staatliche Eingriffsmöglichkeiten auf Strafverfolgung, die Terrorismusabwehr oder die Drogenbekämpfung.

5 Zwei Argumentationstraditionen waren hier wirksam: Die whiggisch-liberale Tradition von John Locke's *Letter on Toleration* und die radikal separatistische des Baptisten Roger Williams. (Vgl. Martha Nussbaum, Liberty of Conscience. In Defense of America's Tradition of Religious Equality, New York 2008.)

6 Ein vollständiges Panorama müsste sowohl die anders gelagerten christlich-orthodoxen Kirchen- und Nationaltraditionen der Länder des Balkan oder Osteuropas einbeziehen als auch das Vereinigte Königreich und die skandinavischen Monarchien, in denen eine kulturell zunehmend «säkularisierte» Tradition der Staatskirche mit dem massiven gesellschaftlichen Rückgang religiöser Überzeugungen und Praxisformen einhergeht – jedenfalls für die christlichen Mehrheitskonfessionen. Während in diesen Ländern mit protestantischer Mehrheitskultur die anglikanische bzw. die lutheranischen Staatskirchen ihre konfessionellen Prärogativen symbolisch (in England) oder gar rechtlich (in Dänemark) abbauen, wächst unter den meist immigrierten Neubürgern der ersten, zweiten, dritten Generation v. a. aus muslimisch geprägten Ländern oder Kulturen eine neue, private und öffentliche Religiosität heran.

Die Frage, welche Religionsgemeinschaften für eine solche Kooperation in Frage kommen, kann aber in europäischen Staaten nicht mehr herrschaftlich entschieden oder – wie im Fall der Weimarer Reichsverfassung – bloss aus der bisherigen Geschichte übernommen werden. Sie muss vielmehr gesellschaftlich diskutiert, politisch entschieden und gegebenenfalls rechtlich überprüft werden. Dabei spielt in den europäischen Demokratien das Verhältnis der Religionsgemeinschaft zur Verfassungsordnung des Staates eine wesentliche Rolle. Damit stellt sich auch die Frage, welche Gruppen als Religionsgemeinschaft gelten und die mit ihrem Recht auf positive Religionsfreiheit verbundenen, zum Teil weitreichenden Vorrechte (Besteuerungsrecht, Bildungswesen, politische Mitsprache) beanspruchen können.

Wer aber entscheidet aufgrund welcher Kriterien über solche Anerkennungsfragen? Was ist mit Religionen, bei denen die Zugehörigkeit nicht von einer individuellen Entscheidung abhängig gemacht werden kann? Oder mit Religionen, die sich gar nicht so organisieren können oder wollen, wie dies für die bisherige Praxis der Kooperation von kirchlich verfassten Konfessionen mit dem Staat erforderlich wäre? Wie weit also reicht heute der Souveränitätsanspruch «des Staates» gegenüber ‹der Religion›? In den folgenden Kapiteln kommen einige, zum Teil hochaktuelle Probleme und Konflikte dieses religions-politischen Feldes zur Sprache. Sie betreffen auch die umgekehrte Frage, ob bzw. wie weit in Europa die religiösen Traditionen, Identitäten und Normen der Mehrheit ihrerseits – explizit oder implizit, eingestandenermassen oder verdeckt – die herrschenden politischen Verfahren legitimieren oder begrenzen.

3. Grenzdiskurse und Grauzonen

Innerhalb der Verfahren zur politischen Selbstorganisation des – im völkerrechtlichen Sinne[7] – «souveränen» Staates bleiben religiöse Argumente wichtig. Dies gilt insbesondere für eine Konzeption des Staates, der in sei-

7 Der Begriff der Souveränität im heutigen Völkerrecht ist ja keineswegs mit dem absoluten Souveränitäts-«Programm» identisch, das Jean Bodin oder Thomas Hobbes zu Beginn der Neuzeit aufgestellt haben. Vgl. Ulrich K. Preuss, Souveränität – Zwischenbemerkungen zu einem Schlüsselbegriff des Politischen, in: Tine Stein/Hubertus Buchstein/Claus Offe (Hg.), Souveränität – Recht – Moral, Frankfurt/New York 2007, 313–335. Im vorliegenden Band analysieren die Kapitel von Thomas Maissen (73–192) und Otto Kallscheuer (251–376) unter historischen bzw. aktuellen Gesichtspunkten diese internationalen Dimensionen der Legitimation staatlicher Souveränität.

ner politischen Praxis die Legitimation von Regierungshandeln beständig mit den legitimen Ansprüchen gesellschaftlicher Gruppen vermitteln muss und insofern keine absolute Souveränität mehr beanspruchen kann. Befreit vom Zwang einer religiösen Legitimation der *gesamten* politischen Ordnung können die Bürgerinnen und Bürger ihre politischen Interessen ethisch-religiös legitimieren und kommunikativ zur Geltung bringen. Die religiösen Organisationen bringen – wie andere Akteure der Zivilgesellschaft auch – ihre politischen Interessen durch Lobby-Arbeit in die politische Willensbildung von Parlament und Regierung ein. Sie sind aber auch dazu aufgerufen, als *public religions* am Streit der demokratischen Öffentlichkeit teilzunehmen und diesen zu beeinflussen.[8]

Von besonderer Bedeutung für die religiöse Legitimation des Politischen sind die *Grenzdiskurse* zwischen den Bürgern und dem Staat, deren religiöse Dimension mal mehr, mal weniger explizit wird. Dieser Grenzdiskurs kann von zwei Seiten aus beschrieben werden. Auf der einen Seite beziehen sich die fortgesetzte Interpretation und Aneignung der Tradition der grossen Religionen stets auf das gesamte Leben der Menschen in der Gegenwart. Sie nehmen damit unweigerlich, implizit oder explizit, zur herrschenden politischen Ordnung Stellung. Innerhalb der religiösen Tradition des Christentums kann dabei auf ein weitgefächertes Arsenal an religionsphilosophisch («naturgesetzlich») oder biblisch begründeter Herrschafts*rechtfertigung* (ausgehend von Röm 13), *-indifferenz* (ausgehend von Mk 12,13–17) und *-kritik* (ausgehend von der prophetischen Tradition im Alten Testament und von Apg 4,19 und 5,29) zurückgegriffen werden. Diese Stellungnahmen prädisponieren die politische Grundeinstellung der einzelnen Gläubigen als politischer Individuen, sei es in Richtung Partizipation, Abstinenz oder Resistenz.

In umgekehrter Richtung ist sich der liberal-demokratische Rechtsstaat seiner Grenzen bewusst. Seine Verfassungsgerichtsbarkeit ist ja vor allem «Hüterin» dieser Grenzen. Im Verhältnis zu den Bürgern wird diese Grenze durch die Grundrechte und die Staatsbürgerschaft gezogen. Deren inhaltliche Konkretisierung erfolgt im Rahmen ethischer, politischer und rechtlicher Diskurse, an denen auch die Religionsgemeinschaften und Kirchen beteiligt sind. Dieser «Grenzdiskurs» wird mit dem Ziel der Verständigung geführt und benutzt daher eine generalisierte Semantik, in die hinein politische und religiöse Begriffe migrieren können.

8 Siehe José Casanova, Public Religions in the Modern World, Chicago 1994.

Hier öffnet sich das weite, aber auch diffuse semantische Feld des – politikwissenschaftlich umstrittenen und normativ umkämpften – Begriffs *Zivilreligion.* Der neuere westliche, am amerikanischen Beispiel entwickelte Begriff von Zivilreligion[9] setzt zwar die Trennung von Staatsgewalt und organisierter Religion voraus, nicht aber das Fehlen von Kommunikation zwischen Religion und Politik. Eine demokratische Zivilreligion soll dann, auf dieser Basis, die vom Staat und von den meisten Bürgern geteilten ideellen Grundlagen des Gemeinwesens zur Sprache bringen, die jedem konkreten politischen Handeln vorausliegen, aber dem ‹Geist› von Gesetzen und politischen Entscheidungen lebensweltliche Plausibilität zu verschaffen vermögen. Freilich umfasst solch ein ‹zivilreligiöser› Normenkatalog ebenso sehr normative Voraussetzungen liberal-demokratischer Staatlichkeit – wie der Begriff Menschenwürde, der in Deutschland, in der Schweiz und den Staaten der EU eine vorstaatliche Dimension elementarer Normen anspricht, an der auch noch die jeweilige Verfassungsordnung gemessen wird – wie er häufig zugleich spezifische politische Ordnungsprinzipien und Staatsziele artikuliert. Insofern bezeichnet der Begriff Zivilreligion wohl eher ein mögliches Feld politischer Legitimation zwischen Verfassung, dem politischen Prozess und der Bürgergesellschaft als eine klar umschriebene, spezifische Ressource für Legitimität.

Die Befürworter eines *Verfassungspatriotismus* halten diesen für eine rationale(re), dynamische(re) Variante der Zivilreligion, sofern es dabei nicht um die «passive Unterwerfung unter einen staatlichen Wertekatalog» gehe, sondern um «eine in Debatten und auch im Streit immer wieder neu erfahrene Aneignung von Werten, die einer die Diskussion ein für alle Mal beendenden Interpretation nicht zugänglich sind». Allerdings stellt sich hier die Frage, ob mit dieser Deutung einer verfassungspatriotischen Zivilreligion als «immer wieder neu zu erarbeitende[r] und zu erstreitende[r] Selbstbeschreibung der Gesellschaft» viel gewonnen ist.[10] Könnte nicht vielmehr umgekehrt gerade mit dem Konzept einer ‹staatsnahen›, gemeinwesenorientierten Zivilreligion auch eine Entmachtung der ‹Zivil›-Gesellschaft stattfinden, sobald im Felde zivilreligiös harmonisierter öffentlicher Sittlichkeit gar keine partikularen politischen Akteure mehr auftreten, die Verantwortung übernehmen oder zur Verantwortung gezogen werden können?

9 Im Anschluss an den klassischen Aufsatz von Robert N. Bellah, Civil Religion in America (1966), jetzt in: The Robert Bellah Reader (ed. R. N. Bellah und St. M. Tipton), Durham and London 2006, 225–245.

10 Jan-Werner Müller, Verfassungspatriotismus, Berlin 2010, S.97.

Ein weiteres Grenzdiskursfeld betrifft jene – naturgemäss neuen – ethischen Probleme, die wesentlich durch den technischen Fortschritt aufgeworfen werden. So ist heute der Souverän nicht mehr nur im traditionellen Verstande «Herr über Leben und Tod», sondern staatliche Gesetze, Behörden, Bürokratien entscheiden über den Beginn und das Ende des Lebens – und damit auch über seine Definition. Die damit verbundenen Deutungen des Lebens berühren in umfassender Weise das genuine Feld der religiösen Traditionen, die in oft komplexen Interpretationen auf die neuen Probleme bezogen werden müssen. Dennoch wollen und müssen sich die politischen Argumente gerade in Fragen, die die Definition des Lebens und seiner Würde betreffen, an der Auseinandersetzung mit religiösen Sinnhorizonten und Dogmatiken bewähren und gegebenenfalls von ihnen her oder gegen sie ihre Legitimation beziehen – und die Legitimität der politischen Entscheidung im religiösen Lichte interpretieren.[11]

Ein drittes Grenzdiskursfeld wird durch die neue Dimension der transnationalen Migration und die zunehmende ‹Normalität› einer noch vor wenigen Jahrzehnten in Europa undenkbaren Vielfalt religiöser Bekenntnisse und Gemeinschaften aufgeworfen. Diese Prozesse religiöser Pluralisierung haben – wenigstens in Westeuropa – die nationalstaatlich zumindest beanspruchte Homogenität von Nation, Staatsbürgerschaft, Kultur und Religion weiter erodieren lassen. Die politischen Zugehörigkeits-, Beheimatungs- und Abgrenzungsdiskurse ringen um das Mass an (ethnischer, religiöser und kultureller) Heterogenität und Assimilation, das die politische und sozialstaatliche Ordnung ertragen will und kann. In der offiziellen, ‹staatsnahen› Rhetorik solcher Diskurse hat sich mittlerweile eine Art ‹zivilreligiöser› Rhetorik der Offenheit etabliert, wonach auch (historisch gesehen) durchaus exklusive religiöse Semantiken tendenziell auf Toleranz und Inklusion umgestellt werden sollen. Doch wird diese generische Konstellation zwischen politisch-kultureller Homogenitätsanforderung und religiöser Pluralität jedes Mal dort konfliktträchtig, wo staatliche Gesetze mit religiösen Gesetzen kollidieren und sich die unterschiedlichen Rechtskulturen unter dem Dach staatlich-rechtlicher Einheit wechselseitig in Frage stellen (und in Frage stellen lassen müssen). Zwar gibt es im Internationalen Privatrecht

11 In diesem Sinne muss wohl Jürgen Habermas' terminologischer Vorschlag in seinen religionspolitischen Interventionen der letzten Jahre verstanden werden, es gehe um die wechselseitigen ‹Übersetzung› von heilsreligiöser und zivilreligiöser Semantik – eine Übersetzung, die freilich nie ‹ohne Rest› aufzugehen vermag.

durchaus Möglichkeiten zur Anerkennung von ausländischem (auch religiös bedingtem) Recht. Aber wie weit geht die Anerkennung des Rechts auf eigene Rechte?[12]

Damit hängt ein viertes Diskursfeld zusammen. Denn hinter konkreten Rechtsfragen etwa der Polygamie oder des Erbschaftsrechtes stehen weiterreichende Fragen nach der Tiefengrammatik von Wertesystemen. Zu diskutieren ist, in welchem Ausmass etwa in das Konzept der Trennung von Religion und Staat oder in die Organisation legitimer Pluralität nicht nur arbiträre, vertragstheoretisch zu begründende Festlegungen eingeflossen sind, sondern auch religiöse Überzeugungen oder Rechtstraditionen – wenngleich in indirekter oder ‹säkularisierter› Gestalt. Die berühmte These Böckenfördes – die ja dem Staat vorausliegende innere Bindungskräfte auf religiöser Grundlage postulierte, für die es aber in nichtreligiösen, rein vertragstheoretischen Legitimationsstrategien keine Basis gibt[13] – stellt sich somit in multireligiösen Gesellschaften mit verschärfter Dramatik. In der Praxis stösst nämlich die diskursive Begründung normativer Grundlagen in der Frage der Religionsfreiheit an Grenzen, wenn sich herausstellt, dass Grundrechtsregelungen ja nicht frei, hinter einem ‹Schleier des Unwissens› (Rawls), vereinbart wurden, sondern selbst Derivate religiöser Traditionen sind, um deren religiöse Imprägnierung man allerdings gar nicht mehr weiss und die sich, hinter dem Schleier historischer Vergesslichkeit, einem Diskurs entziehen.

Ein letztes Grenzdiskursfeld eröffnet sich gegenwärtig in Europa durch die Etablierung von staatlichen und rechtlichen Strukturen und Verfahren jenseits und oberhalb des Nationalstaates: durch das vertragliche Gemeinwesen der Europäischen Union. Die politisch gewollte ökonomische Verflechtung der EU-Staaten wird sukzessive in weiteren Politikfeldern vertieft, stösst aber dort auch auf neue Widersprüche. Hierbei spielen – angesichts der neuen Legitimitätsbedürfnisse und -probleme des europäischen Gemeinwesens, nach innen wie nach aussen – durchaus alte Dimensionen

12 Vgl. Christian Waldhoff, Neue Religionskonflikte und staatliche Neutralität. Erfordern weltanschauliche und religiöse Entwicklungen Antworten des Staates? [= Gutachten D zum 68. Deutschen Juristentag], München: Verlag C. H. Beck 2010.

13 Wolfgang Böckenförde, Die Entstehung des Staates als Vorgang der Säkularisation (1967), jetzt in: ders., Recht, Staat, Freiheit (erweiterte Ausgabe), Frankfurt/M.: Suhrkamp Verlag 2006, 92–114 (hier: 112f.)

einer «zivilisatorischen» Identitätspolitik des westlichen Abendlandes erneut eine öffentliche Rolle, die insbesondere in der Frühphase des Kalten Krieges explizit auf das religiöse Erbe der westlichen Christenheit zurückgriff.[14] Angesichts der in Europa gewachsenen religiösen Vielfalt, zu der noch die Perspektive des Atheismus als sich teilweise bereits ‹konfessionell› organisierender Weltanschauungsgemeinschaft getreten ist, muss sich allerdings jeder religiöse Identitätsdiskurs, will er die Dimension liberaler Legitimität nicht von vornherein verfehlen, auf ein Forum pluraler Narrative einlassen.

Können diese Narrative aber gewissermassen die alteuropäische Geschichtsphilosophie ersetzen, die – als Fortsetzerin und Verweltlicherin der christlichen Heilsgeschichte – den ursprünglichen Friedensideen der Gründungsväter der Europäischen Gemeinschaft (und dann Europäischen Union) durchaus vorschwebte? Welche Religionen gehören dann in dieses europäische Forum? Das Christentum in allen Konfessionen, in die es sich friedlich und kriegerisch ausdifferenziert hat? Das Judentum (in all seinen Spielarten)? Und der Islam? In welcher Interpretation oder Gestalt? Noch sind alle diese Fragen offen – zumal die meisten dieser ‹zivilisatorischen› Identitätsdiskurse noch unterhalb der Artikulationsschwelle der Öffentlichkeit in der Latenzphase verharren und somit leicht zum Ressentiment erstarren können.

4. Umso schlimmer für die Wirklichkeit

Dieses letzte Frage-Set des Forschungsvorhabens sollte das Kapitel zur Identität und Legitimation ‹Europas› strukturieren: Liesse sich vielleicht um hermeneutisch ‹dichte Beschreibungen› der Menschenwürde in (oder aus) verschiedenen religiösen Traditionen auch ein übergreifender Konsens über die normativen Minima europäischer Rechtsstaatlichkeit destillieren?[15] Oder kann eine europäische politische Legitimität nur in einem ‹vernunfteuro-

14 Die nach dem Ende des Kalten Krieges in Europa von Samuel P. Huntington, The Clash of Civilizations (in: Foreign Affairs, Summer 1993, 22–49), ausgelöste Debatte hat leider mehr Staub aufgewirbelt als Klarheiten geschaffen. Zur historischen Semantik der Unterschiede von Abendland, Westen und Europa vgl. Rémi Brague, Europe – la voie romaine, Paris 1992; Otto Kallscheuer, Zur Zukunft des Abendlandes, Springe 2009.

15 Im weiten Sinne anknüpfend an John Rawls' Gedanken des *overlapping consensus,* der es erlauben soll, einzelne Bausteine (oder ‹normative Module›) aus verschiedenen Religionen oder umfassenden metaphysischen Weltanschauungen bzw. *comprehensive doctrines* zu kombinieren, sofern dabei nur der minimale gemeinsame normative Nenner nicht verlassen wird.

päischen› Jenseits, also auf der Ebene eines oberhalb der religiösen Narrative angesiedelten supranationalen Verfassungspatriotismus erreicht werden?

Das waren die Fragen der Forschergruppe zu Europa … und dann kam die EURO-Krise, die ja immer noch anhält. Dabei spielten nun in den öffentlich erhitzten Debatten um Staatsschulden, um *moral hazard*, um politische oder ökonomische Schuld von Regierungen und Nationen plötzlich auch pseudo-religiöse oder konfessionelle Schlagworte eine deutlich vernehmbare Rolle. Im Vordergrund standen freilich nicht die Motive der ‹christlichen Wurzeln› Europas, welche immerhin noch wenige Jahre zuvor erhitzte Debatten um die Fragen des ‹Gottesbezugs› in der (dann gescheiterten) Europäischen Verfassung ausgelöst hatten.[16] Beliebt in Leitartikeln wurden stattdessen Verweise auf lateinische oder griechisch-orthodoxe Misswirtschaft, ihren Kontrast zu schwäbischen Hausfrauentugenden, die Berufung auf lutherische Gewissenhaftigkeit und calvinistische Wirtschaftsethik … Einer genaueren Untersuchung, ob in theologie- oder wirtschaftsgeschichtlicher Hinsicht, halten die meisten dieser Schlagworte kaum stand.[17] Aber lohnte es, sich auf ihre blosse Korrektur einzulassen? Auch eine pluralistisch sorgfältigere Feinzeichnung religiös codierter Europa-Erzählungen aus katholischer, protestantischer, orthodoxer, muslimischer, jüdischer … Sicht erscheint Anno Domini 2012, auch im Rahmen des vorliegenden Projektes zur Legitimität europäischer Staatlichkeit, zweit- oder drittrangig. Im Angesicht einer tatsächlichen, ernstlichen, aber *nicht* primär religiös strukturierten Legitimationskrise des europäischen Einheits- und Integrationsprozesses erscheint eine analytische Privilegierung religiös-kultureller Obertöne wenn nicht historisch obsolet, so doch politisch als *pointless.*

Umso schlimmer für die Europäische Union. Anstelle der Option, das Stichwort ‹Europa› aus dem Kontext der Analysen zwischen organisierter

16 Siehe dazu Helmut Goerlich/Wolfgang Huber/Karl Lehmann, Verfassung ohne Gottesbezug? Zu einer aktuellen europäischen Kontroverse [= Forum Theologische Literaturzeitung THLZ.F14], Leipzig: Evangelische Verlagsanstalt 2004; Jo H. H. Weiler, Ein christliches Europa, Vorwort von Ernst-Wolfgang Böckenförde, Salzburg-München 2004.

17 Vgl. dazu Georg Pfleiderer, Alexander Heit (Hg.): Wirtschaft und Wertekultur(en). Zur Aktualität von Max Webers ‹Protestantischer Ethik› (Christentum und Kultur. Basler Studien zu Theologie und Kulturwissenschaft des Christentums, hg. v. A. Grözinger, G. Pfleiderer u. Ekkehard W. Stegemann, Bd. 9), Theologischer Verlag Zürich, Zürich 2008. Diesen Fragestellungen werden sich auch künftige Forschungsgruppen des ZRWP verstärkt widmen müssen.

Religion und politischer Legitimität zu streichen, entschied sich die Forschungsgruppe für einen anderen Weg: Das von Otto Kallscheuer verantwortete Kapitel zu den europäischen Legitimationsdiskursen und Legitimitätsengpässen möchte einen Beitrag zur Analyse des politischen Prozesses der aktuellen EURO-Krise und der ‹Grammatik› ihrer Entscheidungs- und Verhandlungsstrukturen leisten. Das Ergebnis dieser Analyse redimensioniert die vermutete Rolle des Religiösen für die Bewältigung der Legitimationsprobleme des politischen Europa deutlich. Für die aktuelle Bewährungsprobe der EU gibt es keinen einfachen Legitimitäts-Schlüssel, und erst recht keinen religiösen. Die EU muss längst als Staatengebilde *multipler*, prekärer, komplexer Legitimität verstanden werden. Nur seine ursprünglich *einfache*, initiale ‹Anschub-Legitimation› bezog der Europäische Einigungsprozess aus einem Hintergrundkonsens, in den durchaus – *inter alia* – auch konfessionelle Kulturen und religionspolitische Ordnungsbegriffe wie das christliche Abendland hineinspielten. Diese aber tragen zur fälligen Reform der EU nur wenig bei.

Helmut Zander

Toleranz: legal oder legitim? Über die historische Tiefengrammatik der religiösen Legitimation von Pluralisierungsprozessen

Als ein Königsweg zur Toleranz im neuzeitlichen Europa sowie ihrer Universalisierung im 20. Jahrhundert gilt die Erfindung des religionsneutralen Staates. Die Befriedung religiöser Auseinandersetzungen kann dann als Ergebnis der Ausschaltung des religiösen Faktors in der Politik gelesen werden. Eine solche Perspektive besitzt eine hohe Plausibilität angesichts der Religionskriege des 16. und 17. Jahrhunderts, in denen sich die grossen Kirchen als unfähig zur friedlichen Konfliktregelung erwiesen und in den Traditionen einer religionskritischen, zumindest aber kirchenkritischen Philosophie auf Zuspruch trafen. Der Humanismus der Frühen Neuzeit war für die Geschichte der Grundrechte in dieser Deutungstradition wichtiger als das Neue Testament. Doch diese Perspektive ist auch umstritten. Denn ebenso klar ist, dass sich die Toleranzdebatten in einer christlich geprägten Kultur vollzogen respektive sich christlicher Ideen bedienten (ohne dass damit die Frage nach kausalen Wirkungen vorab beantwortet wäre)[1] und dass christliche Dissenter eine wichtige Rolle bei der Konzeption und Einforderung von Toleranz spielten.[2] Nicht zuletzt steht die These zur Diskussion, dass die Grammatik des europäischen Verfassungsrechtes unter Einschluss der Grundrechte christlich geprägt sei.[3] Derartige Konzepte, sowohl nichtchristliche als auch christliche Rekonstruktionen der Toleranzgeschichte, besitzen drei Schwachstellen: Sie sind eng ideengeschichtlich ausgerichtet, reduzieren ein komplexes Wechselverhältnis auf einen binären Antagonismus, und ihnen fehlt eine kulturkomparative Perspektive, die im globalen Kontext das Spezifikum einer europäischen Entwicklung ausweisen würde.

Demgegenüber verklammert der folgende Beitrag eine ideen- und sozialgeschichtliche Perspektive und formuliert die These, dass die Geschichte des Toleranzkonzeptes in Europa und seiner globalen Ausbreitung konstitutiv mit der Christentumsgeschichte verbunden ist. Ausgangspunkt der Argumentation ist die Konzeption einer Religionszugehörigkeit, die über Entscheidung und nicht über gentile oder familiäre Tradierung zustande kommt. Sie wurde seit der Spätantike durch das Christentum nicht erfunden, aber etabliert und hat das Verständnis von Religion tiefgreifend verändert, es in wichtigen Elementen überhaupt erst konstituiert. Eine solche

1 Forst, Toleranz im Konflikt.

2 Exemplarisch zu William Penn siehe Forst, Toleranz im Konflikt, 273–275.

3 Stein, Himmlische Quellen und irdisches Recht.

Entscheidungskonzeption begründete die Möglichkeit, sich frei für eine Religion zu entscheiden, führte aber zugleich zu Konflikten, weil Entscheidungen Konkurrenzen zwischen Religionen generieren. Verschärfend wirkte dabei ein Theologumenon, das mit der Christentumsgeschichte zu hegemonialer Bedeutung aufstieg, nämlich der Anspruch auf die Exklusivität einer Entscheidung. Dass in dieser exklusiven Zugehörigkeit aufgrund von Entscheidung ein Spezifikum der Christentumsgeschichte liegt, wird im Vergleich mit Religionen klar, die religiöse Praxis und in diesem Kontext Zugehörigkeit über familiäre oder soziale Kontexte, etwa über eine Ethnie oder eine Polis, tradieren. Bei derartigen Vergleichen stehen nicht die Beispiele im Zentrum, sondern der Versuch, strukturelle Merkmale in der Grammatik von Religionen und deren Konsequenzen zu beschreiben. Von besonderem Interesse sind dabei nichtchristliche Religionen, bei denen sich durch eine besondere Nähe oder eine besondere Distanz zur Entscheidungskonzeption des Christentums Konflikte ergeben. Deshalb thematisiere ich den «Hinduismus», für den das Zusammenleben mit entscheidungsbasierten Religionen Auseinandersetzungen generiert, und den Buddhismus, bei dem durch den Eintritt in den Sangha eine Zugehörigkeit durch Entscheidung hergestellt wird. Das heute konfliktträchtige Beispiel des Islam hingegen bleibt in diesen Überlegungen ausgespart und kommt in separaten Überlegungen zu aktuellen politischen Konsequenzen zur Sprache.[4] Dass es sich bei dieser Rede von Religionen im Singular um reduktive Konstrukte handelt, ist klar und als Tertium comparationis dem komparativen Ansatz geschuldet.

Letztlich steht die Frage zur Debatte, ob oder in welchem Ausmass die diesen Band leitende Frage nach Legitimitätsstrukturen eine «neutrale» Frage ist oder wie weit in ihr Wertungen stecken. Ich vertrete die These, dass zumindest in der im Folgenden thematisierten Problematik, der legislativen Ausgestaltung von Toleranzkonzepten, bereits kulturrelative Faktoren die Legitimation der Toleranzpraxis prägen.

1. Religion zwischen Tradition und Entscheidung

Religiöse Zugehörigkeit wurde in der Antike üblicherweise im Rahmen eines durch Geburt oder gemeinsame soziale Merkmale gekennzeichneten

4 Siehe Zander, «Religionsfreiheit im Rahmen der Verfassung – ein Assimilationsprojekt?», in: Pfleiderer, Heit, Religions-Politik II, Zürich 2012, 127–152.

Verbandes «vererbt». Man teilte mit seinen Verwandten oder den Mitbewohnern einer Polis die Religion der «Väter», verehrte deren Götter und praktizierte deren Riten. Demgegenüber brach das Christentum mit der Verbindlichkeit der tradierten Religion, indem Christen mit der «Bekehrung» zumindest in der Theorie die weltanschauliche Orientierung und dann auch den Sozialverband wechselten.[5] Das polytheistische Pantheon wurde durch eine monotheistische Konzeption ersetzt und – dies ist wiederum eine entscheidende Eingrenzung gegenüber den paganen Monotheismen – mit dem Anspruch auf exklusive Geltung, auf eine exklusive Entscheidung für das Christentum aufgeladen.[6]

Dieses monotheistische Programm war ein zentrales Moment des jüdischen Erbes im Christentum. Auch für das damit verbundene Element der Entscheidung finden sich Vorprägungen im Judentum. Vermutlich seit der Hasmonäerzeit kamen vermehrt Proselyten zum Judentum, woraus sich ein abgestuftes Feld von Zugehörigkeitsoptionen entwickelte, das von Nachahmern ohne Kontakt mit dem Judentum über Sympathisanten mit Kontakt zu einer Gemeinde bis zu «Konvertiten», die regelrecht eintraten, reichen konnte.[7] Allerdings wurde der soziale Status der Neuchristen kategorial anders als im Judentum bestimmt, wo sich die Frage, welchen Status die Proselyten haben sollten, zu einer Dauerdebatte über die «Identität» gentiler und kultureller Juden entwickelte. Dabei blieben Proselyten Juden zweiter Klasse, sie wurden durch ihren Eintritt nicht zu gleichberechtigten Mitgliedern.[8]

Vom Judentum hatte das Christentum auch den polemischen Umgang mit dem antiken «Polytheismus» übernommen, um diesen spätantiken, schnell zum Kampfbegriff gewordenen Terminus[9] beizubehalten, der sich erst in dem Augenblick, da der Monotheismus hegemonial und die Religionslandschaft binär in Mono- und Polytheisten codiert wurde, als Kollektivsingular einbürgerte. Der religionshistorische Befund ergibt demgegenüber ein äusserst vielgestaltiges Bild «des» Polytheismus. So ist das Pan-

5 Vgl. Nock, Conversion, und Bardy, Conversion au Christianisme. Knapp North, The Development of Religious Pluralism, und Lieu, Neither Jew Nor Greek.

6 Zum Polytheismus siehe Kratz/Spieckermann, Götterbilder, Gottesbilder, Weltbilder, hier bes. Bendlin, Nicht der Eine, nicht die Vielen. Für die Spätantike: siehe Athanassiadi/Frede, Pagan Montheism in Late Antiquity, und Mitchell/van Nuffelen, One God.

7 Wander, Gottesfürchtige und Sympathisanten, 212–214, 229, 233 et passim.

8 Walzer, The Jewish Political Tradition; Porton, The Stranger within Your Gates.

9 Lanczkowski, Polytheismus, 1087. Zur erneuten polemischen Nutzung seit dem 16. Jahrhundert siehe Bendlin, Nicht der Eine, nicht die Vielen, 283.

theon eine Konstruktion aus der Aussenperspektive, an deren Stelle man besser von «Panthea» spricht, die regional oder gentil konstruiert waren.[10] Dabei handelte es sich jedoch nicht um abgeschottete Ensembles, vielmehr konnten die Anhänger unterschiedlicher Götter und Göttinnen in unterschiedlichen Panthea die jeweiligen Gottheiten im Modell der «interpretatio» (bei der beispielsweise der griechische Zeus als römischer Jupiter gedeutet werden konnte) zueinander in Beziehung setzen. Doch diese Differenzierungen überdecken die Probleme der Konstruktionslogik einer *interpretatio* – geht es um Überblendung oder Identifikation, um Übersetzung oder Hybridisierung? Auch «die» *interpretatio* ist ein künstlicher Kollektivsingular.[11] Derartige Relationierungen von Göttertraditionen sind vor dem Hintergrund einer durch Migration und interkulturelle Verbindungen dynamisierten antiken Religionsgeschichte zu lesen, in der sowohl tradierte Polisreligionen als auch migrierende Religionen schnellen Veränderungsprozessen unterworfen waren und in der neue Zugehörigkeitsmodelle generiert wurden, in denen Entscheidungs- respektive Wahlmöglichkeiten eine immer grössere Rolle spielten.[12] Von den damit verbundenen Konflikten blieben auch polytheistische Systeme nicht verschont. Man findet Hierarchisierungs- und Selektionsprozesse, etwa in Rom im Beschluss zur Kontrolle der Bacchanalien im Jahr 186 v. Chr.[13] oder im zeitweiligen Verbot des Druidentums Mitte des ersten Jahrhunderts nach Christus.[14]

Für das Christentum sind dabei vor allem die Mysterienkulte von Interesse, da die Interferenzen mit dem entstehenden Christentum im Neuen Testament sichtbar sind. Auch in Mysterienvereinen war die Zugehörigkeit nicht durch Tradition gegeben, sondern vollzog sich im Rahmen von Eintritts- und Aufstiegsritualen.[15] Diese Zugangsregelung dürfte jedoch nicht zur Auflösung ethnischer oder sozialer Substrukturen geführt haben, jedenfalls dokumentieren archäologische Befunde, dass Mysterienkulte traditionale ethnische Bindungen durch die Rekrutierung von Mitgliedern aus einem bestimmten Herkunftsgebiet reproduzieren konnten.[16] Solche zielgruppenspezifischen Konstitutionsfaktoren dürften mit ein Grund dafür

10 Bendlin, Nicht der Eine, nicht die Vielen, 288–296.

11 Ando, Interpretatio romana.

12 Auffarth, Religio migrans.

13 Bendlin, Eine Zusammenkunft um der religio willen ist erlaubt …?, 85–88; Cancik-Lindemaier, Der Diskurs Religion im Senatsbeschluss über die Bacchanalia.

14 Maier, Die Kelten, 79.

15 Auffarth, Mysterien.

16 Steuernagel, Kult und Alltag in römischen Hafenstädten, 251.

sein, dass eine konfliktreiche Konkurrenz der unterschiedlichen Mysterienkulte nicht belegbar ist.[17]

Schliesslich ist hinsichtlich der Entscheidungsdimension noch von Bedeutung, dass zur Pluralität der polytheistischen Panthea auch pagane Monotheismen gehörten, in einem weiten Spektrum zwischen Monolatrie (der Verehrung nur eines Gottes in einem polytheistischen Pantheon), Henotheismus (der Verehrung nur eines Gottes innerhalb einer Ethnie oder Gruppe) und einem absoluten und exklusiven Monotheismus, wie ihn Judentum und Christentum beanspruchten, wobei all diese im 19. Jahrhundert geprägten Termini das Feld fluider Übergänge in analytischer Absicht vereindeutigen. Allerdings teilten pagane Monotheisten den Anspruch auf Exklusivität nicht. Sie konnten vielmehr den christlichen Monotheismus integrieren, wie es etwa diejenigen taten, die in der «Historia Augusta» Kaiser Alexander Severus (reg. 222–235) kontrafaktisch unterstellten, er habe Christus in seiner Hauskapelle verehrt, und die glaubten, Kaiser Hadrian habe Christus in den Kreis der Götter aufnehmen wollen.[18] Derartige Beobachtungen machen klar, dass die Soziologie der Entscheidung und die Theologie des Monotheismus notwendige, aber keine ausreichenden Bedingungen sind, um die Eigenheit der christlichen Position in der Spätantike zu kennzeichnen. Erst im Verein mit dem aus dem Judentum übernommenen Abgrenzungsanspruch sprengte das Christentum die religiöse Praxis seiner Umfeldreligionen – ob als «evolutionäres» Produkt des Polytheismus oder als Systembruch, bleibe dahingestellt.[19]

Die Neuordnung des religiösen Feldes durch das Christentum konnte integrativ erfolgen, etwa durch die Theologie des «spermatikos logos», die in der paganen Philosophie, namentlich in der platonischen Tradition, eine «praeparatio evangelica» sah,[20] oder ausgrenzend, etwa im Topos der Dämonisierung der antiken Götter,[21] wie sie Ambrosius von Mailand in der Auseinandersetzung mit Symmachus um den Victoria-Altar dokumentierte,

17 Engster, Konkurrenz oder Nebeneinander, 574f.

18 Lampridius, Vita Severi Alexandri (Historia Augusta) 29,2; 45,3. Zur Fiktionalität dieser Zuschreibung siehe Merten/Rösger, Historia Augusta, XXII und 507f.

19 Prononciert formuliert die prinzipiellen Differenzen etwa Hornung, Der Eine und die Vielen, 239f. Siehe dazu Kratz/Spieckermann, Einleitung, IX–XIX und XVIIIf. Hinsichtlich der Folgekosten des Monotheismus, der Freisetzung von Gewalt, vgl. die Debatte im Gefolge des Buches von Mitchell/van Nuffelen, One God.

20 Ivánka, Plato christianus.

21 Woyke, Das Bekenntnis zum einzig allwirksamen Gott und Herrn und die Dämonisierung von Fremdkulten.

als er «den Gott der Christen» als den «allein wahren Gott» bezeichnete, «denn ‹die Götter der Heiden sind Dämonen›, wie die Heilige Schrift sagt›».[22] Letztlich ging von diesem Faktorenbündel eine tiefgreifende und nachhaltige Veränderung der polytheistischen Welt der Antike aus, in der eine im Prinzip häreditäre Konzeption polytheistischer Praxis durch ein Modell entschiedener und exklusiver Zugehörigkeit im Rahmen eines Monotheismus ersetzt wurde. Nochmals anders formuliert:[23] Religiöse Pluralität wurde nicht mehr additiv, wie im Polytheismus, sondern alternativ organisiert, die Logik der Ordnung des Feldes war nicht mehr kumulativ, sondern exklusiv.

2. Lebensweltliche Ambivalenz einer theologisch geforderten Entscheidung

2.1 Sozialstrukturelle Faktoren

Diese Perspektive auf das Syndrom von Entscheidung, Monotheismus und Exklusivität ist eine theoriegeleitet konzipierte Matrix, die eine komplexe Realität in analytischer Absicht reduziert. Gerade für eine politische Fragestellung ist das Verhältnis von (ex post) konstruierter Theorie und der mit beträchtlichen Quellenproblemen rekonstruierten spätantiken lebensweltlichen in der Praxis von hoher Bedeutung, weil die Historiografie in dieser Spannung eine Vielzahl von Handlungsoptionen identifiziert hat. Ideengeschichte und Sozialgeschichte bilden zwar ein kommunizierendes System, aber eben doch in zwei Röhren. Ich nenne im Folgenden vier Felder, in denen die Differenz zwischen Theorie und Praxis die Bedingungen, Möglichkeiten und Grenzen der Durchsetzung des Konzeptes entschiedener Zugehörigkeit dokumentiert, die strukturell bis heute die religionspolitische Agenda bestimmen.

a) Sozialverband und Individuum

Die Entscheidung, «Häuser oder Brüder, Schwestern, Vater, Mutter, Kinder oder Äcker [zu] verlassen», wie sie als Forderung Jesu bei Matthäus überliefert wird (Mt 19,29), also seinen Sozialverband aufzugeben, war in der Antike ein prekäres Ansinnen. Denn wer die Religion seiner «familia» (also die [Haus-]Gemeinschaft), Ethnie oder Polis verliess, trennte sich nicht nur

22 Ambrosius, Dii enim gentium daemonia, Brief 17,1, mit Bezug auf Ps 96,5.

23 Vgl. Bonnet, Repenser les religions orientales, 8.

von seiner Herkunftsreligion, sondern auch von seinem sozialen Netz. Ernährung und Unterkunft, Hilfe bei Unfällen oder Geburten, Schutz vor Armut oder Gewalt, Beistand bei Gebrechlichkeit und im Alter, das angemessene Begräbnis und die Feier der religiösen Riten, all dies und noch sehr viel mehr war ohne die «familia» oder die Sippe nicht denkbar. Erst der Nationalstaat mit der radikalen Entmachtung subsidiärer gesellschaftlicher Strukturen und der kompensatorischen Entwicklung von Sozialversicherungssystemen schuf die Vorraussetzungen, die im antiken Christentum postulierte Möglichkeit der Zugehörigkeit durch Entscheidung auch individuell zu realisieren.

Vor diesem Hintergrund ist es nicht verwunderlich, dass die Verbreitung des Christentums über Jahrhunderte mehrheitlich nicht durch individuelle Entscheidung, sondern im Rahmen von Gruppen erfolgte. Schon im Neuen Testament ist von Übertritten ganzer «Häuser» die Rede,[24] und lokale Untersuchungen zur Geschichte des frühen Christentums, etwa für Rom, bestätigen die zentrale Rolle solcher sozialer Einheiten beim Religionswechsel.[25] Vor diesem Hintergrund ist der relativ schnelle Aufbau alternativer Strukturen zur Sozialversorgung in christlichen Gemeinden zu sehen, etwa hinsichtlich der Versorgung von Witwen.[26] Auch die neueren Forschungen zur Geschichte der Ausbreitung des Christentums bis ins vierte Jahrhundert[27] oder zur Christianisierung der «Germanen» seit der Spätantike[28] dokumentieren vielfältige Motive im Rahmen der engen Verbindung von sozialem Netz und Übertritt ins Christentum. Die Untersuchungen belegen jedoch zugleich, dass das Bild einer entscheidungsfreien Massenkonversion seinerseits ein reduktives Konstrukt ist. Es gab immer wieder Einzelne, oft besonders wichtige Personen, die zum Christentum übertraten. Sie konnten sich aus ihrem Sozialverband verabschieden, aber es gab auch individuelle Übertritte, bei denen man nicht mit den Herkunftsstrukturen brach. Gleichwohl: Der Anspruch auf eine freie, individuelle Entscheidung und die Möglichkeit, dies auch sozial umzusetzen, klafften über fast zwei Jahrtausende weit auseinander. Die gegenwärtigen Konflikte in der Auseinandersetzung um die Religionsfreiheit sind in ihrer Schärfe nicht zu verstehen, zieht man nicht die Möglichkeit ihrer sozialen Durch-

24 1Kor 1,16; Apg 16,15.31–33; Apg 18,8.

25 Lampe, Die stadtrömischen Christen.

26 Apg 6,1–3; 1Tim 5,14–16 ; vgl. Lieu, Christian Identity, 309.

27 Reinbold, Propaganda und Mission im ältesten Christentum.

28 König, Bekehrungsmotive.

setzung in Betracht, die der neuzeitliche Staat im Rahmen des National- und Wohlfahrtsstaats bietet und die durch individuelle Übertritte oder einfach Austritte die Sozialstruktur von Migrantengruppen gefährden.

b) Verein

Die Überführung des Theologumenon der Entscheidung in eine soziale Struktur könnten die frühen Christen mithilfe freier Assoziationen, von «Vereinen», organisiert haben.[29] Diese im Lateinischen «collegia», im Griechischen meist «Orgeones» oder «Thiasoi» genannten Vereinigungen waren keine Erfindung des Christentums, sondern zur Zeit seiner Entstehung weit verbreitet, wobei sie im Osten und Westen des Römischen Reiches sozial und rechtlich sehr unterschiedlich organisiert und im Verlauf ihrer Geschichte beträchtlichen Wandlungen unterworfen waren.[30] Entscheidend war für eine intentional nichtethnische Gemeinschaft wie das Christentum, dass damit eine Vergemeinschaftungsform zur Verfügung stand, in der Mitgliedschaft und Entscheidung im Prinzip ohne Rückgriff auf traditionale Sozialstruktur organisierbar waren.

Die Forschung hat intensiv nach strukturellen Ähnlichkeiten oder Unterschieden zwischen paganen und christlichen Vereinen gefahndet. Ich greife exemplarisch auf eine Untersuchung von Eva Ebel zurück, die zwei pagane Kultvereine mit Blick auf die paulinischen Gemeinden in Korinth untersucht hat: die in Lanuvium im italischen Latium beheimateten «Cultores Dianae et Antinoi» und die Athener Iobakchen, die beide parallel zum frühen Christentum aktiv waren.[31] Unter dem Vorbehalt einer schwierigen Quellenlage kann man Gemeinsamkeiten identifizieren: die freie Entscheidung über die Mitgliedschaft, tendenziell partizipative Organisationsformen, die Wertschätzung persönlicher Nähe, das gemeinsam eingenommene Mahl und andere geschwisterliche Aktivitäten (in vielen Vereinen die Totensorge) sowie eine gemeinsame Kassenführung. Daneben lassen sich Spezifika christlicher Vereine identifizieren:

29 Meeks, Die soziale Welt des Urchristentums.

30 Poland, Geschichte des griechischen Vereinswesens; Kloppenberg/Wilson, Voluntary Associations in the Graeco-Roman World; Egelhaaf-Gaiser, Religiöse Vereine in der römischen Antike; Harland, Associations, Synagogues, and Congregations; Rüpke, Die Religion der Römer, 199–207.

31 Ebel, Die Attraktivität früher christlicher Gemeinden.

- ein monotheistischer Wahrheitsanspruch, den das entstehende Christentum mit dem Judentum teilte und der in der Theorie Mehrfachmitgliedschaften ausschloss;
- verschärfte Aussengrenzen, indem sie ihrer Neuorganisation eine sakrale Legitimation gaben (ihre Mitglieder etwa wurden «heilig» genannt) und sich einen neuen Begriff, den der «Ekklesia» (Kirche), zulegten.
- Sie besassen eine schichtenübergreifende Sozialstruktur, die in ihrem Ausmass weit über vergleichbare Inklusionsprozesse in paganen Vereinen hinausging: grundsätzliche Aufnahme von Sklaven, die man egalitär behandeln sollte, sowie von Frauen, die nicht nur in Abhängigkeit von Männern teilnehmen konnten. Die Anrede als Brüder und Schwestern dürfte dabei eine Innovation christlicher Vereinigungen gewesen sein.
- Die Forderung nach Egalität im Rahmen familialer Strukturen. Insbesondere die Mahlgemeinschaft, die keine Gemeinschaft, auch keine reichere, so häufig anbot wie die Christen, wurde entgrenzt, für Arme war die Teilnahme am gemeinsamen Tisch kostenlos.
- Inklusion von Bildung für eine breite Schicht von Mitgliedern.
- Vor allem mit dem Judentum schliesslich teilte das Christentum die Unterscheidung von anderen Vereinen aufgrund religiöser Spezifika, ersetzte aber Speisegebote und Beschneidung durch theologische und nicht zuletzt ethische Kriterien.

Allerdings wissen wir über die Organisationspraktiken christlicher Gemeinden in den ersten beiden Jahrhunderten nur rudimentär Bescheid. Möglicherweise überschätzt man den Verein als Organisationsform einer auf Freiwilligkeit abgestellten Entscheidung zum Christentum. Jedenfalls etablierten sich spätestens am Ende des zweiten Jahrhunderts hierarchische Gemeindestrukturen mit einer Leitung durch einen «Aufseher»/«Episcopus» («Bischof»). Dieser Prozess, der schon in den Pastoralbriefen des Neuen Testaments im 2. Jahrhundert fassbar ist, setzte sich mit dem Aufstieg des Christentums zur Staatsreligion durch. Die hierarchische Kirche, nicht der egalitäre Verein, wurde zu einem Erfolgsmodell: Von Verwaltungsstrukturen bis zur Gestaltung der Caritas bildeten die von Bischöfen geleiteten Gemeinden im untergehenden Römischen Reich eine verbleibende funktionierende Struktur. Ein wesentliches Merkmal des Vereins blieb allerdings auch in diesen neuen Gemeindestrukturen erhalten: In der Konzeption – immer häufiger nicht aber in der Praxis – sollte eine Mitgliedschaft freiwillig sein und auf einer Entscheidung beruhen.

Dieses Element einer assoziativen Gruppenbildung blieb der lateinischen Christenheit als Option für eine Vergemeinschaftung erhalten. Ihre nachantike Geschichte ist komplex und war hinsichtlich ihrer konkreten Entwicklungsgeschichte in der Wissenschaft umstritten. Aber es gibt gute Gründe anzunehmen, dass damit von Klöstern über Bruderschaften bis hin zu dissentierenden Gemeinschaften, vor allem aber in den kommunalen Partizipationsstrukturen der mittelalterlichen Städte[32] ein Modell zur Verfügung stand, das für die Geschichte religiöser und nichtreligiöser Assoziationen in Europa wichtig wurde. Die kontroverse aktuelle Debatte, ob sich andere Religionen wie der Islam ebenfalls nach dem Modell eines bürgerlichen Vereins organisieren könnten, hat in dieser Geschichte einer auch religiösen Legitimationsgeschichte von freiwilligen Vereinigungen (und nicht nur in einem anderen Verhältnis von Staat und Religion) eine Wurzel.

c) Entscheidung zwischen theoretischer Forderung und praktischer Irrelevanz

In der Geschichte des Christentums kam das Postulat freier Entscheidung schon in der Spätantike von zwei Seiten unter Druck: Zum einen theologisch, weil nach der Hinwendung zum «wahren» Gott jede neue Entscheidung für eine andere Religion (die Entscheidung zu einer religionslosen Existenz hatte es in der Antike faktisch nur extrem selten gegeben) als «Abfall» zu «falschen» Göttern oder eben Dämonen gedeutet wurde. Zum anderen wurde religiöse Homogenität gerade in der europäischen Geschichte immer wieder als notwendiges Korrelat von ethnischer oder in der Neuzeit staatlicher Identität betrachtet, so dass Differenz auf der Grundlage einer persönlichen Entscheidung keinen politischen Raum mehr besass. Von den arianisch-katholischen Auseinandersetzungen in der Spätantike über die Konfessionalisierung des lateinischen Europa in der Frühen Neuzeit bis zur Symbiose von Nation und Konfession im 19. und 20. Jahrhundert zieht sich eine lange Geschichte der Fusion von Macht und Religion, die die Freiheit der Entscheidung in der Praxis zu einer Residualkategorie werden liessen – wenn diese Möglichkeit denn überhaupt bestand. Erst in den neuzeitlichen Debatten um Toleranz,[33] schliesslich in der Trennung von Staat und Kirche in den Verfassungen seit dem 19. Jahrhundert und der damit verbundenen gesetzlich garantierten Vereinigungs- und Religionsfreiheit kam es wieder zu einer effektiv realisierbaren Entscheidungsfreiheit in Religionsangelegenheiten.

32 Blickle, Kommunalismus.

33 Forst, Toleranz im Konflikt.

Diese Geschichte der zunehmenden Realisierbarkeit einer religiösen Entscheidung ist allerdings nicht ausreichend mit kulturellen Vektoren zu beschreiben, die nur in eine Richtung weisen, in diejenige einer zunehmenden Unterscheidung von Religion und Politik und schliesslich der Säkularisierung, und sicher nicht als lineare oder gar evolutionäre Entwicklung. Vielmehr war die Geschichte von Religion und Politik im mediterranen Raum und im lateinischen Europa ein Ergebnis wechselseitiger Austauschprozesse. Auf der einen Seite gab es (wenn man aus analytischen Gründen das immer osmotische Verhältnis von Religion und weltlicher Macht trennt) die gerade genannten Versuche von religiöser und weltlicher Seite, Entscheidungsfreiheit zu kassieren. Alle drei grossen monotheistischen Religionen des Mittelmeerraumes kennen eine lange Geschichte der Ächtung des Religionswechsels,[34] die immer dann, wenn Religionen einen hegemonialen Status erreichten, auch zur Hinrichtung von «Apostaten» führte und die im lateinischen Europa zudem eine in der Christentumsgeschichte ungewöhnlich massive Verfolgung von «Ketzern» beinhaltete.[35]

Auf der anderen Seite konnten sowohl religiöse als auch weltliche Akteure genau gegenteilig handeln. Da gab es christlicherseits die Dissenter, die von den Spiritualen des Mittelalters über die Reformatoren und nicht zuletzt die protestantischen Vertreter einer «radikalen» Reformation bis zu den Freigeistern des 18. und 19. Jahrhunderts reichten, die gegen die hegemonialen Kirchen (und solange sie in der Minderheit waren) eine freie Entscheidung einforderten. Aber auch in den «Grosskirchen» blieben Sedimente der Forderung nach freier Entscheidung erhalten, etwa die Forderung nach katechetischer Unterweisung, die den Eintritt in das Christentum als einen kognitiven Bildungsprozess verstand, der mit dem Implikat, dass man auch anders wählen könne, Entscheidungsmöglichkeiten generierte. Die Katechese verlor zwar mit der Durchsetzung der Kindertaufe an Relevanz, wurde aber nie eliminiert und verblieb als Stachel im Fleisch eines

34 Exemplarische Belege: Zum rabbinischen Judentum siehe http://www.jewishencyclopedia.com/articles/1654-apostasy-and-apostates-from-judaism; zum Christentum siehe Thomas von Aquin, S. Th., II/II, q. 12, art. 2, (Deutsche Thomas-Ausgabe, Bd. 15, 253), und Thomas von Aquin, S. Th. II, q. 12, ad 1, obj. 2 (Deutsche Thomas-Ausgabe Bd. 9): «sollte irgendjemand am Grabe Mohameds ‹beten›, würde er einen Akt der Apostasie begehen»; zum Islam siehe Tellenbach, Die Apostasie im islamischen Recht; Friedmann, Tolerance and Coercion.

35 Oberste, Ketzerei und Inquisition im Mittelalter; Auffarth, Die Ketzer.

Christentums, das ohne individuelle Entscheidung tradiert werden konnte.[36] Schliesslich gab es weltliche Kräfte, die religiöse Entscheidungsfreiheit einfordern und durchsetzen konnten. Die Geschichte der Etablierung der Religionsfreiheit ist, wie einleitend angedeutet, eben auch als eine Geschichte der staatlichen Entmachtung der Kirchen im Blick auf die Definition einer Mitgliedschaft und vor dem Hintergrund brutaler Erfahrungen in den Religionskriegen im lateinischen Europa zu lesen. Dieses Bündel von teilweise gegenläufigen und asynchron verlaufenden Bestimmungen des Verhältnisses von Religion und Religionsfreiheit prägt heute nicht nur das europäische Rechtsverständnis, sondern über Regularien auf transnationaler Ebene, etwa der Menschenrechtscharta der Vereinten Nationen, auch die globale Religionspolitik.

d) Hybridität

Die christliche Literatur der Spätantike berichtet gerne von Übertritten ins Christentum, die einen radikalen Bruch mit den älteren, polytheistischen Überzeugungen implizieren. Aber wenn Menschen ihre Religion wechseln, legen sie ihre bisherige Weltanschauung nicht wie einen Mantel an der Garderobe der neuen Religion ab. Vielmehr hat die Forschung deutlich gemacht, dass Hybridisierungen die soziale Normalität der Religionsgeschichte, auch des Christentums, und nicht nur des frühen, bilden. Diese unter dem Stichwort «Hellenisierung des Christentums» schon lange geführte Debatte ist inzwischen dabei, durch eine Kulturgeschichte der Religionsgenese im Rahmen interkultureller Kontakte ersetzt zu werden. Dabei ist weniger mit Abgrenzungen, sondern eher mit unabschliessbaren Wechselbeziehungen und mit hybriden Theoriegebäuden und Praktiken zu rechnen, die durchlässige Grenzen und kombinatorische Restrukturierungen religiöser Vorstellungen implizieren.[37]

An biografischen Beispielen lässt sich dies pars pro toto illustrieren. Ein Bischof wie Pegasios von Illion, der im 4. Jahrhundert Bischof seiner Vaterstadt war, ehe er Priester in der Kultorganisation Kaiser Julians wurde, scheint nie den radikalen Bruch mit der Religion seiner Väter vollzogen zu haben.[38] Oder: Der grosse Wandbehang des 5. oder 6. Jahrhunderts aus

36 Exemplarisch dazu die Spannungen in der Taufkatechese im Karolingerreich, siehe Paul, Geschichte der christlichen Erziehung, Bd. 1, 169–171.

37 Piepenbrink, Antike und Christentum, 96–102; Gemeinhardt, Heilige, Halbchristen, Heiden.

38 Schöllgen, Pegasios Apostata.

einem ägyptischen Dionysos-Heiligtum, der in der Abegg-Stiftung in Riggisberg bei Bern verwahrt wird und von einem Christen als Grabtuch verwandt wurde, dokumentiert, dass dieser die paganen religiösen Traditionen aufgriff – wenngleich dabei unklar bleibt, ob er damit seine Anhänglichkeit an den Gott Dionysos ausdrückte oder ihn im Rahmen einer «interpretatio christiana» las.[39] Und: Die Übernahme der Ikonografie der Isis mit dem Horusknaben in die Darstellung der Maria mit dem Jesuskind zeigt,[40] in welchem Ausmass die Verschmelzung religiöser Traditionen bis ins «orthodoxe» Christentum hinein möglich war. Die hybride religiöse Praxis ist bis heute ein kategorial von den Forderungen einer theologischen Entscheidungstheorie verschiedenes Gelände, weil derartige Austauschprozesse und Übernahmen die Ansprüche der reinen Lehre relativieren und so die Konsequenzen einer Entscheidung verschleifen. Allerdings können Hybridisierungen auch konfliktverschärfend wirken, wenn sie etwa bei religiösen Funktionsträgern das Bewusstsein für dogmatisch klare Positionen schärfen und diese gegen hybride Vorstellungen oder Praktiken in Stellung bringen.

Derartige Hybridisierungen wurden in der Christentumsgeschichte stigmatisiert, insofern man sich scharf gegenüber anderen Religionen abgrenzte und man sich im hegemonial gewordenen Christentum als Abschluss einer Offenbarungsgeschichte verstand, die keine substanziellen Erweiterungen und damit Vermischungen vorsah. Die Geschichte des Begriffs Synkretismus steht exemplarisch für dieses Problem. Er wurde seit der Frühen Neuzeit pejorativ verwandt und stand auch der Religionswissenschaft als dogmatischer Begriff theologischer Provenienz nicht zur Verfügung.[41] Bis heute spielt bei der Anerkennung von religiösen Gemeinschaften die Frage des Verhältnisses zu den «orthodoxen», «reinen» Ausdrucksformen religiöser Traditionen eine Rolle: Die Zuordnung der «messianischen Juden» zum Judentum, der Anthroposophen zum Christentum oder der Bahai zum Islam produziert immer wieder aus theologischerseits abgelehnten Hybridisierungen gesellschaftliche und politische Konflikte. Dass Entscheidung und Hybridität sich in der Praxis nicht ausschliessen, ist eine Erkenntnis neueren Datums in religionspluralen Gesellschaften.

Die Regelung der Zugehörigkeit zu einer Religionsgemeinschaft durch Entscheidung kann, dies sollte mit diesen exemplarischen Überlegungen

39 Schrenk, Textilien des Mittelmeerraumes, 26–34.

40 Langener, Isis lactans.

41 Die Wiedereinführung des Synkretismusbegriffs als analytisches Werkzeug bei Sparn, Synkretismus; zur religionswissenschaftlichen Perspektive siehe Berner, Synkretismus.

deutlich werden, nicht ohne grosse Konsequenzen durch eine andere Zugehörigkeitsregelung ersetzt werden. Das Theologumenon der Entscheidung prägt die Ordnung des religiösen Feldes nicht nur hinsichtlich der Eintrittsregularien, sondern auch im Blick auf Bildungsansprüche und Ausbreitungsprozesse (wie in der Mission). Die Konsequenzen dieses Ansatzes betreffen inzwischen nicht mehr nur dominant christlich geprägte Kulturen, sondern haben durch die globale Expansion Europas seit dem Spätmittelalter und insbesondere seit dem Zeitalter des Imperialismus universale Konsequenzen. Eine Religionsdefinition, die über eindeutige Grenzen, freie Entscheidung und die Organisation von Religionen als funktional eigenständiger Sozialkörper funktioniert, ist dabei, sich weltweit zu verbreiten.

2.2 Exemplarische Sondierung: Religionsgespräche in der Reformation

Die Geschichte der gesellschaftlichen und politischen Durchsetzung der Konzeption einer entscheidungsbegründeten Mitgliedschaft und ihrer Konsequenzen ist ein noch ungeschriebenes Kapitel der Christentumsgeschichte. Klar ist schon nach den für die Antike skizzierten Prozessen, dass eine unmittelbare und sich eins zu eins in gesellschaftliche Praxis umsetzende Theorie nicht zu erwarten steht. Ideen sind Faktoren, die in Abhängigkeit von Möglichkeitsbedingungen die Lebenswelt beeinflussen können. Genau dies geschah in der Christentumsgeschichte. Man muss davon ausgehen, dass eine nachhaltige Entscheidung, die den Bruch mit dem sozialen Netz zur Bedingung und Konsequenz hatte, letztlich nur, wie skizziert, im Rahmen der Substitution des familiären Sozialgefüges etwa durch einen Verein oder schliesslich mit dem Sozialstaat seit dem 19. Jahrhundert möglich wurde. In den Jahrhunderten davor blieb das Ideal entschiedener Zugehörigkeit eine regulative Idee, die eine faktische sozial vererbte Religionszugehörigkeit als kontraintentionale Praxis in Frage stellen konnte.

Ein massiver Versuch, ein sozial vererbtes Christentum wieder auf Entscheidung umzustellen, war wohl die Reformation. Auch sie bedeutete in weiten Teilen keine freie Wahl, etwa wenn in der Fürstenreformation allenfalls dem Herrscher über das «cuius regio, eius religio» eine Entscheidung zugestanden wurde, die häufig allerdings keine religiös motivierte, sondern ein familienpragmatische oder machtpolitische war, in die persönliche Religionsüberzeugungen hineinspielen konnten, es aber nicht mussten.

Ein Beispiel, bei dem eine Entscheidung – gegen die alte und für die reformatorischen Kirche – zum Tragen kam, dürften die Dissenter der «linken» Reformation sein, die von ihrem Recht auf abweichende Überzeugungen Gebrauch machten und dafür einen teilweise hohen sozialen Preis entrichteten: auszuwandern, soziale Nachteile und manchmal auch den Tod auf sich zu nehmen, wie ihn etwa viele Täufer erlitten. Dass durchweg schon in der zweiten Generation die Religionszugehörigkeit im Rahmen der sozialen Gruppe weitergegeben wurde oder, wie im Münsteraner Täuferreich, Gewalt für die Stabilisierung einer konfessionellen Ausrichtung angewandt werden konnte, dokumentiert die prekäre soziale Grundlage dieser Entscheidungen.

Ein anderes Beispiel bildet die städtische Reformation, die nach einer revolutionären Phase Zugehörigkeit durch soziale Entscheidungen festlegte. Die meisten Städte im deutschsprachigen Raum etwa waren nach der Reformation wieder monokonfessionell und stellten diese Ausrichtung nicht zur Disposition. Eine solche Perspektive verdeckt jedoch den Blick auf die historisch bemerkenswerten Versuche, Entscheidung dann doch zu realisieren. Die Religionsgespräche von Städten im Alten Reich, die ihren Ursprung in universitären Disputationen hatten, sind dafür ein Indiz. Das grosse Vorbild waren diejenigen Zwinglis in Zürich im Januar und Oktober 1523.[42] Hier trafen reformatorische und altgläubige Theologen aufeinander, um über die «wahre» Kirche, insbesondere über die Geltung des Schriftprinzips und die Konsequenzen für die kirchlichen Ämter und letztlich über die Gestalt der Gemeinde zu beraten. Dies war eine innerchristliche, keine interreligiöse Debatte, wenngleich sich im rechtlichen Sprachgebrauch des 16. Jahrhunderts für die unterschiedlichen christlichen Denominationen der Begriff «religiones» einbürgerte. In dieser Zürcher Debatte lässt sich ein starkes Entscheidungsmoment in der schlichten Tatsache des Gesprächs, das eine Entscheidungsmöglichkeit unterstellte, identifizieren, sowie in der Frage, ob man für oder gegen die kirchliche Tradition sei – allerdings mit deutlichen Grenzen: Das Verfahren hatte oft weniger Ähnlichkeit mit einer akademischen Disputation als mit einer Gerichtsverhandlung, die zudem nicht das Ziel hatte, eine freie Entscheidung vorzubereiten, sondern die Reformation gegenüber der Tradition zu rechtfertigen.[43] Die Anwendung des Entscheidungsprinzips endete bei der Tauffrage allerdings auch gegenüber den Dissentern, konkret bei der Offenheit für die Alternative von Kindertaufe und Erwachsenentaufe. Felix Manz starb deshalb 1525 für seine Forderung nach der Erwachsenentaufe in der Zürcher

42 Moeller, Zwinglis Disputationen.
43 Moeller, Zwinglis Disputationen, Teil 2, 364.

Limmat. Schliesslich bedeutet die Entscheidung eine kollektive Entscheidung, in der der Mehrheitsentscheid gegen die Minderheit durchgesetzt wurde.

Ein zweites Beispiel, das Nürnberger Religionsgespräch von 1525, dokumentiert vergleichbare Freiräume und Grenzen.[44] Auch hier wurde die Reformation mit einem Religionsgespräch zwischen Theologen vorangetrieben und letztlich durchgesetzt, aber auch weniger eine Entscheidung als vielmehr ein Konsens in der Bürgerschaft angezielt.[45] Ein Indiz dafür war nicht nur das Verhalten (des schliesslich lutherischen) Theologen Osiander, der die Auseinandersetzung durchaus mit «Polemik» vorantrieb,[46] sondern letztlich das Handeln des Rates, der ein hohes Interesse daran hatte, die Einheit der Stadt zu wahren, bürgerkriegsähnliche Verhältnisse zu vermeiden und schlussendlich seinen Einfluss auf die kirchlichen Verhältnisse auszudehnen. Genau dies gelang, wie auch in Zürich. Die Kirche, über die sich der Rat in Nürnberg schon vor der Reformation weitgehende Kontrollrechte gesichert hatte,[47] wurde als eigenständige Grösse schrittweise entmachtet, gegen Dissenter ging Osiander scharf vor,[48] 1533 wurde das städtische Kirchenregiment in Nürnberg errichtet.

In Einzelfällen kam es auch zur Befragung der Bevölkerung, etwa 1531 in Esslingen. Von den Befragten stimmten fast alle für die Reformation, allerdings waren von den etwa 7500 Einwohnern nur 1076 Personen stimmberechtigt.[49] Die Mehrheit der Geistlichen jedenfalls, bei denen unklar ist, wie weit sie abstimmen durften, sprach sich in den Debatten gegen die Reformation aus.[50] Es ging allerdings auch in «diesen Disputationen nicht darum, eine gemeinsame Lösung zu finden, sondern durch die abweichende Meinung des Anderen die Gelegenheit zu bekommen, sich von diesem zu lösen».[51] An Ende stand in Esslingen nicht anders als in anderen

44 Zimmermann, Prediger der Freiheit, 112–148 .

45 Ebd., 114f.; Seebass, Stadt und Kirche in Nürnberg, 76f. In einer Stadt wie Hamburg dürfte die Offenheit der Disputation noch weniger gegeben gewesen sein. Sie wurde 1528 erst abgehalten, als die evangelische Bewegung so weit fortgeschritten war, dass deren Sieg für den Rat ausser Frage stand; so Postel, Die Reformation in Hamburg, 315.

46 Zimmermann, Prediger der Freiheit, 146.

47 Rublack, Forschungsbericht Stadt und Reformation, 21.

48 Seebass, Stadt und Kirche in Nürnberg, 78.

49 Schröder, Das Kirchenregiment der Reichsstadt Esslingen, 91.

50 Ebd., 93.

51 Ebd., 93. Vergleiche ähnliche Intentionen in Zürich: Moeller, Zwinglis Disputationen, Teil 2, 363.

Städten eine weltliche Herrschaft des städtischen Rates über die Kirche,[52] die Entscheidungsfreiheit nicht mehr tolerierte.

Im Hintergrund solcher Überlegungen steht die grundsätzliche Frage, in welchem Ausmass die Reformation und in dieser Perspektive die Freiheit zu einer religiösen Entscheidung ein von Ideen oder von sozialen Interessen gesteuerter Prozess war. Hinsichtlich der städtischen Reformation sah Bernd Moeller 1962 in einem «sakralgenossenschaftlichen Selbstverständnis der spätmittelalterlichen Stadt» und in einer «sakrale Ordnung» eine Grundlage, die der theologischen Ideenpolitik eine entscheidende Rolle zuwies.[53] Demgegenüber deutete Thomas A. Brady 1978 in einer Arbeit über Strassburg die städtische Reformation vorrangig als Ausdruck der Durchsetzung aristokratischer Interessen und rückte neben den innerstädtischen Konflikten die Auseinandersetzungen mit den Territorialherren ins Zentrum.[54] In jeder Variante ist die Bedeutung der städtischen Räte hoch anzusetzen,[55] denen es auch, aber wohl nicht primär, um die Lösung theologischer Fragen und um die Freiheit der Entscheidung in Heilsangelegenheiten ging, sondern um die Pazifizierung von Konflikten und um das politische Überleben ihrer Städte. Eine freie Entscheidung im Sinn heutiger Grundrechte gab es natürlich nicht – den Versuch, Freiräume zu erweitern, gleichwohl.

3. Interreligiöse Perspektiven

Der Verknüpfung einer Theologie der Entscheidung mit einer Geschichte religiöser Pluralität entspringen unter anderem zwei religionspolitische Fragen: Wie wird religiöse Pluralität in anderen Religionen organisiert? Und welchen Einfluss hat das christliche Modell auf andere Religionen in einer globalisierten Welt? Zur Beantwortung vergleiche ich zwei Religionen mit dem Christentum, den Hinduismus und den Buddhismus. Ein solcher Vergleich ist immer normativ, weil die Selektion eines Tertium comparationis perspektivisch erfolgt. Konkret: Die Fokussierung auf die Entscheidung als ein wichtiges oder gar zentrales Kriterium der Zugehörigkeit ist evidenterweise das Ergebnis einer christentumshistorischen Perspektive und analysiert andere Religionen mit Blick auf eine Frage, die für sie (möglicher-

52 Schröder, Das Kirchenregiment der Reichsstadt Esslingen, 92.

53 Moeller, Reichsstadt und Reformation, 15, 26.

54 Brady, Ruling Class, Regime and Reformation at Strasbourg.

55 Close, The Negotiated Reformation.

weise) weniger wichtig oder die gar nicht vorhanden ist. Allerdings ist diese Perspektivierung von Fragen unvermeidbar, wenn man nicht jeden Vergleich unmöglich machen will. Ein weiteres Problem bilden auch hier die hoch aggregierten Allgemeinbegriffe. «Den» Hinduismus oder «den» Buddhismus gibt es so wenig wie «das» Christentum. Und schliesslich beinhaltet jede Verwendung des Begriffs Religion auf den Hinduismus und den (frühen) Buddhismus die Gefahr, christentumsspezifische Merkmale auf eine ganz anders strukturierte religiöse Praxis zu übertragen, so dass man disparate Gegenstände, die sprichwörtlichen Äpfel und Birnen, miteinander vergleichen würde.

3.1 «Hinduismus»

Ein Beispiel dafür, wie das Theologumenon der Entscheidung als Kriterium der Zugehörigkeit zu einer religiösen Gemeinschaft Konflikte produzierte, insbesondere in dem Augenblick, als Religionsfreiheit rechtlich garantiert wurde, ist das Verhältnis des Christentums zu einer Religion, die klassisch als inklusiv und insofern als tolerant und wenig konfliktträchtig gilt: zum «Hinduismus» (einer intern pluralen Religionsfamilie unter einem von aussen konstruierten Kollektivsingular).[56] Als eines seiner zentralen Kennzeichen gilt die Zugehörigkeit durch Geburt, die einen «identifikatorischen Habitus» bildet[57] und weite Teile des Lebens von Hindus regelt oder zumindest nach dem Willen der brahmanischen Führungsschicht regeln sollte (etwa Kastenzugehörigkeit, Heiratsregelungen, Adoptionsfragen). Einen Traditionsbruch gab es nur auf der symbolischen Ebene durch eine zweite Geburt «in den Veda und aus dem Veda»[58] durch die Initiation im Rahmen des Erwachsenwerdens. Aber dieser Akt vollzog sich im Rahmen der Verwandtschaft und war zudem auf die drei höheren Stände sowie auf Männer beschränkt.[59] Zudem blieb die intensive Unterrichtung in den Veda ein brahmanisches Privileg, schon aufgrund der dazu benötigten komplexen memorativen Techniken.[60]

In Indien gibt es seit vielen Jahrzehnten Konflikte aufgrund der Übertritte von oftmals sozial benachteiligten Hindus oder von Mitgliedern triba-

56 Lorenzen, Who Invented Hinduism?

57 Michaels, Der Hinduismus, 19–36.

58 Ebd., 85; Scharfe, Education in Ancient India, 88.

59 Michaels, Der Hinduismus, 93f.

60 Scharfe, Education in Ancient India, 240–251.

ler Kulturen zum Christentum. Dieser Prozess hat inzwischen Auswirkungen auf der Ebene der Gesetzgebung, insoweit dort «Konversionen» reguliert werden. Derartige Regelungen fehlen in der indischen Bundesverfassung, die Religionsfreiheit, wenngleich unter Vorordnung der Verfassungsschranken in Gestalt sozialer Faktoren, insbesondere «subject to public order, morality and health», festschreibt.[61] Zwar hatte man in den 1940er Jahren Vorbehalte gegen eine schrankenlose Religionsfreiheit diskutiert, zum einen weil man fürchtete, eine freie Religionsausübung würde die Problematik von Unberührbaren, Kinderheirat, Polygamie oder Ungleichheit im Erbrecht verschärfen, weil diskriminierende Regelungen mit der Begründung der Religionsfreiheit eingefordert werden könnten, zum anderen weil man schon damals Konflikte aufgrund des Wirkens christlicher und buddhistischer Missionare fürchtete.[62] Gleichwohl hatte man schlussendlich konversionseinschränkende Regelungen für die Verfassung verworfen.[63]

Allerdings sind seit den 1950er Jahren in einer Vielzahl indischer Bundesstaaten Regelungen erlassen worden, die den Religionswechsel einschränken sollen. Beispielsweise wurde in Orissa in dem «Orissa Freedom of Religion Act» 1967 eine «Prohibition of forcible conversion», die seit 1989 rechtskräftig ist, niedergelegt:

> «No person shall convert or attempt to convert, either directly or otherwise, any person from one religious faith to another by the use of force or by inducement or by any fraudulent means nor shall any person abet any such conversion.»[64]

Mit dem Bezug auf Betrug und Verführung waren diese Einschränkungen auf der Ebene der Rechtssemantik als Vorkehrungen gegen Missbrauch ausgewiesen. De facto aber ging es um die missionarischen Aktivitäten vor allem des Christentums, näherhin, aber nicht nur, von protestantischen Gemeinschaften. Man vermutete nicht zuletzt eine Religionspropaganda durch wirtschaftliche Anreize unter den Kastenlosen und tribalen Gruppen.[65] Bis heute werden in Indien unter Berufung auf konversionsregulierende Vorschriften Menschen wegen gesetzwidriger Konversionen angeklagt.[66]

61 Constitution of India, 1950, Art. 25,1.

62 Das, Staat und Religion in Indien, 45f.

63 Ebd., 47.

64 Orissa Freedom of Religion Act, 1967, Art. 3.

65 In diesen Kontext gehören erhöhte Strafen für Minderjährige und Frauen; Orissa Freedom of Religion Act, 1967, Art. 4., die Anzeigepflicht von missionarischen Aktivitäten und die zum Teil stattfindende Benachteiligung von Konvertiten im Familienrecht.

66 14 arrested in Orissa for unlawful conversion.

Im Hintergrund aber steht mehr, nämlich der seit der Besetzung Indiens durch die Europäer wirkende Einfluss europäischer Vorstellungen. Konkret war der Hinduismus, eben weil man in ihn durch Geburt hineinwuchs und -wächst, keine Religion, die einen Religionswechsel im Sinne des Christentums durch eine exklusive Entscheidung kannte oder missionarische Aktivitäten entwickelte. Dadurch ergab sich ein asymmetrisches Verhältnis zum Christentum, das durch ein Menschenrecht auf Religionswechsel, so wie es in der Menschenrechtscharta der Vereinten Nationen aus dem Jahr 1948 niedergelegt war, noch verstärkt wurde. Angesichts eines strukturellen «Mangels», des Fehlens expansiver Praktiken im Hinduismus, der erst durch die Begegnung mit dem Christentum das Konzept eines Religionswechsels annahm, drohte das Christentum nachhaltige strategische Vorteile zu bekommen. Dies war für den Hinduismus eine neue Erfahrung, da man etwa die Expansion des Buddhismus in Indien durch eine langfristige Reassimilierung neutralisiert hatte.

Natürlich spielten bei den Konversionsregelungen der indischen Bundesverfassungen nicht nur religiöse Faktoren eine Rolle. Eine weitere Welle von Konversionsbeschränkungen in indischen Bundesstaaten seit den 1990er Jahren hat mit dem verstärkten Hindu-Nationalismus zu tun, bei dem sich «nationale» und religiöse Identitätsbildung im Umfeld der Konversionsfrage verschränken.

3.2 Buddhismus

Die Entstehung des Buddhismus wird vor dem Hintergrund der Kritik an der vedischen Ritualpraxis und im Kontext der Entstehung weiterer Asketengruppen im fünften vorchristlichen Jahrhundert gesehen. Der Buddhismus verstand sich in seiner Selbstwahrnehmung, der die westliche Forschung im Wesentlichen folgt, unter anderem als Reaktion auf die brahmanische Ritualpraxis, die durch das innere Erwachen abgelöst werden sollte. Dabei könnte es sich sozialstrukturell um Mitglieder einer gebildeten und mobilen Schicht gehandelt haben, etwa um Kaufleute, die sich damit von den ortsgebundenen vedischen Ritualen lösten,[67] aber die Ursprünge könnten auch regional zu verorten sein, im Gebiet von Magadha, wodurch der Konflikt mit der vedischen Religion als Ursache der Entstehung des Buddhismus relativiert würde.[68] Alle derartigen Rekonstruktionen stehen aller-

67 Bechert, The Dating of the Historical Buddha, Bd. 1, 61–131.

68 Bronkhorst, Greater Magadha.

dings unter dem Vorbehalt einer komplizierten Überlieferungsgeschichte, da die heute vorliegende Redaktion vieler buddhistischer Texte erst rund tausend Jahre später als die Gründungsphase auf das vierte oder fünfte nachchristliche Jahrhundert datiert wird.[69]

Im Blick auf die Frage nach einer Zugehörigkeit durch Entscheidung ist der Eintritt in den Sangha (ursprünglich: «Versammlung», heute oft: «Orden») relevant. Dies war eine Lehrer-Schüler-Gemeinschaft, in der die Mitgliedschaft der Entscheidung des Schülers und der Wahl respektive Zustimmung des Lehrers oblag. Eine zentrale Metapher umschreibt diesen Schritt als den Weg in die «Hauslosigkeit», und das bedeutete eine Ablösung vom familiären Umfeld und seinem religiösen Milieu. Dabei trat man in eine konkrete Gemeinschaft ein, in der man die Beichte ablegte,[70] und nicht in einen überregionalen Sangha. Auch ständische, rituell begründete Schranken, die in der vedischen Religion konstitutiv waren, fielen für die Bikkhus («Mönche») weg, denn die Mitgliedschaft war in der Theorie nicht an einen sozialen Status gebunden, und im Unterschied zu den Brahmanen war ihnen der Kontakt mit allen Menschen erlaubt, weil sie sich damit rituell nicht verunreinigten.[71] Wahrscheinlich stand schon zu Lebzeiten Buddhas auch Frauen die Mitgliedschaft im Sangha offen.

Viele überlieferte Erzählungen beschreiben den Übertritt in den Sangha als eine Zäsur. So kommt der Buddha beispielsweise in einer Erzählung, die brahmanische Opfertraditionen kritisiert, zu Uruvelâ Kassapa, dem Führer einer konkurrierenden Asketengruppe, der Gatilas, die aber auch vedische Rituale beachteten, und übernachtet bei ihm.[72] Der Buddha erweist sich bei mehreren Wundern als überlegen, so dass Kassapa und seine Anhänger entscheiden, sich der Lehre Buddhas anzuschliessen. Die Schärfe dieses Bruchs mit der vedischen Opferpraxis unterstreicht die Erzählung, indem sie berichtet, dass die Gatilas ihre Haare, die ihnen zur Ordination als («buddhistischen») Bikkhus abgeschnitten werden, sowie ihre Flechtbänder und die Ritualgeräte für das Agnihotra-Opfer in den Fluss werfen, wo sie andere Gatilas sehen und realisieren, dass sich eine Gruppe dem Buddha angeschlossen hat.[73] Diese Hierarchisierung von religiösen Traditionen dokumentiert auch eine andere, im Westen häufig verbreitete Erzählung, in

69 Schopen, Bones, Stones, and Buddhist Monks, 23–25.

70 Gombrich, Sinn und Aufgabe des Sangha, 80.

71 Zürcher, Buddhist Missions, 570.

72 Rhys Davids/Oldenberg, The Sacred Books of the East, Mâhavagga I,15,1f., 118f.

73 Rhys Davids/Oldenberg, The Sacred Books of the East Mâhavagga I,15,19f., 132f.

der Asketen als Blinde dargestellt werden. Sie berühren unterschiedliche Körperteile eines Elefanten – den Kopf, den Rüssel, das Schwanzende oder das Bein – und meinen, den gesamten Elefanten erkannt zu haben. Die wirkliche Erkenntnis wird jedoch dem König zugewiesen, der mit seinen gesunden Augen den ganzen Elefanten und damit die ganze Wahrheit sehe.[74] Die in dieser Geschichte sichtbar werdende Verbindung von Buddhismus und weltlicher Macht interessiert an dieser Stelle nicht, vielmehr geht es um die Aussageabsicht, dass mit dem Buddhismus auch ein anderen Religionen überlegenes Wissen korrespondiere, das eine Entscheidung ermögliche oder gar erfordere.

Solche Erzählungen legen die Identifikation struktureller Gemeinsamkeiten mit dem Christentum hinsichtlich eines freiwilligen Eintritts nahe. Sie betreffen auch die Probleme, diesen Schritt lebensweltlich zu realisieren. Es finden sich etwa Hinweise, dass die Unterscheidung vom brahmanischen Milieu nicht notwendigerweise einen völligen Bruch mit den Geburtstraditionen und keine exklusive buddhistische Praxis nach sich zog. Beispielsweise blieb die Zustimmung des Vaters zum Eintritt in den Sangha teilweise notwendig,[75] selbstverständlich brachten neue Bikkhus Überzeugungen ihrer Herkunftsreligion mit,[76] und das Zusammentreffen mit anderen religiösen Überzeugungen wird häufig, anders als bei dem wohl wenig vor Buddha wirkenden Mahavira und dem Jainismus, als konfliktreich beschrieben.[77] Auch im Buddhismus finden sich also trotz der Entscheidung für den Eintritt in den Sangha die fortbestehende Bedeutung familiärer Bindungen, das Problem der «synkretistischen» Verbindung unterschiedlicher Traditionen oder der Konflikte mit konkurrierenden Religionsgruppen.

Unterschiede gegenüber dem Christentum lassen sich aber an anderen Punkten beobachten. Ein Kernproblem betrifft die Frage, mit welchem Recht man den im lateinischen Europa in der Frühen Neuzeit geprägten Religionsbegriff auf «den» Buddhismus in seiner Gründungsphase beziehen darf. Im Zentrum dieses Problems steht das Verhältnis des Sangha zu dem (europäischen) Begriff des Buddhismus, denn letztlich sind nur die Bikkhus Buddhisten im Sinn eines europäischen Religionsbegriffs, weil die Upadikas

74 Pali-Kanon (Udana 6,4).

75 Scharfe, Education in Ancient India, 134; diese Regelung gilt teilweise bis heute, siehe Bunnag, Der Weg der Mönche und der Weg der Welt, 200.

76 Scharfe, Education in Ancient India, 139.

77 Dundas, Conversion to Jainism, 136, 141f., 143.

(«Laien») zumindest in der Theravada-Tradition in der Regel «nur» ein Netz von Unterstützern bilden. Sie spenden zwar den bettelnden Bikkhus Nahrung und sichern so deren Überleben ausserhalb einer Familie, aber für die Fortexistenz des Sangha als spiritueller Organisation haben sie keine Bedeutung.[78] Ein Buddhismus unter Einschluss der «Laien» dürfte eine spätere Entwicklung sein, vermutlich ein Ergebnis des Zusammentreffens von Buddhismus und Christentum seit dem 18. und 19. Jahrhundert.[79] Eine weitere Differenz betrifft die Bedeutung des Sangha für das religiöse «Heil», die Erlösung. Im Zentrum von Buddhas Weg stand das Erwachen, für das der Sangha als ein hilfreiches, aber nicht notwendiges Mittel galt, so dass etwa in der frühen Phase eine Erleuchtung auch ausserhalb des Sangha erlangt werden konnte, wie sie von Buddhas Vater berichtet wurde.[80] Eine Entscheidung für die Mitgliedschaft im Sangha war in dieser Perspektive weniger konstitutiv als die Entscheidung, Christ oder Mitglied einer christlichen Gemeinde oder Kirche zu werden. Schliesslich muss man Exklusivität als Konsequenz der Hinwendung zum Sangha mit einem Fragezeichen versehen: Zwar ist klar, dass eine Entscheidung für den Sangha gegen die vedische Ritualpraxis erfolgte und einen neuen Weg der Erlösung propagierte und dabei wiederum die Konkurrenz unter Abgrenzung gegenüber anderen Asketengruppen implizierte. Dies aber bedeutete in der Ausbreitungsgeschichte des Buddhismus keinen Verzicht auf die hybridisierende Integration oder die gewaltsame Bekämpfung anderer religiöser Traditionen.[81] Die Hybridisierung wiederum betraf, anders als im Christentum, nicht nur die pragmatische, lebensweltliche Ebene, sondern war auch in der Theorie akzeptiert, weil im Buddhismus an der Stelle des Gegensatzpaares Monotheismus versus Polytheismus die Spannung zwischen ritueller versus meditativer Erlösung leitend war.

Diese Mischung aus Ähnlichkeiten oder Unterschieden hat religionspolitische Konsequenzen. Denn auf der einen Seite bedient der Buddhismus mit der Entscheidung für den Eintritt in den Sangha Kriterien eines abgrenzenden europäischen Konzeptes von Religion, während er auf der

78 Bechert, Vorwort, 10; ders., Das Lieblingsvolk Buddhas, 184; differenzierter Freiberger/Kleine, Buddhismus, 302–307.

79 Blackburn, Buddhist Learning.

80 Gombrich, The Theravada Buddhism, 73.

81 Kollmar-Paulenz, The Buddhist Way into Tibet. Zum Problem der Gewaltanwendung vgl. das diesbezügliche Themenheft der «Zeitschrift für Religionswissenschaft», 11, 2003, Heft 2 (= 143–281).

anderen Seite durch einen weitgehend fehlenden Anspruch auf Exklusivität in neuzeitliche Toleranzmodelle integrierbar ist. Allerdings ist der Buddhismus im Rahmen einer globalisierten Religionsgeschichte dabei, zunehmend Merkmale einer in der Christentumsgeschichte entwickelten Organisationsform von Religion zu übernehmen, indem er etwa Laien sowohl in das Mitgliedschafts- als auch in das Entscheidungskonzept einbezieht.

4. Legitimität

In dem Augenblick, da unterschiedliche Kulturen, nicht zuletzt im Vergleich, aufeinandertreffen, werden Unterschiede in ihrem weitreichenden Ausmass oft erst sichtbar. Das betrifft auch die Frage der Legitimität von Toleranz, obwohl und vielleicht gerade weil Toleranz als Regelungsmechanismus religiöser Pluralität als unabdingbar gilt. Die in diesen komparativen Überlegungen aufgeworfene Frage lautet nicht: Wie müssen konkrete legale Regelungen religiöser Vielfalt unter der Vorgabe von Toleranz aussehen? Vielmehr heisst die Gretchenfrage: Warum gibt es überhaupt die Vorstellung, dass man die Legitimität eines Toleranzregiments begründen müsse und könne? Hinter dieser Frage steht diejenige, wieweit religiöse Toleranz als kulturell erzeugter Regelungsmechanismus zu betrachten sei.

Der Vergleich mit dem Hinduismus hat deutlich gemacht, dass die Toleranzforderung diese Kultur, deren Tradierung an generative Sozialstrukturen gebunden ist und keine «Entscheidung» für eine Religion, keine «Mission» und keine «Konversion» vorsieht, in ein asymmetrisches Verhältnis zum Christentum bringt, wo der Religionsbegriff im konzeptionellen Selbstverständnis an Entscheidung gebunden ist (wenngleich die Praxis, wie dargestellt, davon beträchtlich abweichen kann). Die Forderung, der Hinduismus möge ein ganz anderes strukturiertes Religionssystem wie das Christentum tolerieren, generiert Konflikte, weil der Hinduismus traditionell keine analogen Instrumente besitzt. Im hinduistischen Denken ist die Frage, wie man legale Festlegungen von Toleranz begründet, systemfremd, weil schon die Frage, warum Toleranz legitim sei, systemfremd ist. Natürlich gibt es auch im Hinduismus Auseinandersetzungen zwischen unterschiedlichen Traditionen, die Toleranzforderungen nötig machen können, aber die prinzipielle Entscheidungsforderung fehlt. Beim Buddhismus liegt die Sache insofern anders und ist dem Christentum ähnlich, als die Zugehörigkeit zum Sangha an Entscheidung geknüpft ist und, sofern der buddhistische Weg als höchste Form religiöser Praxis gilt, aufgrund dieses strukturellen Exklusivitätsanspruchs dann auch vergleichbare Toleranzprobleme hervorbringen kann.

Die Konsequenz derartiger Überlegungen lautet, dass kulturrelative Konzepte Zugehörigkeitsvorstellungen bis in den Religionsbegriff hin pfadabhängig regulieren und damit auch ein Derivat wie die Toleranzdebatte vorprägen. Der über Entscheidung und Mitgliedschaft und Exklusivität geprägte Religionsbegriff generiert politische Konsequenzen, obwohl er meist nicht Gegenstand religionspolitischer Debatten ist, weil die Weichenstellungen in der historischen Tiefengrammatik verborgen sind. Die christliche Tradition legitimiert eine Praxis, die anderen Religionen nicht nur in ihren Regelungsmechanismen, sondern in ihren Grundlagen fremd ist, sofern sie Mitgliedschaftsfragen so regeln, dass (institutionelle) Konkurrenzen nicht oder in einer Form entstehen, die die in Europa entworfenen Konzepte der Konfliktregelung durch Toleranzpatente nicht benötigt. Hierin kann man langfristige Wirkungen eines assoziativen Vergesellschaftungsmodells sehen, das zwar in der Antike entwickelt wurde, aber in der Christentumsgeschichte immer wieder in Konkurrenz zu etatistischen Modellen stand, die zumeist dominierten, allemal in der Ausbildung von Staaten in der Frühen Neuzeit.

In diesem Kontext ist nicht nur die Legalität von Toleranzregelungen, sondern bereits deren Legitimierung ein Problem – nicht, weil man Toleranz ablehnen würde, sondern weil das zu regelnde Problem, die auf Entscheidung beruhende, exklusive Mitgliedschaft, (so) nicht existiert. Erst im oszillierenden Wechselblick mit nichtchristlichen Kulturen wird klar, in welchem Ausmass die Christentumsgeschichte die Tiefengrammatik der Religionsneutralität des in der Neuzeit erfundenen «Staates» und seiner religionsrechtlichen Regelungen, die weit über tugendethische Toleranzforderungen hinausgehen, prägt: nicht nur hinsichtlich der Legalität, sondern auch der Legitimität der Toleranzregelungen.

Literatur

14 arrested in Orissa for unlawful conversion, in: Hindustan Times, 29.3.2011, www.hindustantimes.com/14-arrested-in-Orissa-for-unlawful-conversion/Article1-679154.aspx (29.5.2012).

Ambrosius von Mailand, Dii enim gentium daemonia, Brief 17,1, in: Zelzer, Michaela, Hg., Epistulae Extra Collectionem, Wien, Österreichische Akademie der Wissenschaften 1982, LXXII, 1.

Ando, Clifford, Interpretatio romana, in: Classical Philology, 100, 2005, 41–58.

Assmann, Jan, Moses the Egyptian. The Memory of Egypt in Western Monotheism, Cambridge (Mass.), Harvard University Press, 1997.

Athanassiadi, Polymnia/Frede, Michael, Hg., Pagan Montheism in Late Antiquity, Oxford, Clarendon Press, 1999.

Auffarth, Christoph, Mysterien, in: Reallexikon für Antike und Christentum, Band 25, (im Druck).

Auffarth, Christoph, Die Ketzer. Katharer, Waldenser und andere religiöse Bewegungen, München, C. H. Beck, 2. Auflage, 2009.

Auffarth, Christoph, Religio migrans. Die Orientalischen Religionen im Kontext antiker Religionen. Ein theoretisches Modell, in: Bonnet, Corinne et al., Hg., Religioni in contatto nel mondo antico. Modalità di diffusione e processi di interferenza, Rom, Mediterranea, 2008, 291–321.

Bardy, Gustave, La Conversion au Christianisme durant les premiers siècles, Paris, Aubier, 1949.

Bechert, Heinz, Vorwort, in: ders./Gombrich, Richard, Hg., Der Buddhismus. Geschichte und Gegenwart, München, C. H. Beck, 2002, 9–13.

Bechert, Heinz, Das Lieblingsvolk Buddhas. Buddhisten in Birma (1984), in: ders./Gombrich, Richard, Hg., Der Buddhismus. Geschichte und Gegenwart, München, C. H. Beck, 2002, 169–189.

Bechert, Heinz et al., Hg., The Dating of the Historical Buddha, Bd. 1, Göttingen, Vandenhoeck & Ruprecht, 1991.

Bendlin, Andreas: Nicht der Eine, nicht die Vielen. Zur Pragmatik religiösen Verhaltens in einer polytheistischen Gesellschaft am Beispiel Roms, in: Kratz, Reinhard Gregor/Spieckermann, Hermann, Hg., Götterbilder, Gottesbilder, Weltbilder. Polytheismus und Monotheismus in der Welt der Antike, 2 Bde., Tübingen, Mohr Siebeck, 2006, Bd. 2, 279–311.

Bendlin, Andreas, Eine Zusammenkunft um der religio willen ist erlaubt …? Zu den politischen und rechtlichen Konstruktionen von (religiöser) Vergemeinschaftung in der römischen Kaiserzeit, in: Kippenberg, Hans

Gerhard/Schuppert, Gunnar Folke, Hg., Die verrechtlichte Religion. Der Öffentlichkeitsstatus von Religionsgemeinschaften, Tübingen, Mohr Siebeck, 2005, 65–107.

Berner, Ulrich, Synkretismus, in: Cancik, Hubert et al., Hg., Handbuch religionswissenschaftlicher Grundbegriffe, Bd. 5, Stuttgart, Kohlhammer, 2001, 143–152.

Blackburn, Anne M., Buddhist Learning and Textual Practice in Eighteenth-Century Lankan Monastic Culture, Princeton (N. J.), Princeton University Press, 2001.

Blickle, Peter, Kommunalismus. Skizzen einer gesellschaftlichen Lebensform, 2 Bde., München, Oldenbourg Verlag, 2000.

Bonnet, Corinne, Repenser les religions orientales. Un chantier interdisciplinaire et international, in: ders./Rüpke, Jörg et al., Hg., Religions orientales – culti mistici. Neue Perspektiven – nouvelles perspectives – prospettive nouve, Stuttgart, Steiner, 2006, 7–10.

Brady, Thomas A. jr., Ruling Class, Regime and Reformation at Strasbourg 1520–1555, Leiden, Brill, 1978.

Bronkhorst, Johannes, Greater Magadha. Studies in the Culture of Early India, Leiden, Brill, 2007.

Bunnag, Jane, Der Weg der Mönche und der Weg der Welt. Der Buddhismus in Thailand, Laos und Kambodscha, in: Bechert, Heinz/Gombrich, Richard, Hg., Der Buddhismus. Geschichte und Gegenwart, München, C. H. Beck, 2002, 190–214.

Cancik-Lindemaier, Hildegard, Der Diskurs Religion im Senatsbeschluss über die Bacchanalia von 186 v. Chr. und bei Livius (B. XXXIX), in: Cancik, Hubert et al., Hg., Geschichte, Tradition, Reflexion, Bd. 2, Tübingen, Mohr Siebeck, 1996, 77–96.

Close, Christopher W., The Negotiated Reformation. Imperial Cities and the Politics of Urban Reformation 1525–1550, Cambridge, Cambridge University Press, 2009.

Das, Ira, Staat und Religion in Indien. Eine rechtswissenschaftliche Untersuchung, Tübingen, Mohr Siebeck, 2004.

Dundas, Paul, Conversion to Jainism. Historical Perspectives, in: Robinson, Rowena et al., Hg., Religious Conversion in India. Modes, Motivations, and Meanings, New Delhi, Oxford University Press, 2003, 125–148.

Ebel, Eva, Die Attraktivität früher christlicher Gemeinden. Die Gemeinde von Korinth im Spiegel griechisch-römischer Vereine, Tübingen, Mohr Siebeck, 2004.

Egelhaaf-Gaiser, Ulrike et al., Hg., Religiöse Vereine in der römischen Antike. Untersuchungen zu Organisation, Ritual und Raumordnung, Tübingen, Mohr Siebeck, 2002.

Engster, Dorit, Konkurrenz oder Nebeneinander. Mysterienkulte in der hohen römischen Kaiserzeit, München, tuduv, 2002.

Forst, Rainer, Toleranz im Konflikt. Geschichte, Gehalt und Gegenwart eines umstrittenen Begriffs, Frankfurt a. M., Suhrkamp, 2003.

Freiberger, Oliver/Kleine, Christoph, Buddhismus. Handbuch und kritische Einführung, Göttingen, Vandenhoeck & Ruprecht, 2011.

Friedmann, Yohanan, Tolerance and Coercion in Islam. Interfaith Relations in Muslim Tradition, Cambridge, Cambridge University Press, 2003.

Gemeinhardt, Peter, Heilige, Halbchristen, Heiden. Virtuelle und reale Grenzen im spätantiken Christentum, in: Schweitzer, Friedrich, Hg., Kommunikation über Grenzen, Gütersloh, Gütersloher Verlagshaus, 2009, 454–474.

Gombrich, Richard Francis, Sinn und Aufgabe des Sangha, in: ders./ Bechert, Heinz, Hg., Der Buddhismus. Geschichte und Gegenwart, München, C.H. Beck, 2002, 71–93.

Gombrich, Richard Francis, The Theravada Buddhism. A social history from ancient Benares to modern Colombo, London, Routledge and Kegan Paul, 1988.

Harland, Philip A., Associations, Synagogues, and Congregations. Claiming a Place in Ancient Mediterranean Society, Minneapolis, Fortress Press, 2003.

Hornung, Erik, Der Eine und die Vielen. Ägyptische Gottesvorstellungen, Darmstadt, WBG, 1971.

Ivánka, Endre von, Plato christianus. Übernahme und Umgestaltung des Platonismus durch die Väter, Einsiedeln, Johannes Verlag, 1964.

Kloppenborg, John S./Wilson, Stephen G., Hg., Voluntary Associations in the Graeco-Roman World, London/New York, Routledge, 1996.

Kollmar-Paulenz, Karénina, The Buddhist Way into Tibet, in: Heirman, Ann/Bumbacher, Stephan Peter, Hg., The Spread of Buddhism, Leiden, Brill, 2007, 303–340.

König, Daniel, Bekehrungsmotive. Untersuchungen zum Christianisierungsprozess im römischen Westreich und seinen romanisch-germanischen Nachfolgern (4.–8. Jh.), Husum, Matthiesen Verlag, 2008.

Kratz, Reinhard Gregor/Spieckermann, Hermann, Hg., Götterbilder, Gottesbilder, Weltbilder. Polytheismus und Monotheismus in der Welt der Antike, 2 Bde., Tübingen, Mohr Siebeck, 2006.

Kratz, Reinhard Gregor/Spieckermann, Hermann, Einleitung, in: dies., Hg., Götterbilder, Gottesbilder, Weltbilder. Polytheismus und Monotheismus in der Welt der Antike, Bd. I, Tübingen, Mohr Siebeck, 2006, IX–XIX.

Lampe, Peter, Die stadtrömischen Christen in den ersten beiden Jahrhunderten. Untersuchungen zur Sozialgeschichte, Tübingen, J. C. B. Mohr, 1987.

Lanczkowski, Günter, Polytheismus, in: Historisches Wörterbuch der Philosophie, Bd. 7, Basel, Schwabe, 1989, 1087–1093.

Langener, Lucia, Isis lactans – Maria lactans. Untersuchungen zur koptischen Ikonographie, Altenberge, Oros Verlag, 1996.

Lieu, Judith, Christian Identity in the Jewish and Graeco Roman World, Oxford, Oxford University Press, 2004.

Lieu, Judith, Neither Jew Nor Greek. Constructing Early Christianity, London, T&T Clark, 2003.

Lorenzen, David N., Who Invented Hinduism?, in: Comparative Studies in Society and History, 41, 1999, 630–659.

Maier, Bernhard, Die Kelten. Ihre Geschichte von den Anfängen bis zur Gegenwart, München, C.H. Beck, 2. Auflage, 2003.

Meeks, Wayne A., Urchristentum und Stadtkultur. Die soziale Welt der paulinischen Gemeinden, Gütersloh, Gütersloher Verlagshaus, 1993.

Merten, Elke/Rösger, Alfons, Hg., Historia Augusta, 2 Bde., Zürich/München, Artemis, 1976/1985.

Michaels, Axel, Der Hinduismus. Geschichte und Gegenwart, München, C. H. Beck, 2. Auflage, 2006.

Mitchell, Stephen/van Nuffelen, Peter, Hg., One God. Pagan Monotheism in the Roman Empire, Cambridge, Cambridge University Press, 2010.

Moeller, Bernd, Zwinglis Disputationen. Studien zu den Anfängen der Kirchenbildung und des Synodalwesens im Protestantismus, in: Zeitschrift der Savigny-Stiftung für Rechtsgeschichte, 87, 1970, 273–324 (Teil 1); ebd. 91, 1974, 213–364 (Teil 2).

Moeller, Bernd, Reichsstadt und Reformation, Gütersloh, Gütersloher Verlagshaus, 1962.

Nock, Arthur Darby, Conversion. The Old and the New in Religion from Alexander the Great to Augustine of Hippo, Oxford, Clarendon Press, 1933.

North, John, The Development of Religious Pluralism, in: ders./Lieu, Judith et al., Hg., The Jews Among Pagans and Christians in the Roman Empire, London/New York, Routledge, 1992, 174–193.

Oberste, Jörg, Ketzerei und Inquisition im Mittelalter, Darmstadt, WBG 2007.

Paul, Eugen, Geschichte der christlichen Erziehung, 2 Bde., Freiburg i. B., Herder, 1993/1995.

Piepenbrink, Karen, Antike und Christentum, Darmstadt, WBG, 2. Auflage, 2010.

Poland, Franz, Geschichte des griechischen Vereinswesens, Leipzig, 1909.

Porton, Gary G. The Stranger within Your Gates. Converts and Conversion in Rabbinic Literature, Chicago/London, University of Chicago Press, 1994.

Postel, Rainer, Die Reformation in Hamburg 1517–1528, Gütersloh, Gütersloher Verlagshaus, 1986.

Reinbold, Wolfgang, Propaganda und Mission im ältesten Christentum. Eine Untersuchung zu den Modalitäten der Ausbreitung der frühen Kirche, Göttingen, Vandenhoeck & Ruprecht, 2000.

Rhys Davids, Thomas William/Oldenberg, Hermann, Hg., The Sacred Books of the East. Vinaya Texts, The Pâtimokkha, Oxford, 1881.

Rublack, Hans-Christoph, Forschungsbericht Stadt und Reformation, in: Moeller, Bernd, Hg., Stadt und Kirche im 16. Jahrhundert, Gütersloh, Gütersloher Verlagshaus, 1978, 9–26.

Rüpke, Jörg, Die Religion der Römer. Eine Einführung, München, C. H. Beck, 2001.

Scharfe, Hartmut, Education in Ancient India, Leiden, Brill, 2002.

Schöllgen, Georg, Pegasios Apostata. Zum Verständnis von «Apostasie» in der zweiten Hälfte des vierten Jahrhunderts, in: Jahrbuch für Antike und Christentum, 47, 2004, 58–80.

Schopen, Gregory, Bones, Stones, and Buddhist Monks. Collected Papers on the Archaeology, Epigraphy, and Texts of Monastic Buddhism in India, Honolulu, University of Hawaii Press, 1997.

Schrenk, Sabine, Textilien des Mittelmeerraumes aus spätantiker bis frühislamischer Zeit, Riggisberg, Abeggstiftung, 2004.

Schröder, Tilman Matthias, Das Kirchenregiment der Reichsstadt Esslingen. Grundlagen, Geschichte, Organisation, Esslingen, Stadtarchiv, 1987.

Seebass, Gottfried, Stadt und Kirche in Nürnberg im Zeitalter der Reformation, in: Moeller, Bernd, Hg., Stadt und Kirche im 16. Jahrhundert, Gütersloh, Gütersloher Verlagshaus, 1978, 66–86.

Sparn, Walter, Synkretismus. VI. Dogmatisch, in: Theologische Realenzyklopädie, Bd. 32, Berlin/New York, Walter de Gruyter, 2001, 552–556.

Stein, Tine, Himmlische Quellen und irdisches Recht. Religiöse Voraussetzungen des freiheitlichen Verfassungsstaates, Frankfurt a. M., Suhrkamp, 2007.

Steuernagel, Dirk, Kult und Alltag in römischen Hafenstädten. Soziale Prozesse in archäologischer Perspektive, Stuttgart, Franz Steiner Verlag, 2004.

Tellenbach, Silvia, Die Apostasie im islamischen Recht, 2006, http://www.gair.de/pdf/publikationen/tellenbach_apostasie.pdf (28.5.2011).

Walzer, Michael et al., Hg., The Jewish Political Tradition, Bd. 2, Membership, New Haven/London, Yale University Press, 2003.

Wander, Bernd, Gottesfürchtige und Sympathisanten. Studien zum heidnischen Umfeld von Diasporasynagogen, Tübingen, Mohr Siebeck, 1998.

Woyke, Johannes, Das Bekenntnis zum einzig allwirksamen Gott und Herrn und die Dämonisierung von Fremdkulten. Monolatrischer und polylatrischer Monotheismus in 1. Korinther 8 und 10, in: Rüpke, Jörg, Hg., Gruppenreligionen im römischen Reich. Sozialformen, Grenzziehungen und Leistungen, Tübingen, Mohr Siebeck, 2007, 87–112.

Zander, Helmut, Religionsfreiheit im Rahmen der Verfassung – ein Assimilationsprojekt? In: Georg Pfleiderer, Alexander Heit (Hrsg.), Religions-Politik II, Zur pluralistischen Religionskultur in Europa, Zürich, TVZ 2012, 127–152.

Zimmermann, Gunter, Prediger der Freiheit. Andreas Osiander und der Nürnberger Rat 1522–1548, Mannheim, Palatium Verlag, 1999.

Zürcher, Erik, Buddhist Missions, in: Eliade, Mircea et al., Hg., Encyclopedia of Religion, Bd. 9, New York, Macmillan, 1987, 570–573.

Thomas Maissen

Die Bedeutung der christlichen Bildsprache für die Legitimation frühneuzeitlicher Staatlichkeit

Die Entwicklung des Toleranzkonzepts und die Ausbreitung der Religionsfreiheit erfolgten im Rahmen des modernen Staats und als eine seiner Hauptleistungen: der Schutz individueller Rechte gegen kollektive Überzeugungen, selbst wenn es diejenigen der staatstragenden Bevölkerungsmehrheit sind. Um dies zu gewährleisten, mussten sich unterschiedliche Funktionssysteme herausdifferenzieren, Religion und Politik. Wohl konzentrierte Letztere einerseits die Gestaltungsvollmacht für die Rechtsordnung exklusiv bei Staatsdienern, die sich aber – andererseits – idealerweise Unparteilichkeit in der religiösen Sphäre auferlegten. Diese etwa in Lockes *Epistola de tolerantia* (1689) greifbare Trennung der Zuständigkeiten und der damit postulierte konfessionsneutrale Staat selbst waren allerdings ihrerseits auch erst das Ergebnis eines längeren Prozesses. An dessen Anfang stand dieselbe enge Verschränkung von spirituellen und politischen Gewalten und Funktionen, wie sie weltweit für vormoderne Zivilisationen typisch war, in denen das Wort «Religion» erst als missionarischer Import ein nur durch diese Begriffssetzung definiertes Funktionssystem eigener Qualität schuf.

Dieses folgende Kapitel beschreibt die frühneuzeitliche Transformation des Politischen als Herausbildung des staatlichen Gewaltmonopols und insbesondere dessen Erörterung und Legitimation in den zeitgenössischen Bildmedien. An diesen wird illustriert, wie der Bruch mit der bestehenden politischen Semantik, selbst wenn er in den Konsequenzen radikal war, sich der herkömmlichen (Bild-)Sprache bediente, um plausibel vermittelt und legitimiert zu werden. In der vormodernen Konstellation war dies die christliche Sprache und Symbolik. In diesem Sinn hat Ernst Kantorowicz die Bedeutung der Zwei-Naturen-Lehre für die Vorstellung von abstrakter Königsherrschaft und Staat(samt) herausgearbeitet, Louis Marin die Eucharistie als Modell für die Re-Präsentation des absoluten, aber abwesenden Monarchen vorgeführt.[1] Oft zitiert wird Carl Schmitts Behauptung, dass «alle prägnanten Begriffe der modernen Staatslehre [...] säkularisierte theologische Begriffe» seien,[2] wobei er allerdings, zumindest in Jacob Taubes' Einschätzung, auch einsehen musste, dass gleichzeitig «die Gewaltentrennung zwischen weltlich und geistlich absolut notwendig» sei.[3] Schmitts

1 Kantorowicz, Zwei Körper; Marin, Porträt.

2 Schmitt, Politische Theologie, 43.

3 Taubes, Die politische Theologie des Paulus, München, 1993, 139, zitiert bei Prodi, Geschichte der Gerechtigkeit, 346.

Formulierung ist wohl allzu kategorisch; doch für das Konzept der «Souveränität» trifft sie zu. Die folgenden Ausführungen sollen zeigen, wie theologische Vorstellungen und die christliche Ikonografie Voraussetzungen lieferten dafür, dass eine säkulare Vorstellung der politischen Ordnung entworfen und bildlich vermittelt werden konnte.

1. Das historische Problem

Das abendländische Mittelalter ging von der Einheit des *Corpus christianum* aus: eine tendenziell universale, real auf das Abendland beschränkte Ordnung, die im Sinne des einen Gottes alle Bereiche umfasste und einander zuordnete. Die Körpermetapher brachte zum Ausdruck, dass es klare Hierarchien gab, wie das Haupt dem Magen übergeordnet ist; dass aber die verschiedenen Organe aufeinander angewiesen waren und komplementär zum Wohl des Ganzen beitrugen.[4] Man mochte darüber streiten, wer übergeordnet war und wer gehorchen musste: die weltliche oder die geistliche Gewalt, *imperium* oder *sacerdotium*, Kaiser oder Papst. Wie auch die Antwort ausfiel und wie zerstritten die konkurrierenden Mächte auch sein mochten, es blieb unzweifelhaft, dass die beiden Universalgewalten aufeinander bezogen waren und letztlich eine geistliche und rechtliche Einheit bildeten, von Gott eingesetzt, um gemeinsam das Diesseits zu gestalten – weshalb im Hochmittelalter nicht nur der Papst, sondern auch der Kaiser den Titel *vicarius Christi* oder gar *vicarius Dei* reklamieren konnte.[5] Diese Aufgabe legitimierte ihre Herrschaftsfunktion nicht nur in der jeweiligen Gegenwart, sondern mit der heilsgeschichtlichen Perspektive, die Augustins Lehren von den zwei *civitates* und den sieben Zeitaltern oder den vier Weltreichen und ihren Translationen (nach Daniel) innewohnte.

In der graduellen Abstufung sowohl der Lehnsordnung wie auch der scholastischen Theorie kam diese Legitimation aber auch den anderen Ordnungsmächten zu, die mittelbar Macht ausübten: Könige, Herzöge, Barone und so weiter bis zu städtischen Räten und dörflichen Schulzen; und Kardinäle, Erzbischöfe, Bischöfe, Äbte, Prioren oder Domherren in der geistlichen Hierarchie. Sie alle waren privilegierte Herrschaftsträger in einer ständisch fein und ebenfalls graduell gegliederten Gesellschaft, die vom

4 Grundlegend dazu 1Kor 12,12–31; vgl. auch Dohrn-van Rossum, Art. Organ, 552; Paravicini Bagliani, Leib des Papstes, 68f.

5 Dolezalek/Bregger, Art. Vikar/Vikarin, 84.

hochadligen Fürstenhaus bis zum Leibeigenen reichte und auch regional sehr unterschiedlich ausgeprägt war. Es gab also weder einen einheitlichen Untertanenverband noch eine einheitliche Staatsgewalt, und Herrschaft bezog sich auf Personengruppen, nicht auf ein bestimmtes Territorium. Es handelte sich um eine direkte personale Beziehung zwischen demjenigen, der Schutz leistete, und denjenigen, die ihm dafür zu Treue und Leistungen verpflichtet waren – adlige Vasallen ebenso wie bäuerliche Hörige oder Grundholden. Sowohl die pyramidale Struktur des Lehnswesens als auch die monotheistische Legitimation der Obrigkeiten als Stellvertreter eines Richtergottes liessen Einzelherrschaft von Fürsten als gleichermassen gottgewollte wie naturgegebene Regel und den Kaiser als oberste Spitze in einer Hierarchie irdischer Rechtsprecher erscheinen. So erschien noch im Vorfeld der Französischen Revolution Joseph II., der laut Kaunitz als «Schirmherr der Christenheit» und «oberster Richter» den übrigen gekrönten Häuptern übergeordnet war.[6]

Die in der Realität klar beschränkten politischen Gestaltungsräume machten jedoch selbst Kaiser und Könige abhängig von Ratschlägen und Hilfsbereitschaft (*consilium et auxilium*) einflussreicher Adliger, kirchlicher Würdenträger und zunehmend auch von Städtebürgern, etwa Kaufleuten und Juristen. Institutionalisiert wurde dieser Rat in Form von Generalständen oder Landständen. Dazu kam, dass es zwar eine Quelle allen Rechts – Gott – gab und die Rechtsordnung deshalb im Kern als universal und einheitlich gedacht wurde, aber auf Erden die vielen Obrigkeiten auf den unterschiedlichsten Foren zahlreiche verschiedene Rechte, im Plural, ausübten: niedere und hohe Gerichtsbarkeit, Steuerrechte und wirtschaftliche Rechte (darunter die ursprünglich königlichen Regalien), Mannschaftsrecht (für militärische Aushebung).[7] Solche Herrschaftsrechte lagen oft in ganz unterschiedlichen Händen: Es konnte verschiedene Gerichte und gegebenenfalls Instanzenwege geben, wenn es sich um ein Vermögensdelikt oder eine Bluttat handelte, aber auch, wenn sie etwa von einem Laien oder einem Kleriker begangen wurde, denn Letzterer gehörte vor ein kirchliches Gericht. Da mittelalterliche Herrschaft im Wesentlichen in der Rechtsprechung bestand, war sie aus Sicht der Obrigkeiten, aber auch für viele Unterworfene geteilte Herrschaft: Je nach Rechtstitel war ein anderer Herrschaftsträger für obrigkeitliche Entscheidungen zuständig. Zumeist war dies ein

6 Zitiert nach Stollberg-Rilinger, Alte Kleider, 287.

7 Zur institutionellen Vielfalt in Verbindung mit einem umfassenden Rechtsgedanken Prodi, Geschichte der Gerechtigkeit, insbes. 82–99.

Adliger; aber auch Korporationen konnten sich als kollektive Fürsten etablieren: Klöster oder Städte, selbst ländliche Kommunen (in der Eidgenossenschaft, aber auch etwa in Dithmarschen). Alle diese Herrschaft blieb auf der jeweils angemessenen Stufe eingebunden in ein universelles Ordnungsgefüge, das zwar einem monarchischen Grundprinzip verpflichtet war, aber wegen der skizzierten Aufteilung der Macht auf verschiedene einzelne und kollektive Obrigkeiten auch als Mischverfassung im aristotelischen Sinn gelten konnte – also eine graduell nach Stand und Status differenzierende, horizontale Verteilung von Kompetenzen und Privilegien, nicht eine vertikale Teilung der einen Staatsgewalt im modernen Sinn nach Montesquieu.

Der nominale Universalismus des Heiligen Römischen Reiches wurde im Spätmittelalter real immer spürbarer relativiert – nicht mehr durch den schwächelnden imperialen Konkurrenten in Byzanz, wohl aber durch autonome Nationalmonarchien, die nach dem Hundertjährigen Krieg in England und Frankreich, nach der Reconquista in Spanien und Portugal und nach dem Ende der Kalmarer Union in Skandinavien sich neu etablierten, während im Gefolge der Schlacht von Mohács 1526 Böhmen und (teilweise) Ungarn an den Habsburger Ferdinand I. fielen. Da sein älterer Bruder Karl V. – als Kaiser im Reich, König von Spanien (mit den Kolonien) und Herrscher über die Niederlande, erhebliche Teile Italiens und weitere Gebiete – seiner Devise *Plus ultra* vollauf gerecht wurde, bestand in der ersten Hälfte des 16. Jahrhunderts Grund zur Vermutung, dass ein Kaiserreich in davor unvorstellbaren, wahrhaft universalen Dimensionen entstehen könnte.

Das Scheitern solcher Vorstellungen hing eng mit dem Ereignis zusammen, das auch der anderen Universalmacht, dem Papsttum, seine exklusive Stellung im Abendland raubte: die Reformation. Mit ihr wurde ein Proprium des Christentums reaktualisiert: die individuelle Entscheidung für die wahre Religion.[8] Zuvor war in der dogmatisch vergleichsweise offenen Kirche des Mittelalters die generative Weitergabe des Glaubens die Regel gewesen, solange der päpstliche Primat in Lehre und Jurisdiktion nicht in Frage gestellt wurde – nicht also für die wenigen, aber im 14./15. Jahrhundert an Zahl und Bedeutung zunehmenden «Häretiker». In den Jahren nach Luthers Thesenanschlag wurde die Entscheidungssituation für Laien in einem kommunalen Rahmen dagegen alltäglich. Das war eine Entscheidung, die ebenso der Tradition und der heilsvermittelnden Autorität der

8 Vgl. den Beitrag von Helmut Zander in diesem Band, 39–71.

bestehenden Kirche folgen wie sich für das Schriftprinzip und die Rechtfertigungslehre derer aussprechen konnte, die zur ursprünglichen, frühen Kirche zurückzukehren beanspruchten. Diese Option wählten vor allem viele Stadtbürger im Gefolge von volkssprachlichen Disputationen und Religionsgesprächen, durch deren Ausrufung sich die Räte und Bürgerschaften – selbst wenn sie altgläubig blieben – im Prinzip bereits auf der Grundlage des Priestertums aller Getauften das landesherrliche Kirchenregiment auch *in dogmaticis* anmassten. Auf derselben Grundlage entstand nach Vorläufern vor allem in Kursachsen und in der Landgrafschaft Hessen erst nach dem Augsburger Bekenntnis und verstärkt seit den späten dreissiger Jahren die eigentliche Fürstenreformation, in der es nun zusehends allein die Entscheidung des Landesherrn war, die den Ausschlag gab.[9]

Reichsrechtlich legitimiert wurde dieses Vorgehen im Augsburger Religionsfrieden von 1555 durch die Regelung, die mit der Formel «cuius regio, eius religio» zusammengefasst wird und das Ideal eines umfassenden *Corpus christianum* endgültig hinfällig werden liess: Landeskirchen mit spezifischen, vom Landesherrn festgelegten Bekenntnissen traten an die Stelle der «katholischen», also allumfassenden und vom einen Papst geführten Kirche. Im Unterschied zu seinem Bruder Ferdinand mochte Karl V. die Augsburger Regelung nicht unterzeichnen: Er sah eine der Hauptaufgaben des kaiserlichen Amtes im Schutz der Christenheit und damit der einen wahren Kirche und Religion. Ebenso bezeichnenderweise verweigerte auch die andere Universalmacht, Papst Paul IV., dem Augsburger Frieden die Zustimmung, womit es mit einer auf das Reichsrecht und den Reichsfrieden beschränkten Lösung sein Bewenden hatte.

Allerdings war das «ius reformandi», das dem Territorialherrn die Entscheidung über die Konfession seiner Untertanen überliess, keine reichsrechtliche Besonderheit. Faktisch etabliert hatte es sich bereits 1531 in der Eidgenossenschaft, als die katholischen Kantone zwar eine gewaltsame Reformation durch Zwingli verhindern und ihn bei Kappel besiegen und erschlagen konnten, aber im Kappeler Landfrieden anerkennen mussten, dass es in der Eidgenossenschaft fortan zwei Konfessionen geben würde. Welche das war, legten die kollektiven Obrigkeiten jeweils in ihrem Kanton oder – in ländlichen Gebieten wie Glarus, Appenzell oder Graubünden – für die einzelne Gemeinde fest. Wie im Reich bedeutete dies, dass sich mit den jeweiligen Landeskirchen Staatlichkeit «föderalistisch», auf der Ebene

9 Wolgast, Politisches Kalkül; Ziegler, Entscheidung.

der Partikulargewalten entfaltete und nicht, wie in Spanien, in Portugal oder in den skandinavischen Monarchien, unter einem nationalen Herrscher. Denn für die Staatsbildung war das Zusammenspiel von politischer und kirchlicher Macht entscheidend, das als «Konfessionalisierung» bezeichnet wird.[10] Idealtypisch skizziert erlaubte sie es, über eine einheitliche, dogmatisch widerspruchsfrei begründete Orthodoxie Kleriker, Staatsdiener und Untertanen in – durch ein schnell wachsendes Bildungssystem – systematisch vermitteltem Glaubenswissen zu vereinen. Dies schuf, im Inneren, einen durch moralische Normen und wachsende priesterlich-obrigkeitliche Reglementierung (Kirchenordnungen) disziplinierten Untertanenverband und grenzte diesen gegen aussen klar ab, dank den religiösen Antagonismen mit klaren Unterscheidungsriten und multimedialer Polemik gegen andersgläubige, oft unmittelbar benachbarte Herrscher und ihre Untertanen.

Im Prinzip verliefen diese Entwicklungen – auch wegen der gegenseitigen Konkurrenz – in den unterschiedlichen Bekenntnissen ähnlich, weshalb man von «funktionaler Äquivalenz» der Konfessionen im Staatsbildungs- oder gar Modernisierungsprozess gesprochen hat.[11] Die funktionalistische Betrachtungsweise der Konfessionalisierungsthese vernachlässigt – bewusst – die konfessionelle Binnenperspektiven und die – unbestrittenen – Eigentümlichkeiten der verschiedenen Konfessionskulturen, die in den letzten Jahren wieder verstärkte Aufmerksamkeit gefunden haben.[12] Auch für das Obrigkeitsverständnis (und mittelbar für die politische Theorie) wurden die unterschiedlichen theologischen Grundüberzeugungen von einiger Bedeutung. Wie erwähnt, herrschte im Spätmittelalter ein graduelles Verständnis der weltlichen Ordnung in Politik und Gesellschaft vor. Dasselbe hat Berndt Hamm für den Bereich von Kirche und individueller Frömmigkeit skizziert als eine Leiter «vom Nützlich-Zeitlichen bis zum Himmlisch-Ewigen». Der Mensch konnte demnach die einzelnen Stufen der Heiligung durch seine eigenen Leistungen – Tugend, Nächstenliebe, gute Werke – erklimmen, da Gott und er bei diesem gemeinsamen Ziel zusammenwirkten.[13] In der einen hierarchischen Kirche entsprach dem die Abstufung vom gewöhnlichen Sünder über die geweihten Amtsträger bis hinauf zum «vicarius Dei» und dann zu den Heiligen mit Maria an der Spitze, die alle je nach

10 Vgl. die einschlägigen Aufsätze von Reinhard, Ausgewählte Abhandlungen, und Schilling, Ausgewählte Abhandlungen.

11 Schilling, Luther, 24; ders., Am Anfang, 8.

12 Kaufmann, Konfession; Maissen, Konfessionskulturen.

13 Hamm, Reformation, 78f.; ders., Einheit und Vielfalt, 69f.

Nähe oder Distanz zu Gott unterschiedliche Heilsstufen repräsentierten.[14] So war der einzelne Sünder über eine lange, aufsteigende Reihe von Mittlerfiguren mit Maria und über sie letztlich mit Gott verbunden, die ihm im Bemühen um ein gottgefälliges Leben beistanden.

Mit diesem Gradualismus brachen die Reformatoren, die dem Sünder «solus Christus» als Wegweiser zum Heil vor Augen führten und dieses von Gottes Gnade allein, «sola gratia», abhängig machten. Kein Sterblicher konnte die Allmacht seines Schöpfers einschränken oder beeinflussen, und in dieser unbedingten Abhängigkeit waren alle Menschen gleich. Insofern bereiteten die Reformatoren aus theologischen Gründen einer klaren Gegenüberstellung von allmächtigem Herrscher und einheitlichem Untertanenverband das Feld. Jean Calvin stellte in dieser völligen Unterwerfung ausdrücklich Könige (und Engel) allen anderen Menschen gleich: «[...] iusques aux rois de la terre, que tous se doyvent assuiettir, [...] il n'y a qu'un chef qui ait toute preeminence et empire souverain sur nous».[15]

Mit der Lehre von der doppelten Prädestination und in der Bezeichnung Gottes – wie des Kaisers oder französischen Königs – als «roy souverain» setzte Calvin auch sonst Zeichen, die für ein neues Herrschaftsverständnis charakteristisch waren.[16] Anders als die Lutheraner richteten die Reformierten einen alttestamentlichen Fokus auf das Gesetz und auf seine Umsetzung auch zur Verchristlichung der diesseitigen Welt. Orientierungspunkt des Juristen Calvin war Gott als letztinstanzlicher Richter, dem die «iurisdiction souveraine» oblag. Das entsprechende Wort aus der französischen Gerichtssprache («cour souveraine») bezeichnete ursprünglich nicht als Superlativ, sondern als Komparativ (aus «superanus» nach «superior») eine «höher liegende», also die nächsthöhere Gerichtsinstanz; später dann die höchste und oberste.[17] Für Calvin war der «souverain Seigneur» aber nicht nur im herkömmlichen Sinn Rechtsprecher, sondern auch und vor allem Gesetzgeber: «Createur, De tous hommes legislateur, Nostre Dieu souverain Roy».[18] Gerade im Hinblick auf die Prädestinationslehre war es wichtig, dass Gott dabei einerseits seinen Willen verfügen und einfordern konnte, ohne von fremden Regeln oder Gesetzen beengt zu sein, «car la

14 Hamm, Einheit und Vielfalt, 70f.

15 Calvin, Sermons sur le deuteronome, Sp. 121; vgl. Beyerhaus, Studien, 87, 89f.

16 Für Calvin: Beyerhaus, Studien; Bernard, Du roi juge; Maissen, Souveräner Gesetzgeber.

17 Für die Begriffsgeschichte: Quaritsch, Souveränität; Klippel, Art. Souveränität; Miethke, Art. Souveränität.

18 Calvin, Tractatus minores 2, Sp. 221 (Psalmes, Les dix commandemens, Exode 20).

volonté de Dieu est tellement la reigle supreme et souveraine de iustice, que tout ce qu'il veut, il le faut tenir pour iuste, d'autant qu'il le veut».[19] Andererseits handle Gott, obwohl weder «legibus subiectus» noch «legibus obstrictus»,[20] nicht aufgrund der «potestas absoluta», die ihm Scholastiker wie Ockham oder Duns Scotus zugestanden hatten. Calvin identifizierte absolute Gewalt noch mit der Willkür des Tyrannen, der nach eigenem Gutdünken handelte, während Gott als personifizierte Gerechtigkeit durchaus an das Gesetz gebunden blieb, das ja sein eigenes war: «Neque tamen hoc modo eum facio exlegem, etsi supra omnes leges eminet eius potestas, quia tamen voluntas eius certissima est perfectae aequitatis regula, rectissimum est quidquid facit: atque ideo legibus solutus est, quia ipse sibi et omnibus lex est.»[21]

Diese Zitate sollen nicht suggerieren, dass Calvin der Begründer des neuzeitlichen Souveränitätsbegriffs war oder dass dessen Begründer, der Katholik Jean Bodin, vom Genfer inspiriert wurde. Hingegen wird postuliert, dass das Souveränitätskonzept nur in einem christlichen Kontext entwickelt werden konnte, das – in der Reformationstheologie – einen Richtergott in einen gesetzgebenden Gott übergeführt hatte.

2. Jean Bodins Lösung

Kirchen und Kleriker waren als Künder der für ein Staatsvolk verbindlichen transzendentalen Wahrheit einerseits unverzichtbare Träger des frühneuzeitlichen Konfessionalisierungs- und Disziplinierungsprozesses, andererseits aber im Vertrauen auf ihre gestiegene Bedeutung auch eine stete Gefährdung für die sich entwickelnde und oft noch schwache Staatlichkeit. Im Wissen darum, dass Gott den Lauen ebenso zürnte wie den Falschgläubigen, und gestützt auf das Bibelwort, dass man Gott mehr gehorchen müsse als den Menschen (Apg 5,29), waren sie zu kompromissloser konfessioneller Polemik geradezu verpflichtet. Diese konnte sich, politisch zumeist erwünscht, gegen den äusseren Feind richten, so dass Staatsbildungskriege immer auch Konfessionskriege waren: England gegen Spanien, die Niederlande gegen die spanischen und Böhmen gegen die österreichischen Habsburger, die protestantischen Reichsstände gegen den Kaiser,

19 Calvin, Institutio, 2, Sp. 488.
20 Beyerhaus, Studien, 73f.
21 Calvin, Commentarius in Exodi librum, Sp. 49.

Polen gegen Schweden und Russen, die protestantischen Mächte gegen Ludwig XIV. oder Preussen gegen Österreich. Doch konsequent eingeforderte konfessionelle Einheitlichkeit einte nicht nur ein Volk gegen aussen, sondern konnte es auch im Inneren zerreissen, wenn verschiedene Bekenntnisse vorlagen. Die Eidgenossenschaft und weitgehend auch das Reich schieden insofern aus der Staatenwelt aus, als sie keine Offensivkriege führten, seitdem die zerstrittenen Kantone und Reichsstände keinen internen Konsens über gemeinsame aussenpolitische Ziele mehr finden konnten. Das war nicht zuletzt das Resultat von inneren Kriegen, in denen darum gerungen worden war, mit einer einheitlichen Konfession auch eine klare Führungsmacht zu etablieren: die erwähnten Kappeler Kriege in der Schweiz, der Schmalkaldische Krieg und dann vor allem der Dreissigjährige Krieg in Deutschland. Auch die anderen bi- oder plurikonfessionellen Gebilde wurden fast unvermeidlich Opfer von Bürgerkriegen: Frankreich in den Hugenottenkriegen von 1562 bis 1598; die siebzehn Provinzen der Niederlande in den Auseinandersetzungen ab 1568, die zur 1648 völkerrechtlich anerkannten Aufteilung in einen katholischen Süden und in die nördlichen Generalstaaten mit ihrer reformierten Dominanz führten; die Engländer (und mittelbar die anderen britischen Völker) durch den Bürgerkrieg ab 1642, der seinen revolutionären Höhepunkt 1649 in der Hinrichtung König Karls I. und der Ausrufung von Cromwells Commonwealth erlebte.

Der englische Bürgerkrieg entbrannte nicht zuletzt als Konflikt darüber, ob und wieweit der König die Kirche(n) kontrollieren und mit ihrer Hilfe, aber übergeordnet das Sittengericht wahrnehmen sollte. Die Position, dass die Kirche abhängig von der weltlichen Gewalt bleiben sollte, wurde als *Erastianism* bezeichnet, was auf Wurzeln im kontinentalen Reformiertentum verweist. Während der Calvinismus die Kirchenzucht zulasten der Politik einem autonomen Konsistorium der ältesten Laien und Geistlichen (Presbyter) überantwortete, sahen die Zwinglianer darin eine Aufgabe der Obrigkeit. In den Stapfen von Zwingli und vor allem von Heinrich Bullinger führte Thomas Erast im Heidelberger Disziplinisten-Streit von 1568/69 mit der *Explicatio gravissimae quaestionis, utrum excommunicatio* [...] *mandato nitatur divino, an excognita sit ab hominibus* (postum gedruckt 1589) die Position aus, dass der kirchlichen (Sitten-)Gerichtsbarkeit keine Rechtsprechung zukam, sondern diese vollumfänglich in der Hand der Obrigkeit lag. Für die calvinistischen Disziplinisten antwortete Calvins Nachfolger in Genf, Theodor de Bèze, im *Tractatus pius et moderatus de Excommunicatione* (1590), der die kirchliche Banngewalt mit Ausschluss vom Abendmahl behauptete. Doch obwohl die Antagonisten über die Autonomie der kirchlichen Institutionen unterschiedlicher Meinung waren, hielt auch Erast an der religiösen Legitimation des staatskirchlichen *magistratus unicus* fest, der von Gott in seinem Dienst für die Welt eingesetzt war und theologisch formulierte Ziele (Friede, Gerechtigkeit, reine Lehre, christliche Erziehung) umzusetzen hatte.[22]

Davon unterschied sich Jean Bodins Konzept der Souveränität, die der religiösen Rückbindung nicht entbehrte, aber im Wesentlichen innerweltlich begründet war und nicht mehr in der *imitatio Christi* auf die Rechtsprechung in einer ein für alle Mal geordneten Welt zielte, sondern auf die Gesetzgebung in dynamisierten Nationalgesellschaften.[23] In der Notlage der französischen Religionskriege legte Bodin 1576 die *Six livres de la république* vor, die 1586 auch in seiner eigenen lateinischen Übersetzung *De republica libri sex* erschienen. Zum Kernbegriff machte Bodin das – wie erwähnt – bereits gebräuchliche Wort «souverain». Allerdings verstand er unter «souveraineté» nicht mehr (nur) die höchstrichterliche Entscheidungsgewalt, sondern die Kompetenz-Kompetenz desjenigen (oder derjenigen), von dem allein alle Gewalt und alle Hoheitsrechte im Staat ausgingen, also des Inhabers des Gewaltmonopols, das Bodin als Erster zur Grundlage politischer Ordnung erklärte.[24]

Im wichtigsten Kapitel 1, 8 definierte Bodin – als Erster, wie er bemerkt – die «souveraineté» als «puissance absolue & perpétuelle d'une République, que les Latins appellent maiestatem».[25] Die lateinische Übersetzung von «souveraineté» durch «maiestas» war gleichsam ein usurpatorischer Akt: Der Titel «Sa Majesté» war herkömmlich dem Kaiser vorbehalten gewesen und wurde erst seit den 1550er Jahren auch vom französischen König beansprucht.[26] Die Souveränität ist seit Bodin ungeteilt, zeitlich unbegrenzt, durch keine andere innere oder äussere Gewalt limitiert und dem gesetzten Recht nicht unterworfen. Im Unterschied zur Tradition und zum eigenen früheren Werk, insbesondere zur *Methodus ad facilem historiarum cognitionem* von 1566, bildete die Souveränität nicht nur das zentrale, als neuartig erkannte und deklarierte Thema des Buches, sondern ihr Inhaber wurde auch

22 Wesel-Roth, Erastus, 120f.

23 Spitz, Bodin, 21–23; Bernard, Du roi juge.

24 Quaritsch, Souveränität, 36.

25 Bodin, République, 1, 179 (1, 8); vgl. Bodin, De republica, 78: «Maiestas est summa in cives ac subditos legibusque soluta potestas.»

26 Giesey, The King Imagined, 230f. (51f.); für England: Wende, Herrscherbild, 68, wo «Your Majesty» offenbar schon unter Heinrich VII. üblich wurde.

erklärtermassen absolut, über das Gesetz erhaben – was Calvin durchaus konventionell noch mit Willkür identifiziert hatte. Dagegen hielt Bodin in einem positiven Sinn nur den für «absolument souverain, qui ne tient rien, apres Dieu, que de l'espee» – «qui post Deum immortalem subditus sit nemini».[27] Die oberste Gewalt war unmittelbar zu Gott, sie durfte durch keine fremde – geistliche oder weltliche – Macht eingeschränkt sein, insbesondere also nicht durch die Universalmächte Reich und Papstkirche. Ebenso waren die Souveräne nicht länger auf Rat und Zustimmung von ständischen Institutionen und anderen inneren Machtträgern angewiesen. Denn sie mussten ihre Kernkompetenz uneingeschränkt ausüben können, nämlich «qu'ils puissent donner loy aux sujects, et casser ou aneantir les loix inutiles, pour en faire d'autres» und zwar «selon l'exigence des cas, des temps, & des personnes».[28] Altes Recht war nicht länger *per se* gutes Recht, sondern erst nach der Prüfung durch den Fürsten, der darüber entschied, ob es noch nützlich oder durch den politisch-gesellschaftlichen Wandel überholt war. Kriterium dafür war die *salus publica*, das Gemeinwohl im Sinn Ciceros (*De Legibus*, 3, 8), und die Zwänge, die sich ergaben, wenn sie bewahrt werden sollte, was stets oberste politische Priorität hatte: «necessité [...] n'a point de loy [...] et n'y a loix si excellentes soyent elles, qui ne souffrent changement, quand la necessité le requiert».[29] Die Entscheidung darüber, was die *salus publica* erforderte, lag allerdings allein im freien Ermessen des Souveräns, das sich in der Ediktformel «Car tel est notre plaisir» am Ende einer *grande lettre patente* ausdrückte[30] – eine Formulierung, die nicht nur an die kaiserliche *Lex regia* erinnerte, sondern auch an Calvins Antwort auf die Frage: «Weshalb hat Gott so gehandelt?» – «Pource qu'il l'a voulu».[31]

Die souverän, ohne Mitsprache der Untertanen ausgeübte Kompetenz der Gesetzgebung bildete, und hierin war Bodin tatsächlich ein wegweisender Pionier, das Wesen politischer Herrschaft: «le poinct principal de la majesté souveraine, et puissance absolüe, gist principalement à donner loy aux sujects en general sans leur consentement.»[32] Deshalb stand die Legisla-

27 Bodin, République, 1, 229 (1, 9); ders., De republica, 108 (1, 9).

28 Bodin, République, 1, 191f., 198f., 208 (1, 8).

29 Ebd., 4, 102f. (4, 3).

30 Ebd., 1, 191f., 198f. (1, 8).

31 Calvin, Institutio, 2, Sp. 488; für die Lex regia: Digesten, 1, 4, 1; für die beliebige Satzbarkeit vgl. den Beitrag von Raja Sakrani in diesem Band, 375–424.

32 Bodin, République, 1, 204 (1, 8).

tive nicht nur an erster Stelle, sondern umfasste programmatisch alle anderen Kompetenzen, wo Bodin in Kapitel 1, 10 die «vrayes marques de la souveraineté» aufzählte : «à parler proprement on peut dire qu'il n'y a que ceste seule marque de souveraineté, attendu que tous les autres droits sont compris en cestui là».[33] Ausdrücklich hielt er ebenfalls fest, dass das herkömmliche Hauptattribut der Obrigkeit, die Rechtsprechung («faire justice»), kein Zeichen der Souveränität sei.[34] Dagegen zählte Bodin die vier nächstwichtigsten Kompetenzen auf: das exklusive Recht, Krieg zu führen und Bündnisse oder Frieden zu schliessen («bellum indicere, aut pacem inire»), die Einsetzung von Regierung und Beamten («magistratus mandare»), die Entscheidung als höchstrichterliche Berufungsinstanz («extrema provocatio») und das Begnadigungsrecht («contra vim legum ac iudiciorum liberare»). Darauf folgen die eigentlichen, fiskalischen Regalien und weniger zentrale Hoheitsrechte bis hin zum Titel «Majestät».[35] Auch wenn dies zum Teil herkömmliche Majestätsrechte waren, verstand Bodin Herrschaft gerade nicht mehr als deren Summe, sondern als das eine, umfassende und ursprüngliche Recht, zugleich auch die Kompetenz-Kompetenz des Herrschers, der allein entschied, welche Bereiche staatlich waren und damit seiner Verantwortung oblagen.

Mit diesem Ansatz brachte Bodin erstmals die inneren, staatsrechtlichen Aspekte der Souveränität mit den äusseren, völkerrechtlichen in einer unauflöslichen Verbindung zusammen. Eine weitere Konsequenz der unteilbaren, von der Gesetzgebung ausgehenden Souveränität war die Absage an das aristotelisch-thomistische Ideal der Mischverfassung – und damit an die gängige Interpretation von Dauer und Erfolg der allgemein bewunderten Modelle Sparta, Rom und Venedig. Gar als absurd und, *qua* Majestätsverbrechen, als todeswürdig verwarf Bodin die Mischverfassung dann, wenn sie – wie in seiner Zeit oft üblich – zur Interpretation der gemässigten Monarchie in Frankreich herangezogen wurde.[36] «L'estat de la France est simple, et pure Monarchie»: Weder die (angeblich demokratischen) Generalstände noch die (vermeintlich aristokratischen) Institutionen Parlament oder *Cour des Pairs* beschränkten den König in irgendeiner Weise – die

33 Ebd., 1, 309 (1, 10).

34 Ebd., 1, 299 (1, 10).

35 Ebd., 1, 306–340 (1, 10); auf Lateinisch ders., De republica, 153–173.

36 Vgl. für diese Deutung Frankreichs die Belege bei Maissen, Geburt, 48f., 78, 81, sowie unten, Anm. 99–127.

ihnen angehörten, seien alle schlichte, demütige Untertanen.[37] Nichtsdestoweniger handelte es sich, auch normativ, um eine «Monarchie royale ou legitime [...] demeurant la liberté naturelle et proprieté des biens aux sujects». Der König hielt sich aus freien Stücken an das Naturrecht, das ihm gebot, den Besitz der Untertanen zu respektieren, wie das weder in der despotischen «Monarchie seigneuriale» noch in der illegitimen «Monarchie tyrannique» der Fall war.[38] Während die Untertanen dort sklavenähnlich lebten, herrschte in der «Monarchie royale» wahre Freiheit: «la vraye liberté populaire ne gist en autre chose sinon à jouïr de ses biens en seureté, et ne craindre qu'on face tort à l'honneur, ni à la vie de soy, de sa femme, ni de sa famille.»[39] Die so verstandene personelle Freiheit und Sicherheit sei der Inhalt dessen, was der Souverän als *salus publica* anpeilen sollte, und bilde insofern auch die theoretische Grenze absoluter Herrschaft. Doch war es der Souverän allein, der im Zweifelsfall zwischen den Prinzipien Eigentumsgarantie und Staatsraison entschied: «Toutefois, si la necessité est urgente, en ce cas le Prince ne doit pas attendre l'assemblee des estats, ni le consentement du peuple, duquel le salut depend de la prevoyance, et diligence d'un sage Prince.»[40]

Konsequenterweise lehnte Bodin Widerstandsrecht und Tyrannenmord eindeutig ab. Ausnahmen gab es nur dann, wenn sich der Widerstand gleichsam aussenpolitisch gegen Usurpatoren richtete oder durch Gleichrangige, also Souveräne, vollzogen wurde. Die Argumentation hingegen, wie sie etwa die Hugenotten nach der Bartholomäusnacht vorbrachten, «fait revolter les vrais subjects de l'obeissance qu'ils doyvent a leur Prince souverain».[41] Bei dieser schon rein formal stark – auf andere Souveräne, also auf den äusseren Krieg – eingeschränkten Befähigung zu Widerstand ging es Bodin nicht um einen Freipass für den Souverän, dem die ethische Einbindung guter Herrschaft mit der allgemeinen Unterstellung unter göttliches und natürliches Recht deutlich gemacht wurde. Seine dezidierte Haltung war das Produkt der Religionskriege und der monarchomachischen Traktate, denen sich Bodin schon im Vorwort entgegenstellte, weil sie «sous voile d'une exemption de charges, et liberté populaire, font rebeller les sujets contre leurs Princes naturels, ouvrans la porte à une licentieuse

37 Bodin, République, 2, 21–23 (2, 1).

38 Ebd., 2, 34f. (2, 2), vgl. auch 35–67.

39 Ebd., 6, 161 (6, 4).

40 Ebd., 1, 201 (1, 8); auch 221f.

41 Ebd., 1, 198 (1, 8).

anarchie, qui est pire que la plus forte tyrannie du monde».[42] Anarchie ist schlimmer als Tyrannis, und damit ist das exzessive Ausüben von kontraktualistischen Kontrollrechten gefährlicher als das exzessive Ausüben der Souveränität. Sie ist im schlimmsten Fall das geringere Übel als ihre Alternativen, im besten der grössere Gewinn. Damit brach Bodin dezidiert mit der mittelalterlichen, noch im 16. Jahrhundert dominierenden kontraktualistischen Tradition und namentlich mit ihrer monarchomachischen Erneuerung und Präzisierung, die etwa in den *Vindiciae contra tyrannos* den Herrscher durch zwei Verträge mit Gott und dem Volk band und damit auf einen Amtsträger reduzierte.[43] Während im monarchomachischen Denken und in der ganzen politiktheoretischen Tradition die Tyrannis eine objektive Herausforderung war, deren Gefahr es durch moralische Anweisungen und eine kluge Verfassung einzuschränken galt, war sie für Bodin nur noch ein Schreckbild, das der sich selbst kontrollierende Fürst sich vor Augen halten musste.

Auch wenn Bodin ständische Mitspracherechte nicht schätzte, so erkannte er sie durchaus in seiner Zeit: «L'Empire d'Allemagne est une Aristocratie», da die im Reichstag vereinten, souveränen Stände den Kaiser wählten und einen Krönungseid schwören liessen.[44] Was im mittelalterlichen Verständnis als Mittler zu Gott die Quelle aller irdischen Herrschaft und Rechtsprechung gewesen war, wurde so – da *de facto* nicht absolut – zu einer untergeordneten Regierungsinstanz in einem partikularen, wenig effizienten Verfassungsgebilde. Dieser Kaiser war keine Universalmacht mehr, ebenso wenig wie der Papst, sondern repräsentierte (bestenfalls) die Souveränität seines Reiches, nicht seine eigene, in einer Staatenwelt von gleichrangigen Souveränen. In noch umfassenderem Sinn erschien der Okzident nicht länger als *Corpus christianum* mit einer pyramidalen Ordnung der vor allem adligen Herrschaftsträger, deren Hierarchie sich aus ihren unterschiedlichen Privilegien und Freiheiten ergeben hatte. Stattdessen trennte Bodin streng dichotomisch zwischen ganz wenigen absolut Souveränen und deren vielen Untertanen: Zu Letzteren zählten auch Herzöge und Grafen, erst recht alle anderen Lehnsträger. Wie dem souveränen Gott Calvins der ohne Werkgerechtigkeit machtlose, aber mit guten Gründen auf Gnade hoffende Mensch gegenüberstand, so dem souveränen Fürsten Bodins der Untertan, der ohne die Mitspracherechte einer Mischverfassung, aber mit

42 Ebd., 1, 14 (préface); vgl. auch ebd., 6, 145f. (6, 4).

43 Brutus, Vindiciae.

44 Bodin, République, 1, 252–254 (1, 9); 2, 21 (2, 1), 99–106 (2, 6).

guten Gründen auf eine das Naturrecht respektierende «Monarchie royale» hoffen konnte.

Diese Logik klang allerdings im 16. Jahrhundert kaum für alle Adressaten überzeugend. Mussten nicht die Hugenotten gerade von ihrem Souverän nicht eher eine Bartholomäusnacht befürchten als selbstlose Sorge um die *salus publica*? Drohte den Hochadligen, die mit ihren Privatheeren den wahren Glauben verteidigten, unter einem souveränen König nicht der Verlust ihrer jahrhundertealten regionalen Einflusssphären? War der Klerus nicht freier gewesen in seiner herkömmlichen Zwischenposition zwischen einem fernen, aber respektierten Papst und einem König, der nun im Namen der gallikanischen Landeskirche die Entscheidung über Pfründen und Steuern an sich zu ziehen wusste? Mussten nicht Städte und andere Kollektive ihre historischen Privilegien verlieren, wenn sie dem Monarchen nicht willfahrten? Auch wenn man vom universalistischen Anspruch von Papst und Kaiser schweigt, blieben zahlreiche Akteure, die von der Umsetzung des Souveränitätskonzepts wenig Gutes zu erwarten hatten. Wie konnten sie trotzdem dafür gewonnen oder mindestens ruhig gestellt werden?

3. Ikonografische Vermittlung von politischer Theorie

Bodins im Prinzip rein innerweltliche Begründung von Herrschaft schloss nicht aus, dass gerade den Kirchen im Zuge der Konfessionalisierung weite, ja wachsende Einflussbereiche zugestanden wurden. Entscheidend war allerdings, dass der Souverän kraft seiner Kompetenz-Kompetenz diese Sphären und die klerikalen Zuständigkeiten zusehends festlegen konnte. Umgekehrt blieb er aber wegen der auch für Bodin noch selbstverständlichen religiös-ethischen Rückbindung politischer Herrschaft weiter auf Legitimationshilfen angewiesen, die ihn etwa als «roi très chrétien» und Beschützer des wahren Glaubens auswiesen. Zumindest als Wahrer eines christlichen Friedens, in den der Souverän neben der (katholischen) Mehrheit auch eine (hugenottische) Minderheit einschliessen konnte, erschien der König auch in den Augen der (zumeist katholischen) französischen *Politiques*, zu denen Bodin zählte.

Die christliche Tradition lieferte aber nicht nur theologische und rhetorische Argumentationsmuster zur Legitimation zusehends säkularisierter Herrschaft, sondern auch Bilder – im Sinn der reichen biblischen und mittelalterlichen Metaphorik ebenso wie in einer vielfältigen und populären Ikonografie. Beides trug zu einem «Übergangsdiskurs» bei, in dem traditionelle und namentlich religiöse Vorstellungen dabei halfen, das neuartige und erstmals klar definierte Konzept der Souveränität zu erklären, zu vermitteln und zu legitimieren. Berührungspunkte gab es viele, da die Analogien zwischen weltlichen Herrschern und Weltenherrscher seit langem die Bildrepertorien prägten. Zumindest die katholische Ikonografie hatte trotz dem zweiten Gebot keine Hemmungen bekundet, die absolute Gestalt und Macht Gottes bildlich zu fassen. Seit der Renaissance ergänzten und verstärkten Rekurse auf die antike Götterwelt und Ikonografie solche Bildtraditionen. Der Rückgriff darauf erlaubte eine sakrale Erhöhung und Legitimation des Säkularen, wie sie etwa im Islam nicht denkbar oder zumindest nicht darstellbar waren, weil die demiurgische Kraft des Malens als viel bedrohlicher empfunden wurde. Eine Vermischung von Weltlichem und Göttlichem blieb deshalb für Muslime nicht «nur» auf das Bild beschränkt, sondern galt auch in der Realität und musste deswegen unbedingt verhindert werden.[45]

Im Folgenden wird davon ausgegangen, dass die antike und vor allem die christliche Ikonografie für die politische Bildsprache des 16. und 17. Jahrhunderts eine entscheidende Rolle spielte, um die komplexen Aspekte der Souveränität durch vertraute Assoziationen gleichsam volkspädagogisch einer breiteren Bevölkerung zu vermitteln. An die Stelle der juristischen Ausführungen oder ergänzend zu diesen trat die emotionale Sprache vor allem von Familienbeziehungen, die in einer durch fürstliche Dynastien geprägten Staatenwelt auf eingängige Weise das Verhältnis der Souveräne untereinander wie zu ihren Nationen repräsentierten. Personifikationen dienten bereits seit der Antike der allegorischen Vermittlung abstrakter Konzepte; nun erhielten sie neue politische Bedeutungen. Dasselbe galt für die christlich-biblische Sprache, die eine Fülle von erotischen Metaphern über Ehe, Jungfräulichkeit, Scheidung oder Vergewaltigung mitbrachte. Sie konnten als Analogien für diejenigen politischen Verhältnisse und Entwicklungen herangezogen werden, die als Staatsbildung gedeutet werden: Umsetzung des Souveränitätskonzepts durch die Errichtung des Gewaltmonopols, Entwicklung und Legitimation einer innerweltlichen Staatsräson, Trennung von Person und Amt sowie von Herrscher und Volk/Territorium, Ausbildung einer Staatenordnung.

Dies alles war kein zielstrebig gelenkter und teleologisch sich vollziehender Prozess, sondern eine Entwicklung mit vielen Alternativen, in der die heterogenen Ideen der Souveränitätslehrer kompromissreich mit den poli-

45 Flood, Between Cult and Culture.

tischen Realitäten von Tradition und Autonomie in provisorische Übereinstimmungen gebracht werden mussten. Insofern bot gerade eine ebenfalls vieldeutige und traditionsreiche Bilderwelt – zumal die Marienikonografie – die Möglichkeit, die Probleme zu diskutieren und die Positionen zu markieren, die sich im Zusammenhang mit revidierten Machtkonstellationen und mit der Person des Souveräns ergaben. So hat Ernst Kantorowicz in seiner bahnbrechenden Studie über die zwei Körper des Königs gezeigt, dass eine selten explizit formulierte, in der christlichen Zweinaturenlehre («una persona, duae naturae») begründete politische Theologie eine Grundlage lieferte, um den sterblichen Körper des Herrschers von der in ihm vorübergehend verkörperlichten, aber unsterblichen *dignitas* und damit von der ihm unterstellten politischen Körperschaft nicht nur zu unterscheiden, sondern dieses Verhältnis künstlerisch zu inszenieren und zu repräsentieren.[46]

4. Allegorien

Ähnlich wie in Kantorowicz' Arbeiten wird im Folgenden nicht grundsätzlich zwischen dem antik-heidnischen und dem mittelalterlich-christlichen Bildangebot unterschieden, die in der Frühen Neuzeit für politische Standortbestimmungen kreativ kombiniert wurden. Dieses Potenzial wird unten exemplarisch an einigen Motiven und an ihren Verwendungen vorgeführt, die mit den Metaphern von Familienstand, Ehe und auch gewalttätiger Erotik spielen. Grundlage dafür war die Personifikation des Gemeinwesens, wodurch dieses potenziell politisiert wurde, wie das in Antike und Mittelalter noch nicht denkbar gewesen war, obwohl hier die Anfänge der Allegorien lagen. Da abstrakte Begriffe im Lateinischen zumeist weiblich sind, wurde es bereits in der Antike üblich, sie als Frauen darzustellen. Nicht zuletzt durch die Verbindung von antiker Bildung und christlicher Lehre in den Werken etwa von Martianus Capella, Cassiodor oder Boethius blieb diese Praxis im ganzen Mittelalter populär: Trat bei Boethius *Philosophia* dem Dichter tröstend entgegen, so triumphierte bei Petrarca *Fama*. Auch Herrschertugenden schmückten allegorisch manche Darstellung. So finden sich auf Ambrogio Lorenzettis *Buon Governo* in Siena neben den Charakteristika des guten Regiments wie *Pax* oder *Concordia* die Kardinal- und theo-

46 Kantorowicz, Zwei Körper; für das Athanasianische Symbol: ebd., 40f. Vgl. auch Boureau, Le simple corps du roi.

logischen Tugenden sowie die *Magnanimitas* dargestellt.[47] Ebenfalls weiblich sind die Personifikationen von Städten und Regionen, entsprechend ihrem grammatikalischen Geschlecht im Lateinischen. Antike Medaillen zeigten Antiochia, Roma oder Constantinopolis mit einer Mauerkrone oder gewappnet mit einem Helm.[48] Gewisse Parallelen gibt es ferner zwischen dem römischen Genius einer Stadt und dem christlichen Patron, der als Stadtheiliger oder Landesheiliger kultische Verehrung genoss. Manche Stadtheilige waren weiblich. Insbesondere Maria wurde an sehr vielen Orten verehrt, etwa in Strassburg, Florenz oder Siena.[49] Lokalspezifische Heilige wie Ursula in Köln brachten ebenfalls eine vielfältige ikonografische Tradition hervor.

Insofern ist die Landespersonifikation ein altes Phänomen: Eine unterwürfige Germania oder Britannia konnte man bereits in der Antike bewundern, wie die Römer auch sonst besiegte Völker und Provinzen in Allegorien darstellten.[50] Ähnlich huldigt in dem berühmten Evangeliar Ottos III. Germania mit Sclavinia, Gallia und Roma dem Kaiser. In dem ebenso berühmten Perikopenbuch Heinrichs II. sieht man, wie Christus ihn und Kaiserin Kunigunde krönt, während Germania, Roma/Italia und Gallia den Tribut entrichten. Zu diesen antiken geografischen Allegorien traten im Spätmittelalter neue Personifikationen, die auf die Völkerwanderungsreiche zurückgingen und sich nicht nur auf die Region, sondern auch auf das politische Gemeinwesen bezogen. Dem entsprach, dass zeitgenössische Juristen wie Baldus de Ubaldis körperschaftlich verfasste Gemeinschaften wie die Kirche oder das Imperium als unsterbliche *universitates* und rechtsfähige *personae fictae* erfassten.[51] So erklangen im Hundertjährigen Krieg bei Christine de Pisan, Jean de Montreuil und Nicolas de Clamanges die Wehklagen der Francia, die ihr Witwendasein beklagt oder von ihren eigenen Söhnen verletzt wird. Sehr wahrscheinlich erinnerten sich die Autoren dabei an das alttestamentliche Lamento etwa von Jeremia, dass die Jungfrau Israel wieder auf den rechten Weg zurückfinden möge.[52] In Alain Chartiers *Quadriloque invectif* (1422) bittet France im Liliengewand ihre Kinder, die drei

47 Skinner, Macht.

48 Bühl, Constantinopolis und Roma.

49 Vgl. Sinding-Larsen, Christ in the Council Hall, 52f.; Wolters, Bilderschmuck, 237, und Skinner, Macht, 102. Möglicherweise ist die Heilige ebenfalls Maria, die auf einem Gemälde Andreas di Cione, entstanden zwischen 1323 und 1349, den Florentinern beisteht, die den vorübergehenden Stadtherren Walter von Brienne vertreiben.

50 Dresser, Britannia, 27, Abb. 4.

51 Koschorke, Staat, 85–88; Canning, The Political Thought, 93–130.

52 Jeremia 31,21.

Stände, sich wieder zu versöhnen. In illuminierten Handschriften bekam sie dank Chartiers genauer Beschreibung auch eine erste Gestalt: blond, gekrönt, mit Zepter und Lilienmantel. Manchmal war sie auch von ihren Kindern umgeben, so in einer Illumination von 1484, auf der sie Karl den Grossen und seinen Vater Pippin der Dreieinigkeit als ihre Söhne vorstellt. Als Vorbild der Muttergestalt, die wenig später auch im Reich zu greifen war, kann die Allegorie der Caritas gelten.[53] Die metaphorische Rede von politischen Kindern war schon alt. Unter Berufung auf Seneca und die gleich zu erörternden Epheserverse bezeichnete Petrarca die Bürger als Kinder, wenn nicht als eigener Leib des Fürsten; er müsse die *Respublica* deshalb wie einen Sohn lieben, ja wie sich selbst.[54]

5. Das mystische Ehepaar

Doch wichtiger als die Mutterfigur sollte die Gattin werden. Schon im Alten Testament wurde das Verhältnis Israels zu seinem Schöpfer oft als Ehe gezeichnet.[55] Für Ezechiel führte die Phase der Liebe zu einem Vertrag, wodurch die Geliebte sein wurde. Er schmückte sie mit einer Halskette, Ohrringen und einer schönen Krone, und sie blühte als Königreich auf.[56] Doch das war stets eine krisenanfällige Liebesbeziehung, denn die schöne Gattin verehrte andere Götter, beging also Ehebruch.[57] Bei Jeremia beklagt sich Gott, Israel habe ihn verachtet wie eine Frau ihren Liebhaber.[58]

Entscheidend für die Metaphorik der mystischen Ehe wurden allerdings weniger die alttestamentlichen Bezüge als der Epheserbrief 5,21–32. Paulus

53 Beaune, Naissance, 314–317, 334f.; für die beiden Söhne: Abb. 10 (vor 25); auch Blumenfeld, Enemies Without, 9–11. Für das Reich Heinrich Bebel, *Oratio ad Regem Maximilianum* (1501), wo Germania die Mutter des Kaisers ist, aber auch des Verfassers, vgl. Brandt, Germania, 42f. Paul Fleming, *Epistula Germaniae Exsulis*, Leipzig 1631, lässt die Personifikation ihre Kinder anreden, nämlich die Reichsstände und den Kaiser «als ein treuer Sohn»; vgl. ders., Lateinische Gedichte, 186–192, sowie für die deutsche Version: Brandt, Germania, 52f.

54 Petrarca, Epistole, 778: «Amandi tibi sunt igitur cives tui ut filii, imo, ut sic dixerim, tanquam corporis tui membra sive anime tue partes: unum enim corpus est res publica cuius tu caput es. […] universamque rem publicam non quantum filium modo vel parentes, sed quantum temet ipsum amare debes.»

55 Jesaja 54,5f.

56 Ezechiel 16,8–14.

57 Ezechiel 16,20, 25–28.

58 Jeremia 3,20; als Heilsbotschaft für die Wiederaufnahme in die Ehe, s. Jesaja 62,3–5.

postulierte die Unterordnung der Frau unter den Mann wie des Leibes unter das Haupt und der Kirche unter Christus. Zugleich forderte er die Männer auf, ihre Frauen so zu lieben wie Christus die Kirche geliebt habe, die heilig sein solle und makellos. «Keiner hat je seinen eigenen Leib gehasst, sondern er nährt und pflegt ihn, wie auch Christus die Kirche. Denn wir sind Glieder seines Leibes. Darum wird der Mann Vater und Mutter verlassen und sich an seine Frau binden und die zwei werden ein Fleisch sein. Dies ist ein tiefes Geheimnis; ich beziehe es auf Christus und die Kirche.»[59] Augustin folgerte hieraus, dass die Kirche Christi Gattin sei, mit dem sie im Fleisch (dem Abendmahl) eins werde: «Omnis enim Ecclesia sponsa Christi est, cuius principium et primitiae caro Christi est: ibi iuncta est sponsa sponso in carne.»[60] Bossuet erklärte das Mysterium später dahingehend, dass es erlaube, die Kirche mit Christus im Geist und in der Gnade vereint zu denken und zugleich getrennt von ihm, damit ihm die gebührenden Ehren erwiesen werden können: «Die Bezeichnung als Gattin unterscheidet, um zu verbinden; die Bezeichnung als Körper vereint ohne zu vermischen und eröffnet im Gegenteil die unterschiedlichen Zuständigkeiten: Einheit in der Vielfalt, ein Abbild der Trinität, das ist die Kirche.»[61]

Dieselbe Beziehung wurde, im Kleineren, zwischen dem Bischof und seiner Kirche postuliert. Der Bischofsring galt insofern als Ehering, bei dessen Verleihung der Erzbischof dem neu Gewählten sagte, er empfange ihn als Zeichen desjenigen Glaubens, in dem er seine Gattin beschützen solle, die heilige Kirche («sponsam Dei sanctam videlicet ecclesiam»).[62] Für Hugo von St. Viktor stellte der Ring ein Glaubenssakrament dar, in dessen Zeichen die Prälaten der Kirche als Lehrer und Beschützer vermählt würden.[63] Gregor IX. (1167–1241) nannte diese Beziehung in den *Dekretalen* eine spirituelle Ehe, «spirituale coniugium, quod est inter episcopum et ecclesiam».[64] Huguccio da Pisa († 1210) führte das Bild weiter aus: Die Wahl

59 Epheser 5, 31 bezieht sich als Zitat auf die Schöpfungsgeschichte mit Adam und Eva und damit auf das Urbild der Ehebeziehung, Genesis 2,24: «erunt duo in carne una.» Vgl. auch Epheser 4,15f. für Christus als Haupt, von dem aus der Körper zusammengefügt sei.

60 Augustinus, In epistolam Ioannis ad Parthos, PL 35, Sp. 1990 (II, 2).

61 Bossuet, Correspondance, Bd. 1, 70; übersetzt aus Descimon, Fonction, 1129.

62 Ordo 35 B.35, zitiert nach Benson, Bishop-Elect, 123.

63 Hugo von St. Viktor, De Sacramentis, PL 176, Sp. 438: «Anulus sacramentum fidei significat, quo sponsa Christi ecclesia subarrata est, cuius custodes et paedagogi episcopi sunt et praelati.»

64 Gregor IX., Decretales, 97 (X, 1, 7, 2).

des Bischofs schaffe zwischen Wählenden und Gewähltem die Verlobung als Vertragsverhältnis aus wechselseitigem Einverständnis («vinculum ex mutuo consensu»), so dass der Bischof nun Gatte seiner Kirche oder ihrer Kleriker heisse und sie seine Gattin. Doch vorerst respektiert er noch die Jungfräulichkeit der Verlobten; das heisst, er lässt die Rechte und Besitzungen seiner Kirche unversehrt. Wie in der weltlichen Ehe brauche es noch das Einverständnis dort der Eltern, hier des Papstes, damit er über Hab und Gut der Gattin verfügen kann, also eigentlich ihre Mitgift. Erst mit der päpstlichen Bestätigung werde die Ehe gleichsam fleischlich («quasi carnali commixtione») vollzogen, und die bischöfliche Verwaltung seiner Kirche entspreche dem regelmässigen Beischlaf.[65] Organologisch betrachtet war der Bischof das Haupt; die Glieder waren diejenigen, welche die Konsensehe tatsächlich eingingen – also nicht die ganze Diözese, sondern die Wähler, das Domkapitel.[66]

Erotischen Analogien begegnen auch in der franziskanischen Liebestheologie, die sich vor allem auf das Hohelied stützte, wobei in unserem Zusammenhang vor allem die Verse 4,7–13 wichtig sind. Seit dem frühen 12. Jahrhundert wurden diese Passagen als Liebesbeziehung zwischen Christus und seiner Gattin interpretiert, die nun nicht mehr nur – wie seit den Kirchenvätern Origenes und Augustin – als Ecclesia oder Seele gedeutet wurde,[67] sondern neu, etwa bei Rupert von Deutz, mit Maria als *Mater ecclesiae* und zugleich jungfräulicher Braut identifiziert wurde.[68] In typologischer Parallele zur Beziehung Salomos (des vermeintlichen Verfassers des Hohelieds) mit seiner Geliebten beschrieb Honorius von Autun († ca. 1151) gar die Heilsgeschichte als Liebesgeschichte zwischen Gott und Ecclesia. Diese Beziehung führe vom ersten Treffen der Verliebten (Gottes Bund mit Abraham) über erste Gespräche und Berührungen (Fleischwerdung Christi) zum Kuss (Friedensverkündigung an die Apostel) und zum Beischlaf, nämlich zur perfekten Einheit im Himmel.[69]

65 Huguccio da Pisa, Summa decretorum, D. 63 c. 10; zitiert nach Benson, Bishop Elect, 121f.

66 Gierke, Genossenschaftsrecht, Bd. 3, 252f.

67 King, Origen, 266–270; auch Tromp, Ecclesia Sponsa, 5; und Schelkens, Ecclesia sponsa, 152.

68 Honorius von Autun, Sigillum beatae Mariae, PL 172, Sp. 499D: «Gloriosa virgo Maria typum Ecclesiae gerit», zitiert nach: Flor, Symbolik, 97f.; vgl. auch Verdier, Couronnement, 83f.

69 Honorious von Autun, Expositio in Cantica Canticorum, PL 172, Sp. 350f.; vgl. Astell, Song, 31–33; Lavin, Maria-Ecclesia, 160.

Abb. 1: Honorius von Autun, Expositio in Cantica Canticorum (Opera exegetica).

Um 1170 schmückte ein Abschreiber den Hoheliedkommentar des Honorius von Autun mit einem Bild des Königs (Salomo), der die Königin (von Saba) umschlungen hält – zugleich die Präfiguration von Jesus und Ecclesia. (Abb. 1) Zur Erläuterung des Bilds wird Hohelied 2,6 zitiert: «Laeva eius sub capite meo […] et dextera illius amplexabitur me» – seine Linke liegt unter meinem Kopf, die Rechte wird mich umarmen. Hier wird das so dargestellt, dass Salomo/Christus mit der Rechten die himmlische Kirche im Gebäude umarmt, während er die Linke auf die ausserhalb stehende weltliche Kirche legt. Die himmlische Kirche hält ein Buch mit den ersten Sätzen des Hohelieds in der Hand.[70] Auf diese Stellen geht auch der Bildtyp von Jesus und Maria als Liebespaar zurück, deren erste grosse Version Pietro Cavallini um 1290 als Apsismosaik für Santa Maria in Trastevere schuf. Während Christus das Schriftband mit *Veni electa mea* hält, zeigt Maria den Text von Hohelied. 2,6: «Laeva eius sub capite meo». Nicht zuletzt über die Beschreibung von Mariä Himmelfahrt in der sehr populären *Legenda aurea* des Jacobus de Voragine (um 1260) verbreitete sich der Text des Antiphons, der bei dieser Feier gesungen wurde («Veni electa mea et ponam in te thronum meum, quia concupivi speciem tuam»). Der Bezug wurde dabei erneut auch zum Hohelied und zu Salomo hergestellt (Hld 4,8: «Veni de Libano, sponsa, veni de Libano, veni, coronaberis»).[71]

Die Paarbeziehung von Jesus und Maria/Ecclesia liess sich nicht nur auf Bischof und Diözese übertragen, sondern auch auf die Gesamtkirche. Sie wurde seit dem 12. Jahrhundert mit einem ursprünglich auf die Hostie bezogenen Begriff als *Corpus mysticum ecclesiae* mit Christus als Haupt aufgefasst. Diese insbesondere durch Thomas von Aquin geprägte Wendung war nicht nur im spirituellen Sinn zu verstehen, sondern meinte auch einen institutionalisierten administrativen Organismus und eine überindividuelle, aber rechtsfähige und rechtlich unsterbliche Korporation (*universitas*): die *persona ficta* oder *persona repraesentata* als *corpus iuridicum*.[72] Damit wurde das *Corpus Christi*, der in der Hostie verehrte und vermittelte persönliche Leib des Erlösers, getrennt von seinem unpersönlichen, kollektiven Körper, der weltlichen Kirche als *Corpus mysticum*, obwohl sie im Gefolge des Epheserbriefs noch als «ein Fleisch» bezeichnet worden waren.[73] Das erleichterte die Säkularisierung des Ehemotivs in dem Sinn, dass nicht nur Christus, sondern auch sein menschlicher Stellvertreter als Partner der Rechtsperson Kirche auftreten, ja mit dem apostolischen Leib der Kirche gleichgesetzt werden konnte. Auf dem Apsismosaik von Alt St. Peter in Rom standen unterhalb von Jesus, Petrus und Paulus der Papst (Innozenz III.) und die

70 Staatsbibliothek München, clm 4550; Glanz, De arte honeste amandi, 140f.

71 Jacobus de Voragine, Legenda aurea, 782f.

72 Zu den entsprechenden Übertragungen und Umdeutungen Kantorowicz, Zwei Körper, 206–217 und 306–316 («universitas non moritur»); auch Koschorke, Staat, 56f.

73 Kantorowicz, Zwei Körper, 212, hält fest, dass sakramental eigentlich nur die Rede vom Corpus mysticum Christi sinnvoll ist.

Ecclesia Romana sich zugewandt, mit dem Lamm Gottes als verbindendem Element.[74] Petrarca machte Roma und Ecclesia zu handelnden Personen, die als «coniunx» ihren «sponsus», nämlich die Päpste Benedikt XII. beziehungsweise Clemens VI., aufforderten, zu ihnen zurückzukehren.[75] Ähnlich bat Oldradus de Ponte, der Papst möge von Avignon zu seiner Gattin («sponsa») zurückkehren und seine Mitgift wiederherstellen, nämlich das notleidende *Patrimonium Petri*.[76] Wilhelm von Ockham hielt zugleich fest, dass dieser Kirchenbesitz nicht dem Papst persönlich gehöre, sondern Gott und der Kirche als mystischem Körper. Deshalb seien diese Besitzungen unveräusserlich.[77]

In der Mitte des 13. Jahrhunderts sprachen Autoren wie Vincent von Beauvais in Analogie zur Kirche vom *Corpus reipublicae mysticum* und analog vom *Corpus morale et politicum* oder im Englischen vom «body politic», wenn sie das weltliche Gemeinwesen als juristische Person meinten.[78] Ebenso wurde das theologische Bild der mystischen Ehe zwischen Christus als dem Haupt und Maria/Ecclesia als dem Körper im 14. Jahrhundert in die politische Sphäre übertragen.[79] In seinem Kommentar des *Codex Iustinianus* griff Cino da Pistoia um 1312/14 die Ehemetaphorik auf. Die Wahl des Kaisers durch das Gemeinwesen («respublica») und seine Annahme der Wahl entsprächen einer Ehe in wechselseitigem Einverständnis («consensu mutuo fit matrimonium»), so dass er bereits damit der Rechtsvertreter des Gemeinwesens («praepositus reipublicae») werde. Dieser Vergleich der fleischlichen Ehe mit der geistigen passe gut, meinte Cino; denn wie der Gatte der Verteidiger seiner Ehefrau sei, so sei der Kaiser derjenige des Gemeinwesens.[80] Enea Silvio Piccolomini, der spätere Papst Pius II., ging 1446 in einem Traktat für Kaiser Friedrich III. so weit, dass der Fürst als Haupt des

74 Paravicini Bagliani, Leib des Papstes, 79f.

75 Petrarca, Epistulae metricae, 36–47 und 134–147.

76 Oldradus de Ponte, Consilia 85, Nr. 1, Lyon 1550, fol. 28v, zitiert nach Kantorowicz, Zwei Körper, 227, Anm. 71.

77 Kantorowicz, Zwei Körper, 216.

78 Ebd., 219–222.

79 Dazu neben De Mattei, Idea democratica, 35–44, und Kantorowicz, Zwei Körper, 218–241, Hanley, Monarchic State.

80 Cino da Pistoia, In Codicem, f. 446 (c.7.37, n. 5): «quia ex electione Imperatoris et acceptione electionis reipublicae iam praepositus negari non potest et eum ius consecutum esse, sicut consensu mutuo fit matrimonium [...] Et bona est comparatio iliius corporalis matrimonii ad istud intellectuale: quia sicut maritus defensor uxoris dicitur [...] ita et Imperator Reipublicae.»; dazu Kantorowicz, Zwei Körper, 223f., und Viroli, From Politics, 64f.; vgl. auch Digesten 50, 17, 30: «Nuptias, non concubitus, sed consensus facit.»

mystischen Körpers der *Respublica* gehalten sei, sein Leben zu opfern, wann immer das Gemeinwohl es verlange. Die Parallele zu Christus war klar, der als «caput ecclesiae, princeps et rector» sein Leben für die Menschen, also für den mystischen Körper der Kirche, geopfert habe.[81]

Der wohl 1390 verstorbene italienische Jurist Luca da Penne stellte im Rahmen seiner organologischen Verfassungslehre explizit die Analogie zur Ehemetaphorik her, die Huguccio da Pisa für die Bischofswahl genutzt hatte: «Der Fürst ist der Gatte des Gemeinwesens («respublica») gemäss dem Lucan-Zitat: ‹Der Stadt Vater und ihr Gatte›. [...] Denn so wie zwischen Gatte und Gattin eine fleischliche und hauswirtschaftliche Ehe geschlossen wird, so wird zwischen dem Fürsten und dem Gemeinwesen eine moralische und politische Ehe geschlossen. Ebenso, wie zwischen der Kirche und dem Prälaten eine geistige und göttliche Ehe, so wird zwischen Fürst und Gemeinwesen eine zeitliche und irdische Ehe geschlossen. Und wie die Kirche im Prälaten und der Prälat in der Kirche ist, so ist der Fürst im Gemeinwesen und das Gemeinwesen im Fürsten. Daher ist die Kirche mit einer politischen Versammlung von Menschen zu vergleichen, und der Papst ist wegen seiner Machtfülle (‹plenitudo potestatis›) gleichsam ein König in seinem Reich.»[82] Luca da Penne zitierte Gratians *Decretum*, um die Metaphorik zu erläutern: «Der Bischof ist in der Kirche und die Kirche im Bischof.» Indirekt war das ein Bezug auf den Hl. Cyprian und das Johan-

81 Piccolomini, De ortu et auctoritate, 82: «[...] princeps, qui caput est mystici rei publicae corporis, cum salus communis expostulat, vitam ponere teneatur. Imitandus est enim Christus Jesus, qui [...] ipse quoque, cum esset caput ecclesiae, princeps et rector, ut nobis mortem demeret, voluntariam mortem subivit.» Vgl. Kantorowicz, Zwei Körper, 286. Ähnliche Gedanken finden sich 1607 bei Pierre de Belloy, nach dem der Fürst durch den Krönungseid seine eigene Freiheit dem Gemeinwohl aufopfere, vgl. Descimon, Fonction, 1138.

82 Luca da Penne, Super tres libros codicis, cod. 11, tit. 58, 7, n. 8 (De omni agro deserto): «Princeps est maritus reipublica iuxta illud Lucani [Pharsalia 2, 388, zu Cato] urbi pater urbique maritus. [...] Nam sicut inter virum et uxorem matrimonium carnalem contrahitur, et oeconomicum, sic inter principem et rempublicam matrimonium morale contrahitur et politicum. Item, sicut inter ecclesiam et praelatum matrimonium spirituale contrahitur et divinum [...] ita inter principem et rempublicam matrimonium temporale contrahiter et terrenum. Et sicut Ecclesia est in praelato et praelatus in Ecclesia [...] ita Princeps in republica, et respublica in principe. Unde et ecclesia comparatur congregationi hominum politicae et papa est quasi rex in regno propter plenitudinem potestatis.» Sinnentstellend ist der Fehler «casualem» statt «carnalem» bei De Mattei, Idea democratica, 39; vgl. auch Kantorowicz, Zwei Körper, 214, 224f., 433f.; und allgemein Ullmann, Medieval Idea, insbes. 165–167.

nesevangelium (14,10): «Ich bin im Vater, und der Vater ist in mir.»[83] Mit Blick auf Epheser 5,23 («Der Mann ist das Haupt des Weibes und das Weib der Leib des Mannes») schloss Luca daraus: «Auf dieselbe Art ist der Fürst das Haupt des Reiches und das Reich der Leib des Fürsten.»[84]

Geistliche und weltliche Hierarchie waren parallel gestaltet. Christus und sein Stellvertreter, der Papst, hatten nicht nur einen vorübergehenden, fleischlichen Körper, sondern waren zugleich vereint mit ihrem ursprünglich fremden, immateriellen, mystischen, spirituellen Körper: der Kirche als Gemeinschaft der Gläubigen; und diesem Körper waren sie zugleich als Kopf übergeordnet.[85] Ebenso besass der Fürst neben seinem sterblichen Körper einen mystischen, moralischen, politischen Körper, die *Respublica*, die ihm zwar nicht gehörte, ihm jedoch in der Ehe untergeordnet wurde und mit ihm eins war.[86] Diese mystische Gemahlin brachte Eigentum in die Ehe ein, ihre Mitgift, die der Gatte wohl nutzen, nicht aber veräussern konnte. Dies wurde im Ehegelöbnis festgehalten und analog bei der Weihe von Prälat oder König im Eid, dass er das Eigentum der Kirche oder des Fiskus nicht entfremden werde, das eben nicht ihm, sondern der Angetrauten gehörte.[87]

Die Verpflichtung zeigte sich nicht nur im Recht auf Widerstand und Tyrannenmord, wenn der Herrscher die *Respublica* wie eine Sklavin behandelte, also als sein Eigentum, und die Ehe auflöste, indem er der Gattin Freiheit und Mitgift raubte.[88] Auch spätere Autoren wiederholten die Über-

83 Gratian, Decretum, C. 7, VII, qu. 1, zitiert nach Kantorowicz, Zwei Körper, 226 und 434. Vgl. auch die oben erwähnten Stellen Genesis 2,24 und Epheser 5,31: «erunt duo in carne una.»

84 Luca da Penne, Super tres libros codicis, cod. 11, tit. 58, 7, n. 8: «[...] item, sicut vir est caput uxoris, uxor vero corpus viri [...] ita princeps caput reipublicae, et res publica eius corpus.»

85 Paravicini Bagliani, Leib des Papstes, 68–82.

86 Luca da Penne, Super tres libros codicis, cod. 11, tit. 58, 7, n. 8: «Item, sicut [...] homines spirituali corpori spiritualiter coniunguntur, cui corpori Christus est caput [...], sic moraliter et politice homines coniunguntur reipublicae quae corpus est: cuius caput est princeps [...] Amplius sicut Christus alienigenam, id est, gentilem ecclesiam sibi copulavit uxorem [...], sic et princeps rempublicam quae, quantum ad dominium, sua non est, cum ad principatum assumitur, sponsam sibi coniungit [...]».

87 Luca da Penne, Super tres libros codicis, cod. 11, tit. 58, 7, n. 9: «Ita et principi alienatio rerum fiscalium, quae in patrimonio imperii et reipublicae sunt et separate consistunt a privato patrimonio suo, iuste noscitur interdicta. [...] Nam et fiscus est pars reipublicae [...]». Vgl. Ullmann, Medieval Idea, 180–183, 187f.

88 Ullmann, Medieval Idea, 188f., 192; Viroli, From Politics, 67.

zeugung, dass die Mitgift der Beitrag des Gemeinwesens war, damit der Herrscher seine Amtslasten tragen konnte; sie war also durch den Ehevertrag zweckgebunden.[89] Insofern war es bezeichnend, dass Luca, anders als Cino, das Wort «politicus» zur Charakterisierung der Ehe brauchte. Aristoteles hatte die Herrschaft des Hausherrn über die Frau als πολιτικὴ ἀρχή (politiké arché) charakterisiert – so wie ein Amtsträger in der Polis über seine Mitbürger herrscht, also über prinzipiell Gleichgestellte.[90] Thomas von Aquin verdeutlichte dies: «Der Ehemann herrscht über seine Gattin durch politische Herrschaft, nämlich so wie jemand, der zum Oberhaupt gewählt worden ist, der Bürgerschaft voransteht [...] Doch der Mann hat nicht in jeder Hinsicht vollumfängliche Herrschaft über die Gattin, sondern nur soweit, wie es das Eherecht erfordert; wie auch das Oberhaupt der Bürgerschaft Macht über seine Mitbürger nur im gesetzlichen Rahmen hat.»[91] In der Mitte des 15. Jahrhunderts nannte Sir John Fortescue die Herrschaft des Gatten über seine Gefährtin («socia») – und nicht Magd («ancilla») – unter Berufung auf die alten Autoritäten (Thomas, Augustin) ein «dominium yconomicum, et sociale vel civile». «Civile» setzte Fortescue wiederum mit «politicum» gleich, und als Wurzel definierte er «civitas» als Zitat aus Augustin: «hominum multitudo aliquo societatis vinculo sociata». Ehe und gemässigte Herrschaft unter Gleichen beruhten also auf einer (Rechts-)Gemeinschaft, in welcher ein Mann das gemeinsame Gut verwaltete («dispensare»). Die gottgewollte Hierarchien begründete Fortescue mit Verweis auf Evas Bestrafung (Genesis 3,16): «Eris sub potestate viri et ipse dominabitur tibi» – eine jede Frau unterstand der Macht eines einzelnen Mannes, sei es der Gatte oder der Vater.[92] Im selben Werk *De natura legis naturae* führte Fortescue seine berühmte Wendung «dominium politicum et

89 Giulio Antonio Brancalasso, Philosophia Regia medulla politicorum, Neapel, 1609, 47, zitiert bei De Mattei, Idea democratica, 39f., Anm. 4: «Sponsalitium hoc inter Principem et Rempublicam contractum sua dote non caret; dat enim Respublica veluti sponsa suo Principi tanquam sponso tributum ad principatus onera subvehenda.»; ähnlich P. A. Canonieri, Introduzione alla Politica, 468 (Buch 7, Kap. 15), zitiert bei De Mattei, Idea democratica, 40.

90 Aristoteles, Politik, 1259a.

91 Thomas von Aquin, Sententia libri politicorum, A113; zitiert bei Viroli, From Politics, 66, und Rubinstein, History, 47, Anm. 38.

92 Fortescue, De natura, 163f. (Kap. 46); vgl. Rubinstein, History, 47, Anm. 38. Das leicht veränderte Zitat ist Augustin, De civitate Dei, CSEL 40, 2. Teil, 74 (15, 8). Es erinnert auch an Cicero, De republica, 1, 25: «coetus multitudinis iuris consensu et utilitatis communione sociatus»; diese Stelle zitiert Fortescue dann in De laudibus legum Angliae, 30 (Kap. 13).

regale» ein, um die englische Verfassung zu charakterisieren. Damit kombinierte er zwei Adjektive, die trotz Ähnlichkeiten etwa bei Thomas von Aquin bislang unterschiedlich verwendet worden waren: «politicus» für den polyarchischen Stadtstaat («civitas»), wo Mitsprachegremien und Gesetze den Herrscher beschränken, dessen Macht vom Volk und einer Wahl herrührt; «regalis» dagegen für das monarchische Reich («regnum»), dessen König nach eigenem Gutdünken Gesetze erlassen und Steuern einfordern kann, weil er das Volk einst als Eroberer unterworfen hat.[93] Die Kombination «dominium politicum et regale» bezeichnete den Monarchen, der – wie in England – durch unabänderliche Grundgesetze an den Willen des Volkes rückgebunden ist, das ihn ursprünglich gewählt hat.

Das bedeutete nicht, dass die *Respublica* (oder analog Ecclesia) selbständige rechtsfähige Personen waren. Vielmehr machte Fortescue deutlich, dass das Volk («populus») nicht als *corpus politicum* bezeichnet werden könne, bevor nicht aus ihm heraus ein Haupt, nämlich ein König, hervorgegangen sei.[94] Den Übergang von einer blossen Ansammlung von Menschen («cetus hominum») zu einem politischen *corpus mysticum* erfolge durch das Gesetz, das die Glieder des Körpers zusammenhalte und damit auch Volk und König. Dieselbe Funktion erfüllten im Menschenkörper die Nerven. Wie diese seien auch die Gesetze vorgegeben, die der Herrscher im jeweiligen politischen Körper ebenso wenig ändern könne wie dessen Wesen. Denn von ihm, dem Volk, stamme seine Macht, die er unter keinem anderen Titel als dem der Landesgesetze ausüben könne, wenn er das Ideal eines «dominium politicum et regale» verwirklichen wolle.[95] Für Fortescue war Frankreich ein reines «regimen regale», und entsprechend eindeutig fiel der Ver-

93 Rubinstein, History, 49–52; für die Abhängigkeit von Thomas von Aquin bzw. seinem Fortsetzer Ptolomäus da Lucca (De regimine principum, 3,12: «medium tenet inter politicum et regale»; vgl. auch 3,20) auch Viroli, From Politics, 69f.

94 Fortescue, De laudibus, 30 (Kap. 13): «Nec tamen Populus hujusmodi dum acephalus, sine Capite, esse Corpus vocari meretur. [...] in Politicis, sine Capite Communitas nullatenus corporatur. Quare Populum, se in Regnum aliunde Corpus Politicum erigere volentem, semper oportet unum praeficere totius Corporis illius regitivum, quem Regem nominare solitum est.»

95 Fortescue, De laudibus, 30 (Kap. 13): «Lex vero, sub qua Coetus Hominum Populus efficitur, Nervorum Corporis Physici tenet Rationem: Quia sicut per Nervos Campago Corporis solidatur, sic per Legem, quae a Ligando dicitur, Corpus hujusmodi Mysticum ligatur et servatur in unum [...] nec Rex, qui Caput Corporis Politici est, mutare potest Leges Corporis illius, nec ejusdem Populi substantias proprias subtrahere [...] et hanc Potestatem a Populo effluxam ipse habet, quo ei non licet Potestate alia suo Populo dominari».

gleich der beiden Königreiche zugunsten des «dominium politicum et regale» in England aus. Zwar hätten die Generalstände dieselbe Funktion gehabt wie das englische Parlament, doch seien sie im Hundertjährigen Krieg nicht mehr zusammengekommen. So habe der französische König ohne deren Zustimmung willkürliche Steuern und ähnliche Schikanen verfügt, um den Anforderungen des Krieges zu genügen.[96]

Während Fortescue gleichsam die Formel «King-in-Parliament» vordachte, konnte sein Zeitgenosse Ludwig XI. tatsächlich schon sagen: «Je suis la France.»[97] Im Sinn der Identitätsrepräsentation vertrat das Haupt allein den ganzen Körper.[98] Doch das war noch mehr Anspruch als Realität, und kontraktualistische Vorstellungen der Königsherrschaft hatten durchaus auch ihre französischen Fürsprecher. In gewisser Analogie zu den gleichzeitigen Debatten, ob der Papst oder das Konzil die Kirche repräsentiere, konnten Autoren wie Jean Gerson, Jean de Terre Rouge oder – noch im späten 16. Jahrhundert – Guy Coquille daran festhalten, dass die drei Stände als «corpus civile sive mysticum regni» zumindest als Garanten der Grundgesetze eine politische Rolle spielten.[99] War dies der Fall, so sprach Terre Rouge von *corpus mysticum et civile*; entschied allein der königliche Wille, wodurch die notwendige obrigkeitliche Gestaltungsfähigkeit erst entstand, so war vom *corpus mysticum et politicum* die Rede.[100] Generell musste jeder Herrscher darauf achten, dass sein mystischer Körper am Leben blieb, etwa durch gleichmässig verteilte Steuern. Andernfalls, so Gerson, drohe Zerstörung, denn ein Haupt allein ohne Körper könne nicht Bestand haben.[101]

Die Ehemetaphorik wurde in Frankreich und unter Bezug auf Luca de Penne wohl schon vor dem Erstdruck seiner Werke (1509) aufgenommen.[102] Schon um 1414 war von den Königen als «mariz et seigneurs» der

96 Fortescue, De laudibus, 80–89 (Kap. 35/36).

97 Zitiert nach Guenée, Politique, 23, Anm. 4.

98 Hierzu Hofmann, Repräsentation, 219–285; Koschorke, Staat, 89–92; Mager, Genossenschaft, 103–106.

99 Kantorowicz, Zwei Körper, 228–230.

100 Giesey, French Estates.

101 Jean Gerson, Vivat Rex: «Car aultrement ce seroit destruction; proprement, car chief sans corps ne peust durer.» Zitiert bei Krynen, Idéal, 327.

102 Descimon, Fonction, 1128; Gojosso, Concept de république, 48–51, 78–85; Hanley, Lit de Justice, 77–97. Wortwörtlich aus Luca de Penne stammt die Zusammenfassung von Barthélemy de Chasseneux, Catalogus gloriae mundi, f. 131 (5,24,166); und ähnlich Charles de Grassaille, Regalium Franciae, 311 (I,20); vgl. Descimon, Fonction, 1135, und Gojosso, Concept de république, 78f.

France die Rede[103], und 1440 sprach Jean Juvénal des Ursins vom König als «de vray espoux et mary de France».[104] Auch die Herzöge heirateten symbolisch ihre Herzogtümer.[105] 1479 begründete ein Angehöriger des Parlaments von Paris die Unveräusserlichkeit des Kronguts mit dem «mariage moral et politicque qui est entre le roy et la chose publique».[106] Viele Legisten übernahmen das Bild, so im späten 16. Jahrhundert René Choppin, der den König als mystischen Gatten des Gemeinwesens sah und damit nicht als Beherrscher, sondern als Treuhänder der *Respublica*: «curator Reipublicae ac mysticus [...] ipsius coniunx».[107] Die Prinzen waren dann analog Kinder des Königs aus seiner Ehe mit dem französischen Volk, der «chose publique».[108] Wichtiger war allerdings die Analogie, die Jean Papon 1566 aufgriff: Das Gemeinwesen («chose publique», «Republique») bringe die Krondomäne als Mitgift in die politische Ehe («mariage politic») ein. Der König allein könne sie nutzen, also unter Ausschluss seiner Geschwister, aber er dürfe sie nicht veräussern, entfremden oder teilen; und er müsse sie beschützen und pflegen. Im französischen Fall bedeutete dies historisch die Rückführung der Apanagen, später auch die Erweiterung der Domäne um das Erbe, das Heinrich von Navarra als Heinrich IV. gleichsam als männliche Mitgift einbrachte. Die Stände hatten laut Papon herkömmlich darüber gewacht, dass der König sich genauso um die Krondomäne kümmere wie ein Gatte um die Mitgift seiner Frau. Doch inzwischen komme diese Aufgabe allein dem Parlament von Paris zu, «veu que le Roy seul avec son Parlement representoit ladite Republique».[109] Auch Bodin bediente sich derselben Metapho-

103 Descimon, Fonction, 1131.

104 Juvénal des Ursins, Loquar in tribulacione, 360; vgl. Krynen, Idéal, 256.

105 Descimon, Fonction, 1131f.

106 Ebd., 1134.

107 Zitat nach Kantorowicz, Zwei Körper, 1990, 232f.; vgl. Choppin, De domanio Franciae, § 328: «Ob id Reges non tam dicuntur Domini, quam Curatores Reipub. qui Feudisticis temporibus mamburgi nuncupabantur.» Weitere Beispiele bei Descimon, Fonction, 1135, und Hanley, Lit de Justice, 77–97.

108 Hanley, Lit de Justice, 78f., nach Godefroy, Cérémonial françois II, 493–499 ; vgl. Molé, Mémoires, Bd. 2, 221: «Il semble qu'ils ne recognoissent ni la personne d'un père, ni d'une mère, et qu'ils n'avouent autre auteur de leur vie que la France, puisqu'ils sont enfants de France.» Für die Kindermetaphorik oben, Anm. 53 und 54, sowie De Mattei, Idea democratica, 40, wonach Canonieri die Völker («i popoli») als Kinder von Fürst und Repubblica darstellte.

109 Papon, Recueil d'arestz, Buch 5, 10. Vgl. auch Descimon, Fonction, 1137, Gojosso, Concept de république, 80f., sowie Hanley, Lit de Justice, 171, für Karls IX. Lit de justice von 1563.

rik.[110] Und Cardin Le Bret, einer seiner wichtigsten Adepten im 17. Jahrhundert, ergänzte, dass alles, was der König erwarb, letztlich nicht ihm zukam, sondern der *République* als seiner mystischen Gattin.[111]

Die Unveräusserlichkeit der Krondomäne war – analog zur erwähnten Forderung, der Papst müsse den Kirchenbesitz wahren – schon seit dem 14. Jahrhundert durch französische Juristen begründet worden. Karl V. von Frankreich nahm sie 1364 in den Krönungseid auf. Dem vorübergehenden Herrscher wurde damit die von ihm getrennt gedachte *couronne* übergeordnet, die Krone Frankreichs als unpersönliche und ewige Eigentümerin der Rechtsansprüche des Königreichs. Über diesen *status coronae* konnte das königliche Haupt allenfalls gemeinsam mit den ständischen Gliedern zusammen verfügen: Die Parlamente etwa kontrollierten die bestimmungsgerechte Verwaltung des Kronguts. Ähnlich stellten die französischen Theologen die im Konzil vereinte Kirche über den Papst.[112] Der König war Diener, Verwalter und Vormund der Krone und musste bewahren, was ihre Essenz ausmachte; was also, mit Juvénal des Ursins, «inherent a la couronne» sei, Güter «ostés de la personne du roi, car ilz sont annexés a la couronne».[113] Jean de Montreuil erklärte im frühen 15. Jahrhundert die Souveränität – im mittelalterlichen Sinn der höchsten Gerichtsbarkeit – zum Hauptcharakteristikum der Krone, die ihr anhafte wie der Schatten: «la couronne n'a point de plus grant droit que le droit de souvereineté».[114]

Diese Vorstellung erwies sich auch für den König als vorteilhaft, nachdem er im Frieden von Madrid 1526 unter anderem auf das Herzogtum Burgund verzichten musste. Im *Lit de Justice* vom 20. Dezember 1527 wurde nämlich erstmals in dieser Form festgehalten, dass der König als Haupt des mystischen Körpers mit seinen Gliedern, dem Volk, verheiratet sei und deswegen die Fundamentalgesetze wahren und also Burgund nicht veräus-

110 Bodin, République 6, 41 (Kap. 6,2): «[...] le domaine, que la république apporte au prince comme dot à son époux, pour la tuition, défense et entretenement d'icelle, et que les rois ne se peuvent approprier en sorte quelconque.»

111 Le Bret, Souveraineté, 47 (I, 6): «[...] tout ce que les rois acquièrent tourne au profit de la république qui est leur épouse mystique et la plus privilégiée.»

112 Krynen, Idéal, 303–312; zur Unveräusserlichkeit auch Kantorowicz, Zwei Körper, 348–371.

113 Krynen, Idéal, 307; zur Vormundschaft Kantorowicz, Zwei Körper, 371–381, und Gierke, Genossenschaftsrecht, Bd. 3, 331–342, insbes. 332, Anm. 272; ausserdem Codex Justinianus 2,53,4: «Res publica minorum iure uti solet ideoque auxilium restitutionis implorare potest».

114 Krynen, Idéal, 308.

sern dürfe, obwohl er es 1526 im Frieden von Madrid hatte abtreten müssen. Ähnlich wurden 1537 Flandern und Artois als Mitgift des «mari politique» für unveräusserlich erklärt. Das bedeutete zugleich eine kontraktualistische Rückbindung und Verpflichtung des Monarchen gegenüber seinem Volk und konkret gegenüber den Ständen als Garanten der Fundamentalgesetze. Insofern war es kein Zufall, dass gerade der Parlamentspräsident, Jean de Selve, 1527 erstmals diese Position formulierte und 1537 und 1563 ebenfalls bürgerliche Juristen, Jacques Cappel und Guillaume Ango, vom «vrai dot de la République» sprachen.[115] Seinerseits benutzte Heinrich II. als erster König sogar im Krönungszeremoniell die Ehemetapher und gelobte bei der Annahme des Rings 1547, als Gatte des Königreichs dessen Fundamentalgesetze zu bewahren; das tat ihm auch noch Heinrich IV. nach.[116]

Die unsterbliche Krone war der Ort, wo ihr Träger und ihre Garanten, also Haupt und Glieder des politischen Körpers, als «Aggregat» zusammenkamen.[117] Zugleich war es der Ort, wo kontraktualistisch die Mitsprache der Parlamente geltend gemacht werden konnte, weil – wie 1572 in einem Prozess festgehalten wurde – die Krondomäne Eigentum der Stände sei, die sich einen Erbkönig erkoren hätten, damit er diese Krone verwalte.[118] Gegebenenfalls mussten sie also die *Couronne* gegen ihren Inhaber, einen eigennützigen König, schützen.[119] Die für sich allein gedachte Krone als Trägerin zeitloser *dignitas* oder später der *maiestas*, mit einer vom sterblichen Throninhaber nicht veräusserbaren Krondomäne und mit vom König unabhängigen, ständischen Institutionen zur Überwachung dieses Grundgesetzes – das war der Kern eines *Staates* als juristischer Person, die nicht den privaten Bedürfnissen der Dynastie (etwa der Versorgung nachgeborener Söhne) dienen sollte, sondern dem allgemeinen Wohl.[120] So verstanden war der mystische, politische Körper des Königs keine Gegengewalt. Er umfasste das Gemeinwesen als Quelle und Hüterin der in der *Couronne* verankerten Grundgesetze, der *lois fondamentales*, und damit der Monarchie und des

115 Hanley, Lit de Justice, 77–85, 91–97, 171; Gojosso, Concept de république, 48f.

116 Hanley, Lit de Justice, 139; dies., Monarchic State, 111f.

117 Kantorowicz, Zwei Körper, 380f.

118 Zitiert von Descimon, Fonction, 1136 : «[…] le domaine de la Couronne appartient en propriété aux Estats qui ont esleu et constitué sur eux un Roy héréditaire pour estre administrateur de ceste Couronne. Tellement il est le mary politique de la Republique.»

119 Vgl. das Zitat von Jacques de la Gesle bei Descimon, Fonction, 1137 : «C'est ce que nous disons aujourd'huy au Roy et soustenons pour le Roy contre le Roy, c'est à dire pour les droits de la Couronne contre son intention représentée ès lettres patentes».

120 Descimon, Fonction, 1139.

Herrscheramts selbst. Innerhalb dieses Rahmens, dem er sich selbst durch den Krönungseid freiwillig unterwarf, war der König im Prinzip uneingeschränkt handlungsfähig. Schon Baldus hatte festgehalten, «dass die *respublica* selber nichts tut, während derjenige, der die *respublica* regiert, kraft der *respublica* und der Würde, die ihm eben diese *respublica* übertragen hat, handelt».[121] Die *Respublica* als theoretisch abstrahierte Körperschaft war also selbst nicht handlungsfähig und benötigte in dieser Passivität den Schutz ihres mächtigen Gatten, des konkreten Machthabers. Doch sie verdiente diesen Schutz als Gemahlin und Körper, denen das männliche Haupt seine Machtmittel wiederum verdankte und ohne die es nichts war.[122]

Obwohl die behandelten Vorstellungen in ihrer Vielfalt schwer systematisierbar und gerade in den verschiedenen nationalen politischen, theologischen, literarischen oder künstlerischen Traditionen nicht einheitlich sein konnten, ergibt sich doch ein allgemeiner Deutungsrahmen: das *dominium politicum et regale* als politische Ehe von männlichem Haupt und weiblichem Körper, deren Mitgift dem sterblichen *body natural* des Königs zur Verfügung stand, um im ewigen *body politic* das Gemeinwohl zu verwirklichen – der Zweck, für den die *Respublica* ihn mit Vorrechten und Machtmitteln ausstattete, die aus ihr hervorgingen und seit Bodin als unteilbare «Souveränität» bezeichnet werden konnten. Für denselben Bodin waren aber die *lois fondamentales* mit dem göttlichen und dem natürlichen Recht zusammen der selbstverständliche Rahmen, an den souveränes Wirken sich halten musste – allerdings mit der wesentlichen Einschränkung, dass es keine weltliche Instanz ausser dem Souverän selbst gab, die sein Handeln auf ihre Recht-Mässigkeit in diesem übergeordneten Sinn beurteilen oder gar sanktionieren konnte.[123]

Während in den Nationalmonarchien die folgenden Theoretiker der Souveränität und insbesondere Thomas Hobbes diesen Aspekt immer stärker herausstrichen, entstand im Reichskontext mit seiner Wahlmonarchie und bedeutenden ständischen Kompetenzen und Institutionen ein öffentliches Recht, das der Gedankenwelt der mystischen Ehe stärker verbunden blieb. Der Unterscheidung zwischen dem Kaiser und dem Imperium als seinem Körper entsprach die Differenzierung, die Hermann Kirchner mit seiner *Respublica* von 1608 einführte: *maiestas personalis* (oder *regnantis*)

121 Baldus Ubaldis, Consilia, 3, 159, Nr. 5, zitiert bei Kantorowicz, Zwei Körper, 398.

122 Vgl. herzu die überzeugenden Ausführungen von Möbius, Frauenbilder, 55, 60–66.

123 Giesey, Jurisprudence, 180–182; zu den Fundamentalgesetzen Bodin, République, 1, 197 (1, 8).

einerseits, andererseits *maiestas realis* (oder *regni*). Letzterem entsprach ungefähr, in der älteren, scholastischen (und auf die Rechtsprechung beschränkten) Unterscheidung, der *habitus jurisdictionis*, der ursprüngliche Sitz der Rechtsprechung, Ersterem ihre konkrete Ausübung: *actus/usus jurisdictionis*.[124] Man kann auch an die erwähnte französische Unterscheidung von ständischem *corpus mysticum et civile* und königlich dominiertem *corpus mysticum et politicum* (Terre Rouge) denken.[125] Die Rede von der *maiestas* war nicht nur im Reichsrecht angelegt, sondern auch bei Bodin selbst, der wie erwähnt in seiner lateinischen Übersetzung *souveraineté* mit *maiestas* wiedergab.[126] Bodins Herausforderung wollten Kirchner und die ihm folgenden Reichspublizisten denn auch entgegentreten, da nach seiner Souveränitätslehre das Heilige Römische Reich eine Aristokratie der Reichsfürsten war und damit den Erbmonarchien an Würde nachstand.[127]

Die Unterscheidung von zwei Aspekten der Souveränität, gleichsam ihrer ewigen Quelle und der sie vorübergehend praktizierenden Gewalt, erlaubte es, auch für das Reich vollwertige Souveränität und Staatlichkeit zu beanspruchen. Der Juspublizist Johannes Limnaeus brachte eine wichtige Präzisierung an, indem er das Heilige Römische Reich zusammen mit den christlichen Monarchien und Republiken dem Osmanischen Reich gegenüberstellte. Diese Differenzierung war bei Bodin angelegt, der die türkische «monarchie seigneuriale» ja dadurch charakterisierte, dass der Sultan über Land und Leute wie über sein Eigentum verfügte. In Limnaeus' Terminologie bildete die osmanische Dynastie damit für sich allein den Staat («status»). Im Abendland hingegen sei das personenrechtlich freie Volk als Quelle der *maiestas realis* ebenso Teil des «status» wie der Herrscher als Inhaber der *maiestas personalis*. Entsprechend definierte Limnaeus das im deutschsprachigen Kontext noch unvertraute Wort «status» im Sinn von «Staat» als ein Gemeinwesen, das auf Erden keinen Höheren anerkenne und über die *maiestas realis* verfüge, was bedeute, dass das Volk frei im Sinn von unabhängig sei.[128] Konkret seien die Reichsstände dieses Volk und bildeten

124 Dazu Morel, Lex regia, 169, 173.

125 Vgl. Giesey, French Estates, und oben, Anm. 100.

126 Vgl. die oben, Anm. 26, zitierten Stellen in Bodin, République, 1, 179 (1, 8), und ders., Respublica, 78 (1,8).

127 Vgl. oben, Anm. 44 und Stolleis, Öffentliches Recht, 174–186, 204–207; Schubert, Reichstage, 477–513.

128 Limnaeus, Iuris publici imperii, Bd. 4, 92 (ad 1, 10): «Hoc sensu Respublicae Status dici merentur, quae superiorem in terris non recognoscunt, & majestate, quae realis dicitur, pollent: ubi scilicet populus liber est.»

das *corpus mysticum*, das als Inhaber der *maiestas realis* und gleichsam als Seele des Reiches sich des Kaisers als seines vornehmsten Glieds bediene.[129] Die ständische, «aristokratische» Position des Jenaer Professors und Prinzenerziehers Limnaeus widerspiegelte die Bedrohung des deutschen Protestantismus in den Jahren von 1629 (Restitutionsedikt) bis 1635 (Prager Friede), in denen sein Werk erschien. Das zeigt sich auch darin, dass ein anderer lutherischer Juspublizist, Tobias Paurmeister, im Jahr 1608 die Hierarchie noch nicht ständisch, sondern zugunsten des Kaisers ausgelegt hatte: «Die Fürsten und Stände bilden den Reichskörper, dessen Haupt der Kaiser ist, und wenn sie in einem *compendium repraesentativum* zusammenkommen, sagt man, dass das ganze Reich versammelt ist.»[130]

6. Die Paarbeziehung im Bild

Der skizzierte Bedeutungsrahmen bildet die Voraussetzung für die im Folgenden zu diskutierenden Bildprogramme. Die neutestamentlich begründete mystische Ehe von Christus mit Maria/Ecclesia diente Katholiken wie Protestanten dazu, das Verhältnis von Fürst und Gemeinwesen/Respublica zu deuten.[131] Ikonografisch erwies sich wiederum das Verständnis des alttestamentlichen Hohelieds als Dialog zwischen Salomo und seiner Geliebten als wichtig, die wie erwähnt mit der Königin von Saba identifiziert wurde. Dieses Paar wurde oft am Anfang des Hohelieds abgebildet, so handschriftlich um 1180 als Initiale der Bibel der Kathedrale Winchester oder in der 1518 von Jacques Sagon in Lyon gedruckten Bibel. Diesen Bildtyp nahm 1559 Lucas de Heere auf, als er Philipp II. mit einer allegorischen Delegation der niederländischen Provinzen darstellte. (Abb. 2) Der Maler bezeichnete den thronenden König als zweiten Salomo («alter Salomo»), dem die Personifikation der Vereinigten Provinzen als würdige

129 Ebd., Bd. 5, 189 (ad 1, 12); vgl. Dohrn-van Rossum, Art. Organ, 552; auch Hoke, Limnaeus, 104–107.

130 Paurmeister, De jurisdictione imperii Romani, II, 1, § 17, zitiert nach Stollberg-Rilinger, Alte Kleider, 143.

131 Für die protestantische Übernahme der mystischen Ehe vgl. etwa Luther, Wider den falsch genannten geistlichen Stand, 121, Z. 4–8; Oxford Encyclopedia of the Reformation, Bd. 1, 238 (Calvin), 442–445 (Covenant); Major, Madam Britannia, 31 (John Knox).

Königin von Saba gegenübertritt.[132] So fasste Lucas de Heere die Beziehung zwischen (männlichem) Haupt und (weiblichem) Körper als harmonische Eintracht, was zu diesem Zeitpunkt auch noch dem Verhältnis des Spaniers zu den ihm von Karl V. überlassenen Niederlanden entsprach. Zugleich wurde die Hierarchie deutlich: Philipp thront erhöht, die Königin steht vor den Stufen des Throns, ihre Augen richten sich nach oben zum Herrscher, dem sie respektvoll die Gaben ihrer Länder überreicht.

Abb. 2: Lucas de Heere, Salomo (Philipp II.) empfängt die Königin von Saba, Kathedrale von Gent, 1559.

132 De Heere bezog sich dabei ausser auf das Hohelied auf Psalm 45, ein Liebeslied, in dem prächtige Königstöchter mit ihren Kleinodien einherschreiten, um den gerechten König zu verehren.

Für diese Überordnung des Königs und eine mehr oder weniger demütige Huldigung des Gemeinwesens gibt es im 17. Jahrhundert eine rasch zunehmende Zahl von Beispielen bei der Darstellung der mystischen Ehe. So malte Simon Vouet Francia und Navarra kniend vor Ludwig XIII. und ohne ihre herkömmlichen Machtsymbole wie Krone, Zepter oder Hermelinmantel. Die Personifikationen tragen also selbst nichts zur mystischen Ehe bei, sondern hängen völlig von der Gnade und Macht des bewaffneten Königs ab, der dies durch seine schützende Rechte auf Francias Kopf zum Ausdruck bringt.[133] Es überrascht kaum, dass Ludwig XIV. sich sehr oft und besonders auch auf weithin wirkenden Flugblättern thronend mit gebückten, knienden oder liegenden Personifikationen darstellen liess. Dabei war es nicht nur Francia, sondern auch andere – dankbare oder gedemütigte – Völker, die bei ihm Schutz und Frieden suchten. Auf einem Stich aus Anlass der Krönung (1654) bieten ihm verschiedene Nationen ihre Krone an. Er wählt die französische: «Je Recois [sic] en fils ta Coronne [sic] France et je te donne mon cœur.» Zwar nennt der (eben volljährige) König sich hier Sohn und nicht Gatte, doch auch als Mutter kniet France ehrfürchtig wie gewohnt zu seinen Füssen.[134]

Ludwigs Rolle als ordnender Beschützer wurde auch im Spiegelsaal zu Versailles deutlich, etwa auf dem Gemälde *L'ordre rétabli dans les finances*, wo Francia um Hilfe gegen ungerechte Steuerpächter bittet, oder auf *Le roi gouverne par lui-même*, wo Ludwig bei Beginn der Alleinherrschaft (1661) Francia im eigentlichen Sinn des Wortes in den Schatten stellt. Wenn der König abgebildet wurde, war er immer herausgehoben, zentral und über die anderen Figuren erhaben, die er nicht berührte; auch nicht Francia.[135] In Ludwigs Jugend war das noch anders gewesen: Als Le Sueur kurz nach dem Sieg über die Fronde im Louvre unter anderem das Zimmer des Königs mit – nur noch als Skizzen erhaltenen – Deckengemälden der Francia mit Obelisk (dauerhafte Souveränität) und Lilienstrauss (*fleurs de lys*, für die Dynastie) schmückte, fehlte der König noch.[136] Allerdings trat Francia auch

133 Bar, Peinture allégorique, 60.

134 Le royal et magnificque preparatif du sacre et couronnement du roy en l'année de sa maiorité, 1654; BNF Estampes, 74 B 65496. Für das Verhältnis von König und Francia auch Milovanovic, Du Louvre à Versailles, 207f.

135 Sabatier, Versailles, 291–302, 425f; Milovanovic, Du Louvre à Versailles, 207–210, Abb. 13.

136 Mérot, Décors, 115f., Abb. 3 und 4; Milovanovic, Du Louvre à Versailles, 205f. Auch die dort erwähnte Rotunde im Louvre (Abb. 16), mit dem König und der personifizierten «Monarchie française», zeigt noch die ursprüngliche Nähe der beiden Figuren. An-

in Versailles allein auf, als handelnde Figur, nämlich in Auseinandersetzung mit weiblichen Personifikationen konkurrierender, aber unterlegener Länder (Hollandia, Hispania, Germania, Roma für den Kirchenstaat) oder – wohl auf der protokollarisch noch tieferen Ebene – mit den männlichen Gesandten der Eidgenossen, Türken oder anderer nichtchristlicher Länder.[137] Hiermit wurde Frankreichs Dominanz über alle Mächte der Welt ausgedrückt; keineswegs aber eine Vorrangstellung Francias gegenüber dem König. Die Allegorien repräsentierten jeweils «génie et fortune de la nation»: Ehrgeiz, Stolz, Anmassung der Landesfeinde gegenüber der kraftvollen Überlegenheit und dem weisen Gestaltungswillen der Francia.[138]

Das zeigte sich auch im *Salon de la Paix,* vor allem aber im *Salon de la Guerre*, wo die besiegten Landespersonifikationen Germania, Hispania und Hollandia die blitzeschleudernde Francia im Deckentondo umgeben. Vor ihren Körper hält sie einen Schild, den ein Brustbild Ludwigs XIV. schmückt. «Cette monarchie est représentée dans le milieu du plafond [...] Son bouclier est orné du portrait de Louis le Grand coloré pour signifier que c'est par lui qu'elle a vaincu ses ennemis, d'autant que ne pouvant pas être en tous lieux à la tête de ses armées, sa conduite et son bonheur ont toujours donné du centre à la circonférence de l'État les moyens [...] de vaincre ses ennemis et de rendre cette monarchie invincible.»[139] Die Kraft und die Tugend des fürstlichen Schilds machen Francia unüberwindlich, beschützen sie vor allen feindlichen Schlägen und tragen ihr die militärischen Siege ihrer Generäle ein.[140] Ludwigs Porträt als *imago clipeata* war eine ursprünglich heidnisch-römische Form, die dazu diente, der verstorbenen Vorfahren zu gedenken. In Byzanz wurden die Kaiserikone und das Bild Christi in dieser Form ganz ähnlich verehrt: das Haupt des Imperiums und das Haupt der Kirche in seiner menschlichen Natur.[141] Analog wird hier Ludwig XIV. in eine Mittelstellung zwischen Menschen und Gottheit emporgehoben: Die Unvergänglichkeit kam nicht ihm, sondern Francia zu, die in den Farben seiner Dynastie gewandet ist. Ohne dass Francia deswegen einen Vorrang erhält, erscheint sie als ewig, ihr souveräner Beschützer da-

ders als Milovanovic vermutet, liess sich Francia problemlos als Minerva darstellen, vgl. auch unten, Anm. 267.

137 Sabatier, Versailles, 307–336.

138 Das Zitat von François Charpentier nach Sabatier, Versailles, 298f.

139 Claude Nivelon, zitiert bei Sabatier, Versailles, 428.

140 Nach dem Mercure galant bei Sabatier, Versailles, 387.

141 Sabatier, Versailles, 387–392; Belting, Bild und Kult, 119–125; Milovanovic, Du Louvre à Versailles, 228f. (Abb. 62).

gegen als Sterblicher. Während ihr *génie* eine zeitlose Bestimmung zum Ausdruck bringt, war das Porträt auf dem Schild potenziell ersetzbar.[142]

Derselbe Gedanke wurde in Ludwigs *Grande chambre* im 1871 zerstörten Tuilerienpalast deutlich, wo eine gekrönte Francia mit der Linken ein Zepter hielt, mit der Rechten dagegen eine Bordüre, an der das Porträt des jeweiligen Königs hängen sollte.[143] Auch Nicolas Coustous goldene France triomphante veillant sur le sommeil du Roi, die seit 1701 in Versailles über dem *Lit d'état* wachte, gehorchte dieser Logik, zumal sie nicht über ein privates Bett für den Schlaf wachte. Der *Lit d'état* mit seinem Baldachin war der Sitz der königlichen Macht und Teil des höfischen und diplomatischen Zeremoniells, mit dem der Herrscher hier Staatsgeschäfte wie Diplomatenempfänge durchführte. Die ewige Francia wachte, auch wenn der König als Mensch schlafen musste. Das implizierte keine Überlegenheit oder Selbständigkeit der Personifikation, sondern ihre treue Verbindung mit dem König, dem sie ihre Triumphe verdankte. Entsprechend bekennt *France*, wenn sie einmal allein dargestellt wird, dass sie ihm gehört: «Le Prince a qui je suis, est le plus grand des Rois.»[144] Seinerseits verkündete Ludwig XIV., dass die Nation vollständig in ihm selbst ruhe: «La nation réside tout entière dans la personne du roi.»[145] Die Formulierung erinnert an Gratians *Decretum* und Luca da Penne. Doch das «tout entière» macht deutlich, dass es sich, anders als bei ihnen, nicht um ein wechselseitiges Ineinander-Aufgehen von Bischof und Ecclesia, Fürst und *Respublica* handelt. Die Nation – wohl die frühere *Respublica* – ist dem absoluten Herrscher ein- und untergeordnet in dem Sinn, dass die unterworfenen Glieder des politischen Körpers ihre Identität allein im Namen und im Bild des Königs erhielten.[146] Bossuet impfte Ludwig XIV. genau dieses Selbstverständnis ein: «La majesté est l'image de la grandeur de Dieu dans le prince. Dieu est infini, Dieu est tout. Le prince, en tant que prince, n'est pas regardé comme un homme particulier : c'est un personnage public, tout l'Etat est en lui, la volonté de tout le peuple est renfermée dans la sienne. Comme en Dieu est réunie toute per-

142 Für eine republikanische Variante dieser Konzeption vgl. das Frontispiz zu Philipp von Zesens Leo Belgicus (1660) in Gamboni u. a., Zeichen der Freiheit, 81.

143 Bar, Peinture allégorique, 68. Diese Francia wurde oft mit Religio verwechselt, weil sie von ungewohnten religiösen Attributen begleitet war (Oriflamme, heilige Ampulle), die allerdings auf Chlodwigs Bekehrung und damit die Gründung der Dynastie verwiesen.

144 N. Bonnard, La France, Paris 1680, 45; BNF Estampes, Hennin 5161.

145 Zitiert bei De Pange, Le Roi très chrétien, 383; vgl. zur Ehemetaphorik bei Ludwig XIV.: Zanger, Mariage.

146 Marin, Porträt, 338f.; vgl. auch 23f., 339–346.

fection et toute vertu, ainsi toute la puissance des particuliers est réunie en la personne du prince. Quelle grandeur qu'un seul homme en contienne tant!»[147] Mit Identitätsrepräsentation stellte der Sonnenkönig allein die Nation vollumfänglich, ohne jede Dualität dar, was analog durch das apokryphe «L'état c'est moi» ausgedrückt wurde.[148]

Im Heiligen Römischen Reich erschien schon früh der Kaiser als Schutzherr: Ulrich von Hutten liess «Italia» von Maximilian I. eine Intervention erflehen, was Matteo da Milano ähnlich im Bild erfasste: «Supplex Italia ad Maximilianum confugit».[149] Die «Romisch Fraw» oder das «Reich» schien vorübergehend fast mit Maximilian zusammenzufallen.[150] Auf Enea Vicos Kupferstich von Karl V. hält Germania mit Mauerkrone eine Tafel, die sie – nach dem Schmalkaldischen Krieg – auffordert, sich über ihren Untertanenstatus zu freuen.[151] Abraham Aubry zeichnete 1663/64 ein Flugblatt, auf dem Germania mit dem Reichsapfel in der Hand zu Füssen des thronenden Kaisers Ferdinand III. sitzt und von den Kurfürsten eingerahmt wird. Das dazugehörige Gedicht nimmt die organologische Sprache auf, sieht allerdings im geliebten Haupt nicht Gatten, sondern Vater: «Seht wie die Glieder sich mit ihrem Haupt verstehen, Wie freundlich dass das Haupt Wie lieblich Deutschland sich In ihres Herrschers Schoss erquickt. Es küsset dich, O Vater Ferdinand dein Land vor deine Liebe.»[152] Constantino Roncaglia liess 1696 eine stehende, hermelingewandete Germania mit dem Finger auf Kaiser Leopold I. weisen, der mit einem Reichsadler zusammen die Feinde des Reichs durch Blitze niederschlägt.[153] Daniel Grans malte Karl VI. in der Kuppel der Wiener Hofbibliothek, gefeiert von Austria, Germania und Vienna in untergeordneter Stellung.[154] Auf Elias

147 Bossuet, La Politique, 384 (lib. 5, art. 4).

148 Vgl. Giesey, Two Bodies, 314f. (237f.). Giesey verweist auch auf Kantorowicz bzw. Saint-Simon, wonach Ludwig XIV. die Prinzen von Geblüt als «enfants de l'Etat et de la couronne» ansah, die Bastarde dagegen als «enfants de ses amours». Vgl. auch Marin, Porträt, 24f., 67–194, 351.

149 Ulrich von Hutten, Briefe, 105–113; dazu auch Eickmeyer, Heroidenbrief.

150 Trzinski, Ikonographie, 175–187; vgl. auch Müller, Das Heilige Römische Reich.

151 Gall, Germania, 40, Anm. 14 und Abb. 3; vgl. von Hagenow, Bildniskommentare.

152 Harms, Deutsche Illustrierte Flugblätter, Bd. 2, 578f. (II, 331); vgl. Brandt, Germania, 47f. sowie Abb. 3.

153 Roncaglia, Admirables efectos; vgl. Kocher, Zeichen und Symbole, 88, Abb. 125.

154 Krasa-Florian, Allegorie, 38.

Baecks Kupferstich von 1742 zeigte eine demütige Germania dem neu erwählten Karl VII. auf einer Karte den Krönungsort Frankfurt.[155]

Solche Kompositionen entsprachen auch dem Programm, das der Reichserzkanzler Lothar Franz Graf Schönborn und der Reichsvizekanzler Friedrich Karl Graf Schönborn für Johann Rudolf Byss festlegten, der in den 1720er Jahren die Reichhofkanzlei in der Wiener Hofburg mit nicht mehr erhaltenen Bildern ausschmückte. Den thronenden Karl VI. sollten Personifikationen von Italia, Lombardia und «Teutschland» umgeben, welch Letztere ihm ihre, die vornehmste Krone darreichte. «Dise drei provinzien müssen alle stehend vorgebildet werden, weilen es sich sowohl aus der staatskunst oder politique nicht bewürken lasset, dass man einen regenten in eine paralel oder gleichformigkeit mit einer provinz ziehre, zweitens auch in dem alterthum auf münzen und anderstwo die provinzien entweder kniend oder stehend vor dem regenten, niemahlen aber sitzend angetroffen werden.» Ebenso diente der Schild mit einem Reichsadler, den ein Genius dem Kaiser präsentierte, «zum zeichen der unterwürfigkeit oder anhangs, so bemelte drei das Römische reich ausmachende provinzien oder figuren gegen dem kaiser hegen [...] weilen der staatscörper unsers Teutschen reichs in denen chur- und fürsten, praelathen und grafen, reichsstädt und der ritterschaft besteht.»[156]

Die Gegner eines starken – habsburgischen – Kaisertums betonten dagegen nicht die Unterwürfigkeit der Stände, sondern die in ihnen wurzelnde, ja autonome *maiestas realis*, was sich ebenfalls bildlich niederschlug. Als sich 1616 die süddeutschen Führer des Protestantismus in Stuttgart trafen, feierten sie nicht nur die Taufe des württembergischen Herzogssohns, sondern beschlossen auch gleich die Verlängerung der Union, der sie angehörten. Den Einzug der Fürsten begleiteten Allegorien vor allem aus der antiken Mythologie, die Matthäus Merian auf Kupferstichen verewigte. Im Aufzug des Markgrafen Georg Friedrich von Baden ritt auch die «Herztliebste Land-Mutter und Allergnädigste Herrscherin Germania» mit Krone, Zepter und Reichsapfel, begleitet von Jungfrauen als Repräsentantinnen der Reichskreise und von der *Concordia invicta*, einer Tante («Muhme») der Germania. Mit ihren acht Armen hielt Concordia den Schild mit ihrem Namen, einen Spiess zur Abwehr der Glaubensfeinde, das Schwert der Justitia sowie das Zepter als «Keyserliches Cammandement» [sic, für Com-

155 Vgl. Brandt, Germania, 48f. und Abb. 4. Die Betonung von Frankfurt richtet sich wohl gegen das habsburgische Wien.

156 Tietze, Programme und Entwürfe, 26f.

mandement] und den Reichsapfel als «Majestet dess Römischen Reichs». Während dem Kaiser, der ansonsten beim Einzug nicht auftauchte, (nur) der Oberbefehl zustand, ruhte im Reichsapfel die ständische Souveränität des Reichs im Sinn eben der *maiestas realis*.[157]

Wer dieser Logik folgte, zeigte die Landespersonifikation als selbständige Frau. Germania, die 1620 im Namen der «Teutschen Nation» über den von dem päpstlichen Antichristen verursachten Krieg klagt, trägt selbst Krone, Zepter und Reichsapfel; kein Kaiser ist auf dem Bild zu sehen.[158] Mit denselben Insignien zeigte das Titelblatt von Hermann Conrings *De Germanici Imperii Republica* 1654 allein Germania auf dem Kaiserthron.[159] Eine protestantische Flugschrift feierte 1635 den Prager Frieden, in dem Ferdinand II. sich mit der lutherischen Vormacht Sachsen einigte und auf die Umsetzung des gegenreformatorischen Restitutionsedikts von 1629 verzichtete. Die Repräsentation des «Teutschen Reiches», auf dem Bild bezeichnet als «Resp[ublica] Rom[ana]», sitzt zentral auf einem Thron, gekrönt und leicht erhöht, während der Kaiser und der sächsische Kurfürst Johann Georg II. an ihren Seiten sich und ihr die Hand zum Frieden reichen. Als «Reichs-Mutter» vermittelt sie zwischen den beiden Vertragspartnern. Diese sind ihr gleichrangig untergeordnet, der Kaiser nicht ihr Herr wie 30 Jahre danach auf dem erwähnten Stich von Aubry.[160]

Wie für die Befürworter von starken Reichsständen, so war auch im venezianischen *Governo misto* die Kontrolle des monarchischen Elements durch die Aristokratie von zentraler Bedeutung. Das zeigte sich 1570 in einem Gedicht nach der Wahl eines neuen Dogen, das ihn sowohl «sposo», nämlich Bräutigam der Republik, als auch «capo» nannte, also das Haupt von Venedig.[161] Zwar brauchte der politische Körper eine effiziente Spitze,

157 Van Hulsen/Merian, Repraesentatio, 80–86; vgl. auch Brandt, Germania, 45f.

158 Harms, Deutsche Illustrierte Flugblätter, Bd. 2, 292f. (II, 165).

159 Conring, De Germanici Imperii Republica; vgl. Müller, Heilige Römische Reich, 1997, 417, Abb. 1; Müller deutet allerdings Germania auf S. 401 zu Unrecht als Kaiser.

160 Brandt, Germania, 46f. und Abb. 1, sowie Burkhardt, Bildkultur, 95f. und Abb. 4. Bezeichnenderweise zeigte Johann Schlüters *De Imperio Romano-Germanico adversus Hippolithum de Lapide*, eine Polemik von 1653 gegen die ständische Streitschrift des Bogislaw von Chemnitz, den Kaiser wiederum als erfolgreichen Beschützer einer bedrohten Germania gegen die Türken.

161 Luigi Grotto, *Oratione*, Venedig 1570, zitiert bei De Mattei, Idea democratica, 39, Anm. 3. Möglicherweise ist die – sehr seltene – Darstellung eines Dogen auf einer Medaille ähnlich zu deuten, wenn auf der Rückseite Venetia mit ihren Attributen dargestellt ist, vgl. Wolters, Bilderschmuck, 78 (Abb. 50). Vgl. auch 240, wonach auch San Marco als Bräutigam der Venetia angesehen werden konnte.

aber diese musste eingebunden bleiben in die Mitsprache der Standesangehörigen, die für die Freiheit garantierte. Die berühmte Vermählung Venedigs mit dem Meer (*sposalizio del mare*) gehorchte einer etwas anderen Logik, zumal *il mare* anders als *la repubblica* männlich ist. Der Doge warf jeweils an Christi Himmelfahrt vom Staatsschiff *Bucintoro* einen Ring in die Wogen und sprach als Bräutigam: «Desponsamus te, mare. In signum veri perpetuique dominii.» Das Meer war nicht ein partnerschaftlicher Körper, sondern beherrschtes Element, das zugleich in seiner Unberechenbarkeit versöhnlich gestimmt werden musste.[162]

Die Symbolik des Rings, der wie erwähnt die bischöfliche Ehe mit der Diözese besiegelte, wurde allerdings auch sonst in die politische Sphäre übertragen. Seit der karolingischen Zeit liessen sich Fürsten und so auch der Kaiser bei der Krönung einen Ring reichen. Ähnlichkeiten und Unterschiede zum Bischof wurden bereits von den Zeitgenossen insbesondere im Umfeld des Investiturstreits intensiv diskutiert.[163] Im französischen Krönungsordo wurde festgehalten, dass der König durch die Ringübergabe feierlich das Königreich oder die Krone heirate – also nicht Francia.[164] Bei Heinrich IV. wurde die Partnerin dieser «reciproque conjonction» noch deutlicher benannt: Es konnte die *couronne* selbst sein oder der *royaume*, worunter die Untertanen (*subjects*) verstanden wurden.[165] Ludwig XIV. erhielt für seine Krönung nicht nur einen Diamanten «pour épouser la France», sondern auch eine Erklärung für den Ring, den die französischen Könige als Symbol trugen für die «étroite alliance qu'ils contractent avec l'Etat». Wie der Gatte in Leidenschaft für seine Frau glühe, so beschütze er liebevoll seine Untertanen.[166] Die Identifikation von Francia mit dem *Etat*, ja ihre Verdrängung durch diesen hatte schon im 16. Jahrhundert eingesetzt, als der König als Ergebnis der «mariage politique» zum «mari de l'Etat» erklärt wurde.[167] Das lag nicht nur daran, dass *republique* in einem generischen Sinn eben durch *état* abgelöst und zusehends auf den Freistaat beschränkt wurde.[168] *Etat* meinte auch nicht ein Gemeinwesen, das poten-

162 Muir, Civic Ritual, 122.

163 Kantorowicz, Zwei Körper, 205, 222f. (mit Verweis auf Eichmann, Kaiserkrönung im Abendland, Bd. 2, 94ff.).

164 Descimon, Fonction, 1135.

165 Kantorowicz, Zwei Körper, 232; vgl. Descimon, Fonction, 1131.

166 Ohne weitere Quellenangaben zitiert von De Mattei, Idea democratica, 39, Anm. 2.

167 Der französische Jurist des 16. Jahrhunderts wird zitiert nach De Mattei, Idea democratica, 39 (ohne weitere Quellenangabe).

168 Maissen, Geburt, 74f., 88f.

ziell selbständig agieren konnte, sondern einen Herrschaftsapparat, der allein vom König abhing und geführt wurde.

Die Situation in England war im 16. Jahrhundert insofern eine besondere, als mit Elisabeth eine Frau herrschte. Zudem heiratete sie trotz verschiedener Heiratspläne mit katholischen Prinzen aus Spanien und Frankreich nie. Gerade um entsprechenden Erwartungen entgegenzutreten, erklärte sie 1561, dass sie bereits verheiratet sei und ihr Ring die Ehe mit ihrem (protestantischen) Königreich symbolisiere: «I was once marryed to this realme at my coronatione, in token wherof I weare this ring.»[169] Auch Elisabeths Konkurrentin Maria Stuart bezeichnete sich als Gattin des Königreichs, und ihr Sohn, Elisabeths Nachfolger Jakob I. erklärte 1604: «I am the husband, and all the whole Isle is my lawful wife. I am the Head, and it is my Body.» Jakob wollte durch seine Thronrede die Personalunion legitimieren, die unter ihm die bis dahin selbständigen Reiche England und Schottland verband. Die Betonung lag also weniger auf der Ehe selbst als darauf, dass es sich bei der Gattin um eine Einheit handle («the whole Isle»), so dass Jakob empört erklären konnte, er sei doch kein Polygamist und habe, als Haupt, auch keinen geteilten und monströsen Körper.[170] Die organologische Metaphorik erwies sich dann allerdings für seinen Sohn und Nachfolger Karl I. als gefährlich. Das neu einberufene, «kurze» Parlament gestand ihm zwar 1640 die Bezeichnung «head of the commonwealth» zu. Doch John Pym beanspruchte für das Parlament, dessen Seele zu sein. Damit war es auch Sitz der Souveränität und Vermittler zwischen Haupt und Gliedern: «the parliament is as the soul of the commonwealth, that only is able to apprehend and understand the symptoms of all such diseases which threaten the body politic».[171]

169 Zitiert bei Valerius, Weibliche Herrschaft 268; vgl. auch 262.

170 King James VI and I, Political Writings, 136; ähnlich 162. Vgl. auch Valerius, Weibliche Herrschaft, 263; Kantorowicz, Zwei Körper, 233; zu Jakob I. auch McLaren, Monogamy, Polygamy, 446–480.

171 Cope/Coates, Proceedings, 149, zitiert nach Wende, Herrscherbild, 65f.

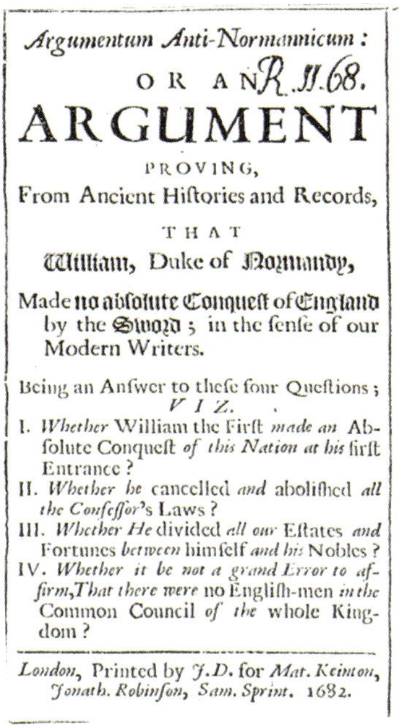

Argumentum Anti-Normannicum:
OR AN R. II. 68.
ARGUMENT
PROVING,
From Ancient Hiſtories and Records,
THAT
William, Duke of Normandy,
Made no abſolute Conqueſt of England by the Sword; in the ſenſe of our Modern Writers.

Being an Anſwer to theſe four Queſtions;
VIZ.
I. *Whether* William the Firſt *made an* Abſolute Conqueſt *of this Nation at his* firſt Entrance?
II. *Whether he* cancelled *and* aboliſhed *all the Confeſſor's* Laws?
III. *Whether He* divided *all our* Eſtates *and* Fortunes *between* himſelf *and his* Nobles?
IV. *Whether it be not a grand Error to affirm, That there were* no Engliſh-men *in the* Common Council *of the* whole Kingdom?

London, Printed by *J.D.* for *Mat. Keinton, Jonath. Robinſon, Sam. Sprint.* 1682.

Abb. 3.: Edward Cook (?), Argumentum Anti-Normannicum, 1682.

Die parlamentarische Position, wie sie sich – nach den Erfahrungen von Bürgerkrieg und Commonwealth – im Vorfeld der *Glorious Revolution* ergab, führte 1682 wohl Edward Cook im anonym gedruckten *Argumentum Antinormannicum* vor, in dem er mit seiner Variante in die zeitgenössische Klage über das *Norman yoke* einstimmte. Demnach waren die ursprünglichen angelsächsischen Freiheiten der Inselbewohner durch die Normannen aufgehoben worden. Das sei die Wurzel der Konflikte des 17. Jahrhunderts, in denen der absolutistische König in normannischer Tradition stehe. Wie die *Levellers* mit ihrer sozialkritischen Leseweise, die den zeitgenössischen Adel ebenfalls als Teil des normannischen Jochs angriffen, übernahm auch die parlamentarische Opposition das Motiv. Cooks Interpretation schlug sich in seinem Frontispiz nieder. (Abb. 3). Nicht Wilhelm der Eroberer habe eine absolute Herrschaft errichtet, sondern erst seine späteren Nachfolger. Im Hintergrund erkennt man die Kämpfe bei Hastings, mit dem toten Angelsachsenkönig Harald in der Mitte. Der Schlachtensieg war für Cook ein legitimer Erwerb der Krone. Doch Wilhelm erhält sie von den zwei Erzbischöfen auf dem Stich nur unter klaren Bedingungen. Im Krönungseid, dessen Text ihm der eine darbietet, gelobt Wilhelm, die Gesetze des Heiligen Eduard des Bekenners – des zweitletzten angelsächsischen Königs – und damit die hergebrachten Freiheiten zu achten. Hingehalten werden ihm diese Gesetze auf dem Bild durch Britannia, die im 17. Jahrhundert eher selten und zumeist – wie auf Rubens Darstellung Karls I. mit Britannia und Scotia in Whitehall – in der untergeordneten, demütigen Haltung erschien, wie dies dem absolutistischen Streben entsprach.[172] Ganz anders Cooks Britannia: Sie sitzt auf drei hohen Stufen deutlich über dem Normannenherrscher, der auf bloss zwei flachen Stufen thront. Mit dem Gesetzbuch zusammen reicht sie ihm das Zepter, und Wilhelm spricht sie als «Fairest Queen» und «Sacred Queen» an. Er werde gerecht über die Engländer herrschen und nicht, unter Berufung auf die Prärogative, willkürlich; also keine «Absolute, or Despotical Power over their Lives, Liberties and Estates» erstreben oder die Grundgesetze («Fundamental Rights») des Königreichs brechen, um wie ein Tyrann über Sklaven zu herrschen.[173] Im gleichen Geist präsentierten nach der *Glorious Revolution* einige Frontispize als Beleg für *The New State of England* eine geharnischte oder thronende Britannia, die wohl auf Schwert und Hilfe Wilhelms III. zählen konnte, aber selbständig die Reichsinsignien (Verfassungstexte, Zepter, Wappen, Baldachin) hütete.[174]

7. Ehebruch

Ein Kupferstich aus derselben Zeit zeigt Wilhelm III., der den Papst davon abhält, die in Ketten gelegte Britannia zu erdolchen. Die Bildlegende präsentiert den Oranier als «the Rescuer Albions Gen'rous Friend», der die ebenfalls abgebildete, siebenköpfige Hure Babylon zerstöre und seine Gat-

172 Britannia erschien vergleichsweise spät, auf Medaillen erst unter Karl II., so 1667 auf der Rückseite, während auf dem Avers Karl II. zu sehen war; vgl. John Roettiers Medaille im British Museum, Reg. Nr. G3, EM.4; auch G3, EM.113.

173 [Edward Cook], Argumentum Anti-normannicum, An Explanation of the Frontispiece s.l. 1682; vgl. auch Foucault, Verteidigung, 127–129.

174 Miège, The New State of England, 1691; Britannia oppressa per Arausionensium principem liberata et restaurata, 1688; beide in Major, Madam Britannia, 2f. (Abb. 1, 2), auch 26f.; Neü-geharnischtes Gros-Britannien, 1689. 1714 liess John Croker Britannia George I. zum König krönen, British Museum Reg. Nr. 1978,1002.402 und M.8167; vgl. dagegen ihre unterwürfige Position auf den Medaillen der Deutschen Nikolaus Seelander, Reg. Nr. 1928,0514.15, und Ehrenreich Hannibal, Reg. Nr. 1906,1103.355.

tin befreie: «The Harlot & the Beast destroy'd ye Spouse set free».[175] 1691 gestand Britannia in einem Gedicht ihre Eifersucht, weil ihr Verlobter Wilhelm seine Aufmerksamkeit seiner Mutter Belgia sowie Bellona und Gallia widme – also auf dem Kontinent den Krieg gegen Frankreich führte.[176] Wie die Metaphorik der Ehe, so waren auch politische Analogien zu Ehebruch und Hurerei durch die Bibel nahegelegt. Hosea war der erste Prophet, der Israel für seine Hurerei, also den Bundes- beziehungsweise Ehebruch und die Verehrung falscher Götter, schwere Strafen ankündigte.[177] Wie bereits erwähnt, taucht auch sonst das Motiv der treulosen und deswegen verstossenen oder schwer bestraften Gattin im Alten Testament wiederholt auf.[178] Es ist ein Thema, das auch die Kirchenrechtler lange beschäftigte, wenn etwa ein Bischof seine Diözese verliess.[179] Angesichts von Schismen und anderen Streitigkeiten gab es genügend Fälle, in denen auch Dichter denen Ehebruch vorwarfen, die Ecclesia im Stich gelassen hätten.[180]

Auch in der Auseinandersetzung um die französische Krone nach der Ermordung Heinrichs III. griffen Anhänger des – gemäss der Thronfolgeordnung legitimen – Nachfolgers, des Hugenotten Heinrich von Bourbon-Navarra, auf das Bild der Ehe zurück. Ein Flugblatt (Abb. 4) präsentierte ihn als Verlobten einer ihm versprochenen Gallia, die aber verwirrt ist – offenbar weil der «Adulter Ligista» sie in Versuchung gebracht hat.[181] Repräsentiert wird die katholische *ligue* als Ehebrecher durch einen Mönch mit Teufelsschwanz, der Gallias Lilienkleid noch zu greifen sucht, aber vom König zu Boden gestossen wird. Dabei zerbricht dem Adulter das Schwert, die Maske der Verstellung und der Rosenkranz entfallen ihm. Mit den Symbolen von Gewalt, List und Bigotterie wird offensichtlich auf den Dominikaner Jacques Clément angespielt, den Mörder Heinrichs III. Die Bildlegende ist deutsch und warnt die Frau vor den Folgen ihrer Versuchung: «Dein konig Heinrich von Bourbon, dem du mit recht bist zuge-

175 In Memory of ye Deliverance from Popery & Slavery by King William III in MDCLXXXVIII; British Museum, Reg. Nr.: 1850,1109.46; auch Major, Madam Britannia, 53f., Abb. 16 (allerdings falsche Identifikation als «Church»); vgl. auch ebd. 32f. zur Hure Babylon im Book of Common Prayer von 1662.

176 Alicia d'Anvers, A Poem Upon His Sacred Majesty, 1691, nach Major, Madam Britannia, 25f.

177 Hosea 1,2; 2,2–8; 3,1; 6,7; 8,1; 9,1.

178 Jesaja 1,21; 50, 1; Jeremia 2,1f.; 3,20; 13,27; Hesekiel 23; vgl. oben , Anm. 57 und 58.

179 Trummer, Mystisches, 62–75; Gaudemet, Symbolique, 110–123.

180 Hierzu Blumenfeld, Dramatic Troubles, 185–98.

181 BNF, Hennin, Bd. IX, 920.

thon, solch schwacheit möchte rechen.» Ihr rechtmässiger Gatte schmeichelt aber auch: «Franckreich ô Rosengarten schon, du zarte Braut, und königskron, Wielang volgst dem Ehbrecher?» Die Metaphorik erinnert an den Bildtyp der gekrönten «Madonna im Rosenhag», also Maria in einem von Rosen umrankten Paradiesgarten, wie sie etwa Stefan Lochner, Martin Schongauer oder Sandro Botticelli dargestellt hatten.

Abb. 4: Heinrich IV. mit Francia und dem ligistischen Ehebrecher, Flugblatt 1589.

8. Jungfräulichkeit

Die theologische Parallele zur reinen Gottesmutter und zugleich jungfräulichen Braut Maria/Ecclesia war eine Voraussetzung dafür, dass die weibliche Partnerin *Respublica* in der mystischen politischen Ehe ebenfalls als Jungfrau verstanden werden konnte, wozu Ansätze bereits auf das Hochmittelalter zurückgehen.[182] Doch auch abgesehen von Maria thematisiert die Bibel Jungfrauen, wobei im Hinblick auf Personifikationen vor allem Klagen, Anschuldigungen und Heilsversprechen wichtig sind, die etwa beim Propheten Jesaia an die jungfräuliche Tochter Zion («virgo filia Sion») oder Israel («virgo Israel») gerichtet werden.[183] Amos 5,2 stimmt gar eine Totenklage an: «Gefallen ist sie und steht nicht mehr auf, die Jungfrau Israel; sie liegt zerschmettert am Boden in ihrem Land und niemand richtet sie auf.» Die alttestamentlichen Jungfrauen wurden so in ihrer ganzen Verletzlichkeit vorgeführt, aber in der christlichen Leseweise manchmal auch schon als typologische Ankündigung Mariä gedeutet.[184] Jungfräulichkeit und Ehe liessen sich nach kanonischem Recht (can. 604 §1) im *ordo virginum* insofern kombinieren, als Jungfrauen geweiht und damit «Christus, dem Sohn Gottes, mystisch anverlobt» werden konnten. Es handelte sich ebenfalls um ein unauflösbares Band auf Lebenszeit. Dabei wurde die «virgo» zur «sponsa Christi» – so, wie die Kirche selbst, der sie mit der Weihe gehörte.[185]

Maria selbst bewies ebenfalls, dass eine Jungfrau einen Gatten haben konnte. Wie hier noch darzulegen ist, sollte die Madonna gerade in ihrer Jungfräulichkeit zum Modell für die Darstellung der Landespersonifikationen werden. Um die Thronbesteigung Ludwigs XI. im Jahr 1461 zu feiern, orientierte sich Georges Chastellain in *L'Entrée du roy en nouveau règne* an der Weihnachtsgeschichte, wobei er Francia in Analogie zu Maria als keusche und unversehrte Jungfrau zeichnete.[186] Gut bekannt ist die Darstellung Elisabeths I. als *virgin queen* und Glorianna. 1582 vereinte Thomas Bentley in einem Sammelwerk religiöse Texte für Frauen unter dem Titel *Lamps of Virginitie*, um Elisabeth zu ehren, der das Werk gewidmet war, zu dem sie

182 Vgl. etwa oben, Anm. 68, Rupert von Deutz. Siena bezeichnete sich als «civitas virginis», Pisa als «virginis ancilla», vgl. Wolters, Bilderschmuck, 237, Anm. 4.

183 2. Könige 19,21; Jesaia 23,12; 37,22 und 47,1.

184 So die erwähnte Stelle Jeremia 31,21: «femina circumdabit virum», die Frau wird einen Mann umgeben.

185 Vgl. Johannes Paul II., Vita consecrata.

186 Beaune, Naissance, 316.

auch beigetragen hatte. Auf Bèzes Paraphrasen der Psalmen baute das Stück «God's familiar Speech to the Queen» auf: «I have begotten thee, and espoused thee to thy king Christ, my Son; crowned thee with my gifts, and appointed thee Queen, to reign upon my Holy Mount Zion.» Als Gattin Christi sei Elisabeth die Mutter und Amme seines neuen Volkes Israel, England, mit dem Gott in einem Bund (*covenant*) vereint sei. Ein Stich nimmt die Apotheose der Königin schon vorweg, deren leiblicher Körper unter den Toten betend das Jüngste Gericht erwartet, während Christus im Himmel ihrem geistigen Körper eine Krone aufsetzt – in der Art einer Marienkrönung.[187] Auf dem sogenannten «Ditchley-Porträt» von etwa 1592 wurde sie ähnlich wie eine Schutzmantelmadonna dargestellt. Elisabeths Kleid und die Karte Englands unter ihren Füssen gehen ineinander über, wodurch die «imperial virgin» als sterbliche Vertreterin des unsterblichen *body politic* erscheint – ihre «Ehe» mit dem Königreich ist bereits erwähnt worden. Die Jungfräulichkeit stand dazu ebenso wenig im Widerspruch wie bei der Madonna und wurde durch das mariologische Symbol der Perlenkette verstärkt. Auf anderen Bildern dient dazu das Sieb der Vestalin Tuscia oder, so bei Crispijn van der Passe d. Ä. auf einem Stich von 1596, neben den Perlen auch Rosen, Monde, der makellose Hermelin, ein korinthisches Kapitell und Phönix.[188] Der Phönix war nicht nur ein Sinnbild der Auferstehung Christi und entsprang ebenso wenig wie der Heiland sexueller Fortpflanzung; er ist zudem unsterblich, ein Symbol der *perpetuitas*. Damit symbolisiert er ebenso wie die korinthische, jungfräuliche Säule die staatliche Souveränität.[189] In Elisabeths Staatsporträts fallen so die körperliche Integrität der Frau und die politische Unabhängigkeit des Landes zusammen. Mit etwas anderen Implikationen sprach später Ben Johnson in einer «obsession with married chastity» die (katholische) Gattin Karls I., Henrietta Maria, mit «Haile Mary, full of honours» an. Ebenso wie die Mutterschaft der «first Mary» die Menschheit beglückt habe, erfreue «the womb divine» der Henrietta Maria die «whole Nation» durch die Geburt des künftigen Karl II.[190]

187 Bentley, Monument; der Stich gegenüber von 862; dazu King, Thomas Bentley's Monument. Den Hinweis verdanke ich Merio Scattola.

188 King, Queen Elizabeth I.; Montrose, Elizabeth; Hackett, Virgin Mother; Scholz, Körper; dies., Body Narratives; allgemein Strong, Cult of Elizabeth; sowie Yates, Astraea; zur Perle: Ohly, Perle des Wortes, bes. Abb. 70.

189 Kantorowicz, Zwei Körper, 1990, 383–398, 409–411, Abb. 22–24; Yates, Astrea; Maissen, Geburt, 323f. (Phönix), 388–390 (Corinthica); Marin, Porträt, 165–168.

190 Zitiert von Baynes Coiro, Ball of Strife, 32f.; vgl. auch Corns, Duke, Prince and King, insbes. 17–21.

Abb. 5: Michael Drayton, Poly-Olbion, 1612.

9. Brautwerbung

Der elisabethanischen Ikonografie auffallend ähnlich ist die Bildsprache auf dem Frontispiz (Abb. 5) zu Michael Draytons *Poly-Olbion* von 1612, einer Beschreibung von ganz England (Albion) in Alexandrinern. Die Personifikation Great Britain trägt ein Gewand in Form einer Landkarte sowie Zepter und Füllhorn – und Perlen als Zeichen der Jungfräulichkeit. Das widerspricht scheinbar der Tatsache, dass vier erfolgreiche Bewerber um ihre Gunst sie auf einem Triumphbogen umgeben, «what Princes Time hath seene Ambitios of her»: oben der legendäre Brutus und Julius Caesar, dem sie lange widerstand; nach der Scheidung von Caesar («Divors't from him») gewann der mythische Sachse Hengist ihre Gunst, doch wandte sie später ihre Liebe dem Normannen Wilhelm zu, der unten rechts Hengist gegenübersteht.[191] Die Metaphorik der erotischen Eroberung wird also gebraucht, um die reale, militärische Unterwerfung darzustellen.[192] Unter männlichen Herrschern übernahm somit allmählich Britannia die Stellung, die vorher Elisabeth als Jungfrau beansprucht hatte: «Britannia, then, had become an acceptably Protestant version of the Virgin Mary.»[193] In Anthony Mundays *Re-United Britania* von 1605 machte Britannia im Gespräch mit Brutus entsprechend deutlich, dass erotische Eroberung und Jungfräulichkeit kein Widerspruch waren: «But that my conquest, first by thee begun, Hath in fames Chronicle such honor woon, That thy first setting from Albania, Crowned me thy virgin Queene Britania.»[194]

191 Drayton, Poly-Olbion; vgl. Dresser, Britannia, 30f. und Major, Madam Britannia, 47–53.

192 Ebenso Jakob I. zum englischen Parlament, King James VI and I, Political Writings, 164: «You are to be the husband, they [die Schotten] the wife: you conquerours, they as conquered, though not by the sword, but by the sweet and sure bond of love.». Vgl. auch Harms, Illustrierte Flugblätter, Bd. 4, 212f. (IV, 162): Crispijn van der Passe d. J. stellte die Eroberung von Herzogenbusch durch Friedrich Heinrich von Oranien als Nachgeben der städtischen Jungfrau gegenüber den Werbungen des Statthalters dar. Auch die Eroberung Pilsens durch den Grafen von Mansfeld wurde dichterisch als Verlust der (religiösen) «Jungfrawschaft» beschrieben, vgl. Emich, Bilder einer Hochzeit, 212, Anm. 25. Vgl. für dieses auch in anderen Kulturen gebräuchliche Motiv Duerr, Obszönität, 220–241 («Rammbock und Festungstor»); für Köln im 17. Jahrhundert: ebd., 222f.

193 Dresser, Britannia, 34. Vgl. auch das Frontispiz für John Nalsons *Impartial Collection of the Great Affairs of State* von 1682, wo Britannia als Mater dolorosa vom göttlichen Licht bestrahlt wird und sich im Vertrauen auf die anglikanische Kirche von einem nahenden Werber abwendet, der halb Puritaner, halb Jesuit ist.

194 Anthony Munday, The Triumphes of Re-United Britania, 1605, zitiert nach Major, Madam Britannia, 23.

Ähnliche Kompositionen gab es auch anderswo: Germania umgeben von den sagenhaften zwölf ersten deutschen Königen;[195] oder Hollandia im Kreis ausländischer Eroberer und einheimischer Befreier.[196] Sie brachten zum Ausdruck, dass die abstrakte weibliche Jungfräulichkeit, sollte sie erhalten bleiben, ganz im Sinn der mystischen Ehe den konkreten schützenden Mann brauchte.[197] Die Paarbeziehung war die Regel für die politische Ordnung: hier die *Respublica* mit ihrer Mitgift, ihren materiellen Gütern, dort der Fürst mit seinen Waffen. Dieses Grundmotiv liess sich aber unterschiedlich komponieren. So rettete Wilhelm von Oranien als «Nassauscher Perseus» in Jacob Duyms gleichnamigem Stück die Andromeda, nämlich eine nackt angekettete niederländische Magd, vor dem spanischen Drachen.[198] Auf Hessel Gerritsz' Stich *Afbeeldinghe van't Nederlandts Bestandt*, einer Allegorie auf den niederländisch-spanischen Waffenstillstand von 1609, thront eine «Belgica libera» im Sonnenlicht, umgeben von Moritz von Oranien und zwei bürgerlichen niederländischen Ständevertretern («ordines»), während ihr gegenüber die ebenfalls thronende «Belgica Archiducibus subdita» von Philipp III. und Spinola im Schatten gehalten wird.[199]

Jan Tengnagel malte um 1618 eine Allegorie auf die Herrschaft des Prinzen Moritz von Oranien.[200] (Abb. 6) Eine thronende Hollandia hält mit ihrer Linken eine Lanze, auf der oben der Freiheitshut steckte. Moritz von Oranien stützt die Lanze daneben stehend mit seiner Rechten. Zwischen ihnen erkennt man Justitia, mit einer Waage, als Allegorie der politischen Grundtugend Gerechtigkeit, und links neben Hollandia Fides mit der Bibel in der Hand als Personifikation von Kirche und Glaube, während zu ihren

195 Vgl. Jonas Silbers Nürnberger sogenannte «Weltallschale» für Rudolf II in Trzinski, Ikonographie, 204–225, Abb. 69.

196 Vgl. die Titelblätter der Werke von Arnoldus Montanus und Philipp von Zesen (1660) in Gamboni u. a., Zeichen der Freiheit, 81.

197 Eine offenbar singuläre Ausnahme unter diesen Paarbeziehungen stellt Adriaen van de Vennes Waffenstillstandsallegorie von 1616 dar, heute im Louvre (Dlugaiczyk, Waffenstillstand, 84–86, 341, Kat. 27; vgl. auch 81f.), insofern die Hochzeitsfeier der weiblich personifizierten nördlichen Niederlande mit einer männlichen Personifikation der südlichen Provinzen stattfindet, nicht mit einem konkreten Mann. Üblicherweise wäre das der Oranier, was hier aber nicht passt.

198 Atlas van Stolk, 461; vgl. Duits, Vryheid, 106–109.

199 Dlugaiczyk, Waffenstillstand, 55–58, 81–83, 329f. (Kat. 3, 7); vgl. ebenfalls 338 (Kat. 20/1), den Stich von Pieter Serwoutrs von 1608, der die beiden Personifikationen ebenfalls in Licht und Schatten taucht.

200 Grijzenhout, Verbeelding, 259 (Abb. 8); Bussmann/Schilling, Krieg und Frieden in Europa, 30f., Nr. 20.

Abb. 6: Jan Tengnagel, Allegorie auf die Blüte der Republik unter Moritz von Oranien, ca. 1618, Gemälde, Museum Het Prinsenhof Delft.

Füssen eine Abundantia sitzt, welche Hollandia die Schätze des Landes darreicht. Die drei Allegorien bringen zugleich die ständische Gesellschaftsstruktur zum Ausdruck, die den politischen Körper strukturiert: Klerus als Betstand (Fides), Adel als Wehrstand (Moritz) und Herrschaftsträger (strafende und belohnende Gerechtigkeit) sowie der Dritte Stand als Nährstand (Abundantia). Schon damit ist der Statthalter als integraler Teil der Ordnung erfasst, nicht als ihr Dominator. Das schlägt sich auch bildlich nieder, wie der Vergleich mit Lucas de Heeres Philipp II. (Abb. 2) zeigt. Dort thront der König; hier die *Respublica*. Sie trägt die Krone, nicht – wie bei de Heere – der Mann. Ihr Kopf ist gleich weit oben wie derjenige von Moritz, während Philipp bei de Heere herabschaut. Die Personifikationen der Provinzen bringen ihm Güter dar, während sie hier solche bekommt (von Abundantia) und gemeinsam mit dem Oranier die Lanze hält, also für äussere Sicherheit sorgt, wozu ja die finanziellen Ressourcen insbesondere der Städte ebenso unabdingbar waren wie die adligen Schwerter. Tengnagel präsentierte das Ehepaar in einer gleichrangigen Partnerschaft, was sie von Lucas de Heeres respektvoller Hierarchie unterscheidet und erst recht von den zahlreichen Landespersonifikationen, die demütig zu ihrem (absoluten) Monarchen emporschauen.

Diese Gleichrangigkeit ergab sich durch die Verfassung. Der Ständepersonifikation von 1559 war ihr Gatte, der König Philipp II., gegeben; die Landespersonifikation von 1623 konnte ihren Statthalter Moritz von Oranien als Ehemann auswählen. Erst in dieser Konstellation, nicht zuletzt mit ausländischen Implikationen, machte Brautwerbung als Bildmotiv Sinn. In einer Serie von 13 Zeichnungen stellte Joachim Wtewael um 1620 die Geschichte des niederländischen Aufstands als Allegorie dar: Belgica wird von spanischen Adligen (darunter wohl Alba und Spinola) umworben, belästigt und geschändet, doch von galanten Niederländern (unter anderem Wilhelm und Moritz von Oranien) gerettet und in ihrer Blüte wiederhergestellt.[201] Auf einem Kupferstich Crispijn van de Passes d. J. der während der westfälischen Friedensverhandlungen entstand, wird die gekrönte und thronende Jungfrau Hollandia von einem spanischen Granden und einem französischen Edelmann mit Geschenken umworben. Doch ein einheimischer Bürger umfasst ihre Brust, um sie vor den adligen Repräsentanten der Nationalmonarchien zu bewahren, die ihre eigennützigen Pläne verfolgen und ihre Freiheit nicht achten würden. Diesem ihrem Freund wendet sie sich mit den Worten zu, welche die anderen Freier zurückweisen: «Sein Blut ist noch jung und warm, das ist das Beste für eine Jungfrau wie mich.» Das Wappentier der Niederlande ist dieser Liebe gewogen: ein Löwe mit sieben Pfeilen, für jede Provinz eine.[202]

Das Motiv war schon früher aufgetaucht, auf dem Flugblatt *Dans om de Hollandtsche Bruut* von 1615. (Abb. 7). Es warnte die holländische Braut vor den beiden Habsburgern, die sie während des zwölfjährigen Waffenstillstands (1609–1621) im Achtzigjährigen Krieg mit Spanien tanzend umwerben: Kaiser Matthias und Philipp III., der König von Spanien, gefolgt von Erzherzog Albrecht VII. und Isabella Clara Eugenia (den Statthaltern in den südlichen, Spanischen Niederlanden), während im Hintergrund der Papst zum Tanz spielt. Hollandia beobachtet die Szene mit einem Fernrohr aus einer Gartenlaube heraus, auf deren Dach der holländische Löwe wacht. Neben ihr tut das auch der Statthalter, derselbe Moritz von Oranien,

201 McGrath, Netherlandish History, sowie Lowenthal, Netherlandish history, und Dlugaiczyk, Waffenstillstand, 324–327.

202 Harms, Illustrierte Flugblätter, Bd. 4, 332f. (Nr. 251). Fast zeitgleich wurde eine ähnliche Konstellation auf einer niederländischen Medaille von 1655 deutlich deftiger dargestellt: Oliver Cromwell war abgebildet, der Britannia den Kopf in den Schoss legt und den Hintern entblösst hat. Ein Franzose und ein Spanier streiten sich im Hintergrund darum, wessen König zuerst ehrerbietig den Hintern küssen darf; vgl. British Museum, Coins and Medals, Nr. MB1p420.60, und Morrill, History, 252.

und der Kranich auf Hollandias linker Hand symbolisiert *Prudentia*: kluge Vorsicht im Umgang mit den fremden Verführern.[203] Die Gartenlaube erinnert in der Form an einen baldachinartigen Tabernakel, wie etwa Madernos Baldachin in St. Peter – nur dass hier der Löwe den Platz des Kruzifixes einnimmt. In der katholischen Kirche steht der Tabernakel als Aufbewahrungsort für die Hostie als Leib Christi auf dem Hauptaltar. Der Baldachin überragt ihn und repräsentiert das Himmelszelt: Wer sich darunter befindet, steht also unmittelbar unter Gott – nicht nur der weltliche Leib Christi, sondern auch der Souverän, dem ein solches Ehrendach im höfischen Zeremoniell vorbehalten war, wie es nicht nur in Versailles über dem *Lit d'état* hing.

Abb. 7: Ghy Patriotten thans «kijck uyt, kijck uuy, Siet wat een vreemden Dans» om de Hollandtsche Bruut, Flugblatt, 1615, Atlas van Stolk, Nr. 1308.

203 Atlas van Stolk, 1308, Ghy Patriotten t'hans «kijck uyt, kijck uuy, Siet wat een vreemden Dans» om de Hollandtsche Bruut, 1615; vgl. auch Dlugaiczyk, Waffenstillstand, 86f., 342 (Kat. 28).

10. Hortus conclusus

Gerade im niederländischen Kontext weckte der Gartenbaldachin aber auch noch andere Assoziationen.[204] Ein anderes Flugblatt von 1617 (Abb. 8) warnt im selben Geist vor den betrügerischen Friedensplänen der Spanier, die ein junger Höfling scheinbar ehrerbietend überbringt. Sein Hinterkopf verrät jedoch, dass dies nur eine Maske ist, hinter der sich ein räuberischer Wolf verbirgt.[205] Hollandia, die niederländische Magd, thront in einem Garten mit Orangenbäumen, in dem Moritz von Oranien (Orange) Unkraut jätet: Als adliger Anführer der aussenpolitischen Kriegspartei und der reformierten Orthodoxie (Gomaristen) bekämpft er also die bürgerliche Friedenspartei der holländischen Städte und die ihnen nahestehende gemässigt-arminianische Variante des Calvinismus. Der Konflikt sollte 1619 mit der Hinrichtung Johan van Oldenbarnevelts enden, des Anführers der Friedenspartei.

Der Garten, in dem Moritz, Hollandia und ihr beschützender Löwe weilen, ist umzäunt, das Eingangstor verschlossen. Der Ursprung dieses *hortus conclusus* lag bereits in der spätmittelalterlichen Marienikonografie. Die Madonna sitzt oder steht in einem (Paradies-)Garten (*hortus*), der von einem Zaun umschlossen (*conclusus*) ist. Das Motiv geht wiederum auf die Auslegung des Hohelieds (4,12) zurück: «Ein verschlossener Garten ist meine Schwester, [meine] Braut, ein verschlossener Born, eine versiegelte Quelle.» Im Einklang mit der dortigen Liebesmetaphorik kann Maria erneut als Ecclesia verstanden werden, die als keusche Braut (*Maria sponsa*) dem Bräutigam Christus in symbolischer Ehe verbunden ist. So wurden sie auch gemeinsam im Garten abgebildet oder aber im Gespräch über den Zaun hinweg, dessen Tor dann allerdings weit geöffnet war. Ein niederländisches Blockbuch von etwa 1465 erzählte die Geschichte Marias in Form einer Hoheliedauslegung und kombinierte eine solche Gegenüberstellung des Paars mit den bereits behandelten Liebesversen.[206]

204 Der Zusammenhang wird darin sehr deutlich, dass ein weiteres Flugblatt von 1615 mit dem Titel «Den wackeren Leew» eine ähnliche Konstellation von Hollandia mit Fernrohr, Kranich und Oranier zeigt, diesmal aber in einem umzäunten Garten. Dieser Stich ist wiederum in der restlichen Komposition (Prälaten, spanische Soldaten) eine Vorform des unten, Abb. 9, behandelten Testaments des Friedens aus demselben Jahr.

205 Atlas van Stolk, 1329, Maechts Antwoort tegen op en aen de aenspraek van een courtisaen, 1617.

206 http://daten.digitale-sammlungen.de/bsb00038199/image_13 (6.1.2012); dazu Delen/Meertens, Canticum Canticorum. Ich danke Marilyn Lavin für gründliche Diskussionen

Abb. 8: Maechts Antwoort tegen op en aen de aenspraek van een courtisaen, Flugblatt 1617, aus: Frederik Muller, De Nederlandsche geschiedenis in platen.

Die Vorstellung des *hortus conclusus* war dem Motiv des Rosengartens verwandt, der auch bei Heinrichs IV. Verteidigung der Francia gegen den ligistischen Ehebrecher begegnet. Die Madonna im Rosengarten war ein sehr populäres Bildmotiv und konnte, in einem Brüsseler Kodex von etwa 1450, auch mit einem vor ihr knienden Herrscher kombiniert werden, nämlich Karl dem Grossen.[207] Die Rose stand als marianisches Symbol schlechthin für die unbefleckte Empfängnis, also die Jungfräulichkeit.[208] So wurde der Rosengarten als unmittelbares Werk des Allmächtigen auch Gegenstand von Dichtungen:

über das Blockbuch und den Einblick in ihr Arbeitsmanuskript (März 2010) zu diesem Thema.

207 Cod. 9213, Bibliothèque royale, Brüssel; abgebildet bei Vetter, Maria, Abb. 21.

208 Schumacher-Wolfgarten, Art. Rose, 563–568; Vetter, Maria.

> «Maria, die viel zarte,
> sie sass im Rosengarten,
> den got selber gezieret hat
> mit seiner götlichen majestat.»[209]

Auf ein Land übertragen wurde die Gartenvorstellung zuerst in Frankreich, wo man seit dem 14. Jahrhundert das Königreich als «jardin de douce France» besang und seit der Mitte des 15. Jahrhunderts so darstellte. Jean Gerson entwickelte theologisch die Gemeinsamkeiten des himmlischen (Paradies-)Gartens und des Gartens Frankreich. Die gerechten Gesetze bildeten einen Zaun, der die irdischen oder spirituellen Feinde von den Schafen und ihrem Hirten fernhielt. Das verwies mit den Symbolen der Jungfräulichkeit (Rose, Lilie) bereits auf die Idee des *hortus conclusus*. Doch die bildlichen Darstellungen des «jardin de France» zeigen zwar einen Zaun mit offenem Tor, aber keine Jungfrau, sondern einen Lilienwappenbaum, der von einem Baldachin überwölbt ist, und den König selbst, der den Garten pflegt und hütet wie der göttliche Hirte seine Herde.[210]

In den Niederlanden dagegen, wo der *hortus conclusus* als religiöses Motiv schon im Mittelalter oft aufgegriffen worden war, nahm im Unabhängigkeitskrieg Belgica/Hollandia, die niederländische Magd, die Position der Jungfrau im *Hollandse tuin*, dem holländischen Garten, ein.[211] Das Motiv wurde in den 1570er Jahren populär und sehr oft dargestellt.[212] Da es sich bei den Darstellungen oft um Flugblätter handelte und damit um Massenprodukte patriotischer Propaganda, erreichte diese Symbolik ein breites Publikum; ebenso durch Medaillen oder Ofenkacheln. Der *hortus conclusus* als Ort der jungfräulichen Reinheit stellte die Generalstaaten dar, die ihre territoriale Integrität bewahren wollten. Spanien belagerte sie, weil es ihre Souveränität nicht anerkannte. Diese Warnung wiederholte 1615, während

209 Das undatierte Gedicht aus dem 15. Jahrhundert zitiert nach Hoffmann von Fallersleben, Geschichte, 172; vgl. auch Vetter, Maria, 15.

210 Beaune, Naissance, 318–320, Abb. 8; Krynen, Idéal, 255f.

211 Dazu van Winter, De hollandse Tuin, 29–121, und Dlugaiczyk, Waffenstillstand, 102–106.

212 Ein frühes Beispiel mit Magd und Löwenwappen, von Philips Galle, stammt möglicherweise aus den 1560er Jahren, vgl. http://www.geheugenvannederland.nl/?/nl/items/BVB01:MB1563DIPK (6.1.2012). Datiert ist eine Medaille von 1573, vgl. Grijzenhout, Verbeelding, 254–256 (Abb. 1), Gamboni u. a., Zeichen der Zeit, 329f., und Dlugaiczyk, Waffenstillstand, 342 (Abb. 8); der Löwe in einem verschlossenen Garten als Gegenspieler der «Spaensche tiranni» ist auf einer Medaille von 1575 zu sehen, vgl. Le Clerc, Explication historique, 38 (Abb. LXI); auch Harms, Illustrierte Flugblätter Bd. 4, 94f. (IV, 68); Sawyer, Medium and Message, 167f. (Abb. 9.1.); und Schama, Schöner Schein, 87.

des Jülich-Klevischen Erbfolgestreits, auch Willem Buytewech, der Hollandia im Garten zeigte, umgeben von «des vaderlants vereenicht gemeent» – der vaterländischen Gemeinschaft, also der *Respublica*. Eine Pyramide mit der Inschrift «privilegie», die wie der Obelisk die Ewigkeit und damit die Souveränität darstellt, wird von einem eher kümmerlichen, also wohl innenpolitisch gelähmten Orangenbäumchen beschützt, so dass die Abwehr vor allem beim Löwen liegt, der das Tor und den Zaun der Standhaftigkeit (*Trouwicheyt*) bewacht.[213] Aussen nähert sich die Statthalterin der südlichen Niederlande Isabella Clara Eugenia, auch sie januskopfig: nach vorn das Lächeln des Friedens, nach hinten – zu den nachfolgenden Soldaten – die Fratze des Krieges.[214] An der Leine führt sie den Leoparden, vor dem der Titel warnt; möglicherweise ist auch das ein Bezug zum Hohelied, das ja die Grundlage des Gartenmotivs bildet.[215] Jedenfalls näherten sich in den ursprünglichen, religiösen Varianten des Bildes ebenfalls Tiere dem *hortus conclusus* und den jungfräulichen Symbolen, nämlich vier Hunde, die den vier apokalyptischen Reitern entsprechen: Misericordia, Pax, Justitia, und Veritas, alle vom Erzengel Gabriel geführt.[216]

213 Für Pyramide/Obelisk als Symbol ewiger Majestät vgl. Roeck, Titelkupfer, 343–349; Henkel, Emblemata, 1222: «Pyramides Pharium monumenta perennia Regum» und auch den Entwurf des Abbé de Lubersac für ein *Monument à la gloire du roi Louis XVI et de la France*, woran das Medaillon des Königs aufgehängt ist und von der Tugend der Zeit überreicht wird, während zu Füssen der Säule Francia die Reichsinsignien bereithält, vgl. Sabatier, Versailles, 578–581, ferner Milovanovic, Du Louvre à Versailles, 212 (Abb. 64); vgl. auch Dlugaiczyk, Waffenstillstand, 157–179.

214 Zu Buytewech: Mörke, Bataver, 208f.; Schama, Schöner Schein, 87–89; Dlugaiczyk, Waffenstillstand, 102f., 341 (Kat. 26).

215 Vgl. Hohelied, 4, 8: «Komm mit mir, meine Braut, vom Libanon, komm mit mir vom Libanon, tritt her von der Höhe Amana, von der Höhe Senir und Hermon, von den Wohnungen der Löwen, von den Bergen der Leoparden!»

216 Vgl. etwa den Flügelalter von Maria-Gail, Villach, um 1500, oder das Antependium von Lachen, um 1480, heute im Schweizerischen Nationalmuseum; zu den mariologischen Symbolen gehört dort ausser dem Einhorn auch Phönix. Siehe Daley, Late Medieval Iconocraphy, 255–258; Frauenfelder, Symbolik, 133–136; Wyss, Hortus-Conclusus, 113–124. Wyss zeigt auch (119), dass das Motiv im reformierten Umfeld weiter gepflegt und sogar von Bullinger gerechtfertigt wurde.

Abb. 9: Das Testament des Friedens oder Anstands, 1615.

Im 16. Jahrhundert veränderte sich aber diese anfangs positive Deutung des Gartenumfelds: Der *hortus* wurde zu einer Festung der Keuschheit, die durch Begierden belagert wird.[217] Wie das Zauntor nun – anders als gegenüber Christus – verschlossen ist, so verwandeln sich die Hunde: Auf den mittelalterlichen religiösen Bildern sind sie als Tugenden wie spielende Welpen freudig auf den Zaun gesprungen. Nun sind es ein bedrohlicher Leopard oder, in einer schweizerischen Variante, ein spanischer Wolf und ein bayerischer Eber, die in den Zaun einbrechen – eine allegorische Darstellung der Veltliner Wirren im Dreissigjährigen Krieg, mit eidgenössischen Akteuren im Inneren des Zaunes und den kriegführenden Parteien aussen.[218] Schon beinahe ganz abgetragen ist der Zaun auf einem niederländischen Stich von 1672, dem Katastrophenjahr des Überfalls durch Ludwig XIV. Hollandia hält verzweifelt den Stab mit dem Freiheitshut fest, den französische Soldaten mit Seilen schon weit heruntergezogen haben. Der Löwe mit dem Hosenbandorden (Wilhelm III. von Oranien) will ihr mit dem Schwert helfen, ist aber am Obelisken festgekettet – erneut das Symbol der Souveränität, die über Krieg und Frieden entscheidet, wie der Januskopf auf der Spitze zeigt. Ein Wachhund schläft, und auch die niederländischen Soldaten im Hintergrund greifen nicht ein. Der Künstler protestierte so gegen die Friedenspolitik der Regentenrepublikaner um Jan de

217 Scholz, Body Narratives, 90–93; vgl. auch die männlichen Bedrohungen ausserhalb des Gartens auf Claes Jansz. Visschers Allegorie auf den Waffenstillstand von 1615, Atlas van Stolk, 1312, und Dlugaiczyk, Waffenstillstand, 347 (Kat. 40).

218 Zu den «Spanischen Muggen» Maissen, Eidgenossen, 273f.

Wit, die den Oranier vom Statthalteramt ausgeschlossen hatten und nun den Invasoren zu erliegen drohten.[219]

Die in verschiedenen Varianten überlieferte und deshalb wohl populärste Umsetzung des hortus conclusus war ein Flugblatt mit dem Titel *Testament des Friedens* von 1615. (Abb. 9). Rechts im Bild sitzt die niederländische Magd im umzäunten Garten, mit dem Löwen an ihrer Seite, dem Freiheitshut auf der Lanze und einem Orangenbaum. Ihnen gegenüber, ausserhalb des Zauns, sieht man die Angreifer, welche die – körperliche, territoriale – Integrität der holländischen Jungfrau beeinträchtigen wollen. In der Mitte steht eine Gruppe katholischer Prälaten um ein Krankenbett: der Waffenstillstand auf dem Sterbelager. Ganz links stehen spanische Soldaten, an ihrer Spitze der Feldherr Ambrogio Spinola mit unzweideutiger erotischer Metaphorik: Wie einen Phallus richtet er eine Kanone zwischen den gespreizten Beinen auf das geschlossene Zauntor, gleichsam den Hymen, dessen Schutz den Niederländern obliegt.[220] Auf einer Variante des Flugblatts, ebenfalls von 1615, ist statt des Soldaten der thronende Papst einer ganz ähnlich abgebildeten «holändischen Jungfraw» gegenübergestellt, die verkündet, dass «Gottes heilig Wort […] unser höchster hort» sei.[221]

Das säkularisierte Motiv des *hortus conclusus* vereint viele der skizzierten Elemente: die spätmittelalterliche Bildtradition, auch der Maria im Rosenhag; die christliche Exegese der Liebesbeziehung im Hohelied als keusche Partnerschaft mit einer Jungfrau, der Schutz der Frau durch den Mann in der mystischen Ehe und damit der Schutz der territorialen Integrität und Souveränität gegen aussen. Letzteres betonte dann Heinrich Ludwig Gude, als er um 1700 die *Hollandse Maaghd* beschrieb, die er mit dem niederländischen Löwen in einem Zaun abbildete und seinem Werk über den *Staat der Vereinigten Niederländer* voranstellte. «Eine Dame welche, von gütigen Himel mit allen Gemüths- und Leibes-Vollkommenheiten, von dem gewogenen Glücke mit seinen kostbarsten Schätzen begnadigt worden, findet bald mehr als einen Liebhaber, die umb die Wette sich ihrer Gunst zu bemäch-

219 De worstelende Maagd tot Bescherming van hare Vryheyt, 1672, in: Cillessen, Krieg der Bilder, 124f. (B.IV.3).

220 Das Testament des Friedens oder Anstands, 1615, in: Harms, Illustrierte Flugblätter 182f. (II, 104); auch Dlugaiczyk, Waffenstillstand, 335f. (Kat. 16). Auf das Tor gerichtete Kanonen zeigt auch Adrian van der Vennes Stich der Pacificatie van Gent, 1625; http://upload.wikimedia.org/wikipedia/commons/b/b5/Allegorie_Pacificatie_van_Gent.jpg (01.08.2012). Zum Kanonenrohr als Phallus allgemein Duerr, Obszönität, 226f.

221 Der kram des Romischen Papst, 1615, in: Harms, Illustrierte Flugblätter, Bd. 2, 180f. (II, 103).

tigen suchen. [...] Das Original des Frauenzimmers, so dem geneigten Leser auff dem Kupfferblat vorgestellt, hat das Glück gehabt, von solchen Monarchen angebetet zu werden, die sich rühmen dürffen, dass in ihrem Gebiethe die Sonne niemahls untergehe; da die Güte nicht helffen wollte, fand sich mehr als ein Paris, der diese Helenam mit Gewalt zu entführen gedacht. Allein der durch die Fürsichtigkeit aus lauter Eintracht zusammen geflochtene Zaun, samt den dabey wachenden Löwen hat bishero glücklich verwehret, dass niemand ihr den purpurfarbenen Hut der Freyheit, welchen sie par une noble fierte von ihrem Haupt auff kein fremdes Haupt setzen wollen, par force entreissen können.»[222]

11. Vergewaltigung

Was es für die Niederländer zu verhindern galt, war in der erotischen Metaphorik klar: Belästigung und Vergewaltigung. Sie waren entsprechend häufige Motive der niederländischen Bildpropaganda. Auf Jan Collaerts Stich vergewaltigen um 1570 spanische Soldaten Belgia. Auf Peter Bors Beschreibung des Aufstands (1603) bedrohen sie ihren Bauch mit der Inquisitionsfackel, weil sie mit Kämpfern für die Freiheit («Libertas») schwanger geht.[223] Auf Wtewaels erwähnten Zeichnungen wird die Landespersonifikation um 1620 von zwei Männern belästigt, den Repräsentanten der katholischen Kirche und des spanischen Heeres. Die niederländischen Beschützer dagegen treten nach geleisteter Arbeit zurück, sind also eben nicht Monarchen, sondern überlassen es zuletzt einer allein thronenden Belgia, die Tribute der exotischen Länder entgegenzunehmen.[224] Die gewaltsame Inbesitznahme des weiblichen Körpers ist jenseits der Eroberungsmetaphorik eine «dramatische Chiffre für den Übergriff auf Leib und Eigentum der Untertanen, der den Herrscher als Tyrannen kompromit-

222 Staat der Vereinigten Niederländer, s.l., s.a., Vorrede. Urte Weeber, der ich für den Hinweis auf das Buch sehr dankbar bin, schreibt es nach dem Vergleich mit anderen Werken Heinrich Ludwig Gude zu und datiert es vor 1708.

223 Jan Collaert d.Ä. Belgicae delaceratae lamentatio, um 1570 (nach Ambrosius Franken), Atlas van Stolk, Nr. 411; auch in: Israel, Dutch Republic, Abb. 4, und Dlugaiczyk, Waffenstillstand, 78; ebenso mit weiteren Bildern der nackten Belgica bei McGrath, Netherlandish History, 186f. und Abb. 32a)-d), worunter (Abb. 32b) auch die frühe Variante von A. van Leest, Declaratie, 133 = Atlas van Stolk, Nr. 641 (16); bei McGrath auch (Abb. 35a) Bor, Oorspronck = Atlas van Stolk, Nr. 410.

224 Lowenthal, Netherlandish history, 222f.

tiert».[225] Auch hierfür gibt es etliche alttestamentliche Referenzen, wenn etwa Jesaja (23,12) zum zerstörten Sidon spricht: «Nie mehr sollst Du fröhlich sein, Tochter Sidon, du vergewaltigte Jungfrau.»[226] Lucretia und Verginia sind berühmte römische Beispiele dafür, dass die tyrannische Nötigung der Frau schwere politische Konsequenzen haben konnte.[227] Im Investiturstreit sahen Vertreter des Reformpapsttums in der Laieninvestitur eine Vergewaltigung, weil die betroffene Kirche einen anderen Priester und damit Gatten erhielt, als rechtmässig war.[228]

Besonders häufig wurde das Bild im Dreissigjährigen Krieg aufgegriffen, als etwa in Johan Rists Drama das geschundene Teutschland, umgeben von männlichen Personifikationen der kriegführenden Mächte, «Friede, Friede, Friede» schrie.[229] Naheliegend war der Bezug zur Ehe mit einer Jungfrau im Fall der «Magdeburger Hochzeit», welche die beiden Kriegsparteien mit derselben Metaphorik beschrieben, auch wenn sie unterschiedliche Akzente setzten und voneinander abweichende Wertungen vornahmen. Die Elbestadt führte die Madonna im Wappenschild und hatte daran auch nach der Reformation festgehalten, ja als «Herr Gotts Kanzlei» ihren erfolgreichen Widerstand gegen das Augsburger Interim und die kaiserliche Rekatholisierungspolitik im Zeichen der Jungfräulichkeit zelebriert. Dieser Stolz widerspiegelt sich noch in Martin Opitz' ambivalenten Versen nach der Eroberung der Stadt: «Die stets alleine schlief, die alte keusche Magd, von Tausenden gehofft und Tausenden versagt […] weil […] keine Jungfrau nicht ein fremdes Bett erkiest, kriegt Tilly.»[230]

Entsprechend sahen die Protestanten die aufsehenerregende Zerstörung der lutherischen Hochburg nach der Eroberung durch Tillys Truppen als Vergewaltigung der «Magdeburgischen Jungfrau», die sich den Schwedenkönig Gustav Adolf als Bräutigam gewünscht hätte.[231] Stattdessen verlor sie ihr Jungfernkränzlein und steckte sich darauf selbst in Brand, um wie die

225 So Koschorke, Staat, 173–176, am Beispiel von Daniel Caspar von Lohensteins Ibrahim Sultan.

226 Etwa Jeremia 6, 23–26; Klagelieder 1 und 2 sowie 5,11; auch Jesaja 13,16.

227 Koschorke, Staat, 36–46.

228 Humbertus a Silva Candida, Adversus simoniacos, 211f. (3, 11): «sacerdotis uxor ab aliis violatur, quandocumque ecclesia a laicis, quibus non pertinet, administratur vel ordinatur.»

229 Rist, Das Friedewünschende Teutschland, 1649; auch in ders., Sämtliche Werke, Bd. 2.

230 Vgl. hierzu Lenz, Jungfrau, 193–203.

231 Klägliches Beylager der Magdeburgischen Dame, in: Paas, German Political Broadsheet, Nr.1367.

geschändete Lucretia Selbstmord zu begehen.[232] Jedenfalls könne die Magd, wie sie im *Kläglichen Beylager der Magdeburgischen Dame* [...] *mit ihrem Blutdürstigen Gemahl* (1631) zu Tilly klagte, «dein liebster Schatz nicht sein, In dem du mit gewalt mir nimmst mein Kräntzelein». Leiblich habe er sie wohl geschändet, doch «ist die Jungfrawschafft der Seelen noch vorhanden».[233] In hoffnungsvolleren Varianten wie dem *Tröstlichen Gespräch* wurde Magdeburg Gustav Adolf als rettender Bräutigam verheissen. Er sollte es laut dem *Mitternacht Stern* auch sein, der die entführte Stadt befreien würde, um sie wieder ihrem Gatten Christus zuzuführen.[234] Tatsächlich wendete sich das Kriegsglück bei Breitenfeld. Das konnte als verdiente Strafe für denjenigen gelten, der «Jungfrauen schändt»; und so galt Tillys Tod wenig später den Protestanten hämisch als *Heimführung dess Magdeburgischen Hochzeitters.*[235]

Auf der anderen Seite triumphierten hingegen die Katholiken, nachdem die Hoffart der Stadt und (mit den Worten des Siegers Pappenheim) «ihre jungfrawschafft hinwech» und der «keuschen Dame Scham gebrochen» war.[236] Das Flugblatt *Capitulationes* kommt stilistisch als Ehevertrag (Notel) daher und hält die Rolle der protestantischen Verbündeten Magdeburgs fest: Ulm sollte das Heiratsgut geben, Strassburg die Morgengabe und Nürnberg die Hochzeitskosten übernehmen; Augsburg und Regensburg walteten als Brautführer, während Gustav Adolf als Brautvater seine Tochter Magdeburg dem siegreichen Eroberer Tilly übergeben musste, was der Stich auch festhält (Abb. 10).[237] Die katholische Publizistik sprach auch von einer Reinigung: Aus Magdeburg sollte «Marienburg» werden, die Stadt der wahrhaften, nicht durch die lutherische Lehre besudelten Jungfrau.[238] Diese Umbenennung erfolgte dann jedoch nicht, und die Metaphorik überlebte selbst die zerstörerische Vergewaltigung. Als die Stadt 1680 an Brandenburg fiel, befürchtete man, die «adelige Jungfrau» werde zur «elenden Dienstmagd» erniedrigt, doch verkündete 1702 ein anderer Autor, die Magdeburger Jungfrau könne unter dem Schutz des Preussischen Adlers nun sicher ruhen.[239]

232 Saguntina Prospopeia, bei Medick, Historisches Ereignis, 389–394; Emich, Hochzeit in Trümmern, 21.
233 Emich, Hochzeit in Trümmern, 16, 21; dies., Bilder einer Hochzeit, 208–210.
234 Tschopp, Deutungsmuster, 164, 327; vgl. auch dies., Rhetorik des Bildes.
235 Emich, Hochzeit in Trümmern, 23–25; dies., Bilder einer Hochzeit, 215–217.
236 Emich, Hochzeit in Trümmern, 19; Burckhardt, Dreissigjährige Krieg, 228f.
237 Harms, Illustrierte Flugblätter, Bd. 2, 400f. (II, 227).
238 Emich, Hochzeit in Trümmern, 18, 26f.; dies., Bilder einer Hochzeit, 206–208.
239 Schmidt, Vorstellungswelt, 511; Kittsteiner, Stabilisierungsmoderne, 61.

Abb. 10: Capitulationes, wasgestalt Herrn General Graffen Tilly die alte Junckfrau zu Magdeburg verheiratet worden, 1631.

12. Scheidung

Die Verpflichtung des Herrschers, als Gatte und Rechtsvertreter die Freiheit oder Mitgift seiner Angetrauten, des Gemeinwesens, zu wahren, ist der Schlüssel, um eine weitere Gruppe von Bildern und Texten zu deuten. Ausgangspunkt ist erneut die Begegnung von Salomo/Philipp II. mit der Königin von Saba beziehungsweise der Personifikation der niederländischen Stände, wie sie Lucas de Heere malte. (oben, Abb. 2). Ähnliche Begegnungen waren auf Stichen von Dirck Volkertszoon Coornhert zu sehen: einmal die Königin von Saba, ein anderes Mal aber die Unterwerfung der deutschen Städte unter Karl V., nachdem dieser den Schmalkaldischen Krieg gewonnen hatte.[240] In der Grundkonstellation nahmen diese Darstellungen einen Bildtyp vorweg, der in den Anfängen des niederländischen Aufstands gegen Spanien entstand, 1569 erstmals als Stich gedruckt wurde und in über 20 verschiedenen Varianten als Gemälde oder Druckgrafik überliefert ist.[241]

240 Sawyer, Tyranny of Alva, 186–188 (Abb. 3 und 4).

241 Das Original ist Atlas van Stolk, Nr. 409; andere Varianten sind z. B. Utrecht, Centraal Museum, Inv. 2354, und Dirck van Delens Gemälde von 1630. Vgl. den Katalog bei Sawyer, Tyranny of Alva; auch Pieken, Ehrsame; ebenfalls unter http://www.dhm.de/magazine/niederlande/Kapitel03.htm (3.4. 2010).

(Abb. 11). Wie auf de Heeres Gemälde König Philipp II., so thront hier der Herzog von Alba, der seit 1567 als Statthalter des spanischen Königs in den Niederlanden herrschte. Doch die 17 niederländischen Provinzen stehen ihm nicht – wie bei De Heere – erhobenen Haupts gegenüber, sondern knien gedemütigt und in Ketten gefesselt. Zwischen ihnen und dem Herzog liegen die zerrissenen Privilegien und Freiheitsrechte. Im Hintergrund kann man neben anderen Gräueltaten die Hinrichtung der Grafen Egmont und Hoorn erkennen. Die Bildlegende benennt die Gruppe um den Statthalter als «Die blutige mörderische Spanische inquisition Sampt der gantze rhat Und papistiche hauff». Hierzu zählt der Kardinal Granvelle, der mit einem Blasebalg Alba Hass und Mordlust ins Ohr bläst, während ein Teufel ihm eine Tiara und dem Statthalter eine Krone über das Haupt hält.[242]

Abb. 11: Execution vnd verfolgung die der Duc de Alba gethan hat vuider die Euangelisten im Niderland, 1569, Atlas van Stolk, Nr. 409.

242 Vgl. auch den Kupferstich von 1570, auf dem Alba eine nackte Jungfrau Belgica an Fesseln heranführt; Harms, Illustrierte Flugblätter, Bd. 2, 46 (II, 24) = Atlas van Stolk, Nr. 416; ebenso eine nackte Belgia vor Alba als spanischem Drachen, 1572, Atlas van Stolk, Nr. 461.

Abb. 12: Niederländische Medaille, 1583, in: Explication historique des principales médailles frapées pour servir à l'histoire des Provinces-Unies des Pays-Bas, Amsterdam ²1736, S. 48f., Nr. 79.

Eine Medaille von 1583 (Abb. 12) illustrierte die Reaktion der Niederländer auf diese Missachtung ihrer Freiheiten und damit des politischen Körpers. Es handelt sich um eine Allegorie auf die Absage an den pflichtvergessenen Philipp II. durch die Abschwörung im *Plakkaat van Verlatinghe* von 1581. Auf der Vorderseite der Medaille legt ein spanischer Soldat unter den Augen des Königs die holländische Magd in Ketten, als das niederländische Wappentier, der Löwe, schützend hinzuspringt. Die Umschrift lautet: UBI REX IN POPULUM TIRANNUS; der Satz wird auf dem Revers fortgesetzt mit POPULO JURE D[IVINO] ET H[UMANO] DIVORTIUM: Wo sich der König als Tyrann gegen das Volk erweist, dort steht dem Volk nach göttlichem und menschlichem Recht die Scheidung zu. Die Logik war dieselbe wie bei Luca da Penne: Mit Tyrannen konnte es keine Gemeinschaft geben.[243] Vom Löwen begleitet gibt die Frau, die auf der Rückseite nun wieder aufrecht neben dem König steht, diesem den Ehering zurück, nachdem ihre Fussfesseln zerbrochen am Boden liegen.[244] Ähnliche Vorstellungen waren im Spiel, als im lutherischen Sachsen Christoph Otto Freiherr von Schönaich sein Epos *Hermann oder das befreyte Deutschland* (1751) verfasste. Der Held wirft dem römischen Gesandten seinen goldenen Bürgerring hin: «So empfang hier Ring, und Schmuck, die

243 Vgl. oben, Anm. 88, und Luca da Penne, c. 12, 63, 1, Nr. 74, zitiert bei Viroli, From Politics, 67, Anm. 193: «Nulla est societas cum tyrannis».

244 Le Clerc, Explication historique, 48f., Nr. 79.

mich nur an Rom gebunden; Ich zerreisse keck das Band, was man mir zur Schmach gewunden.» Stattdessen erhält er von einer Priesterin ein bescheideneres Symbol wechselseitiger Treue zum Vaterland: «Nimm hier diesen Ring von Eisen […] sey dadurch ewig an das Volk geschlossen».[245]

Das Motiv der Scheidung ergab sich aus den Verpflichtungen, die der Ehebund für beide Seiten mit sich brachte – gerade auch in der mystischen Ehe, die ja zumindest implizit auf einem Vertrag beruhte. Schon im Alten Testament hat Gott die Scheidung vom bundesbrüchigen Israel verfügt, diese dann aber rückgängig gemacht.[246] Von einem Vertrag ging auch Paulus in den einschlägigen Passagen des Neuen Testaments aus, namentlich im 1. Korintherbrief, 7,2–4, der sich wiederum auf die zitierten Passagen aus dem Epheserbrief, Kapitel 5, bezieht «Wegen der Gefahr der Unzucht soll aber jeder seine Frau haben und jede soll ihren Mann haben. Der Mann soll seine Pflicht gegenüber der Frau erfüllen und ebenso die Frau gegenüber dem Mann. Nicht die Frau verfügt über ihren Leib, sondern der Mann. Ebenso verfügt nicht der Mann über seinen Leib, sondern die Frau.» Gerade weil Paulus die Ehe insofern abwertete, als sie seinem Ideal der Keuschheit nicht entsprach, machte er die Sexualität zu ihrem zentralen Element – denn sie war nur in der Ehe legitim. Die fleischliche Vereinigung begründete die vollständige «potestas corporis», die Verfügungsgewalt über den eigenen Körper, die damit an die Paarbeziehung gebunden war. Paulus bezog sich auch auf den erwähnten Willen des Schöpfers, dass Mann und Frau eins werden sollten: «erunt duo in carne una» (Genesis 2,24). Der Beischlaf war also notwendig, damit die Ehe gültig war; er konstituierte aber umgekehrt auch *eo ipso* die Ehe, selbst mit einer Hure, wie Paulus warnend ausführte.[247] Die Kanonisten deuteten dann wie erwähnt den Beischlaf als bischöfliche Verwaltung der Diözese.[248] Dessen Verweigerung stellte, zumindest in den protestantischen Kirchen, auch einen Scheidungsgrund dar.

Tatsächlich wurde die Metapher der Scheidung nicht nur im calvinistischen Umfeld der Niederlande, sondern auch im anglikanischen England und im zwinglianischen Zürich aufgegriffen. Jakob I. hielt in der oben zitierten Thronrede ebenfalls fest, dass der Mensch nicht scheiden solle, was Gott vereint habe – eben seine eheliche Gemeinschaft mit der britischen

245 Schönaich, Hermann, 130; dazu Brandt, Germania, 91.
246 Jeremia 3,1–20.
247 1Kor. 6,16f.
248 Vgl. oben, Anm. 63.

Insel.[249] In einer Flugschrift von 1643 rechtfertigte Britannia die Rebellion gegen Karl I. im Namen ihrer Freiheiten damit, dass er sie wieder an den tyrannischen Stuhl Petri fesseln wolle.[250] Johann Rudolf Hess, ein Referent in einem frühaufklärerischen Zürcher Gelehrtenzirkel, meinte 1679, dass nach dem Eherecht das böswillige Verlassen des Partners («desertio malitiosa») einen ausreichenden Grund für die Scheidung darstelle. Dadurch werde die wechselseitig zugesagte Treue gebrochen und folglich die von der anderen Seite geschuldete Loyalität hinfällig. Denn durch die Ehe würden die beiden Partner zu einem einzigen Körper, der auch alle Gefahren und Herausforderungen notwendigerweise als gemeinsame angehen müsse, so dass auch beide Teile sich in dasselbe Schicksal teilen müssten. Die Ausführungen dienten dazu, die Ablösung der Eidgenossenschaft vom Heiligen Römischen Reich damit zu rechtfertigen, dass die habsburgischen Kaiser ihre Schutzverpflichtung nicht wahrgenommen und damit die Schicksalsgemeinschaft *de facto* aufgekündigt hätten.[251]

Überraschender als im durch monarchomachisches Gedankengut geprägten reformierten Kontext erscheint die Erörterung der Scheidungsmöglichkeit durch einen süditalienischen Kardinal. In der römischen Kirche galt auch im übertragenen Sinn etwa die Abdankung Papst Coelestins V., die als singulärer Akt von seinem Nachfolger Bonifaz VIII. erzwungen wurde, als unkanonische Scheidung.[252] Kardinal Giovanni Battista de Luca sah das anders: Der Papst könne kraft der ihm direkt von Gott verliehenen Macht seine Ehe mit der Kirche auflösen. Bei einem weltlichen Herrscher hingegen müsse die Quelle seiner Macht, nämlich Volk und *Republica*, ihr Einverständnis zu einer Auflösung des Ehevertrags geben. Tatsächlich sei dies bei der Königin der Fall gewesen, in deren Auftrag er sein Werk *Il Principe cristiano pratico* 1680 schrieb: Kristina von Schweden hatte sich nach ihrer Abdankung und Konversion zum Katholizismus in Rom niedergelassen.[253] Kristina weigerte sich zeitlebens, zu heiraten und sich dadurch einem Mann unterzuordnen. Solche Vorbehalte prägten auch De Lucas Traktat, in dem er das Bild der mystischen Ehe («mistico e politico matrimonio») als wechselseitigen Ehevertrag («reciproco contratto matrimoniale») präsen-

249 Kantorowicz, Zwei Körper, 233.

250 Britannia, passionately and historically (1643); vgl. auch Major, Madam Britannia, 14, 24f.

251 Collegium Insulanum, Zürich, 5. August 1679; Zentralbibliothek Zürich, Ms. P 6224, 149; dargelegt in Kempe/Maissen, Collegia, 208.

252 Kantorowicz, Zwei Körper, 225, Anm. 61.

253 De Luca, Principe cristiano, 677–679 (Kap. 48).

tierte. Die *Republica* als Gattin bringe als ursprüngliche, unmittelbare und gewohnheitsmässige Eigentümerin («padrona originaria, diretta e abituale») die Rechtsprechung, Machtmittel und Erträge («giurisdizione e podestà», «regali e rendite et emolumenti publici») als Mitgift in die Ehe ein. Darüber habe der Fürst als Gatte nur das untergeordnete Niessrecht («il dominio utile e subalterno»). Die Unterscheidung entstammte dem Lehnsrecht, wonach der Grundherr aufgrund seines Obereigentums («dominium directum») dem Vasallen oder Bauern das «dominium utile» als Untereigentum verleiht. Der Fürst müsse dieses Untereigentum bewahren und als Bevollmächtigter gut verwalten gemäss der Vorrangstellung, die dem Mann in der Ehe zukomme. Deshalb könne er den Gehorsam der Frau einfordern und sie bestrafen, wenn sie sich ungebührlich verhalte, insbesondere bei Ehebruch, also politisch bei unerlaubten und ungerechten Rebellionen und Revolutionen, mit denen das Volk eine Republik zu errichten suche («ingiuste rivoluzioni e ribellioni generali e popolari a forma di Republica»).[254]

Seinerseits sei aber auch der fürstliche Gatte verpflichtet, alle Vorsorge für ein glückliches und würdiges Leben («vita felice e civile») von Frau und Kindern (die Untertanen) zu treffen, was das Hauptziel einer solchen Ehe sei. Er müsse also diese Vertragsbestimmungen beachten und sich um die auferlegten Aufgaben kümmern, die Machtkompetenz massvoll einsetzen, die das Gesetz ihm zugestehe, also etwa den expliziten oder zumindest impliziten Konsens des Volkes bei der Gesetzgebung suchen. Noch konkreter dürfe er nicht als Ketzer oder Apostat der katholischen Konfession zuwiderhandeln, die seine Gattin bekenne; sich ehebrecherisch mit einer anderen Frau – einem anderen Territorium – einlassen; oder als Tyrann der Gattin den Unterhalt verweigern oder sie im Stich lassen, wenn barbarische oder häretische Nationen drohten. Wenn er auf diese Art seine Angetraute und Kinder misshandle, dann könne die Ehefrau sich gemäss Zivilrecht («legge civile») durch Scheidung aus der Ehefessel lösen («liberarsi dal vincolo di quel matrimonio»), ihre Mitgift wieder zurücknehmen und sich damit einem anderen Mann vermählen oder sich gar als Republik («nello

254 Ebd., 14 (cap. 1): «[...] il Regno[...] risiede in potere della Republica de' popoli, la quale paragonata alla sposa, è la padrona diretta e abituale così della giurisdizione e podestà [...]; e che il Principe [...] paragonato allo Sposo, ha il dominio utile e subalterno, con la piena amministrazione in quel modo che il concedono le leggi al marito nella dote, con l'obbligo di portare i pesi di questo mistico e politico matrimonio, al quale più propriamente il Principato merita paragonarsi [...]»; sehr ähnlich ebd., 659–661 (cap. 48); vgl. auch De Mattei, Idea democratica, 1948, 40f. Für die Theorie des «dominium directum» Flügel, Art. Grundbesitz, 1154.

stato di Republica») selbst regieren («acquista la libertà di maritarsi con un altro, o pure di governarsi da sè stessa»).[255]

Wer aber konnte darüber entscheiden, ob es angebracht war, den gegenseitigen Eid – treuer Gehorsam gegen gute Verwaltung – in einer bestimmten Situation aufzulösen? Der Kardinal gestand ein, dass die Praxis einer konkreten Scheidung schwieriger war als die Theorie und wollte sich auch nicht auf die – diskutierte – Lösung einlassen, dass der Papst als Richter wirke. Grundsätzlich wichtig sei jedenfalls, dass der Fürst sich nicht als Herr über Sklaven verstehe, sondern als Gatte, Vormund, Verwalter oder Familienvater, der wisse, dass er vom Volk abgesetzt und sogar streng bestraft werden könne. Hierbei sprach De Luca erstaunlich freimütig ein säkulares Ereignis an: die Absetzung und Verurteilung Karls I. durch das englische Parlament. Er wolle nicht urteilen, ob die Gründe dafür ausgereicht hätten und das Verfahren korrekt gewesen sei; sei dem aber so, dann könne man die Handlung als legitim bezeichnen. Denn die Position des Königs, er kenne niemanden über sich ausser Gott, sei nicht haltbar. Das vereinte Gemeinwesen («tutta la Republica nell'universale») bleibe ihm übergeordnet, von dort stamme seine Macht.[256]

Die Entscheidung für einen anderen Gatten im Sinne De Lucas brachte ein Flugblatt (Abb. 13) zum Ausdruck, das Belgia als Personifikation der Niederlande zeigte, wie sie sich von Philipp II. und den ihn begleitenden Prälaten und Soldaten abwendet und zum Herzog von Anjou hindreht: Franz, der Bruder des französischen Königs Heinrich III.[257] Der Stich stammt aus dem Jahr 1579, zu dessen Beginn sich die nördlichen sieben Provinzen in der Union von Utrecht als Defensivbündnis gegen ihren legitimen Herrn, den spanischen König, zusammenschlossen. Von diesem militärisch arg bedrängt, boten die Generalstände dem französischen Prin-

255 De Luca, Principe cristiano, 662–664, und sehr ähnlich ders., Il cavaliere, 380f. (Kap. 22): «E quindi segue che quando esso [il principe/lo sposo] non osservi bene le leggi di questo contratto, e che trascuri di portare i suddetti pesi, e che maltratti la moglie & i figli, abusandosi di quell'autorità che la legge gli concede; In tal caso, con l'istessa proporzione del matrimonio carnale, si fa luogo al divorzio, sì che, conforma la donna può separarsi dal marito e ripigliarsi la sua dote, e con la medesima dote maritarsi ad un altro, così può la republica sottrarsi da quel Principe & eleggersene un altro.» De Mattei, Idea democratica, 42, wiederholt hier interessanterweise die falsche Schreibweise «casuale» statt «carnale», vgl. Anm. 82.

256 De Luca, Principe cristiano, 676.

257 Le Duc d'Anjou offre son bouclier, casques et epée à la Belgique, 1579, BNF Estampes, Hennin 723.

zen den Titel eines «Verteidigers der Freiheit» an, verweigerten ihm aber das Adjektiv «souverän» («seigneur souverain»), wie es der von Bodin persönlich beratene Fürst 1580 verlangte. Das doppeldeutige Wort könne als «puissance absolue» verstanden werden, was ein Land, das im Einklang mit Gesetzen, Gewohnheiten und Privilegien regiert werde, nicht gewähren könne.[258] Während die Machtübertragung an einen neuen Fürsten aus dem Ausland an solchen Bedenken scheiterte, zeigt das Flugblatt noch die vorangehende Situation, in der Belgia gerade diejenige Angst zum Ausdruck bringt, die sie letztlich auch davon abhalten sollte, sich einem Ersatzherrscher zu überantworten. Sie wirft nämlich Philipp II. vor, er als Tyrann danke ihren Gehorsam mit Versklavung. Tatsächlich bietet er Belgia eine Mausefalle an, während der Herzog von Anjou ihr seinen Schild und die Waffen darreicht. Seine Truppen im Hintergrund durchziehen ein friedliches Land, während die spanischen Soldaten in der anderen Bildhälfte brennende Städte, Galgen und Sklavenfesseln mit sich bringen. So verwundere es nicht, meint Belgia, wenn sie Philipp den Rücken zuwende und einen anderen Prinzen als ihren Herrn empfange.[259]

Abb. 13: Le Duc d'Anjou offre son bouclier, casques et epée à la Belgique, 1579.

258 Griffiths, Humanists, 73–77; Kossmann, Popular sovereignty, 144–146.

259 «En verwondert niet, dat ick den rugge toe keere Ende Ontfange, een ander Prince, voor mynen Heere.»

13. Die Emanzipation der *Respublica*

Die Wahl der Belgia oder vielmehr, nach der faktischen Teilung der Niederlande, der Hollandia fiel schliesslich nicht auf den Herzog von Anjou, sondern auf das Haus Oranien, das regelmässig den Statthalter stellte. Daraus ergab sich eine Paarbeziehung, die oft die beiden Partner sich gleichrangig gegenüberstellte.[260] Jan Tengnagel malte 1623 Hollandia sogar thronend und damit in einer leicht überlegenen Position gegenüber Moritz von Oranien. (Abb. 6). Wie bei den erwähnten Anhängern einer aristokratischen Verfassung im Heiligen Römischen Reich wurde der republikanische Charakter erst recht darin greifbar, dass Hollandia mit den Herrschaftsinsignien selbständig auftreten konnte – ganz im Sinn von De Luca, bei dem ein Gemeinwesen sich nach der Scheidung «nello stato di Republica» selbst regieren konnte.[261] Umgeben von Allegorien, thront Hollandia beispielsweise auf einer Zeichnung Theodor van Thuldens (um 1650) oder auf Bertrand Picarts Titelkupfer für Jean Le Clercs *Histoire des Provinces-Unies des Pays Bas* (1723).[262] Auf einem Stich, der als *Monumentum Pacis* den Waffenstillstand von 1609 feierte, ist sie gar als «Regina Belgica» mit einem – als Souveränitätszeichen unmittelbar zu Gott in den Himmel reichenden – Obelisken im Rücken dargestellt. Über sich einen Lorbeerkranz, in den Händen Zepter und Palmzweig, thront sie über den 17 Provinzen der gesamten Niederlande.[263]

Ebenfalls triumphierend präsentierte Jakob Adrianszoon Backer 1644 Hollandia, aber nicht auf dem Thron, sondern in die Landesfarben gehüllt und stehend mit Helm, Lanze und dem Schild mit dem Löwenwappen.[264] Diese bewaffnete und behelmte Hollandia war keine Ausnahme.[265] Sie entsprach der Beschreibung, die Cesare Ripas äusserst wirkungsmächtige und oft aufgelegte *Iconologia* (erstmals 1593) als Allegorie des «Governo della

260 Etwa auf Theodor van Thuldens Allegorie auf den Transfer des Erbrechts von Friedrich Heinrich auf Wilhelm II. von Oranien (ca. 1641).

261 De Luca, Principe cristiano, 662–664; vgl. oben, Anm. 255.

262 Bussmann/Schilling, Krieg und Frieden in Europa, 253, Nr. 737 (Theodor van Thulden); zu Picarts Titelbild: Maissen, Sovereign Republic, 141f. und Abb. 3. Weitere Beispiele einer alleine thronenden Hollandia sind die *Histoire générale des Pais-Bas*, Brüssel 1720, oder *Les délices de la Hollande*, Amsterdam 1728.

263 Monument voor de vrede in de Nederlanden, 1609, Dlugaiczyk, Waffenstillstand, 356 (Kat. 58; vgl. auch Kat. 57).

264 Oranje boom. Katalog, 434f.

265 Vgl. etwa die oben, Anm. 260, erwähnte Allegorie Theodor van Thuldens.

Republica» empfahl: eine «Donna simile a Minerva», mit friedlichem Olivenzweig in der Rechten und kriegsbereitem Schild samt Speer in der Linken, auf dem Kopf ein Helm als Zeichen der bewaffneten Abwehr äusserer Feinde.[266] Wie die Madonna war Athene/Minerva eine Jungfrau, im Unterschied zu ihr aber in der ikonografischen Tradition bewaffnet, was sie dazu qualifizierte, ihre Unschuld – die territoriale Integrität eines freien Staates – selbständig zu wahren. Genau dies war die Herausforderung an eine Republik: Sie musste ohne königliches Haupt den politischen Körper verteidigen, im Inneren gegen Anarchie, vor allem aber im militärischen Kampf gegen äussere Feinde.[267] So lag es während des englischen Commonwealth nahe, dass James Harrington seinen idealisierten Freistaat *Oceana* in Sätzen, die aus dem Hohelied stammen, als «holy spouse of Jesus» ansprach – die Republik war nicht mit einem irdischen Haupt vermählt.[268] Ebenfalls unter Cromwell wurde auf Ripa zurückgegriffen, als 1652, in der Auseinandersetzung mit den Niederländern, John Seldens Hauptwerk unter dem Titel *Of the Dominion, or Ownership of the Sea* aus dem Lateinischen übersetzt wurde. Das Frontispiz zeigt eine «Angliae Respub.», der zwei Kronen zu Füssen liegen: die englische und schottische des hingerichteten Stuart-Königs. Mit dem englischen Schild, Speer und Helm bewehrt, hält die personifizierte Republik in der Linken eine Säule, auf der eine weibliche Figur ihr Lorbeerkranz und Palmzweig reicht, die Zeichen von Sieg und Frieden.[269] Es ist praktisch dieselbe Darstellung, die 1709 für eine illustrierte englische Ausgabe von Ripas *Iconologia* als Illustration von «Commonwealth» gewählt wurde, wie der ursprüngliche Artikel «Governo della Repubblica» auf Englisch hiess.[270] Auch im schweizerischen Umfeld begegnet Minerva als Personifikation namentlich der Stadtrepubliken Basel und Bern. Joseph Werners Allegorie des Regiments für das Berner Rathaus (1682) erinnert in der Komposition an Tengnagels Darstellung der Hollandia: Wie sie ist Berna umgeben von den Allegorien der drei Stände Geistlichkeit (Fides), Adel/Patriziat (Fortitudo) und Volk (Gratitudo/Abundantia).[271]

266 Cesare Ripa, Iconologia, 194.

267 Insofern bot sich Minerva auch als Personifikation des britischen oder französischen Königreichs an, obwohl sie, wie in Versailles, Ludwig XIV. klar untergeordnet blieb.

268 Harrington, Oceana, 233.

269 Selden, Dominion. Auch die möglicherweise frühste Britannia überhaupt war ein Minerva-Typ: Peacham, Minerva Britannia, 108.

270 Ripa, Iconologia, 80 (Nr. 321a).

271 Maissen, Geburt, 462–466, 485f. Auf die klassische Dreiständelehre verweisen auch Justitia, Fortitudo und Moderatio, die von Sapientia (Minerva) geführt werden und Venetia

Gerade mit solchen umfassenden Programmen sollten Republiken in der Vielfalt dargestellt werden, die ihnen eigen war. Die Jungfrau personifizierte ihren akephalen politischen Körper, zu dem die verschiedenen Glieder oder Stände gehörten, ohne dass sie im zitierten Sinne Bossuets durch Identitätsrepräsentation im Fürsten aufgingen, der als Souverän für sich allein so der Staat war wie Gott das Universum.[272] Während der absolutistische Herrscher die gesamte Kraft und den gesamten Willen aller Einzelbürger in sich zusammenfasste, musste die republikanische Obrigkeit die Vielfalt der Gewalten und Willen in ihrem politischen Körper mitberücksichtigen. Der französische Benediktiner Casimir Freschot erfasste diesen Unterschied bei seiner Beschreibung von Venedig : «Les Républiques sont filles, me disoit autrefois un Noble de fort bon sens dans Venise, & les Royaumes sons mâles. Or comme pour garder l'honneur d'une fille il faut employer des soins beaucoup plus exacts, que pour garder un jeune homme, de même pour maintenir l'honneur & la liberté d'une Rép. il faut d'autres & de plus sévères maximes que pour maintenir l'autorité du Prince, à qui les sujets doivent obeïr, quelques commandement qu'il leur fasse, les y ayant déjà disposés.»[273] Königreiche seien männlich, und deshalb einfacher zu handhaben: Der Befehl des Königs reiche aus, Gehorsam sei ihm gewiss. Die Republik hingegen müsse man umsichtig wie eine Tochter erziehen, und um ihre Ehre und Freiheit zu bewahren, brauche es strengere Regeln.

Das strenge Regelwerk der venezianischen Verfassung hatte genau den Zweck, in einem Gemeinwesen von freien Patriziern die Gleichheit zu bewahren, ohne dass Anarchie ausbrach – oder Klientelismus und Korruption regierten. Die Personifikation der Venetia war deshalb als politischer Körper und republikanische Ordnung allen Einzelbürgern übergeordnet und wurde in privaten Palazzi auch nicht dargestellt. Venetia war nicht nur, wie erwähnt, die Braut des Dogen, sondern sie krönte ihn auch; kniend dargestellt wurde sie nur selten.[274] Dieser Vorrang wurde erst im 16. Jahrhundert ikonografisch deutlich ausgebildet, auch wenn es früher schon Personifikationen der Republik gegeben hatte: erstmals wohl 1341, «in forma

in der Sala del Collegio den Weg weisen, vgl. Wolters, Bilderschmuck, 262, Abb. 275, der mit der Identifikation Mühe hat.

272 Zu Bossuet oben, Anm. 147.

273 Freschot, Relation, 268f.

274 Vgl. Andreas Schiavones Zeichnung von 1521/23 und die Vedute des Meisters I. C. A. von 1565, Wolters, Bilderschmuck, 101–104, Abb. 79, 83; auch 106, Abb. 85 sowie 119, Anm. 1 (kniende Venetia). Für Grottos Ehemetaphorik oben, Anm. 161, für Britannia, die Georg I. krönt, Anm. 174

di Justitia» an der Fassade des Dogenpalastes, und anderswo in der Ikonografie der Fortitudo oder Pax, die erst durch die Inschrift zur Venetia umgedeutet wurde.[275] Um 1500 wurde die Jungfrau Astrea wohl mit Venetia identifiziert, und gleichzeitig zeigte Alessandro Leopardi auf einem Fahnensockel vor San Marco eine Venetia/Justitia, die Francesco Sansovino 1580 rückblickend als «franchigia e libertà, dipendente solo da Dio, e non da Principe alcuno» deutete – also mit der neuen staatsrechtlichen Terminologie als Freiheit, die unmittelbar zu Gott war.[276]

Das entsprach nicht nur bei Sansovino zugleich der bereits älteren Selbstdarstellung als «divina republica»: Der Weltenherrscher selbst hatte die Stadt und ihre Verfassung geschaffen.[277] Das brachte im Dogenpalast auch Jacopo Tintorettos Mittelbild der *Sala delle Quattro Porte* zum Ausdruck: «Venetia [...] fu fatta per dispositione di Dio, aciochè vi si conservi la religione e la libertà christiana.»[278] Als unmittelbares Geschöpf des Allmächtigen liess Tintoretto diese Venetia in einer etwas kühnen heidnisch-christlichen Paarung mit einem Herrscherstab gleichrangig an der Seite des Göttervaters Jupiter aus dem Götterhimmel hinuntersteigen. Der grundlegende Gedanke war derselbe, wie bei Palma il Giovane, der den Heiligen Bischof Magnus unter den Augen von Madonna und Kind die Venetia selbst krönen liess, oder wie auf Francesco Vecellios Gemälde, auf dem Venetia neben San Marco und der höher thronenenden Maria mit dem Jesuskind die Huldigung des Cadore empfängt.[279] Veroneses Allegorie auf den Sieg bei Lepanto führte die visuelle Hierarchie von – im ursprünglichen Entwurf – S. Marco, dann aber Christus über Venetia/Justina in einer Linie nach unten zum Dogen Sebastian Venier, der von der Personifikation den Palmwedel des Sieges und gemäss der ursprünglichen Skizze auch die Dogenmütze empfängt. Venetia, «una bellissima Regina coronata», erhält dort ihrerseits einen Rosenkranz, in Analogie zur *Madonna del Rosario*.[280] Sie

275 Wolters, Bilderschmuck, 236–246, insbes. Abb. 243 (Filippo Calendario) und Abb. 246 (Justitia des Jacobello del Fiore, 1421); Letztere wird bereits als «virgo» angesprochen; vgl. auch Rosand, Venetia figurata, 179–183 (Abb. 1–5).

276 Wolters, Bilderschmuck, 241f., Abb. 249.

277 Vgl. die Belege bei Sinding-Larsen, Christ in the Council Hall, 140–147.

278 Sansovinos Erklärung zitiert nach Wolters, Bilderschmuck, 58.

279 Wolters, Bilderschmuck, 58, 109f., 280f, Abb. 35f., 90, 291.

280 Vgl. die Diskussionen der möglicherweise um 1600 erfolgten Änderung und auch der älteren Literatur bei Sinding-Larsen, Changes, 298–302, und ders., Christ in the Council Hall, 95–98, 259f.; sowie Wolters, Bilderschmuck, 126–128, Abb. 105f.; und Franzoi/Pignatti/Wolters, Palazzo Ducale, 296. Danach ist die Frauenfigur links des Dogen nun

Abb. 14: Jacopo Tintoretto, Freiwillige Unterwerfung der Provinzen unter Venetia, Dogenpalast, Venedig, um 1580.

alle führten die venezianische Staatlichkeit als unmittelbare Wirkung der göttlichen Gnade vor Augen.

Nach den Brandkatastrophen von 1574/77 wurde Venetia im erneuerten Dogenpalast systematisch in einer neuartigen Bildsprache präsentiert, die dem ikonografischen Vorbild der Maria oder Ecclesia nachempfunden ist. So tritt sie auf Domenico Tintorettos Votivgemälde für die *Sala dell'Avogaria de Comun* in Begleitung eines Engels und der Libertas unmittelbar Christus gegenüber, der ihr die Eucharistie in den hingestreckten Kelch

Santa Giustina, deren Interzession der Sieg bei Lepanto zugeschrieben wurde. Der Dolch ist in ihrer Hand, nicht wie üblich in der Brust; der Palmwedel ist das allgemeine Attribut der Märtyrer und auch der Giustina. Es überrascht, dass Venetia zu einer Randfigur, mit dem *corno ducale* in der Hand, rechts neben dem Dogen degradiert wurde. Sinding-Larsen hält selbst fest, dass der Kleiderschmuck der zentralen Frauenfigur derjenige der Venetia ist; diese Identifikation entspricht auch der ursprünglichen bei Francesco Sansovino. Es ist also auch bei ihr an die majestätische Venetia als unmittelbare Empfängerin göttlicher Gunst zu denken.

spendet.[281] Besonders imposant ist die Gestaltung der *Sala del Maggior Consiglio.* Für dessen Decke entstanden die zentralen grossen Gemälde, Veroneses «Apotheose der Venetia» (oder eher *Pax Veneta*)[282] und Jacopo Tintorettos «Freiwillige Unterwerfung der Provinzen unter Venetia». Ebenfalls von Tintoretto stammt der «Triumph der Venetia als Königin der Meere» in der *Sala del Senato*, die er der marianischen *Regina coeli* nachbildete und auch sonst nach dem Bildtyp des «Paradiso» gestaltete.[283] Eine gekrönte Venetia mit Herrscherstab thronte jeweils auf einer Himmelswolke, unmittelbar zu der Sonne, gar mit einer Aureole, und begleitet von Engeln, Göttern oder Allegorien. Auf der «Unterwerfung» reicht sie dem Dogen Nicolò da Ponte den Lorbeerkranz, den er mit ehrfürchtigem Blick nach oben empfängt. Hinter ihm und etwas weiter unten, aber unter dem Baldachin, stehen die Senatoren, während auf den Stufen, die vor dem Dogen hinunterführen, die Provinzen in Demut huldigen. (Abb. 14).

Dass Venetia hier Marias Rolle einnahm, war für die Initiierten offensichtlich, wie Luigi Detrico auch dichterisch festhielt: «Di Vinegia dirò adunque per somiglianza quel che con verità canta Santa Chiesa della Regina del Cielo» – er preise Venedig so wie die Kirche die Himmelskönigin.[284] Wer aber mit der spezifischen lokalen Bildtradition nicht vertraut war, so der Engländer Thomas Coryate, der die Stadt 1608 besuchte, verwechselte Veroneses und Tintorettos Venetia mit der «Virgin Mary with a crowne on her head», die oft als Himmelsherrscherin dargestellt wurde – nicht zuletzt im Dogenpalast selbst, wo sich der ergebene Doge auf den zahlreichen Votivbildern auch der Madonna so unterordnen konnte, wie

281 Sinding-Larsen, Christ in the Council Hall, 218 (Abb. XCIXb); auch Rosand, Venetia figurata, 187, und ders., Myths of Venice, 39f. (Abb. 26). Das Bild kann als Distanzierung von der römischen Kirche verstanden werden und würde dann wohl in die Interdiktkrise von 1606/7 gehören. Vgl. auch in der *Sala del Collegio* Veroneses Venetia auf dem Erdball thronend, mit Justitia und Pax, Wolters, Bilderschmuck, 257f. (Abb. 268) und Franzoi/Pignatti/Wolters, Palazzo Ducale, 291 (Abb. 247); auch 295 (Abb. 254: Veronese, Venezia mit Ceres).

282 Für die *Pax*, wie die ganze Komposition «ad imitatione della Roma», Wolters, Bilderschmuck, 285f., und Rosand, Venetia figurata, 180.

283 Wolters, Bilderschmuck, 256–287 (mit Abb.); ebenfalls abgebildet bei Franzoi/Pignatti/Wolters, Palazzo Ducale, 313 (Abb. 283), 320 (Abb. 292), 322 (Abb. 295), ähnlich 317 (Abb. 288: Palma il Giovane, Francesco Venier, *Sala del Senato*) und 324 (Abb. 297: Palma il Giovane, Trionfo di Venezia, *Sala del Maggior Consiglio*). Vgl. auch Gamboni u. a., Zeichen der Freiheit, 63, 65, Abb. 38f.; ferner Koenigsberger, Republicanism, 43–74.

284 Die Dichtung von 1587 zitiert von Wolters, Bilderschmuck, 280, und Sinding-Larsen, Christ in the Council Hall, 144.

Nicolò da Ponte das vor Tintorettos Venetia tat.[285] Auch in der restlichen Stadt war Maria omnipräsent, aber oft kaum zu unterscheiden von Venetia, Justitia, Libertas oder der Königin der Meere, so dass diese Personifikationen ineinander übergehen konnten.[286] Diese Nähe war beabsichtigt, war doch die Lagunenstadt angeblich an Mariä Verkündigung 421 gegründet worden und sollte ewig bestehen.[287] Auch sprach man von Venetia als der «immacolata pulzella».[288] Wieder Coryate nannte die «most beautifull Queene» «a pure Virgin and incontamined mayde» und erklärte dies mit der erwähnten Metaphorik der Brautwerbung: «This noble citie hath [...] kept her virginity untouched these thousand two hundred and twelve years (for so long it is since the foundation thereof) though Emperours, Kings, Princes and mighty Potentates, being all allured with her glorious beauty, have attempted to deflowre her, every one receiving the repulse: a thing most wonderfull and strange. In which respect she hath beene ever priviledged above all other cities.»[289] Anders als etwa Magdeburg hatte Venetia ihre Keuschheit bewahrt, in der mystischen Ehe geschützt vom Dogen, der ihr Haupt war, aber sich zugleich ihr, dem Gemeinwesen, unterordnete. Das ging so weit, dass der Doge, ganz anders als die beschriebenen Könige, die gekrönte Venetia das Schwert sogar allein führen liess – so gegen die Liga von Cambrai auf Jacopo Palmas Allegorie in der *Sala del Senato*.[290]

285 Coryate, Crudities, 200; vgl. Wolters, Bilderschmuck, 92–136, 236–246, 270–272, 279 (Coryate) sowie 316 (Programmtext); vgl. aber auch 142 für den venezianischen Künstler Carlo Ridolfi, der 1648 eine Madonna als Venetia identifizierte; ferner Rosand, Venetia figurata, 187f.; ders., Myths of Venice, 44–46; Möbius, Frauenbilder, 61–66; für Beispiele Franzoi/Pignatti/Wolters, Palazzo Ducale, 261–264, 317.

286 Fenlon, Ceremonial City, 38–44. Siehe Wolters, Bilderschmuck, 59f., erneut für den einheimischen Künstler Ridolfi, der 1648 eine Allegorie als Venetia deutete, die von Tintoretto wohl als Libertà verstanden worden war.

287 Sinding-Larsen, Christ in the Council Hall, 53–55, 143f., 155; Rosand, Venetia figurata, 184f.; ders., Myths of Venice, 36–39.

288 Boccalini, Ragguagli 3, 147–151 (3, 49); für ähnliche Worte Sansovinos, des deutschen Reisenden Arnold von Harff (1497) oder James Howells (1651) vgl. Sinding-Larsen, Christ in the Council Hall, 242f. bzw. Rosand, Venetia figurata, 185f.; ders., Myths of Venice, 36f.

289 Coryate, Crudities, 278.

290 Wolters, Bilderschmuck, 210 (Abb. 213); Franzoi/Pignatti/Wolters, Palazzo Ducale, 318 (Abb. 289).

Der Doge war auch zugegen, als eine andere Republik zaghaft ihre ersten völkerrechtlichen Schritte in die Staatenwelt tat. Der Status der Eidgenossenschaft im Reich war noch unklar, als ein anonymer Künstler im Vorfeld des Dreissigjährigen Kriegs erstmals eine Landespersonifikation malte.[291] (Abb. 15). Es handelt sich auch hier um eine Werbeszene: Von rechts nach links umstehen der Doge, die Könige von Frankreich und Spanien, der Herzog von Savoyen, der Erzherzog von Österreich und der Markgraf von Baden-Durlach die zentrale Frauenfigur. Der Text auf ihrer Schürze weist sie aus als «wunder Schweizerland, werthster Freyheit höchste Zier». Sie ist von «Malers Hand» in «alter KeüschheitsTracht» unter «Frömbde Stände» platziert worden, wodurch ihre Macht «Königreichern gleich» gestellt sei. Die weibliche Personifikation des Schweizerlands tritt damit als gleichrangige Republik unter männliche Souveräne. Mit ihrer «Freiheitskron» erinnert sie an die *Regina coeli*, doch enthält die Krone weltliche Hoheitszeichen: die Wappen der Kantone und der zugewandten Orte. Die Landespersonifikation erzählt, wie sie durch «alte Stärcke, Treu unnd Bund» im Kampf gegen die habsburgischen Vögte einen Platz erlangt habe unter den Mächten, die nun um die «Hülffe, Frid Und Rath, Ruhe, Stärcke, Treü und That» der Jungfrau werben. Auch im barocken Schauspiel *Eydtgnossisch Contrafeth Auff- und Abnemmender Jungfrawen Helvetiae*, das der katholische Autor Johann Caspar Weissenbach 1673 veröffentlichte, hielten viele mächtige Freier um die «freche Jungfraw» an, zumindest solange sie jung und unverdorben ihre Freiheit bewahren wollte, wie Weissenbach anklägerisch formulierte. Damals habe sie an Freiheit, Macht und Herrlichkeit zugenommen und sei, wie das Titelblatt der dritten Auflage des Werks verkündet, «in einen gantz sovrainen Stand und freye Republic erhebt worden».[292] Die weibliche Gestalt der Helvetia repräsentierte also den Status einer souveränen Republik, wie ihn die Eidgenossenschaft seit 1648 in der europäischen Staatenwelt beanspruchen durfte.

291 Der Text wird zitiert nach Kreis, Helvetia, 28. Die Datierung «um 1612», nämlich nach dem Bündnis von Zürich und Bern mit Baden-Durlach in dem Jahr, dürfte stimmen, vgl. Ruoss/Wüthrich, Katalog, 109–110. Die spätere Datierung auf 1665–1668, die ich früher vertreten habe (Maissen, Geburt, 270f.), ist falsch, da sich die Wappen den genannten Mächten zuordnen lassen, die alle in den 1610er Jahren mit einzelnen Kantonen oder, im Falle Frankreichs nach dem Beitritt Zürichs zum Bündnis, mit der ganzen Eidgenossenschaft Bündnisse unterhielten. Bei Baden-Durlach war das sonst nie der Fall. Vgl. auch Lau, «Stiefbrüder», 398–401.

292 Weissenbach, Eydgnosssisches Contrafeth; ders., Auffnemmende Helvetia.

Abb. 15: Wunder Schweizerland, Öl auf Leinwand, Schweizerisches Nationalmuseum.

Fast zeitgleich erschien 1676 aus der Hand eines reformierten Magistraten eine bildliche und schriftliche Doppelbeschreibung der Helvetia, nämlich Jacob Wurmanns *Bulschafft der sich representirenden Eidtgnössischen Dam, welche einer hochloblichen Eidgnoschaft ihre Herzensgedanken in treuen eröffnet, mit vermelden, dass sie Ihr verlobte tragende Jungfrauschaft gegen allen ihren ausländischen Bulen rein behalten, sich in Ehestand nit einlassen, sonder by ihrem bis dahin tragenden Kranz ihr Leib, Ehr, Gut und Blut aufsezen, darbei leben und sterben wolle.* Dieser Blumenkranz auf ihrem Haupt war auf Conrad Meyers Frontispiz (Abb. 16) ein eidgenössischer Wappenkranz, wie er ähnlich bei Weissenbach aus Blumen in den Kantonsfarben zusammengesetzt war und als Krone das um 1612 gemalte «wunder Schweizerland» nobilitierte. Zugleich symbolisierte der Kranz die Keuschheit. Denn die Dame habe ihre Jungfräulichkeit der Eidgenossenschaft verlobt und verteidige sie nun gegen die Buhlen: «In der Ehe thet Ich gwüss kein Schick, Weil Ich besitz ein Republik, Ich erkenn keinen Herren.»[293] Als Jungfrau wolle sie sterben, da sie schon vor langem mit eigenem Blut die «Freyheit», ihr «Reich und Gut»

293 Wurmann, Bulschafft, 6, 10; «kein Schick tun» heisst «sich nicht einfügen können», Schweizerisches Idiotikon, Bd. 8, Sp. 494.

erworben habe und jetzt «ein Land» besitze. Die Paarbeziehung der mystischen Ehe wurde hier als unbeflecktes Verlöbnis der Jungfrau mit den Eidgenossen aufgefasst, die trotz konfessionellen Differenzen einig bleiben müssten, um im Geist der Vorfahren Helvetias Keuschheit gegen fremde Freier zu verteidigen. Denn der Eheschluss mit einem von diesen würde das ewige Joch der «Dienstbarkeit» bedeuten: «Ich käme um mein Reich und Land, Und auch um mein den freyen Stand.»[294] Das von Conrad Meyer gestochene Frontispiz illustrierte diese Gefahr: Ein Mann in Rüstung greift der «Dam» nach dem Kranz und der Brust, doch diese entzieht sich und streckt die Hand nach Waffen aus, vor denen ein Schild mit einem weiteren eidgenössischen Wappenkranz steht.[295] Nicht auf einen Mann, den Fürsten, muss sich die Republik verlassen; als Gemeinwesen, das auch ohne exklusives Haupt handlungsfähig ist, greift sie gut gerüstet selbst nach den Waffen.[296] Der Garten als Umfeld verband wie beim *hortus conclusus* Wehrbereitschaft und Gottesunmittelbarkeit mit keuscher politischer Unschuld, Friedfertigkeit und Fertilität. Das entsprach der Maxime der Neutralität, wie sie die Eidgenossen in denselben Jahren erstmals für sich entdeckten und zur legitimen Position eines souveränen, aber defensiven Völkerrechtssubjekts entwickelten.[297] Entsprechend begegnet Helvetia fortan in der Regel ohne beschützenden Mann, allein und erhöht auf einem Thron, mit republikanischen Symbolen in der Hand. Mit einem solchen Frontispiz schmückte David Herrliberger den Erstdruck von Aegidius Tschudis *Chronicon Helveticum* (1734). Das Konzept verdankte er seinem Lehrer Bernard Picart, der die souveräne und deshalb gekrönte «République des Suisses» auf ihrem Thron in einer ähnlichen Grundkomposition mit Allegorien umgab wie seine «République de Hollande», das erwähnte Frontispiz für Le Clercs *Histoire des Provinces-Unies* von 1723.[298]

294 Wurmann, Bulschafft, Zitate auf 10, 13, 18, 24, 33, 55.

295 Er zeigt 14 statt 13 Wappen, weil der katholische und der reformierte Teil von Glarus einzeln gezeichnet werden.

296 Das unterscheidet die Komposition klar etwa von Funck, Helvetischer Bund, wo Helvetia zwar unter einem Baldachin thront, aber einen Reichsadler umarmt und passiv zuschaut, wie ein Mann mit Schwert den gallischen Hahn vertreibt; vgl. auch Lau, «Stiefbrüder», Abb. 9.

297 Maissen, Weiser Fuchs.

298 Vgl. oben, Anm. 262, und Maissen, Geburt, 276f., Abb. 13; vgl. ebd., 591f., auch Jean-Michel Moreaus Titelblatt für Beat Fidel Anton von Zurlauben, Tableaux de la Suisse ou Voyage pittoresque, Paris 1780.

Abb. 16: Conrad Meyer, Titelblatt zu Jacob Wurmann, Bulschafft der sich representirenden Eidtgnössischen Dam, 1676.

Obwohl Picarts Jungfrauen sich von der Vorlage der Maria oder Minerva lösten, blieb die Ikonografie der Madonna wie in Venedig auch anderswo für Personifikationen prägend. Das konnte an ihrer erwähnten Rolle als Stadtheiligen, die auch nach der Reformation weiter als offizielle Repräsentantin auftauchte, nicht nur in Magdeburg, sondern auch etwa in Hamburg oder Basel.[299] Erst recht geschah dies in katholischen Gefilden. Kurfürst Maximilian I. verstand sich selbst als Statthalter Marias, der *Patrona Boiariae* und eigentlichen Herrscherin über Bayern.[300] Die katholischen Schweizer Kantone beanspruchten Maria als *Patrona Helvetiorum*.[301] Obwohl nicht sie, sondern Leodegar und Mauritius die Schutzheiligen von Luzern waren, zeigte die Stadt die gekrönte Himmelskönigin auf einer Medaille von 1699, mit Jesuskind und nach unten, zur Stadt gerichtetem Zepter. Die Umschrift lautete: «Lucerna pedibus meis», der Anfang von Psalm 119,105: «Dein Wort ist eine Leuchte meinen Füssen und ein Licht auf meinem Pfade.» Ein Jahr zuvor schmückten Hans Georg Krauer und J. R. Morrini die Decke der Luzerner Kanzlei mit einer ähnlichen Figur: In einer Wolke sitzt, von der Sonne beleuchtet, eine gekrönte Frau auf einem goldenen Thron, das Zepter nach unten gerichtet und im anderen Arm kein Kind, sondern der Spiegel der Klugheit. (Abb. 17a). Die blau-weisse Kleidung, die Wappenfarben des im eigenen Selbstverständnis souveränen Kantons, macht sie zur Lucerna. Die Distichen unter der Szene leiten dies wortspielerisch von Lux, Virtus und Sapientia her, die miteinander identifiziert werden. Tatsächlich war das ikonografische Vorbild eindeutig Andrea Sacchis *Divina Sapienza* in der *Sala del Mappamondo* des Palazzo Barberini in Rom (Abb. 17b), Sinnbild für die Weisheit, mit der das Haus Barberini den Kirchenstaat regiere. Dazu erwählt war es, «sì come sì felice fameglia è nata ed eletta in luogo d'Iddio, per li primi governi della Chiesa»: Diese Weisheit legitimierte gleichsam eine dynastische Herrschaft an Gottes Stelle.[302] Die Barberini-Allegorie ist unter anderem von Justitia und Fides eingerahmt, wie in Luzern, wo sie Kirche und Regiment darstellen. Mit ihren Attributen und dem seligen Blick nach oben erinnert Lucerna an die *Regina coeli*. Da die Weisheit im Buch der Sprüche (Salomos) in der ersten Person als Frau auftritt und als weiblicher Aspekt der Gottheit gilt, lag ihre Identifikation mit Maria nahe. Neben

299 Reincke, Schutzpatrone; Hess, Rechtskontinuität, 347–349, Abb. 10.

300 Schreiner, Maria, 403f.

301 Maissen, Geburt, 269, Abb. 10.

302 Für diesen Hinweis danke ich Marilyn Lavin. Für das Programm: Ost, Universitätskirche, 122.

wiederholten Warnungen vor Ehebruch und Unzucht lehrt die Weisheit in genau dem Kapitel, in dem die erwähnten Tugenden als Begleiterinnen aufgezählt werden, eine politische Lektion (Spr. 8,15f.): «Durch mich herrschen die Könige und entscheiden die Machthaber gerecht. Durch mich regieren Fürsten und Edle, wer immer auf Erden Gewalt hat.» Lucerna als säkularisierte Maria/Sapientia war also der Ursprung der weltlichen Herrschaft, gleichsam die Quelle der Souveränität im Sinne der *maiestas realis*.[303]

Abb. 17a: Hans Georg Krauer oder J. R. Morrini, Sapientia/Lucerna, Neue Kanzlei Luzern, 1698.

Abb. 17b: Andrea Sacchi, Divina Sapienza, Palazzo Barberini, 1633.

Diese Deutung wird bestärkt, wenn ein exakt gleichzeitiges Deckengemälde herangezogen wird, Johann Jacob Schärers Tondo im unteren Saal des Zürcher Rathauses, dessen Neubau 1698 fertig gestellt wurde. In diesem reformierten Kontext setzte Schärer eine sehr ähnliche Komposition um wie Krauer und Morrini im katholischen Luzern. Da die Wappenfarben dieselben sind, erscheint auch Tigurina blau-weiss gekleidet auf einer Wolke,

303 Vgl. auch bei Wolters, Bilderschmuck, 63, Anm. 1, Mutio Sforzas Frage von 1585, allerdings dort auf Venetia gemünzt: «et queste (Republica) non pare che stata sia dalla Divina Sapienza instituita?»

Abb. 18: Johann Melchior Füssli/David Herrliberger, Zürcher Staatskalender, 1724.

mit Justitia zur Linken und Abundantia zur Rechten.[304] 1724 griff Johann Melchior Füssli dieselbe Gruppe für den oberen Teil eines grossformatigen Almanachs auf. (Abb. 18). Tigurina sitzt über einer Szene mit Allegorien, rechts ist das Zürcher Rathaus zu erkennen, links ein Obelisk unter einem Baldachin, beides Symbole der Souveränität. Am Obelisken hängen erleuchtet die Wappen der beiden aktuellen Bürgermeister, der vorübergehenden, da sterblichen Träger dieser Souveränität. Da ihre Vorgänger gestorben sind, liegt der Rest der Pyramide im Schatten, den Chronos wirft, der Historiograf der vergänglichen Menschentaten. Ewig ist dagegen die Souveränität, weshalb die Obeliskenspitze und das Rathaus vom himmlischen, göttlichen Licht erleuchtet werden. Diese Strahlen fallen auch auf die Gruppe, die Füssli von Schärers Rathausdecke übernahm, aber signifikant erweiterte: Neben Tigurina und Justitia (Regiment) folgen nun rechts ebenfalls eine betende Fides (Kirche) und neu eine Virtus mit einer korinthischen Säule, ebenfalls ein Symbol der jungfräulichen Souveränität. Wie bei Tengnagels Hollandia (Abb. 6) und Werners Berna ist die Staatspersonifikation von den drei Ständen umgeben, die sie umfasst. Dabei repräsentiert Virtus die Bürgerschaft, die im Gefolge der Zunftrevolte von 1713 «ein glied des ganzen burgerlichen leibs» geworden war, also in die *Respublica* aufgenommen worden war, um die mittelalterliche Terminologie eines Lucas de Penne zu verwenden. Neben den vornehmen regimentsfähigen Familien hatten die gewöhnlichen Bürger so zumindest formal Anteil an der von Tigurina versinnbildlichten Souveränität erlangt.[305] Ihre ikonografischen Wurzeln lagen, auf katholischer wie reformierter Seite, in der Marienikonografie, die Füssli – selbst ein führendes Mitglied der Zunftopposition von 1713 – auf seinem Stich wiedergab.

304 Für die vollständige Interpretation und Einordnung in das Programm des Rathauses Maissen, Geburt, 383–400, insbes. 392–395 und Abb. 25.

305 Maissen, Geburt, 410–413.

Abb. 19: Jean Desmarets de Saint-Sorlin, Europe. Comedie Heroique, 1643.

14. Die europäische Staatenwelt

Die friedlichen oder gewaltsamen Werbungen um eine *Respublica*, etwa um das «wunder Schweizerland» (oben, Abb. 15), haben gezeigt, dass die Kombination der mittelalterlichen Zweikörpervorstellung und der auf ihr beruhenden mystischen Ehe mit der neuzeitlichen Souveränitätslehre nur dann Sinn ergab, wenn etwa mit der Unterscheidung von *maiestas realis* und *maiestas personalis* oder des *corpus mysticum et civile* vom *corpus mysticum et politicum* (Terre Rouge) Potenzial und Quelle der Souveränität von der konkreten Verfügungsmacht getrennt betrachtet wurden. Trotz ihren herrschaftlichen Attributen war eine *Regina coeli* kein Leviathan und eignete sich bloss bedingt für die Symbolisierung des Gewaltmonopols. Deshalb blieb es die Regel, dass ein streitbarer Mann die Landespersonifikation in einer Paarbeziehung beschützte. Doch der – in der Bildkomposition greifbare – Grad der weiblichen «Emanzipation» eröffnete durchaus die ganze frühneuzeitliche Spannbreite von absolutistischer Despotie bis zu republikanischer Anarchie. Und die weiblichen Republiken konnten, wie «wunder Schweizerland» unter Männern zu selbständigen und gleichwertigen Akteuren der Aussenpolitik aufsteigen oder gar – wie Palmas Venetia oder Wurmanns Helvetia – selbständig das Schwert führen.[306] Wohl der Luzerner Aufklärer Franz Urs von Balthasar liess dann eine republikanische Frauenrunde auf einem Deckenbild zusammenkommen: Roma lehrt die Freiheit, Venetia, Hollandia und Helvetia hören zu.[307] Vermutlich war es auch kein Zufall, dass gerade ein Venezianer 1622 ein millenaristisches Flugblatt verfasste und die allesamt gekrönten Personifikationen Polonia, Gallia, Hispania, Germania, Anglia, Italia und Moscovia mit Schwertern aufeinander losgehen liess, um die «Discordia Christianorum Principum» zu illustrieren.[308]

Es gab aber auch die Möglichkeit, die erotische Metaphorik auf eine nächsthöhere Ebene zu tragen und Europa selbst zur Akteurin zu machen.

306 Die Darstellungen der kämpfenden Francia in Versailles sind damit nicht vergleichbar, da Ludwig XIV. im Schloss omnipräsent ist und dort, wo beide gemeinsam abgebildet sind, den Vorrang vor der Landespersonifikation erhält.

307 Maissen, Geburt, 521f. (Abb. 38).

308 Venetus (Gregorio Giordano), Prophetiae; BNF Estampes, Hennin 2013. Eine frühere Auflage ohne Illustration erschien lateinisch und auch deutsch 1591, vgl. (Jordan), Propheceyung vnd Weissagung. Von der Komposition her ähnlich ist Hendrik de Clercks Kampf der 17 niederländischen Provinzen untereinander, während Belgica um Frieden betet (1609); Dlugaiczyk, Waffenstillstand, 363f. (Kat. 70).

Dies geschah zusehends im 17. Jahrhundert, als Europa die Rollen einnahm, die hier im nationalen Zusammenhang bereits skizziert worden sind: eine *Europa querula et vulnerata*, die 1631 ihre Kriegswunden beklagt und Schutz vor den Peinigern sucht, oder eine *Verwirrte Europa*, die Wilhelm III. 1677 aus den Fängen Ludwigs XIV. befreit.[309] Umgekehrt liess sich der Sonnenkönig als Friedensgeber feiern, zu dem Europa emporschaut und den Frieden von Nimwegen von 1678 verdankt; oder er spaziert mit Europa einher, weil er dank seinen französischen Besitzungen der ruhmvollste Fürst sei.[310] In Jean Desmarets de Saint-Sorlins *Europe*, einer von Richelieu angeregten *Comedie Heroique* von 1643, ist Europa eine vornehme Königin, die von Ibere, also Spanien, heiss begehrt wird. (Abb. 19). Auf dem Titelblatt hält er Ketten bereit, die er der gekrönten Europa anlegen will – ganz ähnlich wie auf der erwähnten niederländischen Medaille der Hollandia (oben Abb. 12). Die jungfräuliche Europa wehrt den aufdringlichen Ibere jedoch ab, «car ie veux demeurer vierge & libre à iamais». Hilfe in ihrem Freiheitskampf findet sie nicht beim Greis Germanique, sondern bei Francio, der den Hahn auf dem Helm trägt und zum Schwert greift.[311]

Prägend für die allegorische Erfassung Europas ist die organologische Darstellung, wie sie erstmals 1537 bei Johannes Putsch greifbar war und dann vor allem über Sebastian Münsters *Cosmographia universalis* (seit der Ausgabe von 1588) und Heinrich Büntings Stich *Europa in forma virginis* (1582) wirkte.[312] Der edelste Teil dieser Jungfrau, das Haupt, liegt in Spanien, und auch Kaiserkrone, Reichsapfel und Zepter machen deutlich, dass es sich noch um die imperiale Variante von Europa handelt, wie sie Putsch wohl in direkter Absprache mit den Habsburgern entwarf. Noch ein Jahrhundert danach setzte auch Michael Prauns *Relation von den Liebesneigungen der Allerschönsten Princessin Europa* (1660) mit der Beschreibung dieser Landkarte ein. Doch Praun, der «den Zustand der Allervortrefflichsten Fürstl. Fräul. Fr. Europa, und ihrer Hochfürstl. Jungen Herrn» zu beschreiben versprach, schilderte den Kontinent nicht mehr hierarchisch, sondern in einer Aufzählung von alten und neuen Staaten, welche die einzelnen Glieder der

309 Harms, Illustrierte Flugblätter Bd. 2, 392f. (II, 223); Valkenier, Verwirrtes Europa.

310 Antoine Coypel, Louis XIV donne la paix de Nimègue à l'Europe, Versailles; Fr. Mazot, L'Europe, BNF Estampes, Hennin 4021. Vgl. auch die Europa im *Salon de la guerre* bei Sabatier, Versailles, 394f.

311 Desmarets, Europe; Desmarets de Saint-Sorlin, 841–944; vgl. auch Felbinger, Quellenautopsie «Jean Desmarets».

312 Schmale, Europa, 241–267.

Jungfrau bilden. Diese erzählt dann ihre erotischen Erfahrungen. Jupiter und Alexander der Grosse waren ihre Liebhaber, ehe Julius Caesar sie schändete und Augustus sie mit Schmeicheleien gefügig machte. Danach ist Europa dem «vortrefflichen Teutschen Helden Carolo dem Grossen zu theil worden». Mit ihm zeugte sie «etliche junge Herrn (mit welchen Sie hernach alle Länder […] besetzet)». Nach dieser erfolgreichen Ehe hat Europa beschlossen, «mit niemand anders mehr einige Ehliche Verbündniss einzugehen und alle ihre Herrschaft, länder und Gewalt keinen andern Eheherrn mehr zu vertrauen, sondern dieselbige ihren Fürstl. Kindern und Encklen zu überlassen.» Das waren die souveränen Fürsten des Kontinents, die sich allerdings lange Zeit im Ringen um die Hegemonie bekämpften – Praun dachte nicht zuletzt an den Dreissigjährigen Krieg. Erst seit dem Westfälischen Frieden bildeten sie die von Praun gewünschte christliche «allgemeine confoederatam Gentium Remp[ublicam]» – keine gemässigte oder gar «pura absoluta Monarchia», sondern eine Aristokratie von weitgehend gleichrangigen Brüdern unter dem Altersvorsitz des Kaisers.[313]

Prauns Darstellung der Europa mit Kindern war nicht singulär. In einem Flugblatt wandte sich Europa 1654 im Namen der hinter ihr stehenden Nationen an die europäischen Fürsten von Kaiser und Papst über die kontinentalen Könige bis zum Dogen, die Väter ihrer gemeinsamen Kinder: «Peres de ces enfans dont je me dis la mere». Indem sie das Elend der Nationen darlegte, bat sie die Herrscher um den Frieden.[314] (Abb. 20). Aus den Jünglingen auf diesem Flugblatt wurden schliesslich wieder weibliche Staatspersonifikationen: Hans Assmann Freiherr von Abschatz liess in seinem Gedicht *Zu Römisch-Hungarisch = Königl. Vermählung Glückwünschendes Europa* von 1699 nicht nur Europa auftreten, sondern ihre «Helden-Töchter», die verschiedenen Länder von Portugal bis Polen, die dem Kaisersohn Huldigungen und Geschenke darbringen.[315] Und wie sich die europäische Staatenwelt erweiterte, so fügten sich weitere weibliche Personifikationen in die Bilderwelt. Deshalb konnte Europa auf einem Medaillenentwurf zum Frieden von Belgrad 1739 den Palmzweig nicht nur der Allegorie Österreichs reichen, sondern auch den weiblichen Personifikationen des Osmanischen Reichs und Russlands.

313 Wilckens, Quellenautopsie «Michael Praun».

314 L'Ambassade du ciel aux potentats d'Europe, 1654; BNF Estampes, Hennin 3725.

315 Nowicki, Römisch-Hungarisch, 161–168, 452–458.

Abb. 20: L'Ambassade du ciel aux potentats d'Europe, 1654.

Die Repräsentation von Europa im Rahmen der Ehemetaphorik war nicht spannungsfrei. Europa musste polygam sein, wenn sie die Partnerin mehrerer Fürsten sein wollte. Dann waren ihre gemeinsamen Kinder Untertanen des Herrschers.[316] Wenn aber die Kinder, wie bei Michael Praun, selbst Fürsten wurden, dann waren sie wiederum Souveräne. War Europa selbst also bei Praun Trägerin einer abendländischen *maiestas realis* als Grundlage einer föderativen *Respublica Christiana*, wie sie in Friedensplänen des 17. und 18. Jahrhunderts etwa Leibniz als Gegenkonzeption zu einer – habsburgischen oder bourbonischen – *Monarchia universalis* einbrachte? Dreux de Radier zeigte 1755 Europa als thronende Minerva, mit der strahlenden Sonne unmittelbar hinter ihrem Kopf auf einem Baldachin, auf dem die Häupter von – sterblichen – Fürsten erschienen.[317] Das war ein

316 Für die Kinder als Untertanen vgl. ausser die oben genannten Stellen (Anm. 53 und 255) auch Giulio Antonio Brancalasso, Philosophia Regia medulla politicorum, Neapel, 1609, 47, zitiert bei De Mattei, Idea democratica, 39, Anm. 4: «Sponsus si Princeps suae Reipublicae est, inde fit ut subditi a Republica procreati, filiorum sibi locum vindicent.»

317 Dreux de Radier, L'Europe illustre.

ikonografisches Mittel, um Souveränität zu vermitteln.[318] Die Vorstellung einer gesamteuropäischen Souveränität war bestimmt unzeitgemäss; aber es wird deutlich, welch langfristige Sprengkraft in den hier diskutierten Metaphern steckte.

Deutlich wurden jedenfalls bereits damals Ansprüche auf eine militärisch-kulturelle Hegemonie gegenüber der restlichen Welt. Das einigende Band bei Praun war der Türkenkrieg. Und der bereits erwähnte Heinrich Ludwig Gude erklärte 1708 das Frontispiz zu seiner Beschreibung der europäischen Staaten (Abb. 21) durch den Verweis auf die modernen Künstler, die den Kontinent «als eine sitzende Jungfrau abbilden, welche Erfindung von denen (das Frauenzimmer sonderlich hoch haltenden) Franzosen herkommet». Diese «unbefleckte königliche Princessin in Ansehung der andern Welt-Theile [...], so unter dem Bilde einer gekrönten Jungfrau vorgestellet werde, sey mit ihren volckreichen Staaten so mächtig, dass sie eine Beherscherin des Cameles, worunter Asia abgebildet wird, und eine Besitzerin des Herzens, unter welchen Bilde Africa zu verstehen, billich zu nennen, ja sie sey eine Erfinderin und Königin der neuen Welt geworden. Diese Hoheit von Europa, und dass sie eine Überwinderin der andern Welt-Theile sey, will auch, das vor dieser Einleitung zu den Europaeischen Staaten stehende Kupfferblat zuverstehen geben.»[319] Auf dem Stich thront Europa im Hermelingewand mit Zepter unter einem Baldachin, die drei anderen Kontinentalpersonifikationen knien vor ihr. Der Text dazu verkündet: «Europa komt nichts gleich, wie ihre Staaten zeigen, Es muss die ganze Welt vor ihrer Macht sich neigen.» Das System souveräner Staaten selbst machte die Überlegenheit Europas aus, das dadurch als vielfältiges Ganzes gleichsam Souveränität über die ganze Welt beanspruchte.

318 Vgl. ausser dem oben erwähnten Stich von Füssli auch Sebastian Walchs Bürgermeisterporträts, Maissen, Geburt, 416–418, Abb. 29.

319 Gude, Europäischen Staaten. Für den Hinweis auf das Werk und die Identifikation des Autors danke ich Urte Weeber.

Abb. 21: Heinrich Ludwig Gude, Einleitung zu den europäischen Staaten und derselben Beschluss, s. l. 1708, Frontispiz.

15. Resümierender Ausblick

Nicht allein solche Konzeptionen der Europa waren entwicklungsfähig: in einem imperialistischen Sinn. Die aussenpolitische Emanzipation der *Respublica* zum Völkerrechtssubjekt hatte ebenfalls innenpolitische Implikationen, welche die Monarchien eher argwöhnisch beobachteten. Wohl war es Teil einer aussenpolitischen Strategie, wenn französische Diplomaten die Eidgenossenschaft seit den 1620er Jahren gelegentlich und im 18. Jahrhundert systematisch als *corps helvétique* oder *corpus helveticum* titulierten.[320] Ein eigenständiger Körper war nicht länger dem kaiserlichen habsburgischen Haupt unterworfen. Das suggerierten die Franzosen in den Jahrzehnten um den Westfälischen Frieden mit Erfolg auch durch den Gebrauch neuer völkerrechtlicher Termini wie *souveraineté, république* oder *neutralité*, wenn sie mit den Eidgenossen verkehrten.[321] Im Reich durchschaute man nach solchen Erfahrungen die Strategie: Karl VI. protestierte 1727 gegen die «Ubernhaufenwerfung der Teutschen Verfassung», nachdem der französische Gesandte Chavigny die Reichsstände wiederholt als *Corpus Germanicorum* angesprochen hatte. Das sei eine List, um «das allerhöchste Oberhaupt im Römischen Reich von dessen Gliedern zu trennen, solches unter einem noch niemals gebrauchten unanständigen metaphorischen Namen und ohngewöhnlichen Stylo von Corps Germanique in eine Spaltung a Caesearea Majestate zu bringen».[322]

Seinerseits fürchtete der französische König ebenso die innenpolitische Sprengkraft der organologischen Metaphorik. Dies wurde deutlich, als sich die Parlamente im 18. Jahrhundert zusehends als Wahrer der Grundgesetze des Landes gegen die als «despotisch» kritisierte Herrschaft des absolutistischen Herrschers und des *Conseil du Roi* stilisierten. Mit gallikanisch-konziliaristischen Argumenten deuteten sie die Nation analog zur universellen Kirche und beanspruchten für sich, in ihrem Namen die Rechtsprechung des Königs so zu prüfen wie das Konzil den Papst. Dazu benutzten sie den *droit de remontrance*, ihr Recht, einen königlichen Gesetzeserlass unter Berufung auf die Interessen der Nation oder der Krone zur Überarbeitung zurückzuweisen, bevor das Parlament das Gesetz regis-

320 Für die Quellenbelege vgl. Oechsli, Benennung, 168–177.

321 Dazu Maissen, Geburt, 182–253.

322 Johann Jacob Moser, Reichs-Fama, Leipzig 1727, Bd. 7, 379–381; zitiert nach Dohrn-van Rossum, Art. Organ, 554.

trierte.[323] Diesen Ansprüchen widersetzte sich Ludwig XV., besonders nachdrücklich in der *Séance de la flagellation* vom 3. März 1766, als er dem Pariser Parlament sein Rollenverständnis diktierte. Er verwarf den Anspruch der Parlamente, einen zusammengehörigen und unteilbaren Körper zu bilden, der die Freiheit und die Rechte der Nation schütze und als Schiedsrichter zwischen dem König und seinem Volk agiere. Vielmehr liege die Souveränität bei ihm allein. Von ihm gehe die Gesetzgebung aus und jede Amtsgewalt, auch diejenige der Parlamente. Diese hätten sich erdreistet, die Nation als eigenen Körper («un corps imaginaire […] séparé du monarque») zu deuten und dem König gegenüberzustellen; doch die Rechte und Interessen der Nation seien zwingend mit denen des Königs verbunden und ruhten letztlich allein in dessen Händen.[324]

Die Auseinandersetzung darüber, wer die Nation bilde und vor allem repräsentiere, wurde in den folgenden drei Jahrzehnten zur politischen Kernfrage in Frankreich. Den Vertretungsmonopolen des absolutistischen Königs einerseits, der historisch privilegierten Stände andererseits stellte Sieyès 1789 das folgenreiche Postulat entgegen, dass der Dritte Stand die komplette Nation sei und die anderen Stände nur insofern dazugehörten, als sie dem Dritten Stand hinsichtlich ihrer ökonomischen oder administrativen Funktionen gleich waren.[325] Im selben Jahr stellte Jacques-Vincent Delacroix in seinem *Catéchisme Patriotique* eine ähnliche Frage: «Qu'est-ce que la nation? Le roi & le peuple. Qu'est-ce que le roi ? C'est le chef que le peuple s'est choisi pour faire exécuter la loi, & maintenir l'ordre prescrit par elle. Qu'est-ce que le peuple ? C'est tout ce qui forme la nation, excepté le roi.»[326] Wenn dem Volk – dem Gemeinwesen – nur die selbst gewählte Exekutive – das Haupt – fehlte, um eine ganze, autarke Nation zu sein, dann gab es auf Dauer keinen Grund, weshalb dieses Haupt ein Erbmo-

323 Vgl. für das Umfeld auch Chaline, Art. Parlements, 960–965.

324 Flammermont, Remontrances 556–558 : «Je ne souffrirai pas qu'il se forme, dans mon royaume une association qui ferait dégénérer en une association de résistance le lien naturel des mêmes devoirs et des obligations communes, ni qu'il s'introduise dans la Monarchie un corps imaginaire qui ne pourrait qu'en troubler l'harmonie; la magistrature ne forme point un corps ni un ordre séparé des trois ordres du Royaume; les magistrats sont mes officiers, chargés de m'acquitter du devoir vraiment royal de rendre la justice à mes sujets; fonction qui les attache à ma personne […] comme s'il était permis d'oublier […] que les droits et les intérêts de la nation, dont on ose faire, sont nécessairement unis avec les miens, et ne reposent qu'en mes mains.» Vgl. auch Koschorke, Staat, 260.

325 Sieyès, Tiers état, 27f.: «Le tiers état est une nation complète.»

326 Delacroix, Catéchisme Patriotique 6; vgl. auch Koschorke, Staat, 265.

narch von Gottes Gnaden sein musste oder sein durfte. Es dauerte zwei bis drei Jahre, ehe diese Konsequenzen aus den zitierten Überlegungen klar ins Bewusstsein der Franzosen traten. Doch an dieser Spannung scheiterte schliesslich der Versuch, die historische, dynastische Legitimität der Monarchie mit der modernen der Volkssouveränität zu kombinieren; und damit die erste, gemässigte Phase der Revolution, deren Ergebnis – die konstitutionelle Monarchie nach der Verfassung von 1791 – Makulatur war, kaum dass sie fertig vorlag.

Der Hinweis auf die Nachwirkungen organologischen Denkens im Revolutionszeitalter soll noch einmal unterstreichen, dass die dazugehörige Metaphorik dazu beitrug, dass die Bodin'sche Souveränitätslehre in ihrer monarchischen und vor allem republikanischen Variante plausibel und akzeptabel wurde. Das lief einer radikalen, monarchischen Interpretation des Souveränitätsgedankens insofern zuwider, als Bodin die kontraktualistischen Bindungen des Fürsten ausschliessen wollte, die im organologischen Denken unvermeidlich waren. Notwendig war also eine Deutung der Souveränität als «puissance absolue et perpétuelle d'une République», als die dem Gemeinwesen innewohnende oder aus ihm hervorgehende uneingeschränkte und zeitlich unbegrenzte Gewalt – und nicht als die dem Gemeinwesen von oben auferlegte, ja es erst formende Macht.[327] Uneingeschränkt hiess, dass diese Gewalt unmittelbar zu Gott war, dass kein irdischer Herrscher einem Souverän etwas dreinzureden hatte und dass keine untergeordnete Institution von seiner Gesetzgebung ausgespart war. Zeitlich uneingeschränkt bedeutete, dass diese Gewalt nicht mit dem natürlichen Körper ihres Trägers verschied, sondern im politischen Körper, in der *Respublica*, weiterexistierte. Zu Gott unmittelbar, unversehrt und ewig, das war in der omnipräsenten christlichen Vorstellungswelt, auch der protestantischen, die Jungfrau Maria: Herrscherin als *Regina coeli*, als Schutzmantelmadonna Bewahrerin der Bedrohten und selbst beschütztes Gut im *hortus conclusus*. Diese Bildtraditionen reichten zum Teil weit ins Mittelalter zurück. Aber ihre hier behandelte Politisierung, die Ausbildung eigentlicher Staatspersonifikationen als Vorläuferinnen der revolutionär-nationalen Marianne setzte in Frankreich, in Venedig und in den Niederlanden erst im letzten Viertel des 16. Jahrhunderts ein, im Reich, in England und in der Eidgenossenschaft gar erst im 17. Jahrhundert. Das war das Zeitalter Jean Bodins, zu dessen Souveränitätslehre diese Allegorien sich verhalten mussten. Die Staatspersonifikationen, die mystische Ehe, die Jungfraumetaphorik der Madonna und Miner-

327 Bodin, République, 179 (1, 8).

vas mit den entsprechenden Attributen und der *hortus conclusus* als keusches Territorium – das waren Metaphern und ikonografische Programme, um Souveränität zu beanspruchen und als Forderung zu vermitteln; um darüber hinaus den öffentlichen Bereich und die politische Ordnung zu sakralisieren und ihnen eine eigene Dignität zu verleihen, die mehr sein und mehr erreichen wollte als die notwendige, aber vorübergehende Verwaltung einer stets imperfekten *civitas terrena.* Die keusche Allegorie stand im Sinn der *maiestas realis* für die Grundlagen politischer (und ökonomischer) Autonomie im Inneren und für die ungeteilte Verfügungsgewalt des einen Gatten über dieses Potenzial, selbst wenn er ein kollektiver, republikanischer Bräutigam war; und sie stand für die Notwendigkeit, diese keusche, nämlich exklusiv dem Gemeinwesen verpflichtete *maiestas* gegen fremde Freier, also äussere Bedrohungen, zu verteidigen.

Literatur

Astell, Ann W., The Song of Songs in the Middle Ages, Ithaca, Cornell University Press, 1990.

Atlas van Stolk. Katalogus der Historie-, Spot- en Zinneprenten betrekkelijk de Geschiedenis van Nederland, Amsterdam, 1895, http://cardweb.hmr.rotterdam.nl/collectie/vrij_index_gb.html (30.07.2012).

Augustinus, Aurelius, De civitate Dei, Corpus scriptorum ecclesiasticorum latinorum (CSEL), Bd. 40, hg. v. E. Hoffmann, Wien, Verlag der Österreichischen Akademie der Wissenschaften, 1899/1900.

Augustinus, Aurelius, In epistolam Ioannis ad Parthos, PL 35.

Bar, Virginie, La peinture allégorique au Grand Siècle, Dijon, Faton, 2003.

Baynes Coiro, Ann, A Ball of Strife. Caroline Poetry and Royal Marriage, in: Corns, Thomas, Hg., The Royal Image. Representations of Charles I, Cambridge, Cambridge University Press, 1999, 26–46.

Beaune, Colette, Naissance de la nation France, Paris, Gallimard, 1985.

Belting, Hans, Bild und Kult. Eine Geschichte des Bildes vor dem Zeitalter der Kunst, München, C. H. Beck, 1990.

Benson, Robert Louis, The Bishop Elect. A Study in Medieval Ecclesiastical Office, Princeton NJ, Princeton University Press, 1968.

Bentley, Thomas, The Monument of Matrones, Conteining Seven Severall Lamps of Virginitie, London, H. Denham, 1582.

Bernard, Guillaume, Du roi juge au roi législateur en France au second XVIe siècle: «une foi, une loi, un roi»? Thèse, Rennes, 2000.

Beyerhaus, Gisbert, Studien zur Staatsanschauung Calvins mit besonderer Berücksichtigung seines Souveränitätsbegriffs, Berlin, Trowitzsch & Sohn, 1910.

Blumenfeld, Renate, Enemies Without/Enemies Within. Threats to the Body Politic in Christine de Pizan, in: Medievalia et Humanistica n.s., 26, 1999, 1–15.

Blumenfeld, Renate, Dramatic Troubles of Ecclesia: Gendered Performances of the Divided Church, in: Burns, E. Jane et al., Hg., Cultural Performances in Medieval France. Essays in Honor of Nancy Freeman Regalado, Woodbridge, D.S. Brewer, 2007, 185–198.

Boccalini, Traiano, Ragguagli di parnaso e scritti minori, Bd. 3, hg. v. Luigi Firpo, Bari, Laterza, 1948.

Bodin, Jean, De republica libri sex, Lyon, 1586.

Bodin, Jean, Les six livres de la République (Corpus des œuvres de philosophie en langue française, Bd. 1–6), Paris, Arthème Fayard, 1986.

Bor, Peter, Oorspronck, begin ende aenvang der Nederlantscher oorlogen, beroerten ende borgerlijcke oneenicheyden. Warachtighe ende historische beschrijvinghe door Peter Bor Christiaensz., Den Haag, B. C. Nieulandt, 1603.

Bossuet, Jacques Bénigne, La Politique tirée des propres paroles de l'Écriture sainte, in: ders., Œuvres complètes, Bd. 10, Paris, F. Didot, 1836.

Bossuet, Jacques Bénigne, Correspondance, Bd. 1, hg. v. E. Levesque/Ch. Urbain, Paris, Hachette & Cie, 1909.

Boureau, Alain, Le simple corps du roi. L'impossible sacralité des souverains français, XVe–XVIIIe siècle, Paris, Edition de Paris, 2000.

Brandt, Bettina, Germania und ihre Söhne. Repräsentationen von Nation, Geschlecht und Politik in der Moderne, Göttingen, Vandenhoeck & Ruprecht, 2010.

Britannia, Passionately and Historically, Remembering her Misery and Happinesse in Former Ages, and Declaring her Calamities, and Expectations Now, London, 1643.

Brutus, Stephanus Iunius (Mornay, Philippe de), Vindiciae contra tyrannos. Traduction française de 1581 (Les classiques de la pensée politique, Bd. 11), Genf, Droz, 1979.

Bühl, Gudrun, Constantinopolis und Roma. Stadtpersonifikation der Spätantike, Kilchberg, Akanthus, 1995.

Burkhardt, Johannes, Der Dreissigjährige Krieg (Moderne Deutsche Geschichte, Bd. 2), Frankfurt a. M., Suhrkamp, 1992.

Burkhardt, Johannes, Auf dem Wege zu einer Bildkultur des Staatensystems. Der Westfälische Frieden und die Druckmedien, in: Duchhardt, Heinz, Hg., Der Westfälische Friede: Diplomatie, politische Zäsur, kulturelles Umfeld, Rezeptionsgeschichte (Historische Zeitschrift, Beiheft, 26, 1998), 81–114.

Bussmann, Klaus/Schilling, Heinz, Hg., 1648. Krieg und Frieden in Europa. Ausstellungskatalog, Münster, Westfälisches Landesmuseum für Kunst und Kulturgeschichte, 1998.

Calvin, Jean, Institutio religionis christianae (1559), Opera quae supersunt omnia, hg. von Wilhelm Baum, Eduard Cunitz und Eduard Reuss (CO, Bd. 2), Braunschweig, C. A. Schwetschke, 1864.

Calvin, Jean, Tractatus theologici minores, Bd. 2 (CO, Bd. 6), Braunschweig, C. A. Schwetschke, 1867.

Calvin, Jean, Commentarius in Exodi librum (CO, Bd. 24), Braunschweig, C. A. Schwetschke, 1882.

Calvin, Jean, Sermons sur le Deuteronome (CO, Bd. 26), Braunschweig, C. A. Schwetschke, 1885.

Canning, Joseph, The Political Thought of Baldus de Ubaldis, Cambridge, Cambridge University Press, 1987.

Chaline, Olivier, Art. Parlements, in: Bély, Lucien, Hg., Dictionnaire de l'Ancien Régime, Paris, Presses Universitaires de France, [2]2005, 960–965.

Chasseneux, Barthélemy de, Catalogus gloriae mundi, Frankfurt, S. Feyerabendt, 1586.

Choppin, René, De domanio Franciae libri III, Paris, 1588.

Cillessen, Wolfgang, Hg., Krieg der Bilder. Druckgraphik als Medium politischer Auseinandersetzung im Europa des Absolutismus, Berlin, G + H Verlag, 1997.

Cino da Pistoia, In Codicem & aliquot titulos primi Pandectorum tomi, id est Digesti veteris, doctissima commentaria, Frankfurt, S. Feyerabendt, 1578.

Conring, Hermann, De Imperii Germanici republica acroamata sex historico-politica, Yverdon, apud societatem, 1654.

Cook, Edward, Argumentum Anti-normannicum Or, an Argument Proving, from Ancient Histories and Records, that William, Duke of Normandy, Made No Absolute Conquest of England by the Sword, London, 1682.

Cope, Esther S./Coates, Willson H., Hg., Proceedings of the Short Parliament of 1640, London, Royal Historical Society, 1977.

Corns, Thomas N., Duke, Prince and King, in: Corns, Thomas N., Hg., The Royal Image. Representations of Charles I, Cambridge, Cambridge University Press, 1999, 1–25.

Coryate, Thomas, Crudities, s. l. 1611.

Daley, Brian E., The «Closed Garden» and the Sealed Fountain: Song of Songs 4:12 in the Late Medieval Iconography of Mary, in: MacDougall, Elizabeth B., Hg., Medieval Gardens, Washington D. C., Dumbarton Oaks Research Library and Collection, 1986, 253–278.

De Luca, Giovanni Battista, Il cavaliere e la Dama, Rom, Dragondelli, 1675.

De Luca, Giovanni Battista, Il Principe cristiano pratico, Rom, Stamperia della reuerenda Camera apostolica, 1680.

De Mattei, Rodolfo, L'idea democratica e contrattualista negli scrittori politici italiani del Seicento, in: Rivista storica italiana, 60, 1948, 7–55.

Delacroix, Jacques-Vincent, Catéchisme Patriotique à l'usage de tous les citoyens françois, Paris, Gueffier, 1789

Delen, Adrien J. J./Meertens, Maria, Het Blokboek «Canticum Canticorum» als godsdienstig Kunstwerk, Antwerpen, Standaard-Boekhandel, 1949.

Descimon, Robert, La fonction de la métaphore du mariage politique du roi et de la République, France, XVe-XVIIIe siècles, in: Annales ESC, 47, 1992, 1127–1147.

Desmarets de Saint-Sorlin, Jean, Théâtre complet (1636–1643). Textes établis, présentés et annotés, hg. v. Claire Chaineaux, Sources classiques; 64, Paris, H. Champion, 2005, S. 842 (Abb. 11 : Frontispiz der Ausgabe von 1643).

Desmarets de Saint-Sorlin, Jean, Europe. Comédie héroïuqe. Attribuée à Armand du Plessis, cardinal de Richelieu et Jean Desmarets, sieur de Saint-Sorlin, hg. v. Sylvie Taussig, Turnhout 2006.

Dlugaiczyk, Martina, Der Waffenstillstand (1609–1621) als Medienereignis. Politische Bildpropaganda in den Niederlanden, München, Waxmann, 2005.

Dohrn-van Rossum, Gerhard, Art. Organ, in: Brunner, Otto/Conze, Werner/Koselleck, Reinhart, Hg., Geschichtliche Grundbegriffe. Historisches Lexikon zur politisch-sozialen Sprache in Deutschland. Studienausgabe, Bd. 4, Stuttgart, Klett-Cotta, 2004, 519–560.

Dolezalek, Gero/Bregger, Hans-Martin, Art. Vikar/Vikarin, in: Theologische Realenzyklopädie (TRE), Bd. 35, Berlin/New York, De Gruyter, 2003, 84–89.

Drayton, Michael, Poly-Olbion, London, Browne, Helme & Busbie, 1613.

Dresser, Madge, Britannia, in: Samuel, Raphael, Hg., Patriotism. The Making and Unmaking of British National Identity, Bd. 3: National Fictions, London, Routledge, 1989, 26–49.

Dreux du Radier, Jean François, L'Europe illustre, Paris, 1755.

Duerr, Hans Peter, Obszönität und Gewalt (Der Mythos vom Zivilisationsprozess, Bd. 3), Frankfurt a. M., Suhrkamp, ²1993

Duits, Henk, «De Vryheid, wiens waardy geen mensch te recht bevat». Vriheid' op het Nederlands toneel tussen 1570 en 1700, in: Haitsma-Mulier, E. O. G./Velema, W. R. E., Hg., Vrijheid. Een geschiedenis van de vijtiende tot de twintigste eeuw, Amsterdam, University of Amsterdam Press, 1999, 99–131.

Eickmeyer, Jost, Der jesuitische Heroidenbrief. Zur Christianisierung und Konstextualisierung einer antiken Gattung in der Frühen Neuzeit, Berlin/New York, De Gruyter, 2012.

Emich, Birgit, Hochzeit in Trümmern. Die Zerstörung Magdeburgs 1631 im medialen Kampf der Deutungen, in: Parthenopolis. Jahrbuch für Kultur- und Stadtgeschichte Magdeburgs, 1, 2007/2008, 13–36.

Emich, Birgit, Bilder einer Hochzeit. Die Zerstörung Magdeburgs 1631 zwischen Konstruktion, (Inter-) Medialität und Performanz, in: dies./Signori, Gabriela, Hg., Kriegs/Bilder in Mittelalter und Früher Neuzeit (Beiheft der Zeitschrift für Historische Forschung, 42), Berlin, Duncker & Humblot, 2009, 197–235.

Felbinger, Rolf, Quellenautopsie «Jean Desmarets de Saint-Sorlin (1643)», in: Schmale, Wolfgang (Dir.), Europabegriffe und Europavorstellungen im 17. Jahrhundert, Web-Projekt, http://www.univie.ac.at/igl. geschichte/europaquellen/quellen17/desmaretsdesaint-sorlin1643.htm (30.07.2012).

Fenlon, Iain, The Ceremonial City. History, Memory and Myth in Renaissance Venice, New Haven, Yale University Press, 2007.

Flammermont, Jules, Hg., Remontrances du Parlement de Paris au XVIIIe siècle, Paris, Imprimerie impériale, 1895.

Fleming, Paul, Epistula Germaniae Exsulis, Leipzig, 1631.

Fleming, Paul, Lateinische Gedichte, hg. v. J. M. Lappenberg, Amsterdam, Rodopi, 1969.

Flood, Finbarr Barry, Between Cult and Culture. Bamiyan, Islamic Iconoclasm and the Museum, in: Art Bulletin, 84, 2002, 641–659.

Flor, Ingrid, Die Symbolik der Marienkrönung im Mittelalter, in: Sancta Crux. Zeitschrift des Stiftes Heiligenkreuz, 65, 2004, 90–116.

Flügel, Axel, Art. Grundbesitz, in: Jäger, Friedrich, Hg., Enzyklopädie der Neuzeit, Bd. 4, Stuttgart 2006, 1151–1156.

Fortescue, John, De natura legis naturae, in: The Works of John Fortescue, hg. v. Thomas Lord Clermont, Bd. 1, London, Whittingham and Wilkins, 1869.

Fortescue, John, De laudibus legum Anglie, hg. v. Stanley B. Chrimes, Cambridge, University Press, 1942.

Foucault, Michel, In Verteidigung der Gesellschaft. Vorlesungen am Collège de France (1975/76), Frankfurt a. M., Suhrkamp, 2001

Franzoi, Umberto/Pignatti, Terisio/Wolters, Wolfgang, Il Palazzo Ducale di Venezia, Treviso, Canova, 1989.

Frauenfelder, Reinhard, Die Symbolik des Gobelins «Mystischer Garten Mariae» vom Jahre 1480 im schweizerischen Landesmuseum, in: Anzeiger für schweizerische Altertumskunde N. F., 38, 1936, 133–136.

Freschot, Casimir, Nouvelle relation de la ville & republique de Venise, Utrecht, Poolsum, 1709.

Funck, David, Der grosse helvetische Bund: oder gründliche Fürstellung der löblichen Eydgenossschafft, zugewandten Ort, und Gemeinen Landvogtheyen, Nürnberg, 1690.

Gall, Lothar, Die Germania als Symbol nationaler Identität im 19. und 20. Jahrhundert, Göttingen, Vandenhoeck & Ruprecht, 1993.

Gamboni, Dario/Germann, Georg/De Capitani, François, Hg., Zeichen der Freiheit. Das Bild der Republik in der Kunst des 16. bis 20. Jahrhunderts, Bern, Stämpfli, 1991.

Gaudemet, Jean, Le symbolique du mariage entre l'évêque et son église, in: Kanon, 7, 1985, 110–123.
Gierke, Otto von, Das deutsche Genossenschaftsrecht, Bd. 3, Berlin, Weidmann, 1881.
Giesey, Ralph E., Medieval Jurisprudence in Bodin's Concept of Sovereignty, in: Jean Bodin. Verhandlungen der internationalen Bodin Tagung in München, hg. von H. Denzer, Munich, Beck, 1973, 167–186.
Giesey, Ralph E., The French Estates and the Corpus Mysticum Regni, in: ders., Rulership in France, 15th–17th centuries, Aldershot, Ashgate Variorum, 2004, 1–17.
Giesey, Ralph E., The King Imagined, in: ders., Rulership in France, 15th–17th centuries, Aldershot, Ashgate Variorum, 2004, 219–237.
Giesey, Ralph E., The Two Bodies of the French King, in: ders., Rulership in France, 15th–17th centuries, Aldershot, Ashgate Variorum, 2004, 301–316.
Giordano, Gregorio, Propheceyung vnd Weissagung von erschrecklichen vnd grewlichen widerwertigkeiten, s. l. 1591.
Giordano, Gregorio, Prophetiae seu Vaticinia XIIII Tabellis expressa de horrendis Calamitatibus orbi terrarum impendentibus, s. l. 1622.
Glanz, Katharina A., De arte honeste amandi. Studien zur Ikonographie der höfischen Liebe, Frankfurt a. M., Lang, 2005.
Gojosso, Éric, Le concept de république en France (XVIe–XVIIIe siècle), Aix-en-Provence, Presses universitaires d'Aix-Marseille, 1998.
Grassaille, Charles de, Regalium Franciae libri duo, Paris, Galeotum Pratensem, 1545.
Gregor IX., Decretales, in: Corpus iuris canonici, hg. v. Emil Ludwig Richter und Emil Friedberg, 2. Teil, Leipzig, Bernhard Tauchnitz, 1881.
Griffiths, Gordon, Humanists and Representative Government in the Sixteenth Century. Bodin, Marnix, and the Invitation to the Duke of Anjou to become Ruler of the Low Countries, in: Representative Institutions in Theory and Practice (Etudes présentées à la commission internationale pour l'histoire des assemblées d'états, Bd. 39), Brüssel, Les Editions de la Librairie Encyclopédique, 1970, 61–83.
Grijzenhout, Frans, De verbeelding van de Vrijheid in de Nederlandse kunst, 1570–1870, in: Haitsma-Mulier, E. O. G./Velema, W. R. E., Vrijheid. Een geschiedenis van de vijtiende tot de twintigste eeuw, Amsterdam, University of Amsterdam Press, 1999, 253–285.
Gude, Heinrich Ludwig, Einleitung zu den europäischen Staaten und derselben Beschluss, Halle, Renger, 1708.

Gude, Heinrich Ludwig, Staat der vereinigten Niederländer, Halle, Renger, 1708.

Guenée, Bernard, Politique et histoire au Moyen Âge. Recueil d'articles sur l'histoire politique et l'historiographie médiévale (1956–1981), Paris, Publications de la Sorbonne, 1982.

Hackett, Helen, Virgin Mother, Maiden Queen. Elizabeth I and the Cult of the Virgin Mary, Basingstoke, Macmillan, 1995.

Hagenow, Elisabeth von, Bildniskommentare. Allegorisch gerahmte Herrscherbildnisse in der Graphik des Barock. Entstehung und Bedeutung (Studien zur Kunstgeschichte, Bd. 79), Hildesheim/Zürich, Georg Olms, 1999.

Hamm, Berndt, Von der spätmittelalterlichen reformatio zur Reformation. Der Prozess normativer Zentrierung von Religion und Gesellschaft in Deutschland, in: Archiv für Reformationsgeschichte (ARG), 84, 1993, 7–82.

Hamm, Berndt, Einheit und Vielfalt der Reformation – oder: was die Reformation zur Reformation machte, in: ders./Moeller, Bernd/Wendebourg, Dorothea, Hg., Reformationstheorien. Ein kirchenhistorischer Disput über Einheit und Vielfalt der Reformation, Göttingen, Vandenhoeck & Ruprecht, 1995, 57–127.

Hanley, Sarah, The Lit de Justice of the Kings of France. Constitutional Ideology in Legend, Ritual, and Discourse, Princeton NJ, Princeton University Press, 1983.

Hanley, Sarah, The Monarchic State in Early Modern France. Marital Regime Government and Male Right, in: Bakos, Adrianna, Hg., Politics, Ideology and the Law in Early Modern Europe. Essays in Honor of J. H. M. Salmon, Rochester N.Y., University of Rochester Press, 1994, 107–126.

Harms, Wolfgang, Hg., Deutsche Illustrierte Flugblätter des 16. und 17. Jahrhunderts, 4 Bde., München, Kraus International Publications, 1980–1997.

Harrington, James, The Commonwealth of Oceana and a System of Politics, hg. v. John G. A. Pocock, Cambridge, Cambridge University Press, 1992.

Henkel, Arthur/Schöne, Albrecht, Hg., Emblemata. Handbuch zur Sinnbildkunst des XVI. und XVII. Jahrhunderts, Stuttgart, Metzler, 1978.

Hess, Stefan, Sicherung der Rechtskontinuität oder die Macht der Gewohnheit. Marienbilder im nachreformatorischen Basel, in: Ganz, David et al., Hg., Rahmen-Diskurse. Kultbilder im konfessionellen Zeitalter, [Berlin], Reimer, 2004, 331–357.

Hoffmann von Fallersleben, August Heinrich, Geschichte des deutschen Kirchenlieds bis auf Luthers Zeit, Hannover, 1854.

Hofmann, Hasso, Repräsentation. Studien zur Wort- und Begriffsgeschichte von der Antike bis ins 19. Jahrhundert, Berlin, Duncker und Humblot, 1974.
Hoke, Rudolf, Johannes Limnaeus, in: Stolleis, Michael, Hg., Staatsdenker in der frühen Neuzeit, München, C. H. Beck, 1995, 100–117.
Honorius von Autun, Expositio in Cantica Canticorum, PL 172.
Honorius von Autun, Sigillum beatae Mariae, PL 172.
Hugo von St. Viktor, De Sacramentis, PL 176.
Hulsen, Esaias van/Merian, Matthäus, Repraesentatio der furstlichen Aufzug und Ritter-spil. Die Kupferstichfolge von 1616, hg. v. Ludwig Krapf und Christian Wagenknecht (Stuttgarter Hoffeste. Texte und Materialien zur höfischen Repräsentation im frühen 17. Jahrhundert), Tübingen, Niemeyer, 1979.
Humbertus a Silva Candida, Libri III adversus simoniacos, in: MGH Scriptores. Libelli de lite imperatorum et pontificum saeculis XI. et XII. conscripti, Bd. 1, Hannover, Hahn, 1891, 95–253.
Hutten, Ulrich von, Briefe von 1506 bis 1520, hg. v. Eduard Böcking, Bd. 1, Leipzig, B. G. Teubner, 1859.
Israel, Jonathan, The Dutch Republic. Its Rise, Greatness and Fall 1477–1806, Oxford, Clarendon Press, 1995.
Jacobus de Voragine, Legenda aurea, hg. v. Giovanni Paolo Maggioni, Florenz, SISMEL, 1998.
James VI and I, Political Writings, hg. v. Johann P. Sommerville (Cambridge Texts in the History of Political Thought), Cambridge, Cambridge University Press, [3]2006.
Johannes Paul II., Vita consecrata, Rom, Libreria Editrice Vaticana, 1996.
Juvénal des Ursins, Jean, Loquar in tribulacione, in: Ecrits politiques, hg. v. P. S. Lewis, Paris, C. Klincksieck, 1978, 295–436.
Kantorowicz, Ernst Hartwig, Die zwei Körper des Königs. Eine Studie zur politischen Theologie des Mittelalters, München, Deutscher Taschenbuch Verlag, 1990.
Kaufmann, Thomas, Konfession und Kultur. Lutherischer Protestantismus in der zweiten Hälfte des Reformationsjahrhunderts, Tübingen, Mohr Siebeck, 2006.
Kempe, Michael/Maissen, Thomas, Die Collegia der Insulaner, Vertraulichen und Wohlgesinnten in Zürich, 1679–1709. Die ersten deutschsprachigen Aufklärungsgesellschaften zwischen Naturwissenschaften, Bibelkritik, Geschichte und Politik, Zürich, Verlag NZZ, 2002.

King, J. Christopher, Origen on the Song of Songs as the Spirit of Scripture. The Bridegroom's Perfect Marriage-Song, Oxford/New York, Oxford University Press, 2005.

King, John N., Queen Elizabeth I. Representations of the Virgin Queen, in: Renaissance Quarterly, 43, 1990, 30–74.

King, John N., Thomas Bentley's Monument of Matrons. The Earliest Anthology of English Women's Texts, in: Benson, Pamela Joseph/Kirkham, Victoria, Hg., Strong Voices, Weak History. Early Women Writers and Canons in England, France and Italy, Ann Arbor, University of Michigan, 2005, 216–239.

Kittsteiner, Heinz Dieter, Die Stabilisierungsmoderne. Deutschland und Europa 1618–1715, München, Carl Hanser Verlag, 2010.

Klippel, Diethelm, Art. Souveränität, in: Brunner, Otto/Conze, Werner/Koselleck, Reinhart, Hg., Geschichtliche Grundbegriffe. Historisches Lexikon zur politisch-sozialen Sprache in Deutschland. Studienausgabe, Bd. 6, Stuttgart, Klett-Cotta, 2004, 98–128.

Kocher, Gernot, Zeichen und Symbole des Rechts. Eine historische Ikonographie, München, C. H. Beck, 1992.

Koenigsberger, Helmut G., Republicanism, Monarchism and Liberty, in: Oresko, Robert et al., Hg., Royal and Republican Sovereignty in Early Modern Europe, Cambridge, Cambridge University Press, 1997, 43–74.

Koschorke, Albrecht et al., Der fiktive Staat. Konstruktionen des politischen Körpers in der Geschichte Europas, Frankfurt a. M., Fischer, 2007.

Kossmann, Ernst Heinrich, Popular Sovereignty at the Beginning of the Dutch Ancien Régime, in: ders., Political Thought in the Dutch Republic. Three Studies (Verhandelingen der Koninklijke Nederlandse Akademie van Wetenschappen, afd. Letterkunde, Bd. 179), Amsterdam, Koninklijke Nederlandse akademie van wetenschappen, 2000, 131–166.

Krasa-Florian, Selma, Die Allegorie der Austria. Die Entstehung des Gesamtstaatsgedankens in der österreichisch-ungarischen Monarchie und die bildende Kunst, Wien, Böhlau Verlag, 2007.

Kreis, Georg, Helvetia im Wandel der Zeiten. Die Geschichte einer nationalen Repräsentationsfigur, Zürich, Verlag NZZ, 1991.

Krynen, Jacques, Idéal du prince et pouvoir royal en France à la fin du Moyen Age, 1380–1440. Etude de la littérature politique du temps, Paris, A. et J. Picard, 1981.

Lau, Thomas, «Stiefbrüder». Nation und Konfession in der Schweiz und in Europa (1656–1712), Köln, Böhlau Verlag, 2008.

Lavin, Marilyn Aronberg, Maria-Ecclesia and the Meaning of Marriage in the Late 13th Century, in: Sande, Siri/Hodne, Lasse, Hg., Mater Christi, Rom, Bardi, 2009, 153–170.

Le Bret, Cardin, De la Souverainete du Roy, Paris, 1632.

Le Clerc, Jean, Explication historique des principales médailles frapées pour servir à l'histoire des Provinces-Unies des Pays-Bas, Amsterdam, 1723.

Leest, Anton van, Declaratie van die triumphante Incompst vande(n) Doorluchtighen ende Hoogheboren Prince van Oraingnien, Antwerpen, 1579.

Lenz, Claus, Die Jungfrau und der Poet. Martin Opitz über die Eroberung Magdeburgs, in: Simpliciania, 9, 1987, 193–203.

Les délices de la Hollande, Bd. 2, Amsterdam, Pierre Mortier, 1728.

Limnaeus, Johannes, Iuris Publici Imperii Romano-Germanici, Bd. 4/5, Strassburg, 1666/1670.

Lowenthal, Anne W., Wtewael's Netherlandish history reconsidered, in: Nederlands Kunsthistorisch Jaarboek, 38, 1987, 215–223.

Luther, Martin, Wider den falsch genannten geistlichen Stand des Papsts und der Bischöfe, 1522, in: ders., Werke, Bd. 10/II, Weimar, Hermann Böhlau, 1907.

Mager, Wolfgang, Genossenschaft, Republikanismus und konsensgestütztes Ratsregiment. Zur Konzeptionalisierung der politischen Ordnung in der mittelalterlichen und frühneuzeitlichen deutschen Stadt, in: Schorn-Schütte, Luise, Hg., Aspekte der politischen Kommunikation im Europa des 16. und 17. Jahrhunderts. Politische Theologie, Res Publica-Verständnis, konsensgestützte Herrschaft (Historische Zeitschrift, Beiheft, Bd. 39), München, R. Oldenbourg Verlag, 2004, 13–122.

Maissen, Thomas, Von wackeren alten Eidgenossen und souveränen Jungfrauen. Zu Datierung und Deutung der frühesten «Helvetia»-Darstellungen, in: Zeitschrift für schweizerische Archäologie und Kunstgeschichte, 56, 1999, 265–302.

Maissen, Thomas, Konfessionskulturen in der frühneuzeitlichen Eidgenossenschaft. Eine Einführung, in: Schweizerische Zeitschrift für Religions- und Kulturgeschichte, 101, 2007, 225–246.

Maissen, Thomas, Die Geburt der Republic. Staatsverständnis und Repräsentation in der frühneuzeitlichen Eidgenossenschaft, Göttingen, Vandenhoeck & Ruprecht, ^{2}2008.

Maissen, Thomas, Inventing the Sovereign Republic. Imperial Structures, French Challenges, Dutch Models, and the Early Modern Swiss Confederation, in: Holenstein, André et al., Hg., The Republican Alternative.

The Netherlands and Switzerland compared, Amsterdam, Amsterdam University Press, 2008, 125–150.

Maissen, Thomas, Souveräner Gesetzgeber und absolute Macht. Calvin, Bodin und die mittelalterliche Tradition, in: Strohm, Christoph/Wall, Heinrich de, Hg., Konfessionalität und Jurisprudenz in der Frühen Neuzeit, Berlin, Duncker & Humblot, 2009, 91–113.

Maissen, Thomas, Wie aus dem heimtückischen ein weiser Fuchs wurde. Die Erfindung der eidgenössischen Neutralitätstradition als Anpassung an das entstehende Völkerrecht des 17. Jahrhunderts, in: Jucker, Michael/Kintzinger, Martin, Hg., Rechtsformen internationaler Politik. Theorie, Norm, und Praxis vom 12. bis zum 18. Jahrhundert, Berlin, Duncker & Humblot, 2011, 241–272.

Major, Emma, Madam Britannia. Women, Church, and Nation, 1712–1812, Oxford, Oxford University Press, 2011.

Manow, Philip, Im Schatten des Königs. Die politische Anatomie demokratischer Repräsentation, Frankfurt a. M., Suhrkamp, 2008.

Marin, Louis, Das Porträt des Königs, Berlin, Diaphanes, 2005.

McGrath, Elizabeth, A Netherlandish History by Joachim Wtewael, in: Journal of the Warburg and Courtauld Institutes, 38, 1975, 182–217.

McLaren, Anne, Monogamy, Polygamy and the True State. James I's Rhetoric of Empire, in: History of Political Thought, 25, 2004, 446–480.

Medick, Hans, Historisches Ereignis und zeitgenössische Erfahrung, in: ders./Benigna von Krusenstjern, Hg., Zwischen Alltag und Katastrophe, Göttingen, Vandenhoeck & Ruprecht, 1999, 389–394.

Mérot, Alain, Décors pour le Louvre de Louis XIV (1653–1660). La mythologie politique à la fin de la Fronde, in: Grell, Chantal/Laplanche, François, Hg., La monarchie absolutiste et l'histoire en France. Théories du pouvoir, propagandes monarchiques et mythologies nationales, Bd. 1, Paris, Presses de l'Université de Paris-Sorbonne, 1987, 113–137.

Miège, Guy, The New State of England, London, 1691.

Miethke, Jürgen, Art. Souveränität, in: Lexikon des Mittelalters, Bd. 7, München/Zürich, Artemis, 1995, Sp. 2068–2071.

Milovanovic, Nicolas, Du Louvre à Versailles. Lecture des grands décors monarchiques, Paris, Belles Lettres, 2005.

Möbius, Helga, Frauenbilder für die Republik, in: Gamboni, Dario et al., Hg., Zeichen der Freiheit. Das Bild der Republik in der Kunst des 16. bis 20. Jahrhunderts, Bern, Stämpfli, 1991, 53–73.

Molé, Mathieu, Mémoires, Paris, Jules Renouard, 1855.

Montrose, Louis, Elizabeth hinter dem Spiegel. Die Ein-Bildung der zwei Körper der Königin, in: Schulte, Regina, Hg., Der Körper der Königin. Geschlecht und Herrschaft in der höfischen Welt seit 1500 (Campus Historische Studien, Bd. 31), Frankfurt a. M., Campus, 2002, 67–98.

Morel, Henri, La place de la «lex regia» dans l'histoire des idées politiques, in: L'influence de l'Antiquité sur la pensée politique européenne (XVIe-XXe siècles) (Collection d'histoire des idées politiques, Bd. 9), Aix/Marseille, Presses universitaires d'Aix-Marseille, 1996, 159–174.

Mörke, Olaf, Bataver, Eidgenossen und Goten. Gründungs- und Begründungsmythen in den Niederlanden, der Schweiz und Schweden in der Frühen Neuzeit, in: Berding, Helmut, Hg., Mythos und Nation. Studien zur Entwicklung des kollektiven Bewusstseins in der Neuzeit, Bd. 3, Frankfurt a. M., Suhrkamp, 1996, 104–132.

Morrill, John, The Oxford Illustrated History of Tudor & Stuart Britain, Oxford/New York, Oxford University Press, 1996.

Moser, Johann Jacob, Reichs-Fama, oder das Merckwürdigste vom Reichs-Convent, Kayserlichen Hof und Ständen des Reichs, Frankfurt/Leipzig 1727–1738.

Muir, Edward, Civic Ritual in Renaissance Venice, Princeton, Princeton University Press, 1981.

Müller, Rainer A., Das «Heilige Römische Reich Deutscher Nation» in allegorischen Darstellungen, in: ders., Hg., Bilder des Reiches (Irseer Schriften, Bd. 4), Sigmaringen, Jan Thorbecke Verlag, 1997, 397–432.

Nalson, John, Impartial Collection of the Great Affairs of State, London, 1682.

Nowicki, Pawel, Zu Römisch-Hungarisch-Königl. Vermählung Glückwünschendes Europa. Ein Gelegenheitsgedicht von Hans Assmann Freiherr von Abschatz, in: Czarnecka, Miroslawa/Szafarz, Jolanta, Hg., Hochzeit als ritus und casus. Zu interkulturellen und multimedialen Präsentationsformen im Barock, Breslau, Oficyna Wydawn. ATUT, 2001, 161–168.

Oechsli, Wilhelm, Die Benennung der Alten Eidgenossenschaft und ihrer Glieder, in: Jahrbuch für Schweizer Geschichte, 42, 1917, 89–258.

Ohly, Friedrich, Die Perle des Wortes. Zur Geschichte eines Bildes und seiner Deutung, Frankfurt a. M., Insel Verlag, 2002, 33–52.

Onder den Oranje boom. Niederländische Kunst und Kultur im 17. und 18. Jahrhundert an deutschen Fürstenhöfen, München, Hirmer, 1999.

Ost, Hans, Borrominis römische Universitätskirche S. Ivo alla Sapienza, in: Zeitschrift für Kunstgeschichte, 30, 1967, 101–142.

Oxford Encyclopedia of the Reformation, New York/Oxford, Oxford University Press, 1996.

Paas, John Roger, Hg., The German Political Broadsheet, Wiesbaden, Otto Harrassowitz, 1996.

Pange, Jean de, Le Roi très chrétien, Paris, A. Fayard, 1949.

Papon, Jean, Recueil d'arestz notables des courtz souveraines de France, Paris, 1566.

Paravicini Bagliani, Agostino, Der Leib des Papstes. Eine Theologie der Hinfälligkeit, München, C. H. Beck, 1997.

Patrologia Latina (PL), hg. von Jacques-Paul Migne, Paris, 1844–1855.

Peacham, Henry, Minerva Britannia, or a Garden of Heroical Devises, London, 1612.

Penne, Luca da, Super tres libros Codicis x., videlicet xi., et xii. hanc laboriosissimam edidit lecturam, Paris, 1509.

Petrarca, Francesco, Epistole, hg. v. Ugo Dotti, Turin, UTET, 1978.

Petrarca, Francesco, Epistulae metricae, hg. v. Otto und Eva Schönberger, Würzburg, Königshausen & Neumann, 2004.

Piccolomini, Enea Silvio, De ortu et auctoritate Imperii Romani, in: Kallen, Gerhard, Aeneas Silvius Piccolomini als Publizist, Stuttgart, Deutsche Verlagsanstalt, 1939.

Pieken, Gorch, «Ehrsame, hier habt ihr Herzog Alba auf seinem tyrannischen Thron», in: ders., «Voor een' vryen Staet». Die Niederlande, das Reich und «Tyrannen» in den Krisenjahren 1572 und 1672 = Magazin. Mitteilungen des Deutschen Historischen Museums, 7. Jahrgang, Heft 21, 1997.

Prodi, Paolo, Eine Geschichte der Gerechtigkeit. Vom Recht Gottes zum modernen Rechtsstaat, München, C. H. Beck, ^{2}2005.

Quaritsch, Helmut, Souveränität. Entstehung und Entwicklung des Begriffs in Frankreich und Deutschland vom 13. Jh. bis 1806 (Schriften zur Verfassungsgeschichte, Bd. 38), Berlin, Duncker und Humblot, 1986.

Reincke, Heinrich, Die Schutzpatrone der Stadt Hamburg, in: Hamburger geschichtliche Beiträge. Hans Nirrnheim zum siebzigsten Geburtstage am 29. Juli 1935 dargebracht, Hamburg, Boysen & Maasch, 1935.

Reinhard, Wolfgang, Ausgewählte Abhandlungen, Berlin, Duncker und Humblot, 1997.

Ripa, Cesare, Iconologia overo descrittione di diverse imagini cavate dall'antichità, & di propria intentione, Rom, Lepido Facii, 1603.

Rist, Johann, Das Friedewünschende Teutschland, Hamburg 1649, in: ders., Sämtliche Werke, Bd. 2: Dramatische Dichtungen, hg. v. Eberhard Mannack, Berlin/New York, Walter de Gruyter, 1972.

Roeck, Bernd, Titelkupfer reichspublizistischer Werke der Barockzeit als historische Quellen, in: Archiv für Kulturgeschichte, 65, 1983, 329–361.

Roncaglia, Constantino, Admirables efectos de la provindencia sucedidos en la vida, e imperio de Leopoldo primero invictissimo emperador de romanos, Mailand, 1696.

Rosand, David, Venetia Figurata. The Iconography of a Myth, in: ders., Hg., Interpretazioni veneziane. Studi di storia dell'arte in onore di Michelangelo Muraro, Venezia, Arsenale editrice, 1984, 177–196.

Rosand, David, Myths of Venice. The Figuration of a State, Chapel Hill, University of North Carolina Press, 2001.

Rubinstein, Nicolai, The History of the Word politicus, in: Pagden, Anthony, Hg., The Languages of Political Theory in Early-Modern Europe, Cambridge, University Press, 1987, 41–56.

Sabatier, Gérard, Versailles ou la figure du roi, Paris, Albin Michel, 1999.

Sawyer, Andrew, The Tyranny of Alva. The Creation and Development of a Dutch Patriotic Image, in: De zeventiende eeuw, 19, 2003, 181–207.

Sawyer, Andrew, Medium and Message. Political Prints in the Dutch Republic, 1568–1632, in: Pollmann, Judith/Spicer, Andrew, Hg., Public Opinion and Changing Identities in the Early Modern Netherlands. Essays in Honour of Alastair Duke, Leiden/Boston, Brill, 2007, 163–187.

Schama, Simon, Überfluss und schöner Schein. Zur Kultur der Niederlande im Goldenen Zeitalter, München, Kindler, 1988.

Schelkens, Pius, De Ecclesia Sponsa Christi, in: Augustiniana, 3, 1953, 145–164.

Schilling, Heinz, Luther, Loyola, Calvin und die europäische Neuzeit, in: Archiv für Reformationsgeschichte, 85, 1994, 5–31.

Schilling, Heinz, Ausgewählte Abhandlungen zur europäischen Reformations- und Konfessionsgeschichte, Berlin, Duncker und Humblot, 2002.

Schilling, Heinz, Am Anfang war Luther, Loyola und Calvin. Ein religionssoziologisch-entwicklungsgeschichtlicher Vergleich, in: ders., Ausgewählte Abhandlungen zur europäischen Reformations- und Konfessionsgeschichte, Berlin, Duncker und Humblot, 2002, 3–10.

Schmale, Wolfgang, Europa, Braut der Fürsten. Politische Relevanz des Europamythos im 17. Jahrhundert, in: Bussmann, Klaus/Werner, Elke, Hg., Europa im 17. Jahrhundert. Ein politischer Mythos und seine Bilder, Stuttgart, Franz Steiner Verlag, 2004, 241–267.

Schmidt, Heinrich, Zur politischen Vorstellungswelt deutscher Städte im 17. Jahrhundert, in: Wegener, Wilhelm, Hg., Festschrift für Karl Gottfried Hugelmann, Bd. 2, Aalen, Scientia, 1959, 501–521.

Schmitt, Carl, Politische Theologie. Vier Kapitel zur Lehre von der Souveränität, Berlin, Duncker & Humblot, [8]2004 (urspr. 1922).

Scholz, Susanne, Den Körper schreiben. Nationale Erzählung und Subjektwerdung im frühneuzeitlichen England, in: Bielefeld, Ulrich/Engel, Gisela, Hg., Bilder der Nation. Kulturelle und politische Konstruktion des Nationalen am Beginn der europäischen Moderne, Hamburg, Hamburger Edition, 1998, 76–106.

Scholz, Susanne, Body Narratives. Writing the Nation and Fashioning the Subject in Early Modern England, Basingstoke, Macmillan, 2000.

Schönaich, Christoph Otto von, Hermann, oder das befreyte Deutschland, ein Heldengedicht, Leipzig, Breitkopf, 1753.

Schreiner, Klaus, Maria. Jungfrau, Mutter, Herrscherin, München, Carl Hanser Verlag, 1994.

Schubert, Friedrich Hermann, Die deutschen Reichstage in der Staatslehre der Frühen Neuzeit (Schriftenreihe der Historischen Kommission bei der Bayerischen Akademie der Wissenschaften, Bd. 7), Göttingen, Vandenhoeck & Ruprecht, 1966.

Schumacher-Wolfgarten, Renate, Art. Rose, in: Kirschbaum, Engelbert, Hg., Lexikon der christlichen Ikonographie, Bd. 3, Freiburg i. Br., Herder, 1971, Sp. 563–568.

Schweizerisches Idiotikon. Wörterbuch der schweizerdeutschen Sprache, Bd. 8, Frauenfeld, Huber, 1920.

Selden, John, Of the Dominion, or Ownership of The Sea, London, 1652.

Sieyès, Emmanuel Joseph, Qu'est-ce que le tiers état? Précédé de l'essai sur les privilèges, hg. v. Edmé Champion, Paris, 1888.

Sinding-Larsen, Staale, The Changes in the Iconography and Composition of Veronese's Allegory of the Battle of Lepanto in the Doge's Palace, in: Journal of the Warburg and Courtauld Institutes, 19, 1956, 298–302.

Sinding-Larsen, Staale, Christ in the Council Hall. Studies in the Religious Iconography of the Venetian Republic, Roma, «L'Erma» di Bretschneider, 1974.

Skinner, Quentin, Macht und Ruhm der Republik in den Fresken Lorenzettis, in: Skinner, Quentin, Hg., Visionen des Politischen, Frankfurt a. M., Suhrkamp, 2009, 93–135.

Spitz, Jean-Fabien, Bodin et la soveraineté, Paris, Presses Universitaire de France, 1998.

Stollberg-Rilinger, Barbara, Des Kaisers alte Kleider. Verfassungsgeschichte und Symbolsprache des Alten Reiches, München, C. H. Beck, 2008.

Stolleis, Michael, Geschichte des öffentlichen Rechts in Deutschland, Bd. 1: Reichspublizistik und Policeywissenschaft 1600–1800, München, C. H. Beck, 1988.

Strong, Roy, The Cult of Elizabeth. Elizabethan Portraiture and Pageantry, London, Thames and Hudson, 1977.

Tietze, Hans, Programme und Entwürfe zu den grossen österreichischen Barockfresken, in: Jahrbuch der kunsthistorischen Sammlungen des allerhöchsten Kaiserhauses, 30, 1911, 1–28.

Tromp, Sebastiaan, Ecclesia sponsa virgo mater, in: Gregorianum, 18, 1937, 3–29.

Trummer, Josef, Mystisches im alten Kirchenrecht. Die geistige Ehe zwischen Bischof und Diözese, in: Österreichisches Archiv für Kirchenrecht, 2, 1951, 62–75.

Trzinski, Elke, Studien zur Ikonographie der Germania, Diss. Münster, 1990.

Tschopp, Silvia Serena, Heilsgeschichtliche Deutungsmuster in der Publizistik des Dreissigjährigen Krieges. Pro- und antischwedische Propaganda in Deutschland 1628 bis 1635, Frankfurt a. M., Peter Lang, 1991.

Tschopp, Silvia Serena, Rhetorik des Bildes. Die kommunikative Funktion sprachlicher und graphischer Visualisierung in der Publizistik zur Zerstörung Magdeburgs im Jahre 1631, in: Burkhardt, Johannes et al., Hg., Kommunikation und Medien in der Frühen Neuzeit, München, R. Oldenbourg, 2005, 79–103.

Ullmann, Walter, The Medieval Idea of Law as Represented by Lucas de Penna. A Study in Fourteenth-Century Legal Scholarship, London, Methuen, 1946.

Valerius, Robert, Weibliche Herrschaft im 16. Jahrhundert. Die Regentschaft Elisabeths I. zwischen Realpolitik, Querelle des femmes und Kult der Virgin Queen (Reihe Geschichtswissenschaft, 49), Herbolzheim, Centaurus, 2002.

Valkenier, Petrus, Das verwirrte Europa, Amsterdam, Meurs, Someren & Boom, 1677.

Verdier, Philippe, Le Couronnement de la Vierge. Les origines et les premiers développements d'un thème iconographique, Montréal/Paris, J. Vrin, 1980.

Vetter, Ewald Maria, Maria im Rosenhag, Düsseldorf, L. Schwann, 1956.

Viroli, Maurizio, From Politics to Reason of State. The Acquisition and Transformation of the Language of Politics 1250–1600, Cambridge, Cambridge University Press, 1992.

Warner, Marina, In weiblicher Gestalt. Die Verkörperung des Wahren, Guten und Schönen, Reinbek bei Hamburg, Rowohlt, 1989.

Weissenbach, Johann Caspar, Auffnemmende Helvetia, das ist: Kurtzer Entwurff, welcher gestalten ein hochlobliche Eydgnossschafft ... in einen gantz sovrainen Stand und freye Republic erhebt worden, Luzern, 1702.

Weissenbach, Johann Caspar, Eydgnosssisches Contrafeth auff- unnd abnemmender Jungfrawen Helvetiae, hg. v. Hellmut Thomke, Zürich, Chronos, 2007 (Reprint der Ausgabe Zug 1673).

Wende, Peter, Das Herrscherbild des 17. Jahrhunderts in England, in: Repgen, Konrad, Hg., Das Herrscherbild im 17. Jahrhundert (Schriftenreihe der Vereinigung zur Erforschung der Neueren Geschichte, 19), Münster, Aschendorff, 1991, 58–78.

Wesel-Roth, Ruth, Thomas Erastus. Ein Beitrag zur Geschichte der reformierten Kirche und zur Lehre von der Staatssouveränität, Lahr, Schauenburg, 1954.

Wilckens, Alexander, Quellenautopsie «Michael Praun (1660)», in: Schmale, Wolfgang (Dir.), Europabegriffe und Europavorstellungen im 17. Jahrhundert. Web-Projekt, http://www.univie.ac.at/igl.geschichte/europaquellen/quellen17/praun 1660. htm (25.07.2012).

Winter, Pieter Jan van, De hollandse Tuin, in: Nederlands Kunsthistorisch Jaarboek, 8, 1957, 29–121.

Wolgast, Eike, Politisches Kalkül und religiöse Entscheidung im Reformationszeitalter, in: Luther. Zeitschrift der Luthergesellschaft, 76, 2005, 66–79.

Wolters, Wolfgang, Der Bilderschmuck des Dogenpalastes. Untersuchungen zur Selbstdarstellung der Republik Venedig im 16. Jahrhundert, Wiesbaden, Franz Steiner, 1983.

Wurmann, Jakob, Bulschafft der sich representierden Eidtgnössischen Dam, welcher eine hochloblichen Eidtgnoschaft ihre Herzensgedanken in treuen eröffnet, mit vermelden, dasz sie Ihr verlobte tragende Jungfrauschaft gegen allen ihren auszländischen Bulen rein behalten, sich in Ehestand nit einlassen, sonder by ihrem bis dahin tragenden Kreuz ihr Leib, Ihr Gut und Blut aufsezen darbey leben und sterben wolle, Wissendangen, in Verlegung Caspar Wurmanns, 1676.

Wüthrich, Lucas/Ruoss, Mylène, Katalog der Gemälde. Schweizerisches Landesmuseum, Zürich, Bundesamt für Kultur, 1996.

Wyss, Robert L., Vier Hortus-Conclusus-Darstellungen im schweizerischen Landesmuseum, in: Zeitschrift für schweizerische Archäologie und Kunstgeschichte, 20, 1960, 113–124.

Yates, Frances Amelia, Astraea. The Imperial Theme in the Sixteenth Century, London, Routledge and Kegan Paul, 1975.

Zanger, Abby E., Scenes from the Mariage of Louis XIV. Nuptial Fictions and the Making of Absolutist Power, Stanford, Stanford University Press, 1997.

Ziegler, Walter, Die Entscheidung deutscher Länder für oder gegen Luther. Studien zu Reformation und Konfessionalisierung im 16. und 17. Jahrhundert. Gesammelte Aufsätze, Münster, Aschendorff, 2008.

Zurlauben, Beat Fidel Anton von, Tableaux de la Suisse, ou, Voyage pittoresque fait dans les treize cantons et états alliés du Corps Helvétique, Paris, 1780.

Abbildungsverzeichnis

1. Honorius von Autun, Expositio in Cantica Canticorum (Opera exegetica); © Bayerische Staatsbibliothek München, Clm 4550, vorderer Spiegel
2. Lucas de Heere, Salomo (Philipp II.) empfängt die Königin von Saba, Kathedrale von Gent, 1559; http://es.wikipedia.org/wiki/Archivo:Gantesalomon.jpg
3. Argumentum anti-Normannicum: or An argument proving, from ancient histories and records … (1682). By permission of the Folger Shakespeare Library
4. Heinrich IV. mit Francia und dem ligistischen Ehebrecher, Flugblatt 1589, BNF, Hennin, Bd. IX, 920; © Bibliothèque nationale de France
5. Michael Drayton, Poly-Olbion, 1612; Early English Books Online
6. Jan Tengnagel, Allegorie auf die Blüte der Republik unter Moritz von Oranien, ca. 1618, Gemälde; © Museum Het Prinsenhof, Delft, the Netherlands
7. Ghy Patriotten thans «kijck uyt, kijck uuy, Siet wat een vreemden Dans» om de Hollandtsche Bruut, Flugblatt, 1615, Atlas Van Stolk, Nr. 1308; © Atlas Van Stolk, Rotterdam.
8. Maechts Antwoort tegen op en aen de aenspraek van een courtisaen, Flugblatt 1617, aus: Frederik Muller, De Nederlandsche geschiedenis in platen, Rijksmuseum Amsterdam/Atlas Van Stolk, Nr. 1328; © Atlas Van Stolk, Rotterdam
9. Das Testament des Friedens oder Anstands, 1615, in: Wolfgang Harms, Deutsche Illustrierte Flugblätter des 16. und 17. Jahrhunderts, München 1980–1997, Bd. 2, 182f. (II, 104); © Germanisches Nationalmuseum Nürnberg, gm1165013

10. Capitualtiones, wasgestalt Herrn General Graffen Tilly die alte Junckfrau zu Magdeburg verheiratet worden, 1631, in: W. Harms, Illustrierte Flugblätter, Bd. 2, 400f. (II, 227); © Herzog August Bibliothek, Wolfenbüttel: IH 175
11. Execution vnd verfolgung die der Duc de Alba gethan hat vuider die Euangelisten im Niderland, 1569, Atlas Van Stolk, Nr. 409; © Atlas Van Stolk, Rotterdam
12. Niederländische Medaille, 1583, in: Explication historique des principales médailles frapées pour servir à l'histoire des Provinces-Unies des Pays-Bas, Amsterdam 21736, S. 48f., Nr. 79; © Zentralbibliothek Zürich
13. Le Duc d'Anjou offre son bouclier, casques et epée à la Belgique, 1579, BNF, Estampes, Hennin 723; © Bibliothèque nationale de France
14. Jacopo Tintoretto, Freiwillige Unterwerfung der Provinzen unter Venetia, Dogenpalast, Venedig, um 1580; © Fondazione Musei Civici di Venezia
15. Wunder Schweizerland, Öl auf Leinwand; © Schweizerisches Nationalmuseum, LM-65151; Foto Schweizerisches Nationalmuseum, DIG-3865
16. Conrad Meyer, Titelblatt zu Jacob Wurmann, Bulschafft der sich representirenden Eidtgnössischen Dam, 1676; © Zentralbibliothek Zürich
17a. Hans Georg Krauer oder J. R. Morrini, Sapientia/Lucerna, Neue Kanzlei Luzern, 1698, Neue Kanzlei Rathaus Stadt Luzern; © Stadt Luzern
17b. Andrea Sacchi, Divina Sapienza, Palazzo Barberini, 1633; © Archivio Fotografico Soprintentenza Sepciale per il Patrimonio Storico, Artistico ed Etnoantropologico e per il Polo Museale della città di Roma
18. Magnificentissimo et amplissimo Senatul populoque Tigurino ..., in: Johann Melchior Füssli/David Herrliberger, Zürcher Staatskalender, 1724, Kalender 1724 III, 2 Schweiz; © ZB Zürich, Graphische Sammlung und Fotoarchiv
19. Jean Desmarets de Saint-Sorlin, Europe. Comedie Heroique, 1643; © Bibliothèque nationale de France
20. L'Ambassade du ciel aux potentats d'Europe, 1654; BNF, Estampes, Hennin 3725; © Bibliothèque nationale de France
21. Heinrich Ludwig Gude (?), Einleitung zu den europäischen Staaten und derselben Beschluss, s. l. 1708, Frontispiz; © Herzog August Bibliothek, Wolfenbüttel: M: Gb 298 (1)

Arnulf von Scheliha

«Nation» und «Menschenwürde» Zum Wandel der legitimatorischen Bedeutung von Religion für den demokratischen Staat

1. Politische Ordnung und religiöse Legitimation

Der moderne demokratische Staat kann auf eine direkte religiöse Legitimation seiner politischen Ordnung verzichten. Er bezieht sie durch die grundrechtlichen Freiheiten, die den Staatsbürgern zustehen, deren Geltung und Durchsetzung er zu gewährleisten, deren Konkordanz er in politischen Prozessen zu organisieren, gesetzlich zu fixieren, rechtsstaatlich zu überprüfen und über die er im Konfliktfall richterlich entscheiden zu lassen hat. Durch demokratische Partizipation und rechtsstaatliche Verfahren sind alle Staatsbürger an den Prozessen der Interpretation und Ordnung des Freiheitslebens grundsätzlich beteiligt. Daher steht die Religion dem Staat auch nicht einfach gegenüber, sondern nimmt über die religiöse Orientierung der politischen Akteure auf das staatliche Handeln Einfluss. Diese Schnittstelle wird gelegentlich diskursiv aktiviert. Dabei erfolgt eine reflexive Vertiefung des Verhältnisses von Religion und Politik, die auch eine legitimatorische Dimension hat. In ihr können drei Aspekte voneinander unterschieden werden. *Zunächst* wird in den Diskursen daran erinnert, dass sich das Ensemble der grundrechtlichen Freiheiten einem bestimmten Verständnis des Menschen verdankt, bei dessen Formierung die jüdische und die christliche Religion wesentliche Anteile hatten. Dieses oft verkürzt so genannte Menschenbild wird in den politischen Grundlagendiskursen ebenso wie bei der politischen Diskussion über einzelne Sachverhalte (etwa bei den ethischen Grenzfragen der Biomedizin) aktualisiert. In diesen Diskursen wird auch die religiöse Dimension der anthropologischen Grundannahmen des Gemeinwesens kenntlich gemacht, nicht nur durch ihre Artikulation von Vertretern der Kirchen, sondern auch von den Entscheidungsträgern in Politik und Gesellschaft. *Sodann* ist der demokratische Staat für sein Funktionieren auf die Partizipation der Staatsbürger angewiesen. Er muss sie voraussetzen, kann sie jedoch nicht einfordern. Daher bilden die religiösen Traditionen wichtige sittliche Ressourcen, die – zumindest für die Gläubigen – die Übernahme von politischer Verantwortung legitimieren und die politischen Programmdiskurse mit Grundlagen und Zielvisionen speisen. *Schliesslich* muss sich der Staat über den Modus der Zugehörigkeit zu ihm verständigen. Ein Staat ist ein historischer Sachverhalt. Er fusst auf einem bestimmten nationalen, territorialen, kulturellen, sittlichen und religiösen Erbe und er zieht Grenzen. In der Regel dominiert der generative Modus zur Legitimation von Zugehörigkeit. Zum Staat gehört ein Staatsvolk, das sich in der Regel selbst reproduziert. Aber das Ideal einer nationalen Einheit von Territorium, Volk, Sprache, Kultur und Staat hat niemals der Wirklichkeit vollständig entsprochen. Die Zugehörigkeitsdebatten sind stets nach aussen und nach innen gerichtet. Gegenwärtig bewirken die Etablierung von staatlichen Strukturen oberhalb der Nationalstaaten und die globalen Migrationen, dass neue Zugehörigkeitsdiskurse etabliert werden, bei denen auch die Religion eine wesentliche Rolle spielt. Dabei zeigen sich im historischen Vergleich gewichtige Veränderungen. Die Debatte um die bürgerliche Gleichstellung der Juden im Preussen des späten 18. Jahrhunderts zielte auf Revision der strengen Bindung von Staatsangehörigkeit und religiöser Orientierung. In der Gegenwart sind religiöse Orientierung und Staatsbürgerschaft zwar grundsätzlich entkoppelt. Die immer wieder aufflammenden Diskussionen darüber, ob «der» Islam, in Europa erst durch Migration ansässig geworden, zu dieser Differenzierung in der Lage ist, zeigt aber, dass sich Muslime zum legitimatorischen Nachweis ihrer demokratischen und rechtsstaatlichen Gesinnung aufgerufen fühlen.

Dem zuletzt genannten Diskurszusammenhang soll im Folgenden nachgegangen werden. Ausgangspunkt ist die Hypothese, dass in der Verwendung des Begriffs der Menschenwürde gegenwärtig alle drei Aspekte der legitimatorischen Dimension identifiziert werden können. Er spielt daher eine wesentliche Rolle bei der Bestimmung des Verhältnisses von Politik und Religion und übernimmt insofern eine Schirmfunktion, weil er politisches und religiöses Denken aus unterschiedlichen Traditionen zusammenzuführen vermag. Ausgangspunkt dafür ist seine herausgehobene Bedeutung im Grundgesetz der Bundesrepublik Deutschland und in der Bundesverfassung der Schweizerischen Eidgenossenschaft. Seine priorisierte Stellung in Artikel 1 des Grundgesetzes resümiert die Erfahrungen mit den massiven Menschenrechtsverletzungen während der nationalsozialistischen Diktatur in Deutschland, gibt dem auf ihn folgenden Grundrechtskatalog dadurch eine besondere «story» und macht durch das Achtungs- und Schutzgebot das staatliche Handeln in besonderer Weise grundrechtssensibel. Mit einigem Recht hat man für Deutschland daher auch von einer «offizielle[n] Staatsmoral»[1] gesprochen. In Deutschland, der Schweiz und innerhalb der EU wird im Begriff der Menschenwürde das Set der geteilten normativen Grundannahmen gebündelt, die der staatlichen Ordnung vorausliegen und die das Reservoir gemeinsamer sittlicher Überzeugungen bilden. Geschichtlich betrachtet, ist der Verfassungsrang des Begriffs ein neues Phänomen von beachtlicher Konjunktur.[2] Inzwischen

1 Antes, Menschenrechte und Staatsmoral, 124–137, 131.

2 Vgl. Enders, Freiheit als Prinzip rechtlicher Ordnung, 295–320.

wurde er an prominenter Stelle in internationale Vereinbarungen zum Menschenrechtsthema aufgenommen, zuletzt in die Charta der Grundrechte der Europäischen Union.[3] Weil sich in dieser Begriffsverwendung eine Erfahrung der deutschen bzw. europäischen Geschichte spiegelt, wurde die «Menschenwürde» schon als spezifisches Merkmal einer europäischen Zivilreligion bezeichnet.[4]

In *ideengeschichtlicher* Hinsicht bildet der Begriff eine Synthese aus Elementen des aufgeklärten Naturrechts, der sozialistischen Bewegung und christlicher Anthropologie.[5] In den Verfassungstexten wurde auf eine Definition des Inhaltes verzichtet und der Satz von der Menschenwürde als «nicht interpretierte These»[6] an den Anfang des Grundrechte-Katalogs gestellt. Die damit verbundene Begründungs- bzw. Interpretationsoffenheit ist kein Mangel, sondern angesichts der pluralistischen Konstellation hilfreich,[7] weil der Begriff nur dann, wenn er aus unterschiedlichen Perspektiven interpretiert wird, integrative Kraft entfalten kann. Dies ist durchaus nicht selbstverständlich, sondern verdankt sich einerseits bestimmten historischen Bedingungen und andererseits denjenigen Merkmalen des Begriffs, die ihn für diese Offenheit disponieren. Es ist die «supplementierende Komplementarität»[8] seiner Begründungen und Interpretationen, die es ermöglicht, dass der Begriff innerhalb der *politischen Kultur* eine Schirmfunktion übernimmt, die die unterschiedlichen religiösen, kulturellen und weltanschaulichen Strömungen zu integrieren vermag.

Ziel dieses Beitrages ist die Analyse dieser Schirmfunktion des Menschenwürde-Begriffs im Blick auf die politische Beheimatung von Muslimen in Deutschland und Europa. Für Muslime bietet sich der Begriff der Menschenwürde deshalb an, weil er ein wesentlicher Faktor der Legitimation der demokratisch-rechtsstaatlichen Ordnung im Westen ist und sich Muslime daher durch seine Aneignung als zu ihr zugehörig legitimieren können – sowohl gegenüber der Mehrheitsgesellschaft als auch gegenüber der eigenen Community. Die hermeneutischen Strategien der Aneignung

3 Vgl. ebd., 304f.

4 Vgl. Kleger, Gibt es eine europäische Zivilreligion? Pariser Vorlesung über die Werte Europas.

5 Vgl. Scheliha, «Menschenwürde» – Konkurrent oder Realisator der Christlichen Freiheit?, 241–264.

6 Zitiert nach Enders, Freiheit als Prinzip rechtlicher Ordnung, 297.

7 Vgl. dazu Vögele, Menschenwürde und Gottebenbildlichkeit, 265–276.

8 Heinig, Artikel «Menschenwürde», in: Evangelisches Staatslexikon, 1516–1525, 1520.

und Interpretation des Begriffs Menschenwürde vonseiten muslimischer Intellektueller sind Thema des dritten Teils dieser Studie.

Die sich darin zeigende legitimatorische Bedeutung des Menschenwürde-Begriffs soll durch einen Vergleich mit derjenigen Debatte vertieft werden, bei der erstmals in Deutschland öffentlich über die freiheitliche Grundlage des Staates diskutiert wurde. Dies geschah während der Grundrechtsdebatte in der Frankfurter Nationalversammlung im Jahr 1848, die erstmals eine demokratische Verfassung für das Deutsche Reich erarbeitete. Der Vergleich bietet sich aus mehreren Gründen an. Das Frankfurter Parlament galt als bürgerliches «Professorenparlament», in dem erstmals auf einem offiziellen Forum der politischen Öffentlichkeit ein von den traditionalen Verpflichtungen absehender, intellektueller Diskurs über die freiheitlichen Grundlagen der staatlichen Ordnung geführt wurde. Dabei musste ein Konsens über den verbindlichen Geltungsgrund der bürgerlichen Freiheitsrechte erzielt werden, der zugleich über die Zugehörigkeit zum Deutschen Reich zu entscheiden hatte. Bei der Suche nach diesem Geltungsgrund spielten die offiziellen Ausdrucksformen und Repräsentanten der christlichen Konfessionen eine bloss untergeordnete Rolle. Die Kirchen und ihre Vertreter waren zu eng mit dem christlichen Obrigkeitsstaat verbunden, der in der Revolution gerade überwunden werden sollte. Daher wirkte – das macht den Vergleich für die Gegenwart attraktiv – die religiöse Dimension vor allem *indirekt* auf den Geltungsgrund der Freiheitsrechte ein. Zu diesen gehörte auch, dass man die Voraussetzungen für die Etablierung von religiöser Pluralität schuf, die über die christlichen Konfessionen hinausging. Das hatte schon damals zur Folge, dass sich die Vertreter derjenigen Religion, die in den Genuss der Freiheitsrechte kommen sollten, als von den Grundlagen ihrer Religion aus fähig legitimieren mussten, in den Geltungsbereich der Freiheitsrechte einzutreten. Das war die Situation der jüdischen Menschen in den deutschen Bundesstaaten. Diese Legitimation konnte damals nur im freien intellektuellen Diskurs angeboten werden, weil es dem Judentum damals – wie heute dem Islam – an einer repräsentativen Organisation gebrach, die verbindlich für alle Auskunft hätte geben können. All diese Aspekte legen den Vergleich beider Legitimationsdiskurse nahe. Dazu kommt noch ein forschungsgeschichtlicher Gesichtspunkt: Im Unterschied zu den Verfassung gebenden Beratungen im Parlamentarischen Rat 1948/49 und in der Weimarer Nationalversammlung 1918/19 sind die auf das Thema «Religion» bzw. «Religionsrecht» bezogenen Debatten in der Paulskirche in der evangelischen Theologiegeschichtsschreibung wenig präsent. Dem soll mit diesem Beitrag gegengesteuert werden. Den damaligen Debatten kommt auch deshalb besonderes Gewicht zu, weil man später, bei den Verfassungsberatungen in Weimar (1919) und in Bonn (1948/49), auf die Ergebnisse der Beratungen in der Frankfurter Nationalversammlung zurückgegriffen hat. Die Hypothese, die in diesem zweiten Teil der Studie erhärtet werden soll, lautet: Der Begriff deutsche Nation war damals der Geltungsgrund der Grundrechte. Er stand, wie gegenwärtig der Begriff Menschenwürde, über den religiösen Traditionen, entbehrte aber nicht einer religiösen und sittlichen Dimension. Er konnte religiöse Vielfalt überspannen und gleichzeitig über Inklusion und Exklusion zum politischen Gemeinwesen entscheiden. Er stellte – so soll hier gezeigt werden – damals so etwas wie das zivilreligiöse Fundament des Staatswesens dar.

Auf einen solchen legitimatorischen ‹Sinnmagneten› kann, das wird in den abschliessenden Erwägungen des vierten Teils zusammenzufassen sein, damals wie heute keine Ordnung, die Freiheit politisch organisieren will und damit eine plurale Religionskultur zu beheimaten hat, verzichten. Mit der Verschiebung der zivilreligiösen Plattform von der «Nation» zur «Menschenwürde» verbinden sich aber zugleich einige wesentliche inhaltliche Veränderungen, auf die aufmerksam zu machen ist. Diese zeigen zudem an, dass der Begriff Menschenwürde trotz vielfältiger Aneignungsstrategien kein Passpartout ist, sondern auch in seiner zivilreligiösen Bedeutung unabgeltbare normative Ansprüche stellt, die gegenwärtig noch nicht eingeholt sind.

Der Begriff Zivilreligion wird hier nicht im Sinne seiner US-amerikanischen Interpretation aufgegriffen[9], sondern im Anschluss an Rolf Schieder als «hermeneutischer Schlüssel zur Verständigung über religiös-politische Sachverhalte nach der Aufklärung»[10] verstanden. Danach repräsentiert die Zivilreligion das diskursive Feld, auf dem gemeinsame normative Grundannahmen auf der Schnittstelle von Politik und Religion artikuliert werden. Dieses Verständnis von Zivilreligion geht auf Niklas Luhmanns Beitrag «Grundwerte als Zivilreligion» zurück, die er als Ergebnis der gesellschaftlichen Differenzierung beschrieben hat. Sie ist «einerseits der Verständigungsmodus des Religionssystems mit seiner gesellschaftlichen Umwelt, zugleich aber auch der Bereich des gesellschaftlich Selbstverständlichen, gegen den die Religion verschärft selektive Kriterien zur Geltung zu brin-

9 Vgl. dazu den klassischen Text von Bellah, Zivilreligion in Amerika (1967), 19–41.

10 Schieder, Zivilreligion als Diskurs, 8–22, 14.

gen hat».[11] Danach markiert die Zivilreligion die ideelle Schnittmenge zwischen Religionssystem und politischem System, und zwar so, dass im zivilreligiösen Diskurs über die von allen Staatsbürgern geteilten Werteannahmen zugleich die Unterscheidung beider Teilsysteme durch diese selbst vorgenommen wird. Die religiösen Traditionen gehen also im zivilreligiösen Diskurs – auch in den dort fixierten Konsensen – nicht auf, sondern re-spezifizieren die zivilreligiösen Gehalte in der Perspektive ihrer je eigenen Dogmatik. In diesem Sinne hat auch Eilert Herms den Begriff theologisch rezipiert[12], die wechselseitigen Interdependenzen hervorgehoben und die Freiheit im zivilreligiösen Diskurs als normativen Standard herausgearbeitet, der die religiösen ebenso wie die politischen Akteure vor wechselseitiger Vereinnahmung schützt und die gleichwohl staatlich nicht erzwingbaren Überzeugungsfundamente des staatstragenden Ethos durch freie religiöse Gewissheitskommunikation und damit Zivilreligion hervorbringt.[13] Noch einmal: Es geht bei der Verwendung des Begriffs Zivilreligion nicht um die Behauptung, dass der Staat selber religiöse Attribute annimmt oder darum, die Trennung von Staat und religiösen Gemeinschaften zu unterlaufen[14], sondern um die Identifikation derjenigen diskursiven Plattform, auf der der religionsfreundliche Staat und die staatsfreundlichen religiösen Akteure unterschiedlicher religiöser Traditionen sowie andere zivilgesellschaftliche Player sich über die legitimatorischen Grundlagen und die für sie nicht disponiblen Grenzen des Gemeinwesens verständigen. Ziel dieses Beitrages ist es zu zeigen, dass es diese Plattform gibt, dass sie insbesondere dann diskursiv betreten wird, wenn über Zugehörigkeiten entschieden werden soll und dass es gegenwärtig der Begriff der Menschenwürde ist, an den diese Diskurse angeschlossen werden.

11 Luhmann, Grundwerte als Zivilreligion, in: ders., Soziologische Aufklärung Band 3, 293–308, 303.

12 «Einerseits manifestiert sich in der Zivilreligion […] die in der Gleichursprünglichkeit beider Sphären [Religion, politische Ordnung] begründete spezifische Offenheit des staatlichen Lebens für eine Prägung durch die zielwahlorientierenden Gewissheiten der Religion […] der Staatsbürger, ja seine Angewiesenheit auf und seine Abhängigkeit von ihnen; […] Andererseits […] manifestiert sich in der Zivilreligion zugleich auch das […] Eingebettetsein der Religions- und Weltanschauungskommunikation in die staatlich unterhaltene Friedensordnung sowie die Angewiesenheit der ersteren auf die letztgenannte» (Herms, Systematische Aspekte einer geschichtlichen Realität, 97–127, 111f.).

13 Vgl. ebd., 124–127.

14 Vgl. Nolte, Religion und Bürgergesellschaft, 111.

2. Der Begriff der deutschen Nation und die Grundrechte. Die Debatten in der Frankfurter Nationalversammlung

In Deutschland erlangen die Grundrechte erstmals im Zuge der Revolution von 1848 den Charakter ausdrücklicher Verfassungsnormierung. Dieser Vorgang steht in einem engen Zusammenhang mit der Auflösung der christlichen Legitimation der Fürstenherrschaft durch die reformatorische Obrigkeitslehre, mit der Kritik an der Idee des autoritären christlichen Staates und mit der Idee der Nation, die nun zum Fundament des Politischen wird. Entstanden war das moderne Nationalgefühl in Deutschland als Reaktion auf die Konstituierung der französischen Nation im Zuge der Französischen Revolution. Die Befreiungskriege gegen die napoleonische Fremdherrschaft standen unter dem Vorzeichen von deutschem Nationalgeist, der preussischen Patriotismus nicht ausschloss, bürgerlicher Emanzipation und politischer Partizipation.[15] Der liberale Nationalismus verstand sich – wie das Beispiel Friedrich Schleiermachers zeigt – keineswegs als chauvinistisch oder exklusiv, sondern führte den Kosmopolitismus der Aufklärung fort.[16] Das politische Wollen des liberalen Nationalismus war insofern religiös legitimiert, als die Leitideen der Französischen Revolution Freiheit, Gleichheit und Brüderlichkeit über das Gebot der Nächstenliebe in der christlichen Tradition identifiziert und somit angeeignet werden konnten. Dabei repräsentierte die «Nation» den konkreten historischen Sozialhorizont, in dem diese sittlichen Grundeinsichten in vorzüglicher Weise politisch umgesetzt werden können.[17] Diese religiöse Legitimation des Politischen stand zwar in Spannung zu der reformatorischen Ordnungstheologie und der christlichen Lehre von der von Gott eingesetzten Obrigkeit, konnte aber mit ihr synthetisiert werden. Dagegen standen die ultramontan orientierten Katholiken und die jüdischen Menschen im nationalen Diskurs unter starkem Legitimationsdruck, Glaube und Nation miteinander zu verbinden.

15 Vgl. Senkel, Patriotismus und Protestantismus. Konfessionelle Semantik im nationalen Diskurs zwischen 1749 und 1813.

16 Vgl. Wolfes, Öffentlichkeit und Bürgergesellschaft. Friedrich Schleiermachers politische Wirksamkeit, und Scheliha, Schleiermacher als politischer Denker, 83–100.

17 Vgl. hierzu die historischen Darstellungen von Jacobs, Die Entwicklung des deutschen Nationalgedankens von der Reformation bis zum deutschen Idealismus, und Kupisch, Die Wandlungen des Nationalismus im liberalen deutschen Bürgertum, 51–110, 111–134.

Schon in den damaligen Diskursen über den Begriff war deutlich, dass die Nation keine naturwüchsige und eindeutige Ordnung des sozialen Lebens ist, sondern sich historischen Bedingungen verdankt, die politisch eingeholt werden müssen.[18] Dazu gehört im sog. Vormärz der Übergang von der deutschen Kulturnation, die im 18. Jahrhundert mit der Idee der dynastischen Legitimität politischer Herrschaft verbunden war, in eine «Volksnation», in der die nationale Zusammengehörigkeit politischen Ausdruck findet und vom Volk ausgehend legitimiert wird.[19] Dabei spielen, wie neuere Nationalismusforschung herausgearbeitet hat, religiöse Faktoren eine wesentliche Rolle.[20] Einmal kann das Nationalbewusstsein selbst als politische Religion inszeniert und gegen die etablierten Religionen gerichtet werden, weil diese – wie etwa der Protestantismus – mit den traditionalen politischen Mächten im Bunde waren, oder – wie der ultramontane Katholizismus oder das Judentum – als Faktor nationaler Desintegration angesehen wurden. Sodann gibt es den religiös aufgeladenen Nationalismus, der das politische Wollen des Nationalstaates als Durchsetzung des göttlichen Geschichtswillens ansieht und nicht selten aggressive oder gar imperialistische Züge annimmt. In den Diskursen des Vormärz befindet man sich aber noch jenseits dieser Alternative. Hier wird die deutsche Nation als eine Einheit begriffen, die vor allem ständische Privilegien überwinden und den obrigkeitlichen Paternalismus zugunsten der bürgerlichen Gleichheit aufheben will, ohne zugleich die Individuen voneinander zu isolieren. Darin grenzte man sich wesentlich von der Französischen Revolution ab. Wesentlicher Faktor im Aufbau des politischen Nationalbewusstseins war die Besinnung auf die gemeinsame Geschichte, die innere Differenzen, wie unterschiedliche Abstammung und konfessionelle Spaltung, überbrückte.[21] Auf

18 Vgl. Vick, Defining Germany. The 1848 Parliamentarians and National Identity.

19 Vgl. zu diesen Unterscheidungen: Lepsius, Nation und Nationalismus in Deutschland, 232–246. Danach definiert die «Volksnation» die Ordnung unter Einbezug kultureller, sprachlicher und religiöser Faktoren und zielt auf nationale, territoriale und politisch-staatliche Einheit, die nach innen und aussen strenge Unterscheidungen vollzieht. Im Unterschied dazu konstituiert sich die *‹Kulturnation›* «über die kulturelle Gleichheit von Menschen» (238), zielt nicht notwendiger Weise auf politische Einheit, die vielmehr – so im ersten und zweiten Drittel des 19. Jahrhunderts – durch das dynastisch-monarchische Prinzip legitimiert war, das während der Epoche der Restauration in der «Heiligen Allianz» religiös begründet war.

20 Vgl. Graf, Die Nation – von Gott erfunden, in: ders., Die Wiederkehr der Götter. Religion in der modernen Kultur, 102–132.

21 Vgl. Kaschuba, Volk und Nation. Ethnozentrismus und Geschichte und Gegenwart, 56–81, 60f.

diese Weise übernimmt die Nation die Funktion von Einheitsstiftung und der Beheimatung freier Bürger in einem politisch arrondierten und historisch-kulturell konkret identifizierbaren Sozialverband. Die Nation «repräsentiert eine politische Ebene oberhalb der Region und unterhalb der Weltzivilisation und hat so ihre eigne, unverzichtbare Würde».[22] Zu dieser Würde gehörte in diesem Stadium des Nationalbewusstseins auch, dass die nationale politische Einheit nicht auf Kosten anderer Nationen erreicht werden sollte. Vielmehr besteht ein wesentliches Ziel im Entwurf einer «Konzeption des Zusammenlebens der Nationen».[23] Wird dieser Gedanke geschichts- und individualitätstheoretisch vertieft, tritt die religiöse Dimension des Begriffs Nation hervor, wie exemplarisch an Leopold von Rankes (1795–1886) Bemerkung aus der Einleitung in seine Vorlesung «Deutsche Geschichte» deutlich wird: «Die Völker, erfüllt ein jedes von einem eigentümlichen Geist, durch den sie sind, was sie sind, ohne den sie nicht wäre, was sie wären, den sie den Trieb und die Pflicht haben, nach dem Ideal, das ihnen innewohnt, zu entwickeln, sind Geschöpfe, gleichsam Gedanken des göttlichen Geistes. Auf ihrem gegenseitigen Einfluss und dem Widerstand, den sie sich gegenseitig leisten, beruht der jedesmalige Zustand der Welt.»[24] Die Individualität der Nationen, ihre Vielfalt und wechselseitige Einflussnahme werden von Ranke mit dem Hinweis auf die «Gedanken des göttlichen Geistes» – in einer freilich undogmatischen Weise – religiös begründet und als Motor der geschichtlichen Bewegung aufgefasst.

Die integrative Bedeutung des Begriffs deutsche Nation wird im Grundrechtsdiskurs in der Frankfurter Nationalversammlung 1848 deutlich. In den Grundrechtsdiskursen des Vormärz konkurrierten noch natur- bzw. grundrechtliche Begründungsfiguren mit konservativen, nach denen der Monarch in Einsicht der Gottebenbildlichkeit den Individuen bestimmte Grundfreiheiten zu gewähren und zu garantieren habe.[25] Nach Grimm war diese Frage nach dem «Geltungsgrund» der Grundrechte das «Leitthema für die erste Jahrhunderthälfte».[26] In dieser Zeit dominierte in der Staatsrechts-

22 Ruddies, Religion und Nation. Reflexion zu einem beschädigten Verhältnis, 196–221, 212.

23 Vgl. ebd., 203. Für die Schweiz vgl. Siegenthaler, Supranationalität, Nationalismus und regionale Autonomie. Erfahrungen des schweizerisches Bundesstaates – Perspektiven der Europäischen Gemeinschaft, 309–333.

24 Ranke, Vorlesungseinleitungen, 316.

25 Vgl. Würtenberger, Von der Aufklärung zum Vormärz, 49–96, Nr. 48–53.

26 Grimm, Die Entwicklung der Grundrechtstheorie in der deutschen Staatsrechtslehre des 19. Jahrhunderts, 308–346, 311.

lehre der naturrechtliche Ansatz, der sich nun jedoch im Verfassungs- und Grundrechtsdiskurs von 1848 gerade *nicht* durchsetzen konnte.[27] Die Kontroversen über die Begründung der bürgerlichen Freiheiten klingen im Grundrechtsdiskurs des Vorparlamentes und des Verfassungsausschusses der Nationalversammlung zwar noch nach. Aber schon das revolutionäre «Vorparlament», das vom 31. März bis 2. April 1848 tagte und die Wahlen vorbereitete, hatte insofern bereits eine Vorentscheidung getroffen, als es seinen Grundrechtskatalog gemäss den «im deutschen Volke lebenden Wünsche[n] und Forderungen» als Ausdruck und «geringstes Maass deutscher Volksfreiheit»[28] betrachtete. Der Verfassungsentwurf des sogenannten Siebzehnerausschusses des Bundestages rekapituliert in der Präambel die zurückliegende Epoche mangelnder Einheit, innerer Zerrüttung und Herabwürdigung der Volksfreiheit und stellt im vorletzten Teil des Entwurfes die Grundrechte als vom «Reich» «dem Deutschen Volke» «gewährleistet»[29] auf. Hier wird nur nationalhistorisch argumentiert. Jede religiöse oder naturrechtliche Legitimation fehlt. Vielmehr begründet der enge Konnex von Nationalbewusstsein und Freiheit die grundrechtlichen Normen. Eine ähnliche Formulierung findet sich im späteren Verfassungstext. In Artikel 130 heisst es: «Dem deutschen Volke sollen die nachstehenden Grundrechte gewährleistet seyn.»

Hier wie in den späteren Plenardebatten zu den Grundrechten fällt der Begriff Menschenwürde übrigens selten, mutmasslich weil er aufgeklärt-naturrechtlich oder sozialistisch geprägt ist. Lediglich in den Debattenbeiträgen des Rechtsphilosophen Heinrich Julius Ahrens (1808–1874, luth.)[30], Schüler des Philosophen Karl Ch. F. Krause (1781–1832), spielt er eine tra-

27 Dies hatte zum Ergebnis, dass «die Grundrechte [...] auf diese Weise an beträchtlicher Durchsetzungsschwäche» (Grimm, Entwicklung der Grundrechtstheorie, 320) litten. Nach der «Paulskirche», die trotz ihres Scheiterns im Blick auf die Grundrechte Vorbild für die nachfolgend oktroyierten Verfassungen war, verlor die Frage nach dem Geltungsgrund der Grundrechte an Interesse (vgl. Grimm, 322), zumal im Kaiserreich die bürgerlich-ökonomische Freiheit weitgehend gewährleistet war und Konservative und Liberale gemeinsam gegen die sozialistische Bewegung standen, was die Attraktivität naturrechtlicher Begründungen weiter schwächte. Der Rechtsstaat konnte auch ohne weitreichende demokratische Partizipationsrechte funktionieren (vgl. Grimm, 344).

28 Zitiert nach der Dokumentation der Quellen in Scholler, Die Grundrechtsdiskussion in der Paulskirche, 50.

29 Ebd., 51.

30 Die Angaben zur konfessionellen Zugehörigkeit sind entnommen aus: Koch, Die Frankfurter Nationalversammlung 1848/49. Vgl. auch Best/Weege, Biographisches Handbuch der Abgeordneten der Frankfurter Nationalversammlung 1848/49.

gende Rolle. Hier wird er mit der dem Menschen zukommenden vernünftigen Freiheit in Verbindung gebracht, die zugleich eine religiöse Dimension hat.[31] In den Debatten der Paulskirche fällt er überdies im Zuge der Diskussion um die Begrenzung staatlichen Strafhandelns[32] und im Zusammenhang der Feudallasten.[33] Angesichts der sehr ausführlichen Grundrechtsdebatten dürften diese wenigen Erwähnungen der Menschenwürde weniger durchgängig «belegbare Grundlagenfunktion»[34] haben als ornamental sein.[35]

Nach ihrem Zusammentreten wählt die Nationalversammlung einen 30 Mitglieder umfassenden Verfassungsausschuss, der nach Ablehnung des Siebzehner-Entwurfes einen eigenen Entwurf erarbeiten sollte. Der Vorentwurf dazu wurde von Friedrich Christoph Dahlmann (1785–1860, luth.), Robert Mohl (1799–1875, ev.) und Eugen Alexander Megerle von Mühlfeld (1810–1868, kath.) erarbeitet («Vorkommission»), nach den Beratungen im Ausschuss umgearbeitet und von Carl Georg Beseler (1809–1888, ev.) und Johann Gustav Bernhard Droysen (1808–1884, luth.) redigiert und dem Plenum vorgelegt.

In den Debatten des Verfassungsausschusses[36] und in der Nationalversammlung sind die unterschiedlichen Möglichkeiten der Begründung der

31 Vgl. die aus Ahrens' Feder stammenden Artikel «Freiheit» und «Freiheitsrechte» aus dem Deutschen Staats-Wörterbuch (Band 3) von 1858. Schon für Krause machte die vernünftige Freiheitsqualität des menschlichen Lebens seine Würde aus (vgl. z. B. Krause, Der Erdrechtsbund, 28, 31 u. ö.).

32 In der Begründung des Abgeordneten Carl Alexander Spatz (1810–1856, ev.) zu seinem Antrag, dass die «Strafen des Prangers, der Brandmarkung und der körperlichen Züchtigung […] nicht stattfinden» können (Wigard, Reden für die Deutsche Nation 1848/1849 (Band 2)).

33 In der Rede des Abgeordneten Friedrich Wilhelm Schlöffel (1800–1870), der seinen Antrag auf entschädigungslose Aufhebung der Feudallasten mit dem Hinweis auf die in der Menschenwürde eingelagerte Gleichheitsidee begründet (vgl. Wigard, Reden für die Deutsche Nation 1848/1849 [Band 4], 2416).

34 Kühne, Von der bürgerlichen Revolution bis zum Ersten Weltkrieg, 97–151, Nr. 18.

35 Zumal es sich bei Spatz und Schlöffel um Redner aus dem linksliberalen Spektrum gehandelt hat, in dem die naturrechtliche Argumentation bevorzugt wurde, die sich aber in der Grundrechtsbegründung gerade nicht durchsetzen konnte. Das passt auch zu den beiden anderen von Kühne angeführten Erwähnungen der «Menschenwürde», bei denen es um die Begründung von sozialen Rechten geht, die sich bekanntlich erst in der WRV durchgesetzt hat.

36 Mitglieder im Ausschuss für den Entwurf einer Reichsverfassung waren Ahrens, von Andrian-Werburg, von Beckerath, Carl Georg Christoph Beseler, Blum, Dahlmann, Deiters, Detmold, Droysen, Heinrich von Gagern, Max von Gagern, Hergenhahn, Jürgens,

freiheitlichen Grundrechte diskutiert worden. Es gab «letztlich unentschiedene Meinungsverschiedenheiten zwischen den Anhängern vorgegebener Menschenrechte, zwischenzeitlich verlorener Urrechte und staatlich gegebener Rechte.»[37] Repräsentant der Befürworter der Menschenrechtsqualität der Grundrechte war der deutsch-katholisch engagierte Kammerstenograph Franz Jakob Wigard (1807–1885, deutsch-kath.). Er trat im Verfassungsausschuss dafür ein, den Grundrechten eine Art Erklärung der Menschenrechte vorauszuschicken, konnte sich damit aber nicht durchsetzen.[38] Ahrens dagegen profilierte sich als Kritiker des aufgeklärten Naturrechtes und trat der individualistischen Interpretation der Menschen- und Grundrechte entgegen. Er kritisierte «die abstrakte, individualistisch atomistische Massenfreiheit» und empfahl deren gleichursprüngliche Einbindung in den Volksorganismus: «Die wahre Organisation der Freiheit verknüpft das Princip der Ordnung und der Freiheit, stärkt das Ganze durch die Theile, die Glieder durch den Gesamtorganismus; sie bewirkt […] zum Wohle des Ganzen und zur Erleichterung der staatlichen Regierung, eine Vertheilung der Freiheit nach den einzelnen Lebenskreisen, begegnet dadurch der großen Gefahr, welche aus der ungeordneten Massenfreiheit entspringt, […] und erzeugt durch die nothwendige Wechselwirkung aller Kreise […] einen Gemeingeist, der durch die freien Gliederungen nicht geschwächt, sondern wesentlich gestärkt wird.»[39] Man erkennt rasch, wie organologische Sozialvorstellungen der individualistischen Vereinseitigung des Freiheitsverständnisses wehren sollen. Ebenso wird die *natürliche* Egalität der Menschen abgelehnt. In der Debatte um den Gleichheitsgrundsatz wird vielmehr ihr *bürgerlich*-rechtlicher Charakter betont. So führt Ahrens aus: «Es handelt sich hier allein um die bürgerliche Gleichheit, nicht um jene rohe, materialistisch-communistische Gleichheit, welche alle natürlichen Unterschiede in den geistigen und physischen Fähigkeiten aufheben, und auch die Folgen

Fürst Lichnowky, Mittermaier, von Mohl, Megerle von Mühlfeld, Pfizer, Römer, Scheller, Schreiner, Schüler, Simon, von Soiron, Tellkampf, Waitz, Welcker, Wippermann (vgl. Koch, Die Frankfurter Nationalversammlung 1848/49). Evangelische Pastoren waren nicht darunter (vgl. Homrichhausen, Evangelische Christen in der Paulskirche 1848/49, 257ff.).

37 Kühne, Die Reichsverfassung der Paulskirche, 164; vgl. auch die Hinweise auf 166.

38 Vgl. Droysen, Die Verhandlungen des Verfassungsausschusses der deutschen Nationalversammlung. Erster Teil, 3–5.

39 Ahrens, Artikel «Freiheit», in: Deutsches Staats-Wörterbuch, 730–739, 739.

derselben in Bezug auf Arbeit und Vermögenserwerb vertilgen will.»[40] Eine Alternative zur organologischen Einfriedigung des bürgerlichen Individuums in den Sozialverband bietet die Genossenschaftstheorie des Staatsrechtlers Beseler. Er führt aus: Noch «steckt in unserer deutschen Natur und durch alle Polizeilichkeit und Staatsbevormundung nicht ruinirt, der tiefe germanische Zug der Genossenschaft und in tausend Formungen quillt er überall hervor; er ist das rechte und das volle Gegengewicht gegen die Zersetzung des Lebens in der Gesellschaft, die sich durch die traurige Nachäffung französischer Vorbilder in unser deutsches Wesen eindrängen will».[41]

Die Mehrzahl der rechtswissenschaftlichen Mitglieder im Verfassungsausschuss gehörte der historischen Rechtsschule an. Daher dominierte die nationale Perspektive mit dem Ergebnis, dass man der individualistisch-menschenrechtlichen Deutung der Grundrechte der Französischen Revolution nicht folgte, sondern ein Programm gesellschaftlicher Integration verfolgte. Daher band man die Geltung der bürgerlichen Freiheiten an die Idee der deutschen Nation und den in ihr erreichten Stand der Sittlichkeit.[42] Ausdrücklich weist man in der Begründung des Entwurfes zum Grundrechtskatalog darauf hin, dass man auf «leere Theorieen und willkürlich ersonnene Systeme [...] keine Rücksicht genommen» habe. Vielmehr sei dasjenige ausgewählt worden, was «unserer Volksthümlichkeit, unseren gegenwärtigen Bedürfnissen entspricht, und unserer nationalen Entwickelung die beste Förderung und Sicherung verheißt»[43]. Insofern werden die individuellen Grundrechte an die Nation und ihre Gliederungen gebunden und nur in ihnen als wirksam vorgestellt, unabhängig davon, ob dieses historische Kollektiv genossenschaftlich und organologisch ausgelegt wird. Ganz im Sinne der dadurch legitimierten Grenzziehung wird der Grundrechtskatalog mit Bestimmungen zum deutschen Volk und zum Reichsbürgerrecht eingeleitet.[44]

40 Wigard, Reden für die Deutsche Nation 1848/1849 (Band 2), 1293, Nr. 57 vom 2. August 1848.

41 Droysen, Die Verhandlungen des Verfassungsausschusses der deutschen Nationalversammlung. Erster Teil, 24.

42 Vgl. Kühne, Revolution und Rechtskultur, 59–62.

43 Bericht des Verfassungsausschusses der Constitutierenden Nationalversammlung über die Grundrechte des deutschen Volkes, in: Wigard, Reden für die Deutsche Nation 1848/1849 (Band 1), 681–682, 681, Nr. 31 vom Dienstag, den 4. Juli 1848.

44 Nach Kühne (Die Reichsverfassung der Paulskirche. Vorbild und Verwirklichung im späteren deutschen Rechtsleben) darf der Kontrast nicht überschätzt werden. Der

Daher spielen auch religiöse Legitimationsfiguren in den Diskussionen keine Rolle. Zwar wird in den Debatten um die Grundrechte und die Prinzipien des Religionsrechtes gelegentlich von einigen Rednern beklagt, dass in der Verfassung der Verweis auf Gott fehle und in den Grundrechten kein Verweis auf das Christentum enthalten sei. Dem wird freilich entgegengehalten, dass ein solcher Bezug an die Idee des christlichen Staates erinnere, der aber durch seine repressiven Massnahmen gegen Nationale und Demokraten im Vormärz so diskreditiert sei, dass jede christliche Begründung der neuen Reichsverfassung und ihres Grundrechtskataloges ausscheide.[45] Der christliche Staat ist in der Perspektive vieler Redner identisch mit dem Polizeistaat der Restaurationszeit. Der Begriff der deutschen Nation hat in diesem Stadium seiner Geschichte bezüglich der Grundrechte legitimatorische Bedeutung, und zwar ohne direkte Bezüge auf die christliche Religion. Dennoch zeigt sich – wie oben mit Verweis auf Leopold von Ranke angedeutet wurde – in der kulturellen, sittlichen und politischen Bedeutung des Begriffs eine religiöse Dimension, die *post festum* seine interpretatorische Respezifikation durch die Vertreter der Religionsgemeinschaften ermöglicht.

Direkt thematisch wird das Thema Religion in den Debatten über den Artikel zur Glaubens- und Gewissensfreiheit und über das künftige Verhältnis von Staat und Kirchen. Hier erweist sich die integrative Funktion des Begriffs deutsche Nation und des aus ihm abgeleiteten Freiheitsverständnisses. Der Artikel über «die volle Glaubens- und Gewissensfreiheit» (Artikel III, §11 im Entwurf) wird in der Begründung als eine der «wichtigsten Consequenzen des allgemeinen Princips»[46] der bürgerlichen Freiheit bezeichnet. Die ganz überwiegende Mehrheit der Nationalversammlung wollte dieses Grundrecht möglichst uneingeschränkt verwirk-

Grundrechtskatalog sei weniger «Frucht einer rechtsinhaltlichen Gesamtentscheidung», als vielmehr nur «politisch-pragmatisch» (161) zu verstehen. Insgesamt «enthalten die Grundrechte der Paulskirche unterhalb der Gesamtstaatsebene sämtliche Rechte, die für das gesellschaftliche Leben einschliesslich des Staatslebens bedeutsam sind. Sie regeln den gesamten, für notwendig erachteten Unterbau der Reichsgenossenschaft.» (170) Dennoch darf nicht übersehen werden, dass es die Idee der deutschen Nation und deren Freiheit und Selbständigkeit ist, die den Legitimations- und Entfaltungsrahmen für Einheit und bürgerliche Freiheit darstellt.

45 Vgl. exemplarisch den Beitrag von Wigard, Reden für die Deutsche Nation 1848/1849 (Band 3), 1788, Nr. 69 vom 30. August 1848.

46 Wigard, Reden für die Deutsche Nation 1848/1849 (Band 1), 685, Nr. 31 vom 4. Juli 1848.

licht sehen. Die Zulassung neuer Religionsgemeinschaften bedürfe nicht der staatlichen Anerkennung (Artikel III, §14 Entwurf, §147 FRV). Ordnungs- oder staatspolitische Bedenken, die – etwa von dem Abgeordneten Michael Behr (1775–1851, kath.) – geäussert wurden[47], fanden keinen Rückhalt. In den Plenarberatungen wird der abwehrrechtliche Charakter der Glaubens- und Gewissensfreiheit durch den beschlossenen Zusatz «Niemand ist verpflichtet, seine religiöse Überzeugung zu offenbaren» verstärkt. Diese Betonung der «negativen Religionsausübungsfreiheit des § 148 FRV beruhte auf dem sogenannten Kniebeugungserlass, mit dem in Bayern auch andersgläubige Soldaten zu bestimmten Handlungen des katholischen Kultus verpflichtet worden waren».[48] Im Blick auf die positive Religionsfreiheit zielt man vor allem auf die jüdische Religionsgemeinschaft, einen weitergehenden religiösen Pluralismus hat man nicht im Blick.[49] Dazu Beseler: «Wenn wir volle Glaubens- und Gewissensfreiheit gewähren, dann geben wir auch dem Einzelnen die Berechtigung, überhaupt keinen positiven Glauben zu haben.»[50] Aber man will durch die Verfassungsbestimmungen das Volk auch nicht zum Unglauben animieren. Atheismus ist die kaum vorstellbare, als minderwertig apostrophierte und höchstens als vorübergehendes Phänomen[51] vorkommende Ausnahme[52], was verfassungsrechtlich

47 Vgl. Wigard, Reden für die Deutsche Nation 1848/1849 (Band 3), 1725–1726, Nr. 67 vom 26. August 1848.

48 Vgl. Kühne, Die Reichsverfassung, 486.

49 «Die öffentliche Religionsübung soll den christlichen Religionsgesellschaften und den Juden gewährt sein. Meine Herren, im Ausschusse haben wir an keine andere gedacht.» (Beseler im Abschlussbericht über die Debatte, in: Wigard, Reden für die Deutsche Nation 1848/1849 [Band 3], 1762, Nr. 68 vom 28. August 1848.). Er fügt andernorts noch hinzu, dass aber auch anderen Gruppen, wenn sie denn auftreten, Religionsfreiheit zu gewähren (aber nicht zu garantieren) ist.

50 Wigard, Reden für die Deutsche Nation 1848/1849 (Band 3), 1762, Nr. 68 vom 28. August 1848.

51 Vgl. den Redebeitrag von Ahrens in: Wigard, Reden für die Deutsche Nation 1848/1849 (Band 3), 1777, Nr. 69 vom 30. August 1848.

52 «Es ist nun eingewendet worden, man könne da an eine Religionsübung des Unglaubens denken. Meine Herren! So wenig eine Religion des Unglaubens möglich ist, ebenso wenig kann es eine Ausübung derselben geben. […] Nun, ich glaube, dass gegen das Schlechte und Unsittliche schon Vorsehen getroffen ist durch den zweiten Satz des § 12, wonach Verbrechen und Vergehen auch in diesem Fall dem Strafgesetz verfallen sein sollen.» (Beseler im Abschlussbericht über die Debatte, in: Wigard, Reden für die Deutsche Nation 1848/1849 [Band 3], 1763, Nr. 68 vom 28. August 1848).

auch daran sichtbar wird, dass der vorgeschriebene Eid eine theistische Formel aufweist, die nicht eingeschränkt oder fortgelassen werden darf.[53]

Im Mittelpunkt der Diskussion des Religionsverfassungsrechts stand das Verhältnis von Staat und Kirche. Der Ausschuss hatte in seinem Entwurf auf die Unabhängigkeit bzw. Trennung von Staat und Kirche verzichtet, weil eine Entflechtung insbesondere der evangelischen Kirchen mit den Bundesstaaten «schwierig sei».[54] Dass es sich dabei um eine höchst strittige Position handelt, zeigt die Tatsache, dass gleich vier Minoritätsgutachten aus dem Ausschuss dazu vorgelegt wurden. In die endgültige Verfassung wurde dann die Staatsunabhängigkeit der Kirchen aufgenommen (Artikel 147). Damit kehrte man zu den Beschlüssen des sogenannten Vorparlamentes von Anfang April zurück, die bei der Aufzählung der Grundrechte «Gleichstellung der politischen Rechte, ohne Unterschied des Glaubensbekenntnisses, und Unabhängigkeit der Kirche vom Staate»[55] genannt hatten. Der sogenannte Siebzehner-Entwurf der Reichsverfassung hatte dagegen zum Verhältnis von Staat und Kirche nichts ausgesagt und rein grundrechtlich argumentiert: «Freiheit des Glaubens und der privaten und öffentlichen Religionsübung; Gleichheit aller Religionsparteien in bürgerlichen und politischen Rechten».[56] Dem fügt der Entwurf der sogenannten Vorkommission (Dahlmann, von Mühlfeld und R. von Mohl) das «Recht zur Bildung neuer Religionsparteien» hinzu.[57]

In der Plenardiskussion um das Verhältnis von Kirche und Staat wurde sehr schnell klar, dass die Unabhängigkeit der Kirchen vom Staat sich durchsetzen würde. Diese Lösung war die systematische Konsequenz der Grundrechte. Viele Redner sahen in der Verselbstständigung der Kirchen auch eine Möglichkeit ihrer Stärkung und die Chance für eine Vitalisierung des religiösen Lebens. Der Entwurf des Verfassungsausschusses hat zur Entflechtung von Kirche und Staat geschwiegen. In § 14 hiess es: «Neue Religionsgesellschaften dürfen sich bilden; einer Anerkennung ihres Bekenntnisses durch den Staat bedarf es nicht.»[58] Dagegen erhoben sich auch bei einigen den Kirchen nahestehenden Parlamentariern Bedenken, weil

53 Vgl. Kühne, Die Reichsverfassung, 481.

54 Wigard, Reden für die Deutsche Nation 1848/1849 (Band 1), 685, Nr. 31 vom 4. Juli 1848.

55 Vgl. Scholler, Grundrechtsdiskussion, 50.

56 Vgl. ebd., 52.

57 Vgl. ebd., 53.

58 Zitiert nach Scholler, Grundrechtsdiskussion, 64.

dieser Vorschlag faktisch auf eine Besserstellung der neuen Religionsgemeinschaften hinauslaufe, weil diese staatsunabhängig sein würden, während die grossen christlichen Kirchen unter dem Kuratel des Staates blieben. Diese Schräglage sei ungerecht und verfassungswidrig. Zur Durchsetzung der Trennungsoption ergab sich in der Sache eine Koalition aus Liberalen und Katholiken. Jene stellten in Fortsetzung der Verfassungsprinzipien auf eine auch auf die Kirchen zu beziehende Emanzipation aller Lebensgebiete ab[59], während die katholischen Vertreter die Möglichkeit der Etablierung einer nationalen Kirchenstruktur sahen und zugleich den Anspruch der geistlichen Hierarchie und des Kirchenrechts auf Regelung der katholischen Angelegenheiten verwirklicht sehen wollten. Die Bildung neuer Religionsgemeinschaften nahm man zur Durchsetzung dieses Zieles billigend in Kauf, wie der Beitrag von Johann Nepomuk Sepp (1816–1909, kath.) zeigt: «Es soll Jedem freistehen, seinen Gottesdienst zu Dan und Bethel zu halten, wenn nur diejenigen auf ihrem Wege nicht behindert sind, welche ihr Angesicht nach Jerusalem wenden.»[60] Freigeister wie Wigard und andere wollten die Selbstregelungskompetenz der Kirchen im Interesse der Freiheit des Einzelnen und der Gemeinden beschränken, was wiederum von der Mehrheit als unsystematisch abgelehnt wurde und auf keine Zustimmung stiess. Freilich befürchtete man, dass die völlig vom Staat getrennten Kirchen ein zu starkes Eigenleben entfalten könnten, mit dem womöglich problematischen Ergebnis, dass die individuellen Freiheitsrechte nicht gewährleistet werden könnten. Daher fügte man eine Schranke ein, nach der die Ausübung der Religionsfreiheit nicht gegen bürgerliche Gesetze und gegen das Strafgesetz verstossen dürfe. Dagegen setzten sich nur wenige (vor allem protestantische) Abgeordnete für eine Beibehaltung des bestehenden Systems ein. Die Gründe dafür gehen exemplarisch aus dem Beitrag eines Vertreters aus dem bayerischen Luthertum hervor, Johann Friedrich Christoph Bauer (1803–1873, ev.). Er sprach sich gegen die Unabhängigkeit der Kirchen aus, weil damit die Möglichkeit repressiver Dominanz von Mehrheitskirchen gegeben sei, die gegenwärtig durch staatliche Aufsicht abgefangen werde, wie er mit Verweis auf die Verhältnisse in Bayern ausführt: «Wohlan, meine Herren, wir bayerischen Protestanten sind darüber im Geringsten nicht im Zweifel, dass, wenn es dieser ultramontanen Partei gelingt, eine völlige Unabhängigkeitserklärung der Kirche hier

59 So zum Beispiel Ahrens in seinem Redebeitrag (s. o., 51).

60 Beitrag von Sepp, in: Wigard, Reden für die Deutsche Nation 1848/1849 (Band 3), 1691, Nr. 66 vom 24. August 1848.

durchzusetzen, wenn es ihr gelingt, unter dem Panier der Glaubens- und Gewissensfreiheit, das sie früher unversöhnlich verfolgte, jetzt aber hoch in ihren Reihen flattern lässt, die verlorne Herrschaft wieder zu erobern, – dass wir dann hier in Frankfurt verlieren, was wir in München gewonnen haben, dass dann unsere Kämpfe, unser confessioneller Unfriede von Neuem beginnen.»[61] Solche Befürchtungen konnten sich am Ende ebenso wenig durchsetzen wie jene derjenigen, die die positive Religionsfreiheit aus Angst vor der Gefahr von neue Sekten, Atheismus oder skurrilen Riten einschränken wollten.

Für die überwiegende Mehrheit der Frankfurter Nationalversammlung war die bürgerliche und religionsrechtliche Gleichstellung der Juden eine klare Folgerung aus der Grundrechtssystematik. Im Plenum sprach sich nur Moritz Mohl (1802–1888, ev.) ausdrücklich nicht aus religiösen, sondern aus kulturellen, ökonomischen und nationalpolitischen Gründen gegen die Emanzipation der Juden aus. Er fasste seinen – von vielen kritischen Zwischenrufen unterbrochenen – Plenumsbeitrag mit den Worten zusammen: «Die Juden sind ein fremdes Element; sie hängen in der ganzen Welt unter sich zusammen, aber sie fühlen sich nicht als Theile des Volkes, unter dem sie leben.»[62] Der direkt auf Mohl antwortende Jude Gabriel Riesser (1806–1863, mosaisch) aus Hamburg legte scharfsinnig die in Mohls Beitrag enthaltenen Widersprüche frei. Anstatt die bürgerliche Gleichheit faktisch an einen Religionswechsel zum Christentum zu binden, forderte er unter dem lebhaften Beifall des Parlamentes jene Differenzierung von Nationalbewusstsein und religiösem Bekenntnis, die die Integration der Juden in die Gesellschaft und ihre bürgerliche Gleichstellung möglich machen würde. «Ich kann zugeben, dass die Juden in der bisherigen Unterdrückung, das Höchste, den vaterländischen Geist noch nicht erreicht haben. Aber auch Deutschland hat es noch nicht erreicht. Die Juden werden immer begeistertere und patriotischere Anhänger Deutschland's unter einem gerechten Gesetze werden. Sie werden mit, und unter den Deutschen Deutsche werden. Vertrauen Sie der Macht des Rechts, der Macht des einheitlichen Gesetzes und dem grossen Schicksale Deutschland's. Glauben Sie nicht, dass sich Ausnahmsgesetze machen lassen, ohne dass das ganze System der Freiheit einen verderblichen Riss erhalten, ohne dass der Keim des Verder-

61 Wigard, Reden für die Deutsche Nation 1848/1849 (Band 3), 1684, Nr. 65 vom 22. August 1848.

62 Ebd. 1755.

bens in dasselbe gelegt würde.»[63] Man sieht an diesem Zitat, dass sich Juden wie Riesser gleichzeitig nicht länger als nationale, sondern als gleichberechtigte religiöse Minderheit auf der Basis bürgerlich-nationaler Egalität verstehen. Er nutzt dabei den adelskritischen, auf Freiheit und Partizipation der Bürger abstellenden Sinn der nationalen Diskurse[64], die es ihm erlauben, religiöse Orientierung und bürgerliche Gleichheit voneinander zu entkoppeln und das Judentum als eine Konfession innerhalb der deutschen Reli gionskultur zu verstehen.[65]

Wendet man den Blick von den Debatten der Volksvertreter auf die Öffentlichkeit in den evangelischen Kirchen und folgt man der Quellenauswahl und Analyse von Ernst Schubert, dann spiegelt die evangelische Predigt im Revolutionsjahr 1848 das Meinungsspektrum in der Frankfurter Nationalversammlung. Diejenigen Prediger, die der Durchsetzung grundrechtlicher Freiheiten positiv gegenüberstehen, begründen dies dominant mit dem erreichten sittlichen Fortschritt im deutschen Volk, der eine verantwortliche Realisierung der nun durchgesetzten bürgerlichen Freiheiten begründe und möglich mache. In den bei Schubert abgedruckten Predigten findet sich nur eine christologische Begründung der bürgerlichen Freiheit.[66] Der Begriff der Menschenwürde fällt in der Quellenauswahl einmal und wird darin zur christologischen Begründung der Gleichheitsidee verwen-

63 Wigard, Reden für die Deutsche Nation 1848/1849 (Band 3), 1756f., Nr. 67 vom 26. August 1848.

64 Vgl. Kuhn, Das neuzeitliche Christentum und die Genese des Nationalismus als ‹politischer Religion›, 131–157, 136.

65 Die Bewertung des Gesamtbeitrages der revolutionären Ereignisse um 1848 für die jüdische Emanzipation ist umstritten. Während Rürup und andere die Widersprüche und Ambiguitäten hervorheben (vgl. exemplarisch Rürup, The European Revolutions of 1848 and Jewish Emancipation, 1–53) und mit der grundrechtlichen Gleichstellung keine neue Etappe beschritten sehen, wird gegenwärtig betont, dass die politische Leistung der Frankfurter Nationalversammlung gerade darin bestanden habe, dass sie trotz der umlaufenden und auch in den eigenen Reihen gepflegten antijudaistischen Ressentiments und judenfeindlichen Stereotypen der religionsrechtlichen Gleichstellung der Juden und ihrer gesellschaftlichen Integration zugestimmt habe (vgl. Vick, Defining Germany, 83–109).

66 In der Predigt von Adolph Stieren, Superintendent und Professor in Jena heisst es: «Aber nicht nur ihrem Ursprung, auch ihrem Wesen nach ist die junge deutsche Freiheit eine Freiheit, mit der Christus uns befreit hat [...] Das freie Wort ist eine Waffe gegen die Sünde, eine Macht, von Gott gegeben.» (zitiert nach Schubert, Die evangelische Predigt, 56).

det.[67] Umgekehrt verurteilen die Gegner der Revolution die neuen Grundrechte als Ausdruck des sittlichen, religiösen und politischen Verfalls und stellen düstere Prognosen.[68] Hier steht man in der Tradition der Kritik am Menschenrechtsdenken im konservativen Protestantismus, wie sie etwa von dem konservativen Rechtsphilosophen Friedrich Julius Stahl (1802–1861) vertreten wurde, der die Grundrechte als feierliche Lossagung vom christlichen Glauben bezeichnet hatte.[69] Die Mehrzahl der von Schubert untersuchten Predigten positionieren sich in der Mitte zwischen den beiden Polen und aktivieren im Zuge ihrer Kommentierung der Ergebnisse der Frankfurter Nationalversammlung die reformatorische Unterscheidung zwischen «weltlich» und «geistlich».[70]

In Abkehr vom Naturrechtsdenken und von der christlichen Ordnungstheologie «folgte die Paulskirche mit breiter Mehrheit einem […] legitimatorischen Ideenwechsel […] zum historischen Rechtsdenken.»[71] Der Begriff Nation wurde kulturell, sittlich, egalitär und politisch bestimmt. Er begrün-

67 Vgl. die Predigt eines gewissen Friedrich aus Frankfurt am Main. Er rekapituliert die Repression während der Restaurationsepoche und fragt rhetorisch: «Konnte sich die Wahrheit entwickeln unter dem Zwange, welchem die heiligsten Menschenrechte, das Recht der freien Sprache, der freien Schrift und der Freiheit der Glaubensforschung unterlagen?» Dann positiv: «Christus lehrte zuerst, dass es unrecht sei, andre zu Sklaven zu machen und sie dadurch ihrer heiligsten Rechte auf Freiheit und Menschenwürde zu berauben.» (zitiert nach Schubert, Die evangelische Predigt, 58).

68 «Über ein kleines werden wir die Kirche nicht mehr sehen. Danach sind die Zeichen der Zeit. Sie werden ja immer kühner und lauter, die Forderungen der völligen Glaubensfreiheit und Glaubensgleichheit. Wenn die Gemeinden sich zu Herren des Glaubens aufwerfen, wenn Atheisten Kirchenpatrone und Mosaisten Bürgermeister werden, so werden wir die Kirche über ein kleines nicht mehr sehen. Wenn, was nicht fern sein dürfte, die Ehen nicht mehr eingesegnet zu werden brauchen und die Trauungen auf dem Rathaus vor dem grünen Tisch dieselbe Heiligkeit haben wie in der Kirche – sagt, was das für ein Familienglück geben kann!» (Claus Harms aus Kiel, zitiert nach Schubert, Die evangelische Predigt, 116f.).

69 Vgl. Robbers, Menschenrechte aus der Sicht des Protestantismus, 387–411, Nr. 31.

70 Reinhard Wittram zitiert in seiner Studie (Nationalismus und Säkularisation. Beiträge zur Geschichte und Problematik des Nationalgeistes) aus Predigten und Abhandlungen der Theologen A.F. C. Vilmar, C. Harms, M. Baumgarten, F.J. Stahl, I.A. Dorner, H.L. Martensen und A. Tholuck. Er zieht auch die Verhandlungen des zweiten deutschen Kirchentages zu Stuttgart heran. In seiner Auswertung der damaligen Beiträge wird die protestantische Kritik an der legitimatorischen Bedeutung des Nationalen und das Beharren auf der klassischen Obrigkeitslehre nach Röm 13 deutlich.

71 Kühne, Von der bürgerlichen Revolution bis zum Ersten Weltkrieg, 97–152, Nr. 9.

det die Aufhebung der Privilegien des Adels, der rechtlichen Vormachtstellung der Kirchen und der Freiheitsbeschränkung durch territorialfürstliche Sondergesetze, territoriale Verfassungen und Traditionen. Er legitimiert die bürgerlichen Freiheiten und bildet so einen Schirm für Zugehörigkeit, Freiheit und Partizipation. Religionspolitisch wird dies am Beispiel des Judentums deutlich, denn der Begriff Nation erlaubt die Dekonstruktion von religiöser Zugehörigkeit, Abstammung und staatsbürgerlichen Freiheitsrechten. In der Systematik der Paulskirchenverfassung wird das Judentum eine Konfession. Man sollte als deutscher Bürger der jüdischen Religion ebenso angehören können wie der lutherischen, reformierten oder römisch-katholischen Kirche. Auch war mit dem Begriff Nation die Integration ethnischer, sprachlicher und kultureller Minderheiten vereinbar. Dieses Ergebnis bedeutete in umgekehrter Richtung, dass weder die christlichen Konfessionen und Kirchen noch die dogmatische Anthropologie des Christentums direkt an der Grundrechtsbegründung mitgewirkt oder in der Grundrechtsdiskussion in der Frankfurter Nationalversammlung eine aktive Rolle gespielt haben. Vielmehr waren die Kirchen hierfür aufgrund ihrer engen Verbindung mit dem restaurativen System der Heiligen Allianz und der Idee des ‹christlichen Staates› diskreditiert. Die legitimatorische Funktion für die Grundrechte kommt allein dem Begriff deutsche Nation zu, der freilich auch eine religiöse Dimension hat[72], die aber nur indirekt als christlich bezeichnet werden kann. Der Diskurs um die Legitimität bürgerlicher und politischer Freiheit hat sich um 1848 vielmehr religiös pluralisiert und deshalb könnte man den Begriff der deutschen Nation als zivilreligiös in dem eingangs bestimmten Sinn bezeichnen, weil sich der damalige Verfassungsgesetzgeber mit der Legitimation der Grundrechte zugleich auf eine religionsfreundliche Kooperation mit den Kirchen und den Vertretern des Judentums festgelegt hat, auf deren Mitwirkung an der gemeinsamen Gestaltung des staatlichen und bürgerlichen Lebens in Deutschland er setzte. Diese Integrationsabsicht dürfte auch der Grund dafür sein, weswegen sich die naturrechtliche Begründung der Grundrechte damals nicht durchsetzen konnte, weil diese im Sinne eines von der Mehrheit abgelehnten Individualismus interpretierbar war. Dagegen begrenzt der Begriff deut-

72 Vgl. Essbach, Der Enthusiasmus und seine Stabilisierung in Kunstreligion und Nationalreligion. Vgl. die von Essbach getroffene Unterscheidung zwischen Rationalreligion, Kunstreligion, Nationalreligion und Wissenschaftsreligion als Transformation traditionaler Bekenntnisreligion. Vgl. Essbach, Europas Religionen, das Erbe der Religionskritik und die kulturelle Globalisierung, 163–176.

sche Nation die individualistische Auslegung der Grundrechte durch die entweder organologisch oder genossenschaftlich zu denkende Einbettung des Einzelnen in das Volk.

Freilich barg der Begriff der deutschen Nation auch zwei wesentliche Schwächen. *Einmal* erwies sich seine zivilreligiöse Kraft als nicht stark genug, um sich gegen die traditionale christliche Legitimität der monarchischen Herrschaft durchzusetzen. Daher lehnte der preussische König mit dem Hinweis auf das Gottesgnadentum seiner und der anderen deutschen Fürsten die ihm von der Nationalversammlung angebotene Kaiserwürde ab. Der Übergang von der Kulturnation in die Volks- und Staatsbürgernation war mit der traditionalen Legitimität der monarchischen Herrschaft noch nicht vermittelt. *Sodann* gingen von der Koppelung von Nation und Grundrechten auch Gefahren für den inneren und äusseren Frieden aus, denn sie war vor einer ethnischen, nationalistisch und imperialen Auslegung nicht geschützt, auch deshalb nicht, weil die Nation es war, die die Freiheit des Einzelnen legitimierte und nicht umgekehrt.[73]

3. Der Begriff der Menschenwürde in den europäischen Legitimationsdiskursen muslimischer Intellektueller der Gegenwart

Im Diskurs über die Grundrechte im deutschen Reich zeigte sich die zivilreligiöse Bedeutung des Begriffs der deutschen Nation darin, dass er als Geltungsgrund der Freiheit fungierte und damit auch die Kraft zur Integration von religiöser Pluralität erhielt. Das aus ihm heraus entwickelte Verfassungswerk liess sich aber nicht mit dem traditionalen religiösen Selbstverständnis des preussischen Königtums vermitteln, so dass es niemals Rechtskraft erlangte. Losgelöst von diesem historischen Ort besass der Begriff der Nation gegen seine nationalistische, ideologische, rassistische und religiöse Übersteigerung keine Bremsen. Im 20. Jahrhundert, nach zwei

73 Jörg-Detlef Kühne (Revolution und Rechtskultur, 57–72) verweist auf die damalige «spezifische Doppelfunktionalität der Freiheitsentfaltung» (59), die staatsbürgerliche und nationale Freiheit zusammenspannt, nun mit durchaus problematischen Folgen für das damals geltende völkerrechtliche System des Wiener Kongresses (vgl. 68–71). Auf den Übergang vom emanzipatorischen völkerverbindenden Nationalismus zu einem «gesunden Volksegoismus» und zum «Recht des Stärkeren», der in Frankfurt kenntlich wird, macht auch Reinhard Rürup (Deutschland im 19. Jahrhundert, 184) aufmerksam.

durch entfesselte Nationalismen ausgelösten Weltkriegen und den menschenverachtenden Gräueltaten des nationalsozialistischen Regimes, band man die Ideen der Volkssouveränität und des deutschen Nationalstaates daher an die Menschenrechte. Die in ihnen entfaltete natürliche Freiheit wird *allen* Menschen zugeschrieben und soll jedem staatlichen Handeln vorausliegen. Diese absolute Sonderstellung des einzelnen Menschen ist es nun, die die einzelnen Grund- und Freiheitsrechte legitimiert und das staatliche Handeln verpflichtet. Diese Einsicht wird im Grundgesetz der Bundesrepublik Deutschland in Artikel 1, dem Satz von der Unantastbarkeit der Menschenwürde, zum Ausdruck gebracht, der dem Grundrechtskatalog gewissermassen als Präambel vorgeschaltet ist. Die Würde des Menschen gilt als Grund und Mass staatlicher Ordnung. Die Erinnerung an die nationalsozialistische Terrorherrschaft war der Anlass dafür, mit dem Satz von der Unantastbarkeit der Menschenwürde die implizit immer schon in Anspruch genommene ideelle Grundlage des Menschenrechtsdenkens ausdrücklich zu machen. Dieses Bekenntnis «signalisierte die Rückkehr des Deutschen Volkes in die Gemeinschaft der zivilisierten Staaten».[74] Zugleich stand es am Anfang einer Entwicklung, in der in den 1970er und 1990er Jahren der vom Grundgesetz aufgemachte Zusammenhang von Menschenwürde und Menschenrechten nicht nur in zahlreiche nationale Verfassungswerke eingegangen ist, sondern – wie eingangs erwähnt – auch zum zentralen Baustein des europäischen Einigungswerkes avancierte.

Damit zieht der Begriff der Menschenwürde auch eine legitimatorische Funktion für die Zugehörigkeit von Menschen zu demjenigen Staatswesen auf sich, das sein Handeln am Satz von der Menschenwürde ausrichtet. Im Zeitalter von globaler wirtschaftlicher Verflechtung und Migration wird dieser legitimatorische Aspekt zunehmend wichtiger. Das Bekenntnis zur Menschenwürde legitimiert nicht nur die politische Ordnung, sondern die Anerkennung der Menschenwürde legitimiert die Zugehörigkeit zu ihr. Daher muss der Begriff – wie im Judentum der Begriff deutsche Nation – von denjenigen, die unter den Schirm dieser politischen Ordnung treten wollen, angeeignet werden. Dieser Aneignungs- und Anerkennungsprozess soll nun im Blick auf Muslime in Europa beobachtet und im Blick auf die zivilreligiöse Bedeutung des Begriffs Menschenwürde analysiert werden.

Dabei ist vorab daran zu erinnern, dass sich die christlichen Kirchen im westlichen Europa die politischen Merkmale des Begriffs – phasenverscho-

74 Enders, Berliner Kommentar zum Grundgesetz, 13. Erg.-Lfg. VII/05, RN 28.

ben – erst im Laufe des 19. und 20. Jahrhunderts angeeignet haben.[75] Damit vollzog sich sukzessive die Anerkennung der Demokratie als einer Staatsform, die von den religiös-sittlichen Grundlagen des Christentums aus bejaht werden kann. Die historischen Erfahrungen mit den totalitären Systemen im 20. Jahrhundert, insbesondere mit dem Nationalsozialismus in Deutschland, spielten bei diesen Rezeptions- und Anerkennungsprozessen eine sehr grosse Rolle. Diesen Vorgang einer Beheimatung im Staat durch Aneignung der Menschenwürde-Idee konnte man in den fünfziger Jahren an den christlichen Kirchen in der Bonner Republik beobachten, die ihre Verlautbarungen zu politischen und sozialen Themen in den politischen Diskurs einspeisten und dabei den auf dem Satz von der Menschenwürde aufgebauten Staat des Grundgesetzes schätzen lernten. Dies führte bei beiden christlichen Kirchen dazu, dass mit der konkreten politischen Option zugleich eine Auslegung der Menschenwürde verbunden wurde, so dass die christlichen Kirchen gleichermassen als politische Akteure und als Affirmateure der zivilreligiösen Grundlagen des Gemeinwesens auftreten. Insofern legitimiert die Aneignung des Menschenwürdebegriffs christlicherseits den freiheitlich-demokratischen Rechtsstaat wie umgekehrt für den Staat die die Menschenwürde anerkennenden Religionsgemeinschaften (im Sinne des Menschenbildes, der Zivilgesellschaft und der Ausfüllung der Religionsfreiheit und der staatskirchenrechtlichen *res mixtae*) legitime Religionen sind.

Gegenwärtig zeigt sich die zivilreligiöse Kraft des Satzes von der Menschenwürde dort, wo zum Beispiel muslimische Intellektuelle, Verbände und Organisationen den Begriff Menschenwürde aufnehmen und unter ihren Verstehensbedingungen interpretieren. Die überregionalen islamischen Organisationen und Verbände haben die zivilreligiöse Bedeutung des Begriffs der Menschenwürde in Deutschland schon lange erkannt. Ihre Internet-Auftritte enthalten ausnahmslos Bekenntnisse zur Menschenwürde und zu der aus ihr abgeleiteten freiheitlich-demokratischen Grundordnung.[76] Dies ist der formale Ausweis ihrer Zugehörigkeit zum Rechtssystem und soll sie vor der Öffentlichkeit als seriöse gesellschaftspolitische Akteure legitimieren. Naturgemäss sind solche Bekenntnisse formelhaft, Begründung und Näherbestimmungen sind höchstens in Abbreviaturen zu erkennen. Nicht selten ist der Verdacht von «Lippenbekenntnissen» geäussert

75 Vgl. Scheliha, «Menschenwürde» – Konkurrent oder Realisator der Christlichen Freiheit?; Saberschinsky, Die Begründung universeller Menschenrechte.

76 Vgl. neuerdings das Zentrum Islam in Europa München, das sich dezidiert der religionskulturellen Integration des Islam verschrieben hat: www.zie-m.de (17.8.2012).

worden, vor allem gegenüber Organisationen und Verbänden. Das soll hier nicht weiter verfolgt werden. Vielmehr geht es nun um die Analyse gedanklicher Aneignung und religiöser Interpretation der Menschenwürde – unter Einschluss der dabei verwendeten Methoden und gesellschaftspolitisch vertretenen Inhalte.

Der Begriff Menschenwürde ist kein genuin islamischer Begriff. Allen reflektierten Teilnehmern im aktuellen muslimischen Menschenwürdediskurs dürfte klar sein, dass er durch das Menschenrechtsdenken der westlichen Tradition vorgegeben ist, durch die Charta der Vereinten Nationen weltweit in Geltung steht und Anerkennung geniesst. Im Diskurs werden daher die inneren Schwierigkeiten der Aneignung erkennbar. Zwei Lösungswege werden eingeschlagen. Auf dem einen Weg wird zugestanden, dass zwar der begriffsgeschichtliche Befund für die neuzeitliche Genese der Begriffe Menschenwürde und Menschenrechte spreche. Der Gehalt jedoch sei von je her in Koran und Prophetengeschichte präsent, jedoch durch falsche Auslegung verdunkelt. Sie seien wieder freizulegen.[77] Der andere Weg zielt auf eine tiefgreifende Revision muslimischen Denkens und der Auslegung der Rechtsquellen. Der tunesische Rechtswissenschaftler Yadh Ben Achour, Professor an der Universität von Karthago, zum Beispiel zeichnet in seinem Beitrag «Droits du croyant et droits de l'homme. Un point de vue islamique»[78] nach, dass das klassische islamische Denken monistisch geprägt ist. Daher seien jene begrifflichen Dualismen, die das Christentum seit Augustin im Blick auf die Unterscheidung von religiöser und bürgerlicher Existenz ausgebildet und die es für die Rezeption des säkularen Naturrechtsdenkens geöffnet hätten, hier nicht hervorgebracht worden. Dieses aber, in seinen Augen eine «construction intellectuelle et historique européenne»[79], nehme heute «une dimension planétaire»[80] ein und daher müsse die islamische Welt zu ihr Stellung nehmen. Freilich gebe es in ihr dagegen aber erhebliche Vorbehalte, die vor allem mit der klassischen «conception radicalement unitaire»[81] der islamischen Philosophie zusammenhingen, die die Unterscheidung von Glaubens- und Bürgerrechten fortgesetzt konfundiere. Dazu komme, dass eine religiöse Institution fehle, was die Umset-

77 Vgl. exemplarisch Ayengin, Islam und Menschenrechte, 209–217.

78 Vgl. Ben Achour, Droits du croyant et droits de l'homme. Un point de vue islamique, 111–128.

79 Ebd., 113.

80 Ebd., 113.

81 Ebd., 115f.

zung religiöser und philosophischer Reformen erschwere. Stattdessen herrsche, insbesondere im sunnitischen Islam, eine «‹orthdoxie de masse›»[82], die insbesondere dann, wenn sie mit den Gelehrten und politisch Mächtigen im Verbund sei, den klassischen Monismus stärke, damit die bestehenden Vorbehalte gegen das Menschenrechtsdenken verlängere und Umformungen verhindere. Gleichwohl: «Cette conception historique ne constitue nullement l'essence de l'islam. Il s'agit bien d'un phénomène historique, certes durable et triomphant, mais qui laisse le champ totalement libre à d'autres interprétations possibles du message coranique et de son messager. Ces autres interprétations ont existé, tout au long de l'histoire, mais on été politiquement vaincues. Un renversement des tendances historiques, même consacrées par la longue durée, est toujours possible.»[83] Dabei komme dem Islam in Europa, Amerika, Kanada und Australien eine Schlüsselrolle zu: «Dans ces nouvelles terres d'islam, l'intégrisme tente de maintenir son emprise.»[84] Als Elemente für diese von innen zu vollziehende Annäherung an das moderne Menschenrechtsdenken nennt Ben Achour im Rahmen einer kritischen Diskussion von Vorschlägen des Reformdenkers Muhammad Iqbal (1873–1938): Der Text des Koran darf nicht wie ein juristischer Text gelesen, sondern muss als ein religiöses Dokument verstanden werden, das dem Prinzip der Evolution gegenüber offen ist. Die legislativen Verse im Koran wurden unter bestimmten historischen Umständen geoffenbart, die weder generalisiert noch absolut gesetzt werden dürfen. Vielmehr bedarf ihre Auslegung besonderer hermeneutischer Anstrengungen, die dem Wechsel der Umstände und dem Zeitgeist Rechnung tragen. Entscheidendes Gewicht bekommt nach Ben Achour daher die Methode des Idschihad: «l'ijtihad, comme aux premiers temps de l'islam, doit constituer à la fois le principe et la méthodologie de ce nouvel état d'esprit, pour assurer à la pensée islamique son adaptation au progrès, à la modernité et à la créativité.»[85] Es wird sich zeigen, dass sowohl die Europa-Diagnose als auch die methodische Aufwertung des Idschihad die beiden entscheidenden Elemente im gegenwärtigen Menschenwürde-Diskurs sind.

Dieser Begriff selbst gehört ebenfalls nicht zum klassischen Denken. Im Blick auf die Genese des Menschenwürde-Denkens im Islam hat Raif Georges Khoury gezeigt, dass ein förmliches ethisches Denken erst mit der

82 Ebd., 126.
83 Ebd., 116.
84 Ebd., 127.
85 Ebd., 124.

mittelalterlichen Rezeption der Philosophien des Platon und des Aristoteles beginnt. Erst hier erfolgt eine *ethische* Interpretation der aus der jüdisch-christlichen Tradition übernommenen biblischen Anthropologie. «Der Islam bleibt im Ganzen gesehen zunächst biblisch geprägt, was die Würde des Menschen anbetrifft, da dieser als Abbild Gottes des Schöpfers, als sein ‹Statthalter› auf Erden fungiert, mit allen Pflichten und Freiheiten, die die Moral der einzelnen Religionen auferlegt: Erfüllt er sie, gelangt er zu seinem Glück, also zu dem, was Aristoteles als höchstes, tugendhaftes Ziel des Lebens für das Individuum nannte.»[86] Freilich, so zeigt schon ein vergleichender Blick auf die christliche Deutung der biblischen Anthropologie, verdankt sich die Identifizierung der göttlichen Erschaffung des Menschen mit der Zuschreibung von Menschenwürde komplexen hermeneutischen Voraussetzungen. Dies gilt in gesteigertem Masse auch für die Interpretation der koranischen Anthropologie im Lichte der Menschenwürde. Dazu sollen nun ein paar Beispiele vorgestellt werden. Die Auswahl der hier herangezogenen Autoren und Quellen ist daran orientiert, dass die Beiträge für ein europäisches Publikum verfasst sind, also nicht allein der innermuslimischen Verständigung dienen, sondern der Öffentlichkeit den Islam als eine Religion präsentieren wollen, die den Begriff der Menschenwürde aufgreift und ihn als eine gesellschaftlich relevante und pluralismusfähige Religion legitimiert.[87]

Als erstes Beispiel sei auf eine kleine Abhandlung des schiitischen Gelehrten Ayatollah S. A. Ghaemmaghami eingegangen, von 2004–2008 Leiter des Islamischen Zentrums Hamburg und Prediger an der dortigen Imam-Ali-Moschee. Seine Interpretation des Begriffs Menschenwürde findet sich in der vom Islamischen Zentrum herausgegebenen Zeitschrift Al Fadschr, die sich sowohl an Leserinnen und Leser innerhalb der Gemeinde als auch an die gesellschaftliche Öffentlichkeit wendet. Ghaemmaghami setzt ein

86 Khoury, Ethik und Menschenwürde im Islam, 91–122, 112.

87 Dass sich die kritische Auseinandersetzung mit dem und die Aneignung des Menschenwürdebegriffs im Islam erst in den letzten Jahren und auf Europa bezogen, zeigt sich zum Beispiel daran, dass der indischstämmige Jurist Muhammad Zafrullah Khan, 1954–1973 Richter am Internationalen Gerichtshof in Den Haag, zeitweise dessen Präsident, noch 1967 in seinem Versuch, die Kompatibilität von Menschenrechtsdenken und koranischen Grundeinsichten nachzuweisen, ganz ohne einen spezifischen Rekurs auf die *dignitas hominis* auskommt (Islam und Menschenrechte, 2004). Im Fokus stehen vielmehr die Ideen von Gleichheit und Brüderlichkeit. Auch sein 1979 publizierter Traktat «Der islamische Staat» (deutsch: 2001) kommt ohne Verwendung des Begriffs Menschenwürde aus. Menschenrechtliche Bezüge fehlen hier ganz.

mit dem koranischen *Locus classicus* zur Menschenwürde. Mit Verweis auf Sure 7,70 schreibt er: «Würde und Edelmut sind spezielle Eigenschaften des Menschen, die kein anderes Wesen besitzt, und wodurch er sogar den Engeln Gottes überlegen ist. […] Die Würde des Menschen […] macht seine essentielle Identität und existenzielle Natur aus. Deshalb steht die Würde des Menschen für nichts anderes als seine Menschlichkeit, denn jeder besitzt unabhängig von Gedanken, Glauben, Religion usw. eine bestimmte Würde.»[88] Er interpretiert den Begriff Menschenwürde mit dem Begriff Freiheit und sucht vor allem koranische Begründungen. Aus anderen koranischen Belegstellen werden weitere Charakteristika abgeleitet: Sure 38,73f: Niederwerfung der Engel vor dem Menschen. Sure 49,13: Gleichheit. Sure 5,32: Schutzqualität der Menschenwürde. Aus diesem Befund werden einerseits bestimmte Menschenrechte abgeleitet, so das Recht auf Leben, das Recht auf Freiheit, auf Entscheidungsfreiheit, auf Arbeit, auf Wohnung, auf Sicherheit, auf Meinungsfreiheit, auf Redefreiheit und auf «Religionsfreiheit des Einzelnen».[89] Abgelehnt wird jede Form von Zwang und Gewalt. Zugleich werden aus dem koranischen Befund zur Menschenwürde auch Verpflichtungen gefolgert. «Freiheit ist gleichbedeutend mit der Würde des Menschen, und diese Würde ist kein Recht, sondern macht vielmehr sein Wesen aus.»[90] Diese Freiheit wird nun im Sinne der islamischen Ethik qualifiziert. Genannt werden die massvolle Befriedigung der natürlichen Bedürfnisse, die Selbstbegrenzung der eigenen Freiheit an der Freiheit des anderen und – das ist entscheidend – die Führung eines seiner Würde gemässen Lebens. Das schliesst die Beachtung der Menschenrechte ein.[91] Dabei soll er sich an den Grundsätzen des Islam orientieren, so dass es am Ende heisst: «Ein Muslim ist in erster Linie ein Mensch, und wenn er seine Würde und Verantwortung als Mensch nicht realisieren kann, entfernt er sich dadurch vom Islam.»[92] Im Gefolge dieser Argumentation wird in der Auslegung der Menschenwürde eine sittliche Pflicht zur Mitwirkung am Aufbau einer Zivilisation abgeleitet, die die Krisensymptome, die von Muslimen in den modernen Gesellschaften beobachtet werden, nicht aufweist. Dafür werden Bildungsprozesse vorausgesetzt, die durch Eltern und Lehrer geleitet werden und die auf den Aufbau des Bewusstseins der eigenen Men-

88 Ghaemmaghami, Menschenrechte und Menschenwürde, 46–50, 46.

89 Ebd., 47.

90 Ebd., 49.

91 Vgl. ebd., 48.

92 Ebd., 47f.

schenwürde zielen, die im eigenen Leben im Sinne der o.g. Kriterien gelebt und entfaltet wird. – Das inhaltliche Hauptproblem dieser Argumentation ist schnell ersichtlich. Der eingangs aus dem Koran abgeleitete ‹natürliche› Begriff der Menschenwürde wird unter der Hand in die muslimische Weltanschauung hinübergespielt und inhaltlich nur von dort her ausgelegt. Am Ende überwiegt die muslimisch verstandene Verpflichtung gegenüber der freiheitlichen Selbstbestimmung, und die Menschenwürde kommt in ihrer universalen Bedeutung nicht zur Geltung.

Eine Variante einer direkt vom Koran her argumentierenden anthropologischen Auslegung des Begriffs und seine strikte Anbindung an eine direkt aus dem Koran abgeleitete Sittlichkeit findet sich in dem Beitrag von Saban Ali Düzgün, Professor für Systematische Theologie an der Theologischen Fakultät der Universität Ankara, der unter Anwendung einer Hermeneutik, die er «Leserreaktions-Theorie»[93] (*ta'wil*) nennt, koranische Schlüsselbegriffe zu einer systematischen Anthropologie verbindet.[94] Der Gedankengang verläuft etwa folgendermassen: Die Menschheit gilt als Ziel des göttlichen Schöpfungshandelns. Gott hat den Menschen als seinen Stellvertreter in die Welt gestellt und ihn zur Wahrnehmung seiner Aufgaben mit den erforderlichen Qualitäten ausgestattet. Die geistige Dimension seines Daseins ist es daher, die den Menschen von den nichtmenschlichen Geschöpfen Gottes unterscheidet. «*Baschar* ist die biologische Seite des Menschen, seine dem Animalischen, der Natur verhaftete Dimension. Die geistige Dimension des Menschen liegt hingegen außerhalb der Zeit. Wegen dieser Zeitlosigkeit fühlt sich der Mensch ständig genötigt, sich mit einem die Natur übersteigenden, metaphysischen Bereich zu verbinden.»[95] Der menschliche Geist soll über die physisch-materielle Schicht im Menschen dominieren. Zu dieser geistigen Dimension gehört die menschliche Erkenntnisstruktur, die sich in dem Masse vervollkommnet, in dem sich das moralische Bewusstsein ausbildet, das ihn zu einer verantwortlichen Person macht. Die geistige Dimension ist zunächst als Anlage vorhanden, die durch die Religion aktiviert und im Laufe der religiösen Bildungsgeschichte

93 Düzgun, Die Möglichkeit einer theologischen Grundlegung der menschlichen Vollkommenheit, 88–123, 105.

94 Dieser Beitrag entstand im Zusammenhang einer gemeinsamen Tagung der Islamisch-Theologischen Fakultät Ankara und der Eugen-Biser-Stiftung (München) 2005, an der eine Reihe prominenter Theologen und Religionswissenschaftler aus Deutschland und der Türkei teilgenommen haben.

95 Düzgun, Die Möglichkeit einer theologischen Grundlegung der menschlichen Vollkommenheit, 88–123, 89.

ausgestaltet werden soll. Das personale Gottesverhältnis ist also das Mittel zur adäquaten Entfaltung der schöpfungsmässigen Disposition und wird im religiös-sittlichen Leben mithilfe der göttlichen Rechtleitung zur Vollkommenheit gestaltet. Dieses auf Orthopraxie ausgerichtete sittliche Leben gilt als das «fundamentalste Menschenrecht»[96] und macht die Würde des Menschen aus. In diesem Beitrag wird nur die kategoriale Plattform «Menschenwürde» erreicht, aber die Aneignung des Menschenrechtsdenkens nicht intendiert.

Ebenfalls im Rekurs auf die *ta'wil*-Methode erhebt Assem Hefny[97] die koranischen Verse 33,72 und 17,70 zum hermeneutischen Ausgangspunkt der islamischen Rechtstradition und -auslegung. Aus seiner besonderen Stellung in der Schöpfung folge, «dass der Mensch im Mittelpunkt der Welt steht und alle Offenbarungen auf sein Wohl und Interesse abzielen. Dies dient [...] als Beweis dafür, dass der Islam die Stellung und Würde des Menschen auf die höchste Stufe erhöht [...] Das führt uns zum Ergebnis, dass die westliche Würdigung des Menschen und dessen Rechte mit dem Islam auf keinen Fall im Widerspruch stehen.»[98] In der Erkenntnis der geschöpflichen Würde des Menschen, in der Förderung seines Wohls und seiner Interessen bestehe die Hauptintention des Islam. An diesem Massstab sei die methodische Auslegung der Rechtsquellen zu orientieren und weiterzuentwickeln.

Zu einer expliziten Kritik an der westlichen Interpretation der Menschenwürde nutzt der schiitische Religionsphilosoph Homoayoun Hemmati, Professor an der Universität Teheran und zeitweilig Kulturattaché der Islamischen Republik Iran in Berlin, seine islamische Auslegung menschlicher Freiheit.[99] «Freiheit ist die Quelle, aus der der Baum des Lebens wächst. [...] Ebenso benötigt Freiheit das Licht und die Führung des Islam, um gedeihen zu können. [...] Der Islam kam, um die Fesseln des Menschen zu brechen und die Mauern seines Gefängnisses einzureissen. [...] / [...] Die Freiheit, die der Islam bereitstellt, basiert auf Pflicht und Verantwor-

96 Ebd., 121. Ähnlich argumentiert auch Ayengin in seiner Auslegung des koranischen Anthropologie (vgl. Islam und Menschenrechte, 215f.).

97 Assen Hefny ist Germanist und Islamwissenschaftler, wurde 2010 an der Universität Marburg promoviert, ist dort Lehrbeauftragter und Vorstandsmitglied der Gesellschaft für Arabisches und Islamisches Recht e.V.. Bei dem hier herangezogenen Beitrag handelt es sich um einen 2007 in Berlin gehaltenen Vortrag.

98 Hefny, Hermeneutik, Koraninterpretation und Menschenrechte, 73–97, 86.

99 Dieser Beitrag entstand im Rahmen eines 2007 in Regensburg durchgeführten Forschungskongresses zum Thema «Personale Freiheit in pluralistischen Gesellschaften».

tung, ohne die es keine wahre Freiheit geben kann. Freiheit ohne Schranken führt lediglich zum Nihilismus, dessen Konsequenz der vollständige Zusammenbruch der moralischen und sozialen Ordnung ist. Das unverantwortliche Verständnis der Freiheit, wie es vom Existenzialismus, der Demokratie und modernen Theorien der Freiheit als Ausdruck geliefert wird, führt nur zu Korruption und Unmoralität, da Freiheit hier nicht mehr an einen Begriff höherer Werte oder Selbstkontrolle gebunden ist.»[100] Weitere Auswüchse willkürlicher Freiheit sind nach Hemmati «Verbrechen, Krieg, Armut, Drogenabhängigkeit, Alkoholismus und lebenszerstörende Krankheiten wie AIDS.»[101] Hemmati beschreibt den Islam als eine Religion verantwortlicher und auf der Basis des Korans normativ begrenzter Freiheit und verbindet damit zivilisationskritische Absichten, die er mit Verweis auf Drogenmissbrauch, Sexualität und Krankheiten konkretisiert. «Der Islam fördert die Freiheit des Denkens, der Sprache, der Politik, der Ökonomie und der individuellen Lebensführung, aber er insistiert darauf, dass die Freiheit einen Sinn von Verantwortung und Pflicht beinhalten muss. Der Islam zielt daher auf die Bildung starker und standhafter Charaktere, die in ihrer Selbsterkenntnis sicher sind, die Vertrauen in sich und ihre Werte haben, und deren Verhalten stets ihre Stärke widerspiegelt.»[102] Dieser Freiheitsbegriff gilt auch als politische Grundkategorie, wie ein kurzer Satz andeutet: «Politische Freiheit ist im Islam ein Mittel, die Menschheit zu Gerechtigkeit, Güte und Frieden zu führen. Sie garantiert und schützt die politischen Rechte aller.»[103] Danach gehört es zu den Aufgaben der politischen Ordnungsmacht, für alle Menschen das Recht auf das oben explizierte Freiheitsverständnis durchzusetzen. Menschenwürde und Freiheit werden hier – auch im politischen Sinne – in einem für westliche Verhältnisse sehr restriktiven Sinne verstanden und den religiösen und sittlichen Idealen des Islam untergeordnet.

Während in den bisher angeführten Beispielen die koranische Anthropologie mehr oder weniger explizit zur offenen Kritik am Westen und zur De-Legitimation der freiheitlichen Grundannahmen seiner politischen Ordnung genutzt wurde, gehen islamische Gelehrte, die auf dauerhafte Beheimatung in Deutschland und Europa abstellen, bei Aneignung und Interpretation der Menschenwürde-Idee methodisch reflektierter und affirmativer

100 Hemmati, Das Verständnis der Freiheit im Islam, 109–116, 109f.

101 Ebd., 112.

102 Ebd., 115.

103 Ebd., 111.

vor, ohne jedoch die Kritik am westlichen Verständnis von Menschenwürde aufzugeben.

Der schiitische Rechtsgelehrte (mudschtahid) Abdoldjavad Falaturi (1926–1996) dürfte der erste muslimische Denker sein, der hierzulande eine Ableitung des Menschenwürde-Begriffs vorgetragen hat.[104] Eine hermeneutische Scharnierstelle ist dabei die Praktische Philosophie Immanuel Kants, das Thema von Falaturis Bonner Promotionsschrift.[105] Von hier aus nimmt die Argumentation zwei Richtungen. Einmal rekonstruiert er die Hochschätzung der Vernunft im schiitischen Islam am Beispiel der Letztbegründung des Rechtes, der Auslegung rechtlicher und sittlicher Weisungen und der Lösung von Pflichtenkollisionen. Insgesamt wird ein hoher Rationalitätsstandard exponiert, den Falaturi selbst mit dem Kants vergleicht.[106] Im Islam gilt die Vernunft als «eine Wesenseigenschaft des Menschen», die seine «Mündigkeit und Eigenständigkeit» ausmacht.[107] An dieser vernünftigen Ausstattung knüpfen die Offenbarungen Gottes an, so dass sogar von einer «Widerspruchslosigkeit zwischen Vernunft [...] des Menschen und dem Offenbarungsinhalt»[108] gesprochen werden kann. Die hier erkennbare Hochschätzung der Vernunft wird nun aber nicht, wie bei Kant, traditionskritisch gewendet. Sie dient vielmehr der traditionsgeleiteten Fortschreibung religiöser Grundeinsichten. Danach wird «in der Glaubenslehre alles, woran man glauben soll, von der Vernunft und ihren Prinzipien abgeleitet – oder es wird mindestens versucht, es abzuleiten. Auf jeden Fall sind diese Bemühungen und Leistungen ein Zeichen dafür, dass *allein* die Vernunft als das oberste Prinzip, selbst für den Glauben, gelten soll.»[109] Im Blick auf die moderne Welt hat Falaturi diesen Zusammenhang für die vernünftigen «Grundwerte» «Würde des Menschen», «Gleichheit» und «Gerechtigkeit» durchgeführt, deren Aneignung aus der Perspektive des Koran er darlegt.[110] Zugleich wird gegen den vom Westen vermeinten Universalismus kritisch eingewandt, dass man hier die universalen Werte «Würde», «Freiheit», «Gleichheit» und «Gerechtigkeit» zwar gedanklich hervorgebracht, aber selbst im Zuge des Kolonialismus politisch mit Füssen getreten habe. Da-

104 Zu Falaturi vgl. Weisse, Erfordernisse einer Theologie im Plural für die Ausbildung von Imamen in Deutschland, 97–114, 105–108.

105 Falaturi, Zur Interpretation der Kantischen Ethik im Lichte der Achtung.

106 Vgl. Falaturi, Vernunft, 388. ?

107 Falaturi, Ist der Islam mit Säkularismus vereinbar?, 203.

108 Ebd., 205.

109 Falaturi, Vernunft, 372.

110 Vgl. Falaturi, Menschliche Menschenrechtsvorstellungen, 125–132.

mit ist ein weiteres Dauerthema muslimischer Kritik am westlichen Denken angestimmt, die mit gewissem Recht auf die Kluft zwischen normativem Anspruch und historischer Realität des politischen Handelns westlicher Mächte verweist.

Ein weiteres für den organisierten Islam in Europa wichtiges Beispiel für eine islamische Aneignung des Menschenwürde-Begriffs ist der Beitrag von Mustafa Ceric. Er wurde 1952 in Velika Cajna geboren, ist islamischer Theologe (Studium in Sarajewo und Kairo, Promotion in Chicago) und war bis 2012 Reisu-l-ulema (Grossmufti) von Bosnien-Herzegowina. Als bosnischer Muslim versteht er sich als Vertreter eines indigenen europäischen Islam, der sich als religiöse Minderheit aber niemals zwanglos entfalten konnte, sondern für seine religiöse und kulturelle Kontinuität in Europa kämpfen musste und künftig dafür die Unterstützung und die Anerkennung der europäischen Institutionen erwartet.[111] Europa ist für Ceric zugleich der Raum, um die ethnische Bindung der Muslime zu dekonstruieren mit dem Ziel der Gründung einer europaweiten Muslim Community, die die nach Europa migrierten Muslime ebenso umschliesst wie die in Europa geborenen Muslime.[112] Dafür ist es nach Ceric unumgänglich, dass die Muslime Europa als ihren Lebensraum anerkennen, einschliesslich der ethischen Grundlagen seiner politischen Ordnungsstruktur. Ausdruck einer solchen Anerkennung ist seine «Declaration of European Muslims» von 2006.[113] In ihr spielt die Anerkennung von Menschenrechten und der Menschenwürde eine wichtige Rolle. Im Folgenden sollen die wesentlichen Bausteine der Argumentation Ceric' vorgestellt werden.[114]

111 «Indigenous Muslims carry the burden of history on their backs and expect to be supported in their struggle for religious and cultural continuity in Europe.» Ceric, The challenge of a single Muslim authority in Europe, 41–48, 46.

112 «Native Muslims are the children of Muslim emigrants parents as well as those Europeans who have recently entered Islam.» (Ebd., 46).

113 Hier zitiert nach der Internet-Version, abrufbar unter http://www.rferl.org/content/article/1066751.html (16.8.2012).

114 Der Versuch, den bosnischen Islam als einen europäischen Islam zu verstehen, kann bereits auf eine gewisse Tradition zurückblicken. Pionierarbeit hat diesbezüglich Smail Balić (1920–2002) geleistet, der seit Mitte der achtziger Jahre publizistisch für die Entkoppelung von nationaler und religiöser Zugehörigkeit, die Differenzierung von Religion und Politik aus der Perspektive islamischen Denkens und unter Aufbietung erheblicher Selbstkritik an der islamischen Tradition für die Europakonformität des Islam eingetreten ist. Dabei wird die schöpfungstheologische Idee der natürlichen Würde des Menschen mit Verweis auf Sure 17,70 gelegentlich gestreift (vgl. Balić, Der Islam – europakonform?, 283; Balić, Der Islam im Spannungsfeld von Tradition und heutiger Zeit,

Ein *erster* Baustein ist die Anerkennung Europas als «House of Peace and Security». Damit wird die klassische islamische Unterscheidung von «Haus des Islam» und «Haus des Krieges» für Europa ausser Kraft gesetzt. Ceric zielt auf einen «europäischen Erfahrungshorizont des Islam» («European experience of Islam»).[115] Auf die Begründung sei später eingegangen. Ein *zweiter* Baustein ist die Formulierung einer religiösen Gemeinsamkeit von Islam, Christentum und Judentum, die mit dem Hinweis auf die drei abrahamitischen Religionen erfolgt. Auch mit diesem Hinweis soll der Erfahrung von Fremdheit entgegengewirkt werden. Beim dritten Baustein handelt es sich um den interpretativen Modus, in dem Ceric mit einer Differenzierung im islamischen Rechtsbegriff umgeht, nämlich der Unterscheidung von Scharia und Fiqh. Danach ist Scharia «the communal commitment and the community identity that is the continuation of the collective memory».[116] Als unendliches göttliches Wort ist sie immerwährend, nicht verhandelbar und unauflöslich. Unter fiqh versteht Ceric «the Islamic applied law», «a particular understanding of the shari'ah». Sie ist nicht immerwährend, verhandelbar und auflösbar. Auf der unumstösslichen Basis der Scharia kann die konkrete Rechtsfindung in jeder Generation von Muslimen erfolgen. Sie hat dabei das Recht, Urteile über Gut und Böse, richtig oder falsch, im Kontext der jeweiligen Zeit und des Raumes zu fällen und dabei auch aus den eigenen Erfahrungen zu schöpfen. Den durch diese kategoriale Unterscheidung gewonnenen Spielraum nutzt Ceric zur Rezeption der aufgeklärten Lehre vom Gesellschaftsvertrag, durch den die Anerkennung der europäischen Rechtsordnungen und der ihnen zugrunde liegenden Wertannahmen erfolgt. Grundlage dafür ist jene im europäischen Raum gemachte Erfahrung, nach der Europa ein «House of Peace and Security» ist, das Religionsfreiheit gewährt und es Muslimen ermöglicht, ihrem Glauben gemäss zu leben. Die Anerkennung der europäischen Werte und Rechtsordnung ist daher «a person's dictate of reason».[117] Die an den spezifischen Kontext Europas gebundene Vernunft ist also die innerislamische Rechtsquelle für den Sozialvertrag. Daraus folgt: «European Muslims are fully and unequivocally committed to the following European common values: (a) the rule of law; (b) principles of tolerance; (c) values of

68). Schon frühzeitig formulierte er: «im säkularen Europa liegt heute ein wichtiger und unübersehbarer Teil des ‹Hauses des Islam›» (Balić, Der Islam – europakonform?, 125).

115 Vgl.http://de.qantara.de/webcom/show_article.php/_c–469/_nr–126/i.html (17.8.2012).

116 Ceric, The challenge of a single Muslim authority in Europe, 42.

117 Ceric, A Declaration Of European Muslims, part I (3).

democracy and human rights; (d) the belief that each and every human being has the right to five essential values: the value of life, the value of faith, the value of freedom, the value of property, and the value of dignity.»[118] Aus diesem Zitat wird deutlich, dass die Menschenwürde – gleichgeordnet mit anderen Werten – als zur europäischen Wertordnung gehörend anerkannt, naturrechtlich begründet und damit zu den Grundlagen des gemeinsamen Lebens in Europa erhoben wird. Die naturrechtliche Begründung wird durch ein Zitat von John Rawls vertieft.[119] Das Vertragsmodell wird noch einmal historisch legitimiert mit dem Hinweis auf «many doctrinal and historical documents that support the concept of sulh (peace, (re)conciliation, settlement, accord and contract)»[120] aus der Frühzeit des Islam.

Mit der Anerkennung der europäischen Werte- und Rechtsordnung sollen freilich zugleich bestimmte Erwartungen der Muslime legitimiert werden, die in der Deklaration ebenfalls genannt werden: «As they try to live a decent life in Europe, European Muslims have the following expectations: (a) an institutional [presence] of Islam in Europe; (b) the economic development of the Muslim community so that it may have a full spiritual and cultural freedom and independence; (c) the development of the Islamic schools capable of educating European-born Muslims for the new challenges in multicultural societies; (d) political freedom that will enable European Muslims to have legitimate representatives in the European state parliaments; (e) a reform of European immigration policy, which has tended to be very restrictive toward Muslims recently; (f) opening the way for Muslim law to be recognized in matters of personal status such as the Family Law; (g) the protection of European Muslims from Islamophobia, ethnic cleansing, genocide, and similar atrocities.»[121] Man sieht an dieser Aufzählung, dass die Anerkennung der Menschenwürde mit der Erwartung der Anerkennung des Islam als einer europäischen Konfession verbunden ist, die in institutioneller Stärke[122] und Privilegien den christlichen Kirchen vergleich-

118 Ebd., (4).

119 «Europe is the House of the Social Contract because it is possible to live in accordance with one's faith in the context of ‹the principles that free and rational persons concerned to further their own interests would accept in an inital position of equality as defining the fundamental terms of their association.›» (Ebd., (2)).

120 Ceric, The challenge of a single Muslim authority in Europe, 45.

121 Ceric, A Declaration Of European Muslims, part I (5).

122 Zur Formierung institutioneller Stärke gehört sicher auch Ceric' umstrittener Vorschlag der Einrichtung einer «single Muslim authority in Europe», die nach innen und nach aussen wirken soll.

bar ist. Problematisch ist sicherlich die Erwartung, dass Religionsfreiheit und Minderheitenschutz so extensiv interpretiert werden, dass etwa die familienrechtlichen Bestimmungen der Scharia in das europäische Privatrecht integriert werden könnten.[123] Aber die politische Botschaft dieser islamischen Legitimation der europäischen Werte- und Rechtsordnung ist klar. Es geht um Integration und Gleichberechtigung der Religion im anerkannten Haus des Friedens «Europa». Der Begriff der Menschenwürde ist dafür ein Schlüsselbegriff, der insgesamt freilich eher in einem auf das Kollektiv denn auf das Individuum bezogenen Sinne ausgelegt wird.

Die konzeptionellen Vorstellungen von Ceric sind mittlerweile von Benjamin Idriz, einem in Mazedonien geborenen Imam, der in der bayerischen Gemeinde Penzberg arbeitet, aufgegriffen worden. In seinem populären Buch «Grüss Gott, Herr Imam!»[124] wird der Begriff des Euro-Islam als «das Gelingen einer Islam-Praxis nach europäischen Normen»[125] bestimmt. Dabei spielt die Menschenwürde eine wesentliche Rolle, die eingangs anthropologisch[126] und gegen Ende des Buches ethisch begründet wird.[127]

Einen ähnlich gelagerten und auf Europa bezogenen Ansatz hat der muslimische Gelehrte Sven Muhammad Kalisch, bis 2010 Inhaber des Lehrstuhls für die Religion des Islam an der Universität Münster, vorgelegt. Kalisch, 1966 geboren, zählte sich bis zu seiner Abrogation des Islam zur muslimischen Minderheit der Zaiditen. Er hat eine rechtsphilosophische Begründung der Anerkennung von Pluralismus, Demokratie und Menschenwürde vorgelegt. Seine Argumentation ruht auf zwei Säulen, nämlich der Flexibilisierung der traditionellen Methode des *igtihad* (Bemühung der Gelehrten) einerseits und der vernunftrechtlichen Fortschreibung der Scha-

123 Diese Erwartung ist nach herrschender Meinung unter Rechtswissenschaftlern nicht unrealistisch, sofern die Bestimmungen der Scharia «mit den zwingenden Grundsätzen der Gesamtrechtsordnung verträglich» sind (Enders, Selbstbewusste Toleranz. Das Prinzip der Subjektivität und die Spielräume seiner Auslegung im Recht moderner Staatlichkeit, 213–228, 226).

124 Idriz, Grüss Gott, Herr Imam!

125 Ebd., 54. Vgl. zur kritischen Sichtung der Euro-Islam-Debatte ebd., 40–60.

126 «Der Mensch ist das würdigste Geschöpf Gottes. Daher sind seine Vernunft, Freiheit und Würde, sein Glaube und sein Leben unantastbar. Für ein würdevolles Leben des Menschen auf Erden, für die Verwirklichung von Gerechtigkeit und Gleichheit, muss sich jedermann bemühen.» (Ebd., 17)

127 Bei der Aufzählung und Entfaltung der islamischen Werte rangiert die Menschenwürde auf Platz 2 (vgl. ebd., 183f.). Insgesamt steuert aber der Begriff der Gerechtigkeit die von Idriz betriebene Modernisierung des Islam, wohl deshalb, weil er die unterschiedlichen Quellen (Vernunft, Koran) zusammenklammert.

ria andererseits. Auf dem zuletzt genannten Aspekt liegt im Folgenden das Gewicht der Darstellung. Auch Kalisch setzt mit der Revision der Unterscheidung von «Haus des Islam» und «Haus des Krieges» ein. Er argumentiert dabei historisch, indem er darauf verweist, dass diese Unterscheidung nicht dem Koran als der erstrangigen Rechtsquelle entstamme, sondern erst in der Frühzeit des Islam ausgeprägt worden sei. Dabei ging man von der gegebenen Mehrheitssituation der muslimischen Bevölkerung aus, die das islamische Recht nach innen anwendet. Nach aussen unterstellte man eine grundsätzliche Aggressivität der nichtmuslimischen Völker gegen Muslime. Diese historische Konstellation sei gegenwärtig nicht gegeben, weil man sich in Deutschland in einem demokratischen Rechtsstaat befindet, der Muslimen Religionsfreiheit gewährt. Daher sei die damals getroffene Unterscheidung nicht auf die gegenwärtige Situation anzuwenden. Ein anderer argumentativer Strang beleuchtet die Minderheitensituation. Sie sei bei der frühen Rechtsbildung nur als Ausnahme- oder Notfalltatbestand reflektiert worden. Für diesen Fall akzeptiert das traditionelle islamische Recht die Jurisdiktion eines nichtislamischen Staates als Faktum. «Ein Muslim, der sich dort aufhält, ist faktisch dem dortigen Recht unterworfen.»[128] Diese Loyalität dem nichtmuslimischen Recht gegenüber ist eine sittliche Pflicht, also Bestandteil des islamischen Rechtes selbst. Sie gilt, solange der Muslim dabei nicht gegen islamisches Recht verstossen muss. Zur rechtlichen Erfassung des permanenten Minderheitenstatus von Muslimen, wie er in Deutschland und Europa gegeben ist, plädiert Kalisch für eine vernunftbegründete Fortschreibung der Scharia. Dabei geht er davon aus, dass allen nicht den religiösen Ritus betreffenden Regelungen in Koran und Sunna «eine *ratio legis* zugrunde liegt, die durch die Vernunft erkannt werden kann und die die Grundlage der Auslegung bildet. Entscheidend ist es, den Sinn der Norm zu verstehen und eine Regelung zu finden, die dem Sinn entspricht, selbst wenn sie unter Umständen dem äusseren Wortlaut des Qur'an widerspricht.»[129] Im Kern geht es darum, dass die Menschen die koranischen Begriffe Gerechtigkeit, Ungerechtigkeit, Gut und Böse «durch ihre Vernunft mit Inhalt füllen»[130]. Daraus folgt nun eine Pluralität der Rechtauslegung, die durch staatliches Handeln nicht reduziert werden kann oder darf. «Theologische und juristische Meinungen sind lediglich Interpretationen dieser beiden Quellen und da kein Mensch ausser dem Pro-

128 Kalisch, Muslime als religiöse Minderheit, 47–67, 49.
129 Ebd., 52.
130 Ebd., 54.

pheten Fehlerlosigkeit für sich beanspruchen kann, kann grundsätzlich keine dieser Interpretationen für einen anderen Menschen verbindlich sein. Daraus ergibt sich notwendig das Modell einer islamischen Demokratie, in der demokratisch und pluralistisch um den richtigen islamischen Weg gestritten wird.»[131] Für die aktuelle Situation muslimischer Minderheiten in nichtislamisch geprägten demokratischen Staaten bedeuten diese Erwägungen schliesslich, dass diese Demokratie aus islamischer Perspektive anzuerkennen ist. Auch die Charakterisierung der nichtmuslimischen Mehrheitsgesellschaft als «Haus des Krieges» sei nicht anwendbar, weil «der modernen Völkerrechtsordnung [...] die Vorstellung zugrunde liegt, dass die territoriale Integrität aller Staaten zu achten ist. [...] Aus der Tatsache, dass Gut und Böse bereits durch die Vernunft zu erkennen sind, folgt [...], dass sich islamisches Recht nicht gegen eine internationale Ordnung richten kann, die anstrebt Krieg zu vermeiden und internationale Rechtssicherheit zu erhöhen.»[132] Für die Interpretation der Menschenwürde (und der Menschenrechte) folgt aus diesem Ansatz, dass diese schon im Kontext der Entfaltung der pluralen Rechtsauslegung vorausgesetzt wird, sofern der vernünftige Einzelne als letzte Instanz von Wahrheitssuche und Wahrheitsbewusstsein gilt.[133] Diese vernünftige Einsicht wird sodann mit Verweis auf Sure 2,256 koranisch abgestützt. Weiter stellt Kalisch fest, dass das traditionelle islamische Recht «in seinem Kern» keinen Widerspruch zum Menschenrechtsdenken aufweist. Dort, wo faktisch «Widersprüche existieren, können diese durch einen neuen *igtihad* beseitigt werden, weil es sich entweder um Regelungen in Qur'an und Sunna handelt, die zeitabhängig zu verstehen sind oder ohnehin lediglich um einen *igtihad* von Rechtsgelehrten».[134] Vor diesem Hintergrund wird schliesslich in der koranischen Anthropologie (Sure 2,30; 17,70) die Menschenwürde der Sache nach identifi-

131 Ebd., 56.

132 Ebd., 59f.

133 «Aus dem Qu'ran ergibt sich eindeutig die Forderung, dass der Mensch verpflichtet ist, nach der Wahrheit zu streben und ihr zu folgen. Ebenso aber enthält der Qu'ran keine Ermächtigungsgrundlage für irgendjemanden, sein Verständnis von Wahrheit anderen aufzwingen zu dürfen» (Ebd., 56).

134 Ebd., 57. Später hat Kalisch den hier referierten Ansatz radikalisiert. Er bestreitet die Möglichkeit und Notwendigkeit, Menschenwürde und Menschenrechte, die durch die Vernunft erkannt wurden, aus den heiligen Schriften der Traditionen abzuleiten. «Wenn das Urteil der Vernunft bestand hat, dann ist das Urteil der religiösen Tradition bedeutungslos. Die Vernunft ist der entscheidende Faktor.» (Kalisch, Islam und Menschenrechte, 49–72, 67).

ziert und als Begründung für die Menschenrechte angeführt: «Bereits hier wird eine herausgehobene besondere Stellung der Menschen in der Schöpfungsordnung deutlich und dies ist nichts anderes als das, was als Menschenwürde bezeichnet wird. Aus der Menschenwürde folgen die Menschenrechte.»[135]

Als letztes und vielleicht spektakulärstes Beispiel einer Begründung von Demokratie, Rechtsstaatlichkeit und Menschenrechtsdenken aus muslimischer Perspektive sei der 1962 geborene Tariq Ramadan herangezogen. Der in Genf promovierte Schweizer ägyptischer Herkunft, der seit 2006 als Gaststipendiat am St. Anthony's College an der Oxford University lehrt, vertritt zwar einen eher konservativen Islam, möchte ihn aber in der europäischen Gesellschaft beheimaten. Ausdrücklich zielt er auf die «Heimfindung» muslimischer Menschen in Europa.[136] Nach innen engagiert er sich für eine islamische Reform, nach aussen agiert er zivilisationskritisch, weswegen er sich seinerseits kritischen Vorwürfen ausgesetzt sieht. Er setzt – methodisch gesehen – quellenkritisch ein. Koran und Sunna sind die beiden Quellen für das islamische Recht (Scharia) und Ausgangspunkt für die Rechtsfindung – bis in die Gegenwart hinein.[137] Schon in seinen frühen Veröffentlichungen betont Ramadan die Bedeutung der Methode des «Idschtihad». Die wörtliche Bedeutung dieses arabischen Wortes «lautet: ‹sich mit aller Kraft bemühen›, ‹eine Anstrengung unternehmen›. Es handelt sich für den Juristen darum, sich unter Ermangelung von Quellentexten an die Arbeit zu machen, auf vernünftige Weise eine Regelung zu formulieren, die Ort und Zeit entspricht und Lehre und Geist der beiden Quellen treu bleibt.»[138] Die Methode des «Idschtihad» schliesst ein subjektives und ein zeitdiagnostisches Element in der Rechtsfindung ein, verbindet demnach in der Interpretation der Rechtsquellen die religiöse Kreativität des Auslegers mit den empirischen Rahmenbedingungen, die den zu lösenden Rechtsfall hervorgebracht haben und die infolgedessen zu berücksichtigen sind. Insofern ist der Islam von Haus aus, wie Ramadan nicht müde wird historisch nachzuweisen, auf produktive Anpassung an die Zeitläufe angelegt.

135 Kalisch, Muslime als religiöse Minderheit, 58.

136 Vgl. Fürstenberg, Wer hat Angst vor Tariq Ramadan?, 81ff. Ramadan fasst den Ertrag seines Buches «Muslimsein in Europa» mit den Worten zusammen: «Jenseits der alten [...] Begriffe gestatten die im Lichte unserer gegenwärtigen Situation gelesenen islamischen Quellen den Muslimen, ja fordern sie geradezu dazu auf, davon auszugehen, sich als im Westen ‹heimisch› zu betrachten.» (265)

137 Vgl. Ramadan, Der Islam und der Westen, 49–54.

138 Ebd., 55f.

Die Bedeutung des «Idschtihad» hat Ramadan in seinem Buch «Muslimsein in Europa» weitergehend entfaltet.[139] Hier wird der «Idschtihad» als «dritte Quelle des islamischen Rechts»[140] und als das «wichtigste Instrument»[141] bezeichnet, «um die universelle Bestimmung des Islam kraft einer steten Dynamik der Anpassung im Lichte der Epoche und des Kontext zu verwirklichen».[142] Schon diese Kontextbezogenheit verweist nach Ramadan die Muslime, wenn sie dem verpflichtenden Prinzip der Gerechtigkeit folgen, an die Verfassungen derjenigen Länder, in denen sie leben. Diese Loyalität wird in der Tradition von Koran und Sunna als Vertragsverhältnis gedacht: «[...] als Einwohner oder Bürger sind sie an einen Vertrag gebunden. Der Koran und die Sunna bilden ihre Bezugsgrundlagen, und zugleich sind sie an die Verfassung des Landes gebunden, in dem sie so lange leben, dass sie nicht dazu gezwungen werden können, gegen ihr Gewissen zu handeln.»[143] In dem Buch «Radikale Reform» wird schliesslich der Kontext selbst als Rechtsquelle identifiziert.[144] Die Begründung erfolgt durch eine offenbarungstheologische Interpretation des Verhältnisses von Glaube und Vernunft, die wissenschaftstheoretisch ausgeführt wird. Danach hat Gott seinen Willen im Buch (Koran) den Menschen offenbart, die ihn im Glauben aneignen. Der Koran verweist aber selbst auf das «offene Buch des Universums»[145] oder das «Buch der Welt, der schöpferischen Offenbarung»[146]. Diese kann mithilfe der Vernunft erkannt und untersucht werden. Beide Offenbarungen sind formal durch ihren Zeichencharakter miteinander verbunden. Ebenso wie die Phänomene der Schöpfung auf die Existenz Gottes verweisen, bezeichnen die Verse (ayat = Zeichen) des Koran den göttlichen Willen. Vernunft und Glaube verweisen aufeinander, widersprechen sich nicht, ergänzen sich vielmehr.[147]

139 Vgl. Ramadan, Muslimsein in Europa, 75–126.
140 Ebd., 120.
141 Ebd., 121.
142 Ebd., 121.
143 Ebd., 264.
144 Vgl. Ramadan, Radikale Reform.
145 Ebd., 117.
146 Ebd., 119.
147 «Wie der Schrift sind dem Universum Prinzipien, Gesetze und eine Grammatik zu eigen; der menschliche Intellekt muss diese erkennen und deren Logik und Kategorien ableiten, um diese notwendigerweise beim Umgang mit der Natur und den Gesellschaften zu berücksichtigen.» (Ebd., 124).

Die wissenschaftliche Erschliessung des «Buches der Welt» führt nach Ramadan zu einer methodischen Unterscheidung. Die Naturwissenschaften erforschen die Schöpfung mit dem Ziel der Feststellung der ihr innewohnenden Ordnungsstrukturen als Naturgesetze. Dagegen erforschen die Humanwissenschaften[148] mannigfaltige und sich wandelnde Realitäten im Laufe der Geschichte[149], die Ramadan als «weitere Artikulationsebene»[150] im Buch der Welt bezeichnet. Auch hier besteht die Aufgabe, Konstanten und Regelmässigkeiten festzustellen, «die letztendlich die Prinzipien etablieren, die das menschliche Handeln über die Zeiten hinweg bestimmen und dessen zyklische Eigenschaft bedingen, d. h. die Wiederholung desselben unabhängig vom Zeitalter».[151] Die Hauptprinzipien zur humanwissenschaftlichen Erschliessung der Geschichte finden sich bereits im «geoffenbarten Buch» und werden durch den induktiv erhobenen empirischen Befund konkretisiert. Dieses Zusammenspiel aus dem «reinen Prozess der Beobachtung, Analyse und Induktion»[152] und aus dem Koran gespeister spiritueller Interpretation, die den empirischen Befund teleologisch im Sinne der göttlichen Weltordnung interpretiert, verleiht den veränderlichen Phänomenen der Welt den Rang einer Rechtsquelle, die in der fiqh (Rechtswissenschaft) zu berücksichtigen ist. «Demnach müssen wir das Universum und den sozialen und menschlichen Kontext [...] der gleichen, für die Texte entwickelten Analyse, Typologisierung und Kategorisierung unterziehen, indem wir uns Schritt für Schritt auf das zuvor über die Natur Gesagte beziehen. Das Universum muss als autonome und ergänzende Quelle für die rechtliche Ausarbeitung betrachtet werden»[153] und soll damit auf methodisch gesichertem Wege in die Rechtsfindungspraxis einfliessen. «Eine solche Erforschung, ausgehend von den sichtbaren Realitäten bis hin zu den zugrunde liegenden Regeln, ermöglicht es, eine kohärente Methodologie für den Umgang mit dem menschlichen Faktor festzulegen und die sich aus einer bestimmten Gesellschaft zu einer bestimmten Zeit ergebenden Fragen zu bewältigen.»[154] Dies gelte umso mehr, als in der modernen Welt das differenzierte Wissen in den Humanwissenschaften so reich geworden ist, dass

148 Ramadan nennt Sozial- und Politikwissenschaft, Individual- und Gesellschaftspsychologie (vgl. ebd., 126).
149 Vgl. ebd., 124ff.
150 Ebd., 124.
151 Ebd., 127.
152 Ebd., 131.
153 Ebd., 135.
154 Ebd., 130.

jede Rechtsauslegung zum Scheitern verurteilt ist, die sich – wie die traditionelle Scharia – ausschliesslich auf die Quellen Koran und Sunna stütze.[155] Konsequenterweise fordert Ramadan daher die Aufnahme von «Kontextgelehrten» in die ulama und die paritätische Besetzung von Fatwa- bzw. Ethik-Ausschüssen mit Text- und Kontextgelehrten.[156]

Aus dem Zusammenspiel von Textquellen und Kontextquelle entwickelt Ramadan dann ein System der höheren ethischen Ziele, an denen sich die konkrete Rechtsfindung auszurichten hat. Dabei betont Ramadan, dass diese Ziele positiv formuliert sein sollen, weil es in der angewandten Ethik weniger um Pflichten und das Verbotene, sondern um «Rechte und Freiheiten»[157] gehe. Als höchstes Ziel nennt Ramadan den Schutz der Religion des Islam (*din*) und des (umfassend verstandenen) Allgemeinwohls (*maslaha)*, die er dem Koran entnimmt und mit koranischen Begriffen bezeichnet.[158] Diese Zielbestimmung ist dem Koran entnommen. Darunter stehen drei grundsätzliche Ziele, die sich bereits der differenzierten Quellenlage verdanken. Es sind: Achtung und Schutz des Lebens, Achtung und Schutz der Natur und Achtung und Schutz des Friedens.[159] Diese Teilziele gelten als «Grundsäulen»[160] für jene höchsten Ziele. «Die gesamte islamische Botschaft [...] bezieht sich auf diese drei wesentlichen, vorab feststehenden Ziele.»[161] Auf einer dritten Stufe entfaltet Ramadan nun diejenigen Ziele, die den Menschen als Individuum und als soziales Subjekt betreffen. Diese Liste ist nach Ramadan wegen der variablen Kontexte der menschlichen Lebensführungspraxis grundsätzlich offen. Für die Gegenwart lautet sie: «Förderung und Schutz der Würde (des Menschen, der Lebewesen und der Natur), des Wohlergehens, des Wissens, der Kreativität, Autonomie, Entwicklung, Gleichheit, Freiheit, Gerechtigkeit, Brüderlichkeit, Liebe, Solidarität und Vielfalt.»[162] Angesichts der Tatsache, dass die moderne europäische Gesellschaft denjenigen Kontext bezeichnet, auf den hin Ramadan

155 Vgl. ebd., 148–163.

156 Vgl. ebd., 169–172.

157 Vgl. ebd., 175.

158 «An der Spitze der Zwecke und Ziele des Weges steht [...] der Schutz des *din* – im Sinne einer Auffassung von Leben und Tod, die auf der Anerkennung Gottes und *des Weges* beruht – und der *maslaha* – im Sinne des allgemeinen Wohls und Interesses der Menschen und des Universums.» (Ebd., 179).

159 Vgl. ebd., 180.

160 Ebd., 180.

161 Ebd., 180.

162 Ebd., 181.

seine angewandte Ethik auslegen will, ist es kein Zufall, dass diese Liste mit dem Hinweis auf die Menschenwürde beginnt. Schon in seinem Buch «Der Islam und der Westen» hatte Ramadan die Anerkennung von Menschenwürde und Menschenrechten kontextuell begründet: «Die *Erklärung* von 1948 ist ein grundlegender Text, dem wir heute wesentliche allgemeine Prinzipien entnehmen können, die in die Richtung der Achtung der Menschenwürde weisen. Das gilt auch für alle philosophischen Entwicklungen seit Locke bis in unsere Tage, die in den okzidentalen Gesellschaften die Praxis der Toleranz beförderten. Das sind Tatsachen; es wäre sinnlos, sie bestreiten zu wollen. [...] Wir sollten diese Realitäten anerkennen können.»[163] Diese Anerkennung des Kontextes erlaubt dann eine Auslegung von Sure 17,70, nach der «die Würde als ein [...] Teil des menschlichen Kerns»[164] verstanden wird. Sie wird im Sinne einer ethischen Pflicht, nämlich einerseits als Freiheit zur Entfaltung der menschlichen Anlagen und Fähigkeiten sowie andererseits als unbedingt erhaltens- und bewahrenswert interpretiert. Für die Gesellschaft folgt daraus, dass sie «die (individuelle und kollektive) Entwicklung, Gleichheit und Gerechtigkeit gewährleisten [muss], und zwar bei gleichzeitiger Akzeptanz der Vielfalt.»[165] Aus dieser Norm werden dann die Normen «Rechtsstaatlichkeit, Unabhängigkeit, Bedachtsamkeit, Pluralismus, Entwicklung, Kulturen, Religionen und Überlieferungen»[166] abgeleitet. Für das Verhältnis von Religion und Politik hält Ramadan an jenem anthropologisch begründeten Pluralismus aus Prinzip fest und kritisiert jeden Versuch, Gesellschaft und Politik vonseiten einer Religion, atheistischen oder laizistischen Doktrin her zu dominieren. Sein Pluralismusverständnis regiert auch seine strenge Unterscheidung von Religion und Politik. Danach fällt Religion in die Sphäre der unveränderlichen Glaubenswahrheiten, während sich die Sphäre des Politischen durch wechselnde Kontexte auszeichnet, weswegen hier die Vernunft regiert, um die ethischen Ziele umzusetzen. Dabei kommen ihr – auf der Grundlage jener ethischen Ziele – grosse Spielräume zu, um Probleme zu lösen und um politische Entscheidungen zu treffen.

Ramadans ethische Überlegungen zur rechtlichen Gestaltung der Gesellschaft kreisen nun um den Begriff der Menschenwürde. Danach sind Würde und Unverletzlichkeit der menschlichen Person erst anerkannt,

163 Ramadan, Der Islam und der Westen, 146.

164 Ramadan, Radikale Reform, 181.

165 Ebd., 182.

166 Ebd., 187.

wenn das Individuum geachtet, seine Rechte sozial, ökonomisch und politisch geschützt und freie Religionsausübung positiv gewährt wird. Die argumentative Stossrichtung zielt auf die Forderung nach Anerkennung des Islam als eine in Europa gleichberechtigte und öffentlich agierende religiöse und sittliche Weltanschauung. Der Begriff Menschenwürde wird dabei weniger als ideelle normative Voraussetzung von Freiheit denn als empirisch-materieller Massstab für das Vorliegen von Freiheit verstanden. Damit wird – von Ramadan möglicherweise selbst nicht bemerkt – das Begründungsgefälle verkehrt. Menschenwürde legitimiert nicht die grundrechtlichen Freiheiten, sondern ein bestimmtes Mass an Freiheit konstituiert das Vorliegen von Menschenwürde.[167] Die legitimatorische Strategie aber ist deutlich: Der Begriff Menschenwürde bildet die Plattform, weil er in den Ländern Europas, die Ramadan vor Augen hat, den Mantelbegriff bildet, um das gemeinsame Freiheitsleben zu organisieren. Diese gemeinsame Plattform ermöglicht es Ramadan auch, ähnlich wie Ceric und Kalisch, den klassischen Begriff «Haus des Krieges» für die Länder Europas zu streichen.[168] Anders als jene ersetzt er ihn aber nicht durch «Haus des Friedens», sondern formt zur Bezeichnung der Situation der Muslime in Europa den Begriff «Haus des Glaubenszeugnisses» (dar as schahada).[169] Er trägt damit einerseits dem Sachverhalt Rechnung, dass Muslime in Europa unbehelligt ihren Glauben leben und als Bürger an Rechtsstaatlichkeit und Demokratie partizipieren können und sollen, ohne ihren Glauben verleugnen zu müssen.[170] Andererseits ergeben sich auf dieser Grundlage auch kritische Aspekte. Grundsätzlich sieht Ramadan Europa als Missionsgebiet an. Er kritisiert «Fehlfunktionen» und «Verfall» der demokratischen Modelle und Institutionen[171] und die in seinen Augen diskriminierenden Tendenzen in den von Mehrheiten und Medien dominierten westlichen Gesellschaften.

167 Ramadan, Muslimsein in Europa, 165f. «Die Achtung des Individuums und der soziale, ökonomische und politische Schutz der Rechte sind mit der Freiheit der Religionsausübung die drei Grundlagen einer echten Anerkennung der Würde und Unverletzlichkeit der menschlichen Person.» Vgl. zur Europa-Konzeptionen von Ramadan jetzt Schmid, Islam im europäischen Haus, 262ff. 287ff. 368ff. 405ff.

168 Vgl. ebd., 156–162.

169 Vgl. ebd., 175–186.

170 Vgl. ebd., 162–174.

171 Ramadan, Radikale Reform, 378. «Denn es ist allseits bekannt […], dass die Demokratie historisch gesehen noch nie eine hinreichende Bedingung für die Sicherung des *Friedens*, für Achtung vor der *Würde* des Menschen, seiner *Freiheit*, *Autonomie*, etc. war.»

Insofern ist auch bei Ramadan die zivilisationskritische Komponente mit der Aneignung des Begriffs der Menschenwürde verbunden.

4. Die legitimatorische Schirmfunktion der «Menschenwürde» und die Offenheit des zivilreligiösen Diskurses

Im Verhältnis zum Grundrechte-Diskurs von 1848 ist die legitimatorische Dimension des *gegenwärtigen* Menschenwürdediskurses im Anschluss an das Grundgesetz und die EU-Grundrechtscharta offener, weil Geltungsgrund und Geltungsbereich normierter Freiheit nicht mehr nur auf die Grösse *einer* Nation bezogen werden, sondern auf die universale Norm der Menschenwürde. Zwar ist der historische Entdeckungszusammenhang in der Interpretation dieser Norm diskursiv präsent, weil sie in Deutschland und Europa als Antwort auf die Weltkriege und die mit ihnen verbundenen Menschenrechtsverletzungen aufgefasst wird. Die Norm wird aber mit vernunftrechtlichem Anspruch vertreten und ist zugleich für andere Begründungsmuster offen. Damit wird ein Beheimatungsschirm von grosser Breite aufgespannt, denn die Menschenwürde eines *jeden* Menschen soll unantastbar sein, der in den Hoheitsbereich derjenigen staatlichen Instanzen eintritt, die sich dem Schutz der unantastbaren Menschenwürde verschrieben haben. Anders: Im Blick auf die Legitimation der «Staatsbürgernation»[172] übernimmt der Begriff der Menschenwürde wesentliche Anteile derjenigen Legitimationsfunktion, die in den deutschen Diskursen einstmals exklusiv dem Begriff der Nation zukam.

Im europäischen Zuschnitt wird die Bedeutung der Menschenwürde zur Legitimierung der Grundrechte noch einmal deutlicher. Denn im Staatenverbund der Europäischen Union ist ohnehin nicht ganz klar, wer als Subjekt ihrer demokratischen Legitimation soll gelten können. Infrage kommen die europäischen Völker, das europäische Volk, die Unionsbürger oder die europäische Bevölkerung qua Staatsbürgerschaft in den Mitgliedsstaaten. Diese Frage ist noch strittig.[173] Religionspolitisch bewegt man sich in der EU von dem in einigen Mitgliedsstaaten praktizierten strikten Laizismus

172 Vgl. Lepsius, Nation und Nationalismus, 242ff.

173 Vgl. dazu das Forschungsprojekt «Die demokratische Legitimation in der Europäischen Union» im Rahmen der interdisziplinären Forschergruppe «Bürgerschaft und Zugehörigkeit in Europa» an der Universität Osnabrück (http://www.buergerschaft-in-europa.uni-osnabrueck.de/pages/de/ziele-forschung.php [17.8.2012]).

weg und hin zu einem Modell, das den spezifischen Interessen und zivilgesellschaftlichen Aufgaben der Religionsgemeinschaften Rechnung trägt, ohne aber eine bestimmte religiöse Tradition zu privilegieren.[174] Die inzwischen initiierte europäische Identitätspolitik hat noch zu keinem Ergebnis geführt.[175] Wegen dieser insgesamt unklaren Lage bietet sich der Begriff Menschenwürde als Grund und Ausdruck der kulturellen Identität des politischen Einigungswerkes in Europa geradezu an.[176] Das setzt voraus, dass er für die interpretativen Beiträge aus unterschiedlichen weltanschaulichen und religiösen Perspektiven zugänglich ist und gewissermassen als Sinnmagnet für unterschiedliche religiöse, weltanschauliche, philosophische und politische Traditionen fungiert. Von dieser Möglichkeit zur Aneignung des Menschenwürde-Begriffs machen gegenwärtig im signifikanten Masse muslimische Intellektuelle Gebrauch – mit einem sehr hohen interpretatorischen Aufwand. Denn die nichtislamische Vorprägung des Menschenwürde-Denkens erlaubt seine direkte (und vorbehaltlose) Aneignung im Rahmen der islamischen Tradition nicht. Es wird aber deutlich, dass durch methodische Neu-Arrangements eine inhaltliche Rezeption angebahnt und durchgeführt werden kann, die auf eine Beheimatung von Menschen muslimischen Glaubens in die politische Ordnung der europäischen Nationen zielt, in denen die pluralisierte Religionskultur nur einen Teilbereich darstellt. Auf diese Weise treten Muslime unter den Schirm einer politischen Ordnung, deren Frieden stiftende und (Religions-)Freiheit ermöglichende

174 Vgl. Liedhegener, Mehr als Binnenmarkt und Laizismus? Die neue Religionspolitik der europäischen Union, 59–80.

175 Vgl. zum Beispiel: Nida-Rümelin/Weidenfeld, Europäische Identität? Das normative Fundament des europäischen Einigungsprozesses.

176 Christoph Enders weist in staatsrechtlicher Perspektive darauf hin, dass in Deutschland und Europa unterschiedliche Würdekonzepte vorherrschen (vgl. Enders, Das Bekenntnis zur Menschenwürde im Bonner Grundgesetz – ein Hemmnis auf dem Weg der Europäisierung? Zwar ist in Europa die Menschenwürde «als Rechtsbegriff […] etabliert» (248), ihr kommt aber «in Europa keineswegs die Stellung eines axiomatischen Zentrums des gesamten positiven Rechts zu» (ebd.). Sie werde «nirgends im Sinne einer vollzugsfähigen Rechtsnorm angewendet» (ebd.). Weil die Menschenwürde in der deutschen Rechtspraxis also höherrangig fungiert, ergibt sich nach dem Lissabon-Urteil des BVG der Befund einer retardierenden Wirkung der Europäisierung des Rechts (vgl. 250). Für den hier diskutierten Kontext kann dies positiv gewendet werden, insofern sich dadurch auf europäischer Ebene die Integrationsfunktion der Menschenwürde erhöht, weil sie mehr Konzepte umgreifen kann. Enders weist überdies nach, dass der ursprüngliche (vom Parlamentarischen Rat bestimmte) Bedeutungsgehalt der Menschenwürde eher dem jetzigen europäischen Verständnis entspricht (vgl. 256).

Aufgabe sie anerkennen, mit der genuinen Intention ihrer Religion verbinden und von der sie bei der Gestaltung ihres bürgerlichen und religiösen Lebens profitieren. Diese interpretative Aneignung integriert Menschen islamischen Glaubens in denjenigen Staat, der um der wechselseitigen Anerkennung und um des Schutzes dieser Menschenwürde willen existiert.

Zugleich gilt der umgekehrte Befund: Indem sich muslimische Gelehrte den Begriff der Menschenwürde aneignen und aus der Perspektive von Koran, Sunna und Scharia interpretieren, versuchen sie den Islam als eine mit dem freiheitlich-demokratischen Staat kompatible Religion zu legitimieren und erwarten, dass Staat und Gesellschaft ihn auf dieser Basis als eine legitime Religion anerkennen und sowohl die positive Religionsfreiheit als auch die religionsrechtlichen *res mixtae* aufgrund der Bedürfnisse und Erfordernisse der Religion des Islam neu justieren. Die Aneignung der «Menschenwürde» zielt also – wie im 19. Jahrhundert bei den Menschen jüdischer Herkunft und Religion – auf emanzipative Gleichstellung der Religion des Islam mit der christlichen Religion. Insofern kann auch hier von einer zivilreligiösen Bedeutung des Begriffs gesprochen werden, weil wechselseitige Freundlichkeit zwischen staatlicher Ebene und religiösen Gemeinschaften darin zum Ausdruck kommt. Gleichwohl ist zu beachten, dass in der EU das nationalstaatliche und nationalkulturelle Erbe respektiert und gepflegt werden soll. Der Begriff Nation bleibt daher gegenwärtig relevant, zumal der Nationalstaat weiterhin für die Gestaltung des Religionsrechtes zuständig bleibt.[177] Insofern reicht die zivilreligiöse Anerkennung der «Menschenwürde» (und der Prinzipien des freiheitlich-demokratischen Rechtsstaates) für die religionspolitische Integration des Islam im Sinne seiner Konfessionalisierung noch nicht aus. Für die notwendige Dekonstruktion ethnischer, politischer und religiöser Zugehörigkeit und für die Beheimatung von Menschen unterschiedlicher Herkunft und Glaubensweise in den Regionen und Nationen Europas ist der gemeinsame Bezug auf die Menschenwürde aber ein erster, wichtiger legitimatorischer Schritt.

Gleichwohl handelt es sich nur um einen ersten Schritt. Die Rechnung geht nicht einfach auf und es ist auf mindestens drei Konfliktlinien aufmerksam zu machen. *Zunächst* ist auf den zuletzt bei Ramadan herausgearbeiteten Aspekt zu verweisen, dass im Zuge der muslimischen Aneignung der Grundlagen der politischen Ordnung des Westens der Begriff Menschenwürde nicht die gleiche Spitzenstellung geniesst wie dies im legiti-

177 Vgl. Droege, Chancen und Probleme des europäischen Religionsverfassungsrechtes für die Gestaltung der europäischen Religionskultur, 69–84.

matorischen Diskurs üblicherweise der Fall ist. Er gilt muslimischerseits bisher weniger als Grund humaner Freiheit und Grenze staatlichen Handelns denn als Ausdruck einer adäquaten (islamisch verstandenen) Freiheit, die sich in die freiheitlich-demokratische Ordnung einzupassen versteht. Die für die europäische Ordnung einschlägige Prinzipienstellung der Menschenwürde ist im islamischen Diskurs noch nicht wirklich erreicht. Damit hängt *zweitens* zusammen, dass sich mit dem muslimischen Rekurs auf die Menschenwürde eine mehr oder weniger ausgeführte Kritik an der westlichen Zivilisation und Lebensart verbindet. Das menschenwürdige Leben ist für die muslimischen Denker stets von den Grundsätzen der islamischen Sittlichkeit bestimmt. Die Möglichkeit, auf der legitimatorischen Basis der Menschenwürde die mit ihr gegebene Freiheit dazu zu nutzen, gegen die Prinzipien der islamischen Sittlichkeit zu verstossen, wird – wenn überhaupt – nur theoretisch eingeräumt. Insofern zeigt sich hier ein inhaltlicher Dissens im Verständnis des Begriffs. Die Anerkennung der Menschenwürde als gewissermassen zivilreligiöses Datum westlich-politischer Ordnungen impliziert nicht die Anerkennung ihrer herrschenden Auslegung durch die Mehrheitsgesellschaft oder -religionen. Daher gibt es an dieser Stelle konfliktträchtigen Stoff zur Fortsetzung des Diskurses, in dem über die triftige Auslegung des Begriffs im freien Wettbewerb und mit dem zwanglosen Zwang des besseren Argumentes gestritten werden muss. Die *dritte* Konfliktlinie fällt auf, wenn man noch einmal die korporative Deutung der Grundrechte in der Paulskirche mit dem tendenziell individualistischen Verständnis von Menschenwürde und Freiheit in der Gegenwart vergleicht. Deutlich wird dann, dass die Interpretation der Menschenwürde durch Muslime durch das korporative Denken der islamischen Tradition geprägt wird, die die Familie, die Grossfamilie, das «Haus des Islam» sowie die umma sehr hoch schätzt. So wird in der Regel zur Menschenwürde ein Leben in einer intakten Familie gerechnet. Andere, in den Gesellschaften des Westens gängige und moralisch approbierte Lebensformen dagegen gelten als defizitär. Hier ergeben sich strukturelle Konflikte, weil die grundrechtliche und religiöse Dimension der Menschenwürde die Schutz- und Freiheitsqualität des Einzelnen betont und ihren emanzipatorischen Charakter im Kollisionsfall auch gegen die gegebenen und religiös sanktionierten Sozialformen herausarbeitet. Die hier angedeutete Konfliktlinie zwischen einer korporativen und individualistischen Auslegung des Begriffs dürfte allerdings nicht nur zwischen der europäischen und der muslimischen Interpretation der «Menschenwürde» verlaufen, sondern auch innerhalb des Islam selbst, weil der Einzelne in der Gestaltung seines menschenwürdigen Lebens sich an der in Rechtssätzen formulierten ethischen Tradition seiner Religion zu orientieren hat, die ihn in das korporative Denken zurückverweist. Die historische Erfahrung innerhalb der christlichen Religionsgeschichte lehrt indes: Individualisierende Emanzipationsschübe sind zu erwarten, die aber ihrerseits mit dem Begriff Menschenwürde verstanden werden können. Trotz dieser Konfliktlinien mag gelten: Der Diskurs um die angemessene Auslegung des Begriffs Menschenwürde ist ein wesentlicher Baustein zur Bildung eines *overlapping consensus* in Fragen des Verhältnisses der freiheitlichen politischen Ordnung zu den unterschiedlichen religiösen Traditionen, denen sie eine Heimstatt bieten will.

Literatur

Antes, Peter, Menschenrechte und Staatsmoral, in: Heinzmann, Richard, Hg., Menschenwürde. Grundlagen in Christentum und Islam, Stuttgart, Kohlhammer, 2007, 124–137.

Ahrens, Heinrich, Artikel «Freiheit», in: Bluntschli, Johann Caspar, Hg., Deutsches Staats-Wörterbuch (Band 3), Stuttgart/Leipzig, 1858, 730–739.

Ahrens, Heinrich, Artikel «Freiheitsrechte», in: Bluntschli, Johann Caspar, Hg., Deutsches Staats-Wörterbuch (Band 3), Stuttgart/Leipzig, 1858, 739.

Ayengin, Tevhit, Islam und Menschenrechte, in: Ucar, Bülent/Yavuzcan, Ismail H., Hg., Die islamischen Wissenschaften aus Sicht muslimischer Theologen. Quellen, ihre Erfassung und neue Zugänge im Kontext kultureller Differenzen, Frankfurt a. M., Lang, 2010, 209–217.

Balic, Smail, Der Islam im Spannungsfeld von Tradition und heutiger Zeit, Würzburg, Echter, 1993.

Balic, Smail, Der Islam – europakonform?, Würzburg, Echter, 1994.

Bellah, Robert N., Zivilreligion in Amerika (1967), in: Kleger, Heinz/Müller, Alois, Hg., Religion des Bürgers. Zivilreligion in Amerika und Europa, München, Kaiser, 1986, 19–41.

Ben Achour, Yadh, Droits du croyant et droits de l'homme. Un point de vue islamique, Islamochristiana, 34, 2008, 111–128.

Best, Heinrich/Weege, Wilhelm, Hg., Biographisches Handbuch der Abgeordneten der Frankfurter Nationalversammlung 1848/49, Düsseldorf, Droste, 1996.

Ceric, Mustafa, The challenge of a single Muslim authority in Europe, European View, Volume 6, 2007, 41–48.

Ceric, Mustafa, A Declaration Of European Muslims, (http://www.rferl.org/content/article/1066751.html, 22.11.2012).

Dotterweich, Volker/Fuchs, Walther Peter, Hg., Leopold von Ranke. Vorlesungseinleitungen, München/Wien, Oldenbourg, 1975.

Droege, Michael, Chancen und Probleme des europäischen Religionsverfassungsrechtes für die Gestaltung der europäischen Religionskultur, in: Scheliha, Arnulf von/Goodman-Thau, Eveline, Hg., Zwischen Formation und Transformation. Die Religionen Europas auf dem Weg des Friedens, Göttingen, V&R unipress, 2011, 69–84.

Droysen, Johann Gustav, Die Verhandlungen des Verfassungsausschusses der deutschen Nationalversammlung (1849). Erster Teil, Vaduz, Topos-Verlag, 1987.

Düzgun, Saban Ali, Die Möglichkeit einer theologischen Grundlegung der menschlichen Vollkommenheit, in: Heinzmann, Richard, Hg., Menschenwürde. Grundlagen in Christentum und Islam, Stuttgart, Kohlhammer, 2007, 88–123.

Enders, Christoph, Freiheit als Prinzip rechtlicher Ordnung – nach dem Grundgesetz und im Verhältnis zwischen den Staaten, in: Dierken, Jörg/Scheliha, Arnulf von, Hg., Freiheit und Menschenwürde. Studien zum Beitrag des Protestantismus, Tübingen, Mohr Siebeck, 2005, 295–320.

Enders, Christoph, Selbstbewusste Toleranz. Das Prinzip der Subjektivität und die Spielräume seiner Auslegung im Recht moderner Staatlichkeit, in: Enders, Christoph/Kahlo, Michael, Hg., Diversität und Toleranz, Paderborn, Mentis, 2010, 213–228.

Enders, Christoph, Das Bekenntnis zur Menschenwürde im Bonner Grundgesetz – ein Hemmnis auf dem Weg der Europäisierung, in: Jahrbuch des Öffentliches Rechtes NF 59 (2011), 245–257.

Essbach, Wolfgang, Europas Religionen, das Erbe der Religionskritik und die kulturelle Globalisierung, in: Rehbein, Boike/West, Klaus-W., Hg., Globale Rekonfigurationen von Arbeit und Kommunikation. Festschrift zum 60. Geburtstag von Hermann Schwengel, Konstanz, UVK-Verlagsgesellschaft, 2009, 163–176.

Essbach, Wolfgang, Der Enthusiasmus und seine Stabilisierung in Kunstreligion und Nationalreligion, in: Soeffner, Hans-Georg, Hg., Unsichere Zeiten (Band 1), Wiesbaden, VS-Verlag, 2010, 521–531

Falaturi, Abdoldjavad, Zur Interpretation der Kantischen Ethik im Lichte der Achtung, Bonn, Rheinische Friedrich-Wilhelms-Universitaet, 1965.

Falaturi, Abdoldjavad, Ist der Islam mit Säkularismus vereinbar?, in: ders., Der Islam – Religion der Barmherzigkeit, Islamwissenschaftliche Akademie, Hamburg, [5]1996.

Falaturi, Abdoldjavad, Menschliche Menschenrechtsvorstellungen, in: ders., Der Islam – Religion der Barmherzigkeit, Hamburg, Islamwissenschaftliche Akademie, [5]1996.

Friauf, Karl Heinrich/Höfling, Wolfram, Hg., Berliner Kommentar zum Grundgesetz (Band 1), 13. Erg.-Lfg. VII/05, RN 28, Berlin, Erich Schmidt, 2000.

Fürstenberg, Nina zu, Wer hat Angst vor Tariq Ramadan?, Freiburg, Herder, 2008.

Ghaemmaghami, Seyed Abbas Hosseini, Menschenrechte und Menschenwürde. Einführung in das islamische Menschenbild, Al-Fadschr (116), 21, 2004, 46–50.

Graf, Friedrich-Wilhelm, Die Wiederkehr der Götter. Religion in der modernen Kultur, München, Beck, 2004.

Grimm, Dieter, Recht und Staat der bürgerlichen Gesellschaft, Frankfurt a. M., Suhrkamp,1987.

Hefny, Assen, Hermeneutik, Koraninterpretation und Menschenrechte, in: Elliesie, Hatem, Hg., Islam und Menschenrechte. Beiträge zum Islamischen Recht VII (Leipziger Beiträge zur Orientforschung, Band 26) Frankfurt a. M., Lang, 2010, 73–97.

Heinig, Hans Michael, Artikel «Menschenwürde», in: Heun, Werner, Hg., Evangelisches Staatslexikon, Stuttgart, Kohlhammer, 2006, 1516–1525.

Hemmati, Homoayoun, Das Verständnis der Freiheit im Islam, in: Mühling, Markus, Hg., Gezwungene Freiheit? Personale Freiheit im pluralistischen Europa, Göttingen, Vandenhoeck & Ruprecht, 2009, 109–116.

Herms, Eilert, Zivilreligion. Systematische Aspekte einer geschichtlichen Realität, Theologische Quartalsschrift, 183, 2003, 97–127.

Homrichhausen, Christian R., Evangelische Christen in der Paulskirche 1848/49. Vorgeschichte und Geschichte der Beziehung zwischen Theologie und politisch-parlamentarischer Aktivität, Bern, Lang, 1985.

Idriz, Benjamin, Grüss Gott, Herr Imam! Eine Religion ist angekommen, München, Diederichs, 2010.

Jacobs, Manfred, Die Entwicklung des deutschen Nationalgedankens von der Reformation bis zum deutschen Idealismus, in: Zillessen, Horst, Hg., Volk, Nation, Vaterland. Der deutsche Protestantismus und der Nationalismus, Gütersloh, Mohn, 1970, 51–110.

Kalisch, Muhammad, Muslime als religiöse Minderheit, in: Schneiders, Thorsten Gerald/Kaddor, Lamya, Hg., Muslime im Rechtsstaat, Münster, LIT, 2005, 47–67.

Kalisch, Muhammad, Islam und Menschenrechte. Betrachtungen zum Verhältnis von Religion und Recht, in: Elliesie, Hatem, Hg., Islam und Menschenrechte. Beiträge zum Islamischen Recht VII (Leipziger Beiträge zur Orientforschung; Band 26), Frankfurt a. M., Lang, 2010, 49–72.

Kaschuba, Wolfgang, Volk und Nation. Ethnozentrismus und Geschichte und Gegenwart, in: Winkler, Heinrich August/Kaelble, Hartmut, Hg., Nationalismus – Nationalitäten – Supranaturalität, Stuttgart, Klett-Cotta, 1993, 56–81.

Khan, Muhammad Zafrullah, Der islamische Staat, Frankfurt a. M., Der Islam, 2001.

Khan, Muhammad Zarfullah, Islam und Menschenrechte, Frankfurt am Main, Der Islam, 2004.

Khoury, Georges, Ethik und Menschenwürde im Islam, in: Siegetsleitner, Anne/Knoeppfler, Nikolaus, Hg., Menschenwürde im interkulturellen Dialog, Freiburg/München, Alber, 2005, 91–122.

Kleger, Heinz, Gibt es eine europäische Zivilreligion? Pariser Vorlesung über die Werte Europas, Potsdam, Universitäts-Verlag, 2008.

Koch, Rainer, Hg., Die Frankfurter Nationalversammlung 1848/49. Ein Handlexikon der Abgeordneten der deutschen verfassungsgebenden Reichs-Versammlung, Kelkheim, Kunz, 1989.

Krause, Karl Christian Friedrich, Der Erdrechtsbund. An sich selbst und im Verhältnis zum Ganzen und zu allen Einzeltheilen des Menschheitslebens, Leipzig, Schulze,1893.

Kühne, Jörg-Detlef, Die Reichsverfassung der Paulskirche. Vorbild und Verwirklichung im späteren deutschen Rechtsleben, Frankfurt a. M., Metzner, 1985.

Kühne, Jörg-Detlef, Revolution und Rechtskultur. Die Bedeutung der Revolutionen von 1848 für die Rechtsentwicklung in Europa, in: Langewiesche, Dieter, Hg., Die Revolutionen von 1848 in der europäischen Geschichte. Ergebnisse und Nachwirkungen, München, Oldenbourg, 2000, 57–72.

Kühne, Jörg-Detlef, Von der bürgerlichen Revolution bis zum Ersten Weltkrieg, in: Papier, Hans-Jürgen/Merten, Detlef, Hg., Handbuch der Grundrechte in Deutschland und Europa (Band 1), Heidelberg, Müller, 2004, 97–152.

Kuhn, Thomas H., Das neuzeitliche Christentum und die Genese des Nationalismus als ‹politischer Religion›, in: Pfleiderer, Georg/Stegemann, Ekkehard W., Hg., Politische Religion. Geschichte und Gegenwart eines Problemfeldes, Zürich, TVZ, 2004, 131–157.

Kupisch, Karl, Die Wandlungen des Nationalismus im liberalen deutschen Bürgertum, in: Zillessen, Horst, Hg., Volk – Nation – Vaterland. Der deutsche Protestantismus und der Nationalismus, Gütersloh, Mohn, 1970, 111–134.

Lepsius, Mario Rainer, Interessen, Ideen und Institutionen, Opladen, Westdeutscher Verlag, 1990.

Liedhegener, Antonius, Mehr als Binnenmarkt und Laizismus? Die neue Religionspolitik der Europäischen Union, in: Baumann, Martin, Hg., Religionspolitik – Öffentlichkeit – Wissenschaft. Studien zur Neuformierung von Religion in der Gegenwart, Zürich, Pano-Verlag, 2010, 59–80.

Luhmann, Niklas, Soziologische Aufklärung (Band 3), Opladen, Westdeutscher Verlag, 1981.

Nida-Rümelin, Julian, Europäische Identität? Das normative Fundament des europäischen Einigungsprozesses, in: Europäische Identität. Voraussetzungen und Strategien, Nida-Rümelin, Julian/Weidenfeld, Werner, Hg., Baden-Baden, Nomos, 2007.

Nolte, Paul, Religion und Bürgergesellschaft. Brauchen wir einen religionsfreundlichen Staat?, Berlin, Univ. Press, 2009.

Ramadan, Tariq, Der Islam und der Westen. Von der Konfrontation zum Dialog der Zivilisationen, Marburg, Muslim-Studenten-Vereinigung in Deutschland, 2000.

Ramadan, Tariq, Muslimsein in Europa. Untersuchung der islamischen Quellen im europäischen Kontext, Marburg, Muslim-Studenten-Vereinigung in Deutschland, 2001.

Ramadan, Tariq, Radikale Reform. Die Botschaft des Islam für die moderne Welt, München, Diederichs, 2009.

Robbers, Gerhard, Menschenrechte aus der Sicht des Protestantismus, in: Papier, Hans-Jürgen/Merten, Detlef, Hg., Handbuch der Grundrechte in Deutschland und Europa (Band 1), Heidelberg, Müller, 2004, 387–411.

Rürup, Reinhard, The European Revolutions of 1848 and Jewish Emancipation, in: Mosse, Werner E./Paucker, Arnold/Rürup, Reinhard, Hg., Revolution and Evolution. 1848 in German-Jewish History, Tübingen, Mohr, 1981, 1–53.

Rürup, Reinhard, Deutschland im 19. Jahrhundert. 1815–1871, Göttingen, Vandenhoeck & Ruprecht, [2]1992.

Ruddies, Hartmut, Religion und Nation. Reflexion zu einem beschädigten Verhältnis, in: Ulrich, Beat, Hg., Gott im Selbstbewusstsein der Moderne. Zum neuzeitlichen Begriff der Religion, Gütersloh, Gütersloher Verlagshaus Mohn, 1993, 196–221.

Saberschinsky, Alexander, Die Begründung universeller Menschenrechte. Zum Ansatz der Katholischen Soziallehre, Paderborn/Wien, Schöningh, 2002.

Scheliha, Arnulf von, «Menschenwürde» – Konkurrent oder Realisator der Christlichen Freiheit? Theologiegeschichtliche Perspektiven, in: Dierken, Jörg/Scheliha, Arnulf von, Hg., Freiheit und Menschenwürde. Studien zum Beitrag des Protestantismus, Tübingen, Mohr Siebeck, 2005, 241–264.

Scheliha, Arnulf von, Schleiermacher als politischer Denker, in: Arndt, Andreas/Selge, Kurt-Victor, Hg., Friedrich Schleiermacher – Denker für die Zukunft des Christentums?, Berlin/New York, De Gruyter, 2011, 83–100.

Schieder, Rolf, Zivilreligion als Diskurs, in: Schieder, Rolf, Hg., Religionspolitik und Zivilreligion, Baden-Baden, Nomos-Verlagsgesellschaft, 2001, 8–22.

Schmid, Hanjörg, Islam im europäischen Haus. Wege zu einer interreligiösen Sozialethik, Freiburg im Breisgau, Herder, 2012.

Scholler, Heinrich von, Die Grundrechtsdiskussion in der Paulskirche. Eine Dokumentation, Darmstadt, Wissenschaftliche Buchgesellschaft, 1973.

Schubert, Ernst, Die evangelische Predigt im Revolutionsjahr 1848. Ein Beitrag zur Geschichte der Predigt wie zum Problem der Zeitpredigt, Giessen, Töpelmann, 1913.

Senkel, Christian, Patriotismus und Protestantismus. Konfessionelle Semantik im nationalen Diskurs zwischen 1749 und 1813, Habilitationsschrift, Halle, 2010.

Siegenthaler, Hansjörg, Supranationalität, Nationalismus und regionale Autonomie. Erfahrung des schweizerischen Bundesstaates – Perspektiven der Europäischen Gemeinschaft, in: Winkler, Heinrich August/ Kaelble, Hartmut, Hg., Nationalismus – Nationalitäten – Supranaturalität, Stuttgart, Klett-Cotta, 1993.

Vick, Brian E., Defining Germany. The 1848 Parliamentarians and National Identity, Cambrigde/Mass, Harvard University Press, 2002.

Vögele, Wolfgang, Menschenwürde und Gottebenbildlichkeit, in: Dierken, Jörg/Scheliha, Arnulf von, Hg., Freiheit und Menschenwürde. Studien zum Beitrag des Protestantismus, Tübingen, Mohr Siebeck, 2005, 265–276.

Weisse, Wolfram, Erfordernisse einer Theologie im Plural für die Ausbildung von Imamen in Deutschland, in: Ucar, Bülent, Hg., Imamausbildung in Deutschland, Göttingen, V & R Unipress, 2010, 97–114.

Wigard, Franz, Hg., Reden für die Deutsche Nation 1848/1849, Stenographischer Bericht über die Verhandlungen der Deutschen Constituierenden Nationalversammlung in Frankfurt am Main (Band 1–4), München, Moss, 1979.

Wittram, Reinhard, Nationalismus und Säkularisation. Beiträge zur Geschichte und Problematik des Nationalgeistes, Lüneburg, Heliand-Verlag, 1949.

Wolfes, Matthias, Öffentlichkeit und Bürgergesellschaft. Friedrich Schleiermachers politische Wirksamkeit (Band 1–2), Berlin/New York, De Gruyter, 2005.

Würtenberger, Thomas, Von der Aufklärung zum Vormärz, in: Papier, Hans-Jürgen/Merten, Detlef, Hg., Handbuch der Grundrechte (Band 1), Heidelberg, Müller, 2004.

Otto Kallscheuer

Legitimität Identität Stabilität
Die Europäische Union in einer Legitimationskrise?

> «Gewiss ist die Idee Europa, diese einzigartige Färbung eines Komplexes geistiger Güter, charakteristisch gesondert von der des griechisch-römischen Geistes im Altertum und der katholischen Weltidee im Mittelalter – gewiss ist sie unsterblich, aber sie ist verwundbar.»
> Georg Simmel (1916)

1. Falsche Frage

Vorbemerkung

Nein, die aktuelle Handlungsklemme der EU hat weder religiöse Ursachen noch religiöse Motive. – Im Falle der aktuellen Turbulenzen der Europäischen Union führte die anfängliche Arbeitshypothese unserer Forschungsgruppe nicht weiter, Legitimationskrisen der heutigen demokratisch verfassten Politik im Westen auch im Horizont politischer Theologie zu analysieren – bzw. auf ihren religionsgeschichtlichen, im vorliegenden Falle: Christentums-spezifischen und konfessionellen Hintergrund zu befragen.

Es gibt zwar auch auf Europa bezogene politisch-theologische Krisenanalysen.[1] Gerne fungiert dabei Carl Schmitt als erratischer Stichwortgeber oder auratischer Siegelbewahrer einer (oft auch ‹verborgenen›) theologisch codierten europäischen Grundlagenkrise. Diese sei nämlich zu verstehen als Krise

- ‹des Politischen› [ ]
- ‹der Souveränität›[2] [ ]
- und/oder ‹der Repräsentation› [ ]

[Zutreffendes bitte ankreuzen]

Für die im Herbst 2011 ausbrechende *tatsächliche* Krise der Legitimität Europäischer Institutionen und Entscheidungen bleiben die Ergebnisse solcher Studien eigentümlich irrelevant.[3] Mit dem Ende des ‹Reiches› (und seiner Ordnungsfunktion als *katechon*) sei der ‹christliche Äon› zu Ende gegangen, lautet etwa die veranschlagte politisch-theologische Diagnose. Und daher laufe die neue, postimperiale Gestalt des Politischen unweigerlich auf eine

1 Die fraglos beste dieser Schriften, voller geistes- und theologiegeschichtlicher *Eruditio*, stammt von der Forschergruppe ‹Epimeteo›, Finis Europae. Nur hat sie leider zur EU nichts zu sagen.

2 Vgl. Haltern, Was bedeutet Souveränität?

3 Hier und im Folgenden bezieht sich das *gross*geschriebene Adjektiv ‹Europäisch› auf Institutionen von Europäischen Gemeinschaft (EG), dann Europäischen Union (EU), auf ihre Vorläufer, Programme und Charakteristika – das *klein*geschriebene ‹europäisch› hingegen auf den geografischen Raum Europa und seine politische und Kulturgeschichte. Die Majuskeln EURO beziehen sich auf die gemeinschaftliche Währung von (bisher) 17 Staaten der EU.

Selbstzerstörung Europas hinaus.[4] Ausserdem gilt diese Diagnose ja, *wenn* sie denn zutrifft, bereits

- seit 1848 [ ]
- seit der Französischen Revolution [ ]
- oder seit der Reformation, also der
- Auflösung des *corpus christianum* in Europa. [ ]

[Zutreffendes bitte ankreuzen]

Fragen zur künftigen Entwicklung der EU werden vor dem Hintergrund solcher (im Wortsinne von ‹Enthüllung›) *apokalyptischen* Diagnosen dann gar nicht mehr gestellt – etwa Fragen zum Weiterbestand der Währungsunion, nach den Grenzen der finanziellen Solidität und Solidarität der Europäischen Union, oder auch die Frage, ob diese Union wohl eine Verfassung brauche, eine neue supranationale Autorität oder Regierung (usw., usf. …). Es scheint, als verdienten derartige Fragen gewissermassen schon ob ihrer eschatologischen Irrelevanz keine ernsthafte Antwort. Doch an den Antworten auf ebensolche Fragen scheiterten allein im Jahre 2011 sechs zahlungsunfähige Regierungen der EURO-Zone:

- *Irland,* November 2010 bis Februar 2011: Rücktritt des liberalen irischen Premiers Brian Cowan, Neuwahlen, aus denen der Konservative Enda Kenny als Sieger hervorgeht;
- *Portugal,* März bis Juni 2011: Rücktritt des sozialistischen Regierungschefs Sócrates, Neuwahlen mit Sieg des Konservativen Coelho;
- *Spanien,* Juli bis November 2011: Ankündigung vorgezogener Neuwahlen durch den sozialistischen Regierungschef Zapatero, bei den Neuwahlen siegt mit Mariano Rajoy der Exponent der konservativen Volkspartei;
- *Slowakei,* Oktober 2011: die konservative Regierungschefin Iveta Radicova verbindet die Abstimmung über den EURO-Rettungsfonds ESFS mit der Vertrauensfrage, akzeptiert im Tausch gegen die Zustimmung der sozialistischen Opposition vorgezogene Neuwahlen und besiegelt damit den Sturz ihrer Regierung;

4 Vgl. etwa Epimeteo, Finis Europae, 47ff. (Folge des Endes des ‹katholisch› identifizierten Reiches sei u. a. der preussisch-protestantische ‹Griff nach der Weltmacht› und der Gegensatz Europa-Amerika).

– *Griechenland* und *Italien,* im November 2011: der äussere Druck der Finanzmärkte und die (in beiden Ländern je anders gelagerte) innenpolitische Auseinandersetzung zwingt die amtierenden Regierungschefs, den Sozialisten Giorgios Papandreou und den liberalen Populisten Silvio Berlusconi zum Rücktritt; in beiden Fällen kommt es zur Einsetzung einer ‹technokratischen›, aber von einer grossen parlamentarischen Mehrheit getragenen Übergangsregierung unter einem Finanzfachmann.

Kurz: Es wäre nicht allein unpolitisch, sondern auch politisch-theoretisch verantwortungslos, im Rahmen einer Analyse der Dimensionen europäischer Legitimität von der aktuellen EURO- und Europa-Krise abzusehen. Nun hat diese aber bisher ihren Abschluss noch gar nicht erreicht, sondern spinnt sich weiter: von Krisengipfel zu Krisengipfel, von den Zensuren der *Rating*-Agenturen zum Verdikt der Finanzmärkte, von Rettungsschirm zu Stabilitätsmechanismus, von der Forderung nach Plebiszit bis zur Verfassungsklage. Diese Friktionen und ihr Management offenbaren nun zugleich die recht spezifischen Gleichgewichts- und Konsensmechanismen der EU; und diese wiederum sind nicht alleine Krisengestalten, sondern u. U. auch Ansatzpunkte für ihre mögliche Reform. Ihre Analyse muss daher eher die ‹Grammatik› des Krisenmanagements erfassen als dessen (sich ständig ändernde) Resultate.

Und wo bleibt die Religion? Gewiss spielten im Entstehungskontext des vereinten Europa auch religiöse Faktoren eine (eher indirekte, aber deshalb nicht unwichtige, normativ verstärkende) Rolle. In der aktuellen, ‹gefühlten Krise› der EU kann aber davon keine Rede mehr sein: Ist diese primär eine Schuldenkrise einzelner Mitgliedsstaaten, eine Bestandskrise des EURO, beruht sie auf Koordinationsschwächen der Fiskalpolitiken Europas, oder liegt eine Uneinigkeit über die Finalitäten Europas zugrunde? – Bei der Beantwortung dieser Fragen wirken religiöse Motive eher störend, disgregativ und kommunikationserschwerend. Soweit dabei Chiffren religiöser Identität nicht als blosse «Marker» (Olivier Roy) für die jeweils eigene ethno-nationale Gruppenzugehörigkeit fungieren resp. die kulturelle Ablehnung von äusseren und inneren Fremden zum Ausdruck bringen,[5] haben

5 Ob dabei das Anknüpfen an solche nationalen religiösen (konfessionellen) Traditionen Ursache oder Wirkung derartiger (innerer/äusserer) Wahrnehmungen des Fremden (oder gar Feindes) sind, wie man ihr latentes Aktualisierungspotenzial erklären kann und deuten soll, ist eine weitere Frage, die wir hier nicht verfolgen können. (Auch hier – nebenbei bemerkt – scheinen mir theologisch-politischen Kategorien im Anschluss an Carl Schmitt wenig Hilfe zu versprechen.)

nämlich die aktuellen Akzeptanzkrisen, Blockaden oder Friktionen (in) der europäischen Integration *per se* gar nichts mit der fraglichen, etwa als nationale Norm unterstellten Religion zu tun.[6] Und auch die noch vor einigen Jahren auf allen Kirchentagen heiss beredete Frage eines für das Gemeinwesen ‹Europa› konstitutiven Gottesbezugs (in der gescheiterten Europäischen Verfassung) hat sich längst in Weihrauch aufgelöst.

Religiöse Identifikationen, zumeist in Verbindung mit dem Verdacht auf Europas Gefährdung oder Unterwanderung durch ‹den Islam›, geben den Krisenerfahrungen in Europa zwar zuweilen ‹lebensweltliche› Färbung oder ideologische Plausibilität. Doch die politische Wahrnehmung und Verarbeitung der aktuellen Verschuldungskrise ist vornehmlich das Ergebnis ‹systemischer› Konstruktionsprobleme der EU als *polity* – und betrifft damit die Legitimation des Gemeinwesens ‹Europa›. Dessen Analyse ist im Folgenden unser Thema.

Die Analyse ist anamnetisch – oder, wenn man will, gehe ich im Krebsgang vor: Ich beginne in der Gegenwart, versuche dann eine ‹performative› Strukturanalyse des Europäischen Krisenmanagements, und gehe dann erst zurück auf die Gründungsphase der EU und ihre Protagonisten, um die spezifischen Leistungen und Grenzen der europäischen Integration zu verdeutlichen. Sie liegen im normativen Konsens der Gründungsakteure *und* in der weltpolitischen Konstellation der Nachkriegssituation in Westeuropa begründet, und lassen sich daher nicht *sans phrase* auf die verantwortbare Zukunft übertragen. (Erneut: *Nur* in diesem anfänglichen Kontext spielten religiöse Faktoren tatsächlich eine relevante Nebenrolle.)

Unsere Skizze setzt also in der Aktualität der griechischen Krise ein (2.); deren ‹Brüsseler/Bonner/Pariser› Krisenmanagement gilt es dann, als eine *mehr*dimensionale Bewährungsprobe europäischer Politik, zu diagnostizieren (3.–5.). Darauf aufbauend behandeln die folgenden Abschnitte vermeidbare und unvermeidliche Schwierigkeiten der Europäischen Demokratie (6.), die ambivalente staatsrechtliche Natur der Europäischen Union selbst (7.) und die von Anbeginn an zu ihrer Legitimation bemühten historischen und ‹ideellen› Identität(en): Diese lassen sich am ehesten als ein verschiedene Motive übergreifendes semantisches Feld für rekursive und

6 Es handelt sich bei solchen Versuchen eines europäischen «kulturellen Integralismus» (Volkhard Krech) in politischer Absicht in entweder um eine Variante/Konfession des Christentums oder um eine post- (oder z. T. anti-)christliche Variante von nationaler oder Bürgerreligion (religion civile) – die gefürchtete/abgelehnte Religion der ‹Anderen› ist hingegen i. d. R. der Islam.

prospektive Konsensbildung verstehen (8.). Doch der *overlapping consensus,* der bei der Schaffung der Europäischen Gemeinschaft/Union operativ wurde, war zugleich das sehr spezifische Ergebnis einer unwiederholbaren weltpolitischen Konstellation, des Kalten Krieges (9.). Kann aber die Europäische Union auch heute, jenseits dieser Konstellation, nicht nur als *polity* überleben, sondern neue Handlungsfähigkeiten gewinnen – und diese demokratisch legitimieren? Abschliessend (unter 10.) wird diese Frage, nein, sie wird nicht beantwortet, aber sie wird expliziert. Vielleicht verstehen wir sie dann besser.

Eine letzte Vorbemerkung: Dass ich über keinerlei Fachkenntnisse in der nationalen wie internationalen Finanzpolitik verfüge, wird die Leserin sogleich bemerken. In der fachökonomischen Bewertung umstrittener Krisendiagnosen und -therapien habe ich mich darum, soweit dies möglich war, zurückgehalten. Aber es dürften dennoch einige Irrtümer im Text verblieben sein.

Beginnen wir also mit dem Ende.[7]

2. Griechische Tragödie

2.1 Vom Endspiel zum Neuanfang?

Die «grösste Krise Europas seit dem Weltkrieg» (wie sie immerhin der scheidende Chef der Europäischen Zentralbank Jean-Claude Trichet nannte[8]) entzündete sich im Herbst 2011 an der Glaubwürdigkeit der Gemeinschaftswährung EURO auf den internationalen Finanzmärkten. Die

7 Redaktionsschluss dieses Beitrags war Ende Juni 2012: nach den französischen Präsidentschafts- und Parlamentswahlen, nach den zweiten griechischen Parlamentswahlen des Sommers, in Deutschland im Zeichen eines verstärkten verfassungspolitischen Wirkens des Bundesverfassungsgerichts – also im Beginn eines neuen politischen Zyklus mit teilweise veränderten, teilweise neuen politischen Protagonisten des (inner-)europäischen Reform- und Verhandlungsprozesses. Ob der fliehenden Aktualität können seine Schlussfolgerungen somit nicht vollständig up to date sein; sie konnten zudem nicht mit allen Ergebnissen der anderen Beiträge dieses Bandes passfest gemacht werden.

8 J.-C. Trichet, Die grösste Krise. In einem Interview vom 24. September 2011 (mit der Agentur Reuters) bezeichnete Trichet die EURO-Zone als das «Epizentrum» einer «globalen Krise der öffentlichen Finanzen». – Die Soziologen Jens Beckert und Wolfgang Streeck sprechen von einem «Mass an Turbulenz in [der] nationalen und internationalen Politik [...], wie man es seit dem Ende des Zweiten Weltkrieges nicht mehr gekannt hat» (Beckert/W. Streeck, Die Fiskalkrise, 7).

Europäische Union drohte an der Frage der Bewältigung bzw. Vermeidung des anstehenden Staatsbankrotts eines Landes der EURO-Zone zu scheitern, konkret an der Unfähigkeit der Republik Griechenland, zur Bedienung ihrer Staatsschulden noch bezahlbare Refinanzierungskredite zu erhalten.

Freilich – und das war kein Geheimnis – bedeutete der drohende griechische Bankrott nur die Spitze eines Eisbergs, der längst einen Grossteil der Volkswirtschaften der Europäischen Union bedrohte: die nach der internationalen Bankenkrise von 2008 in zahlreichen westlichen Ländern, insbesondere in Südeuropa, sprunghaft angestiegenen öffentlichen Verschuldung, und zwar in einem auch durch ausserordentliche Spar- und Haushaltspolitiken nicht mehr zu bewältigenden Ausmasse.[9] Zum vorrangigen, expliziten Thema der nationalen wie europäischen Innenpolitiken wurde diese verdrängte Wahrheit freilich erst durch eine Art Offenbarungsdrama: durch die Konferenzdramaturgie des ersten Zyklus der EURO-Krise (Herbst/Winter 2011). Dieser entfaltete sich auf der Weltbühne in der dramatischen Szenenfolge dreier Gipfeltreffen:

– Das Treffen des Europäischen Rates in Brüssel am 23. und 26./27. Oktober 2011;
– das nur eine Woche später in Cannes stattfindenden Treffen der G20-Staaten, das von der dramatischen Zuspitzung der griechischen Krise überschattet wurde;
– und schliesslich der erneut anberaumte Europäische Ratsgipfel vom 8./9. Dezember 2011.

Dazu kamen zahlreiche Zwischenszenen, vertrauliche Intermezzi, ‹beiseite gesprochene› Monologe, diverse reitende Boten, mindestens ein Duell

9 In seiner Max Weber-Lecture am Europäischen Hochschulinstitut Florenz charakterisiert Wolfgang Streeck diese Schuldenkrise als nunmehr vierte Krise des demokratischen Kapitalismus seit dem Zweiten Weltkrieg: nach der ersten Phase der Inflation, nach der zweiten staatlichen (keynesianischen) und dann dritten privaten (deregulierten) Defizitfinanzierung seiner Wachstumsschübe. Die Krise besteht jeweils in der Schwierigkeit, die Anforderungen der internationalen ‹Märkte› mit den Ansprüchen der nationalen Demokratien zu vereinbaren – und jedes Mal ist dies nur durch den Rückgriff auf (privat oder öffentlich finanzierte) ‹Zukunftsgüter› möglich. Seit 2010 gerieten v.a. die Länder der südeuropäischen Peripherie auf den internationalen Finanzmärkten in den Verdacht, ihre Schulden nicht mehr zurückzahlen zu können; diese Märkte fordern jetzt erweiterte, europäische Garantien für die künftige Solvenz Griechenlands und dann Portugals, Spaniens, Italiens. Siehe dazu Streeck, The Crises of Democratic Capitalism; vgl. auch Beckert/Streeck, Die nächste Stufe der Finanzkrise.

in der Frankfurter Alten Oper, Rezitative und Arien, feierliche Chöre, auf und abschwellende Bocksgesänge, in gedruckten wie elektronischen Medien. Ihre Nachspiele, Neuinterpretationen, Reprisen und Wiederverhandlungen (erneut mitsamt reitenden Boten, Duellen, Rezitativen und Arien) sollten freilich auch in folgenden Monaten nicht auf sich warten lassen.

Denn natürlich war die Schuldenkrise im Jahr 2011 mit den Dezember-Beschlüssen des Europäischen Rats keinesfalls beendet. Sie war vielmehr jetzt erst zum expliziten Thema eines gesamteuropäischen Verhandlungs- *und* Entscheidungsprozesses geworden.[10] Und in diesem Prozess wurden dann zugleich der Einfluss und die Rollen der verschiedenen institutionellen (nationalen, *inter*-gouvernementalen und *supra*-nationalen) und informellen Akteure innerhalb des komplizierten politischen Systems der EU neu verteilt, gegeneinander ausbalanciert und adjustiert. Wieweit die bei diesen Auseinandersetzungen um den *fiscal compact* getesteten Routinen von Krisenbewältigung, -verlagerung und Prozeduralisierung allerdings auch für andere europäische *policy*–Felder praktikabel sind, muss sich erst noch zeigen.

2.2 Pakete und Peripetien

Ende Oktober 2011 kam die erste Paketlösung der griechischen Zahlungskrise zustande, die dann freilich schon sehr bald wieder aufgeschnürt und wiederholt neu kombiniert werden musste. Vorausgegangen waren etliche dramatische Verhandlungswochen zwischen dem Sitz der Europäischen Zentralbank in Frankfurt am Main, der Europäischen Kommission in Brüssel, dem Regierungssitz Athen und – nicht zuletzt! – den Hauptstädten Paris und Berlin. Dieses Brüsseler Rettungspaket koppelte die europäische Bereitschaft zu einer Garantie der Schuldendienste für den avisierten Prozess einer Haushaltssanierung Griechenlands an eine strikte, national von der sozialistischen PASOK-Regierung zu verantwortende Sparpolitik; es schloss aber (im Unterschied etwa zu den Vorstellungen des französischen Präsidenten Nicolas Sarkozy) jede Disponibilität der Europäischen Zentral-

10 Genauer: Entscheidungen durch Verhandlungen, freilich durch Verhandlungen unter Rahmenbedingungen eines ordnungspolitischen Diktats seitens der internationalen Finanzmärkte. Zu hoffen bleibt freilich, dass es nun für die folgenden Jahre wenigstens ein Mindestmass neu erworbener Regeln und Routinen der europäischer Krisenbewältigung, -verlagerung, -prozeduralisierung gibt, die dann auch für künftige ‹Stabilitäts- und Wachstumspakte› mit anderen politischen Mehrheiten und verantwortlichen Akteuren gelten mögen.

bank (EZB) für eine Stützung zahlungsunfähiger Staatshaushalte aus. Im finanzpolitischen Jargon beinhaltete das Paket zwar einen *haircut* und die mögliche *Hebelung* des finanziellen Rettungsschirms[11] – und zwar vertraglich gebunden an eine griechische *austerity*-Politik. Aber sie schloss eine ‹Bazooka› aus, also den Einsatz der (durch Einsatz der Notenpresse theoretisch unbeschränkten) Mittel der EZB für die Stabilisierung bzw. Refinanzierung von überschuldeten Staaten.

– Der *haircut* bedeutete einen Schuldenschnitt für die bankrotten Staatsfinanzen Griechenlands in Gestalt einer von der deutschen Regierungschefin durchgesetzten und den privaten Gläubigerbanken akzeptierten ‹freiwilligen› Halbierung der griechischen Staatsschulden[12] – deren konkrete Abmessung und zeitliche (wie zinsliche!) Staffelung allerdings auch Ende Januar 2012 erneut Verhandlungsgegenstand sein sollten.
– Eine in Aussicht gestellte *Hebelung* des europäischen Schutzschirms für zahlungsunfähige Staaten sollte (über eine stufenweise mögliche Anhebung des verfügbaren Stützungsvolumens) die Risiken für den europäischen Finanzmarkt längerfristig reduzieren, die sich ja keineswegs auf einen denkbaren griechischen Staatsbankrott beschränkten.
– Gebunden waren alle diese Hilfszusagen an die ausdrückliche Selbstverpflichtung der griechischen Regierung auf eine *austerity*-Politik, also ein einschneidendes, rigides Sparprogramm der öffentlichen Haushalte, mit freilich schon damals nur höchst prekären Aussichten auf anhaltende parlamentarische Zustimmung.

11 D.i. der Europäischen Finanzstabilisierungsfazilität (EFSF), die dann 2012 durch einen Europäischen Stabilisierungsmechanismus (ESM) abgelöst wurde.

12 Wie freilich die Verhandlungen noch im Januar 2012 zeigen sollten, blieb der mit Griechenland vereinbarte ‹freiwillige› Schuldenschnitt seitens privater Gläubigerbanken (über die Hälfte ihrer Forderungen über 200 Milliarden EURO) ein zweischneidiges Schwert: Zum einen war nämlich die Auszahlung der ersten Tranche des zweiten Rettungspakets für Griechenland (über 130 Milliarden EURO) durch den IWF und die EURO-Gruppe davon abhängig, ob sich ausreichend private Gläubiger an diesem Forderungsverzicht beteiligen wurden, die damit eo ipso auf ihre Kreditausfallderivate (CDS) verzichten müssten (nach FAZ, 21.Jan. 2012). Zum andern könnten künftige Kreditgeber an andere EURO-Länder diese Möglichkeit künftiger Insolvenz fürderhin von vornherein in Rechnung stellen – und dadurch würde ihre Bereitschaft zur künftigen Kreditvergabe an Staaten der EURO-Zone eher erschwert (also: verteuert). – Auch deshalb fehlte vermutlich diese ‹griechische Klausel› im ‹vorläufig endgültigen› Gesamtpaket der im Dezember 2011 beschlossenen Vereinbarung der 27 EU-Staaten (minus Grossbritannien) zur Schuldenkrise bzw. Stabilitätsunion.

Was allerdings in diesem Paket neben der Verpflichtung zur staatlichen Sparpolitik fehlte, war jeglicher wirtschaftspolitische Impuls für ein neues Wirtschaftswachstum in Griechenland. (Und dies sollte sich auch in den nächsten Monaten nicht ändern.) Ohne neues Wachstum aber ist langfristig auch eine Sanierung der Staatsverschuldung undenkbar – jedenfalls unter Bedingungen demokratischen Konsenses.[13] Dies hatte sich als das Problem nicht nur, aber insbesondere der südeuropäischen Länder der EURO-Zone herauskristallisiert:[14] Diese nämlich hatten im Jahrzehnt zuvor durch für sie (*aufgrund* ihres EURO-Bonus – ihrer Mitgliedschaft in der EURO-Währungszone) vergleichsweise günstige private wie öffentliche Kredite einen Wachstumsboom finanzieren können, etwa mit der ‹Blase› im spanischen Bausektor. Nun waren sie jedoch nicht mehr in der Lage, diese Kredite zurückzuzahlen, konnten aber (*aufgrund* ihrer fehlenden Währungsautonomie – ihrer Mitgliedschaft in der EURO-Währungszone) die Konkurrenzfähigkeit ihrer Volkswirtschaft nicht mehr durch nationale Währungsab-

13 Zum historischen Zusammenhang zwischen kapitalistischer Demokratie und Verschuldungskrisen siehe die bereits zitierte eindringliche Analyse von Wolfgang Streeck, The Crises of Democratic Capitalism.

14 Der im kruden Börsenjargon sogenannten PIGS: Portugal, Irland, Griechenland, Spanien, bzw. PIIGS (wenn Italien hinzugezählt wird). Der moralische Subtext (‹pigs›) dieser Terminologie ist augenfällig: eine Invektive gegenüber den haushaltspolitischen ‹Schweinereien› der katholischen oder orthodoxen, meist Mittelmeer-Staaten ohne Spardisziplin, die nun zunächst bestraft werden müssen, bevor sie neue Kredithilfen ‹verdienen›. Wirtschafts-Nobelpreisträger Paul Krugmann hat in seinem New York Times-Blog «The Conscience of a Liberal» (unter www.krugman.blogs.nytimes.com) vom 22. November 2011 im Anschluss an kritische Analysen des britischen Centre for European Reform die vorherrschende «nordeuropäische Moralerzählung» der EURO-Krise als «neo-calvinistisch» bezeichnet: «The major sins of the periphery were government profligacy and losses of competitiveness.» Krugman selbst sieht die Ursachen eher in der Gemeinschaftswährung EURO selbst bzw. im «falschen Sicherheitsgefühl» der EURO-Zone, das die südeuropäischen Nationen durch unrealistisch günstige Kreditbedingungen zur Überschuldung verleitet habe. – Interessanterweise wird die religiös-kulturelle Stereotypisierung auch von griechischen Kritikern der Brüsseler oder ‹Bonner› Stabilitätspolitik gewissermassen umgekehrt: Ein griechischer Minister charakterisierte im Juli 2011 die Troika aus EZB, EU-Kommission und IWF mit den Worten: «Wir haben es mit Protestanten und Idioten zu tun», ein linker Abgeordneter der Sozialisten sprach im Oktober 2911 vom «dogmatischen lutherischen Denken der Deutschen» in der Schuldenkrise» (Zitate aus der Tageszeitung TO BHMA, 17. Juli und 10. Okt. 2011, hier nach einer Information von V. Makrides, Die Wirtschaftskrise).

wertung verbessern. Sie benötigen also, allein um ihre Schulden zu bedienen, dringend neue Kredite – und realistische Wachstumsimpulse.[15]

Neben der innenpolitisch bekannten Dramaturgie der Massenproteste und Generalstreiks führte die Griechenland-Tragödie auch zu dramatischen Auftritten auf der internationalen Bühne – darunter der *coup de théatre* des griechischen Premiers Giorgos A. Papandreou, dessen parlamentarische Mehrheit sich mit jeder Ankündigung weiterer europäischer (oder ‹deutscher›) Sanierungsauflagen weiter auflöste:[16] Gebunden waren alle Hilfszusagen an die Selbstverpflichtung der griechischen Regierung auf ein einschneidendes, rigides Sparprogramm des öffentlichen Haushalts – mit freilich nur höchst prekären Aussichten auf anhaltende parlamentarische Zustimmung.

– Zunächst kündigte Papandreou eine Volksabstimmung über das mit den europäischen Autoritäten, Kreditgebern und Mächten (v. a. den Regierungschefs Deutschlands und Frankreichs) abgestimmte Sparprogramm an;[17]

15 Vgl. Krugman, Can Europe be Saved? (Krugmans neues Buch «Vergesst die Krise!» (2012) konnte für diesen Beitrag noch nicht berücksichtigt werden.)

16 Allzu leicht wäre es, die finanzpolitische Tragik dieses Premiers gewissermassen ‹ödipal› auszubuchstabieren: Sein Vater, der Pasok-Führer Andreas Giorgiou Papandreu (1919 – 1996), war als eine der Gründergestalten des populistisch-nationalistischen Mittelmeersozialismus schliesslich für jene extensive Verwendung staatlicher Ausgaben stilbildend, an deren unöglichem Abbau der Sohn Giorgios Andrea scheitern sollte. Noch eine Generation weiter – nämlich auf Papandreus Grossvater, ebenfalls Premierminister – wurde die Psychoanalyse der griechischen Regierungskrise vom Psychiater Stelios Stylianidis getrieben: «In der griechischen Tragödie – erzählte er einem französischen Journalisten – werden die alten Schulden in der dritten Generation bezahlt. Giorgios Papandreu ist der Enkel der Geschichte, so wie Orest der Enkel des Aträus ist» (Alain Salles, Ubris, catharsis et ‹troika›, in: Le Monde, 11. Mai 2012).

17 De facto wäre dieses Referendum einem Plebiszit über den Verbleib Griechenlands der EURO-Währungszone oder den Austritt des Landes aus ihr gleichgekommen (siehe den Kommentar K.-D.Frankenbergers, Ein Tabu, FAZ, 4. Nov. 2011). De jure freilich existiert bis dato noch keine Möglichkeit aus der EURO-Währung auszutreten, ohne gleichzeitig die EU zu verlassen. – In der Frankfurter Opernloge des deutschen Feuilletons wurde G.A. Papandreus Verzweiflungsakt, der nicht zuletzt die Oppositionspartei ‹Nea Demokratia› in die Mitverantwortung zwingen sollte, übrigens lagerübergreifend als mutige Tat begrüsst. (Frank Schirrmacher, Demokratie ist Ramsch, in: FAZ, 4. Nov. 2011; Habermas, Rettet die Würde der Demokratie!, in: FAZ, 5. Nov. 2011; vgl. aber die Debatte in Le Monde, 4. Nov. 2011: Le référendeum grec est-il déraisonable?). Auf dem wenige Wochen später stattfindenden Parteitag der deutschen GRÜNEN erhielt dann der griechische (unterdes: Ex-) Premier Papandreu als Gastredner standing ovations.

- dann zog er seine Ankündigung (nach seinem Rapport vor dem deutsch-französischen Spitzen-Duo beim G-20 Gipfeltreffen in Cannes Anfang November 2011) wieder zurück;
- gleichzeitig kündigte er seinen Rücktritt als Regierungschef an und verhandelte über die Einsetzung einer zur Durchführung der EU-Auflagen notwendigen Notstands- oder Übergangsregierung, die dann im Mai 2012 durch Neuwahlen abgelöst werden sollte.

Wenig später kam es auch in Italien – zwar ohne einen derartigen *coup* und vor einem gänzlich anderen innenpolitischen Hintergrund, doch gewiss aufgrund ähnlicher europäischer Pressionen – zu einer analogen Lösung. Nämlich zum ‹freiwilligen› Rücktritt des auch aus anderen Motiven umstrittenen Regierungschefs Silvio Berlusconi und zur von Staatspräsident Napolitano aktiv betriebenen Bildung einer ‹technokratischen› (oder Experten-) Regierung unter Führung des ehemaligen EU-Kommissars Mario Monti: berufen durch den Staatspräsidenten und gewählt durch eine breite Mehrheit im Parlament.

2.3 Intermezzo: Nach der Wahl ist vor der Wahl

Nota bene: Weder im griechischen noch im italienischen Fall kann für den Herbst/Winter 2011 von einer ‹Suspension der Demokratie› gesprochen werden, wie dies zuweilen in der Presse geschah. Die Regeln der parlamentarischen Demokratie wurden schliesslich in beiden Ländern nie auch nur einen Augenblick lang verletzt; die Notstandsregierungen Griechenlands und Italiens wurden von grossen parlamentarischen Mehrheiten getragen und blieben, solange sie bestanden, von ihnen abhängig.[18] Für beide Länder gilt freilich auch, dass in diesem jüngsten politischen Zyklus Europas vom Herbst 2011 bis zum Sommer 2012 die hausgemachten (und durchaus

18 Mario Monti hat im Gespräch mit der deutschen Tageszeitung Die Welt von seiner parlamentarischen Mehrheit als einer ‹grossen Koalition› gesprochen (11. Januar 2012). Zudem hat in Italien die zunehmende Schwäche ‹der› inzwischen allesamt als korrupt geltenden Parteien, zu denen (seit den jüngsten Skandalen der finanziellen Selbstbedienung von Familie und Entourage des Parteiführers Umberto Bossi) inzwischen auch die vor zwei Jahrzehnten als regional-populistische Protestpartei entstandene ‹Lega Nord› gerechnet wird, trotz im Einzelnen heftig umstrittener Entscheidungen die Zustimmung zur ‹technokratischen› Monti-Regierung deutlich erhöht, jedenfalls im Gegensatz zu einem bislang weitgehend entscheidungsunfängigen Parteienspektrum. (Vgl. den Kommentar von Gian Enrico Rusconi, Larghe intese dopo Monti, in: La Stampa, 4. April 2012.)

älteren) tiefgreifenden Krisen der nationalen Parteiensysteme offen zutage getreten sind.

In Italien konnte die Notstandsregierung Monti immerhin zeitweilig zu einer gewissen politischen Stabilisierung beitragen; in Griechenland war das für die Regierung Papademos ganz offenkundig nicht der Fall.

Mittlerweile haben nämlich im Sommer 2012 in Griechenland bereits zweimal Neuwahlen stattgefunden: Am 6. Mai 2012 erteilten die Hellenen der Athener Notstandskoalition eine Absage und wählten ein extrem zersplittertes und polarisiertes Parlament, mit einem sprungartigen Erstarken anti-europäischer politischer Kräfte zur Rechten wie zur Linken und der von den Wählern dezimierten «grossen» Koalition aus sozialistischer *Pasok* und konservativer *Nea Dimokratia* (ND). Immerhin hatten die Neofaschisten von *Chrysis Avgi* (der «Goldenen Morgenröte») 7 Prozent der Wählerstimmen erhalten und die (stalinistischen) Kommunisten des *KKE* 8,5 Prozent; mit fast 17 Prozent der Stimmen zweitstärkste Kraft wurde die radikale linke Partei *Syriza*, die zwar in der EURO-Zone bleiben, die Geschäftsgrundlage des Fiskalpakts aber aufkündigen will. Eine halbwegs stabile Regierungskoalition war unter diesen Bedingungen unmöglich, auch wenn das Übergangskabinett nach italienischem Vorbild aus Experten zusammengesetzt werden sollte. Also wurden nun Mitte Juni 2012 (erneut!) Neuwahlen notwendig – und diese erwiesen sich dann *de facto* als jenes Plebiszit zum Verbleib Griechenlands in der EURO-Zone, das die in Cannes versammelte Führung der Europäischen Union ein halbes Jahr zuvor dem damaligen sozialistischen Premier Giorgios Papandreou faktisch untersagt hatte.

Die Wahl ging diesmal zwar knapp «für den EURO» aus – doch *alle* griechischen Parteien hatten zuvor im Wahlkampf eine Revision der Bedingungen des Rettungspaktes gefordert, auch die konservative *Nea Dimokratia* (welche ja im Vorjahr der *Pasok*-Regierung noch die Zustimmung für die «von Europa» geforderten Sparprogramme verweigert und damit erst die Regierungskrise ausgelöst hatte). Am 17. Juni 2012 siegte nun die *Nea Dimokratia* Mit 29,7 Prozent Stimmenprozenten an den Wahlurnen, wenngleich nur knapp vor der radikalen Linken *Syriza,* die diesmal für ihr ‹Nein!› zum europäischen Stabilitätsprogramm von fast 27 Prozent der Wähler ihre Stimme erhielt. (Dafür halbierte sich der Anteil der Kommunisten nahezu: von 8,5 auf 4,5 Prozent; hingegen behielten die Neofaschisten der «Goldenen Morgenröte» ihre Wählerprozente). Nun konnte *ND*-Parteichef Antonis Samaras unter Beteiligung der arg gebeutelten *Pasok* und der kleineren

Demokratischen Linken eine (vorerst) parlamentarisch tragfähige Regierungskoalition bilden.[19]

Nach der Wahl ist vor der Wahl: Hätte denn ein ebenso gut denkbarer Sieg von Anti-EU-Parteien im Parlament Athens zwangsläufig den Austritt (oder den Ausschluss) Griechenlands aus der EURO-Zone zur Folge gehabt? Die Häufigkeit, mit der diese Möglichkeit seit Mitte Mai 2012 in Berlin, Brüssel und Paris heftig dementiert wurde, war längst kein Indiz ihrer Unwahrscheinlichkeit mehr.[20] Doch betonte ausgerechnet jetzt ein bekennender EURO-Skeptiker wie der Nobelpreisträger für Wirtschaftswissenschaften Paul Krugman, «dass eine Rückkehr zu den Landeswährungen mit erheblichen Kosten verbunden wäre. Jedes Land, das heute aus dem EURO ausschert, müsste einen Run auf seine Banken befürchten, weil die Anleger ihr Geld in sichere EURO-Staaten verschieben würden. [...] Eine Abkehr vom EURO wäre ausserdem ein dramatischer Rückschlag für das Projekt der europäischen Einigung und Demokratisierung durch wirtschaftliche Integration – ein Projekt, dass nicht nur für Europa von Bedeutung ist, sondern für die ganze Welt.»[21]

19 Die drei Parteien erhielten zusammen zwar nur 48 Prozent der abgegebenen Stimmen, stellen jedoch (aufgrund der im griechischen Wahlsystem vorgesehenen ‹Mehrheitsprämie› für den Wahlsieger) 179 Abgeordnete von den insgesamt 300 des Athener Parlaments.

20 Den griechischen Wählern müsse jetzt «klargemacht werden, dass die Wahl ein Referendum über die Frage sein wird, ob Griechenland in der EURO-Zone bleiben will» leitartikelte Michael Martens in der FAZ (18. Mai 2012); und das deutsche Nachrichtenmagazin DER SPIEGEL titelte «Akropolis Adieu! Warum Griechenland jetzt den EURO verlassen muss» (Nr. 20/2012). Für das britische Magazin The Economist (Europe's Achilles heel, Ausgabe vom 12. Mai 2012) wird das «risk of a Greek exit» aus der EURO-Zone immer wahrscheinlicher, im Falle der Ablehnung des Sanierungs-/Sparpakets an den Wahlurnen wohl unabweichlich. Um für diesen Fall angemessen vorbereitet zu sein, bliebe den neuen Partnern Merkel und Hollande nur noch ein Monat Zeit.

21 Paul Krugman, Jetzt nicht kleckern, in: Die Welt 12. Mai 2012. – Zu den ökonomischen Risiken einer Kettenreaktion nach einem möglichen griechischen EURO-Ausstiegs vgl. das Szenario des Hamburgischen Weltwirtschaftsinstituts/HWWI vom April 2012 (Straubhaar u. a., Der Euro in der Krise, 46–48). – Zu den politischen Risiken siehe die Warnung des Europa-Abgeordneten Dany Cohn-Bendit, in Le Monde vom 11. Mai 2012: «L'espace politique s'est effondrré en Grèce. Il s'agit de donner un signal d'espoir. Si on laisse les Grecs se débrouiller seuils, on risque un coup d'Etat militaire.»

2.4 Drei Dimensionen der Krise

Es waren natürlich nicht nur diese und andere Regierungskrisen und -wechsel; es waren vielmehr vor allem die Spekulationen auf den internationalen Finanzmärkten wider die Zahlungsfähigkeit weiterer EURO-Zonen-Länder (Spanien, Italien); und es waren nicht zuletzt die nun innerhalb der Europäischen Union selbst aufbrechenden heftigen Kontroversen über die angemessene Sanierungs- und Stabilisierungspolitik der EURO-Zone, die nach etlichen dramatischen Zuspitzungen schliesslich als («vorläufig letzten») Akt eine neue – *inter*-gouvernemental ausgehandelte, aber demonstrativ *gesamt*-europäisch verbindliche – Entscheidung notwendig machten.[22] Und dazu, zum von 26 EU-Staaten getragenen Abkommen für eine Europäische Fiskalunion, kam es schliesslich am 9. Dezember 2011 in Brüssel, unter deutsch-französischer Federführung, auf der Sitzung des *Rats* der Regierungschefs der Europäischen Union. Die finanz- und stabilitätspolitische Leistungsfähigkeit dieses dann am 2. März 2012 von 25 der 27 EU-Länder (minus Grossbritannien und Tschechien) unterzeichneten Fiskalpakts soll aber hier gar nicht bewertet werden.[23] Unsere Frage ist im Folgenden eine andere: Was offenbaren uns Koordination und Konflikt der institutionellen Akteure in dieser Peripetie des griechischen Dramas – der Situation eines europäischen währungs- und finanzpolitischen Ausnahmezustands – über den Charakter der Europäischen Union selbst, über Europas ‹Verfassung›[24], zum *State of the Union*?

«Scheitert der EURO, dann scheitert Europa» – dieser Ausspruch der deutschen Kanzlerin Angela Merkel vom Mai 2010 sollte Ende 2011 zu ihrem

22 Eine akteursnahe Rekonstruktion der Schlüsselszenen lieferte zu Jahresende 2011 das Wall Street Journal: M. Walker/Ch.Forelle/St. Meichtry, Deepening Crisis. Inzwischen ist das Drama bereits Gegenstand eines Fernsehspiels oder «Doku-Dramas» geworden: Stephen Lamby/Michael Wech, «Der Domino-Effekt: Kippt der EURO?», gesendet in: ARTE, 17. Januar 2012.

23 Zumal ihre genauen *terms* ja nun im neuen politischen Zyklus Europas, nach den parallelen französischen Präsidentschafts- und griechischen Parlamentswahlen im Mai 2012, mit den neuen Mehrheiten in der EU und den bereits vor den Wahlen avisierten, nach den Wahlen freilich zu beiden Seiten des Rheins unterschiedlich akzentuierten Zielsetzungen eines ‹Wachstumspakts› abgeglichen bzw. neu verhandelt werden müssen. (Vgl. etwa die Diskussionsbeiträge zum Thema: «Aprés le 6 Mai, un ‹New Deal› en Europe? In: Le Monde/Débats, 11. Mai 2012).

24 Im natürlich auch von Jürgen Habermas im gleichnamigen Essay (2011) angesprochenen Doppelsinn.

Leitmotiv avancieren.[25] Wie wörtlich aber war diese Warnung zu nehmen? Denn gewiss wäre Griechenlands Ausscheiden aus der Gemeinschaftswährung *als solches* für die anderen Länder der EURO-Zone noch kein Drama gewesen – seine unmittelbaren ökonomischen Auswirkungen wären durchaus zu verkraften. Und *nota bene*: dieser Ausstieg bleibt ja auch in Zukunft eine jederzeit mögliche Option. – Jederzeit? – Nun, bei jeder erneuten griechischen innenpolitischen Wende oder Krise; bei jeder Weigerung der Gläubigerbanken, den ‹freiwilligen› Schuldenschnitt zu den jeweils aktuellen Kreditierungsbedingungen zu ratifizieren;[26] mit jedem erneuten (und keineswegs unwahrscheinlichen) Engpass in den Verhandlungen zur nächsten Tranche bei der Refinanzierung der griechischen Schuldendienste mit der ‹Troika› der Kreditgeber von EU-Kommission, EZB und Internationalem Währungsfonds; oder beim (ebenfalls jederzeit möglichen) erneuten Zerfall der parlamentarischen Regierungsmehrheit in Griechenland, welche die Auflagen des Stabilitätspakts zu erfüllen bereit ist.

Doch ganz abgesehen von der juristischen Frage, sprich: des bislang nicht vorgesehenen oder klar geregelten Ausstiegsprozederes eines Landes aus dem EURO-Raum, ohne damit zugleich die EU zu verlassen – ein solcher Schritt bedeutete für die Europäische Union gewiss nicht das Ende, aber insgesamt einen symbolischen (ergo: politischen) Rückschlag. Ganz ähnlich wie die Ende Mai 2006 per Volksabstimmung in Frankreich und den Niederlanden, zwei Gründungsländern der EG, erfolgte Ablehnung des Europäischen ‹Verfassungsvertrags›.

Und auch das Vertrauenskapital der Europäischen Währungsunion als solcher wäre durch Griechenlands Verlassen der EURO-Zone zumindest mittelbar gefährdet worden: ihre ökonomische *governance* hätte an Verlässlichkeit für potenzielle Investoren und Kreditgeber verloren, zumal nach

25 Spätestens seit der Debatte über den Bundeshaushalt Anfang September 2011 (Dokumentation in Das Parlament, Nr.37/38, 12. September 2011); er bildete auch das Motto der Neujahrsansprache der Kanzlerin für 2012. Gleichzeitig wurde dieselbe Warnung auch zum Leitthema des französischen Präsidenten Nicolas Sarkozy – insbesondere mit Blick auf den beginnenden Präsidentschaftswahlkampf für d.J. 2012, den Sarkozy von vorneherein unter extrem ungünstigen Vorzeichen begonnen hatte (seine Teilnahme am zweiten Wahlgang als einer der beiden Bestplazierten schien nicht nur durch den sozialistischen Kandidaten Francois Hollande bedroht, sondern auch durch die Kandidatin des rechtspopulistischen Front National Marie Le Pen) und dann verlor.

26 Anfang d.J. 2012 oszillierten die Schätzungen über den wahrscheinlichen ‹realen› Verlust der Gläubigerbanken bei einer ‹freiwilligen› Halbierung der griechischen Staatsschulden zwischen 50 Prozent und 72 Prozent.

einem griechischen Ausstieg aus dem EURO ja auch andere Länder (vermutlich zuerst Portugal) als die nächsten Ausstiegskandidaten angesehen werden könnten.[27] Und eine mögliche ‹Ansteckung› anderer, grösserer, überschuldeter EURO-Länder mit dem ‹griechischen Virus›[28] könnte dann in der Tat auch die gesamte EURO-Zone aus 17 Volkswirtschaften gefährden. Solch einen plötzlich immerhin denkbaren «Zusammenbruch der Euro-Zone» bezeichnete dann Ende November 2011 der polnische Aussenminister Radoslaw Sikorski in einer bemerkenswerten Rede in Berlin als die «grösste aktuelle Bedrohung für Frieden und Sicherheit» seines Landes.[29]

27 Dies – und nicht etwa eine von Teilen der Weltpresse unterstellte ‹lutherische› Wirtschaftsmoral – war natürlich der Grund, aus dem Angela Merkel (im Gegensatz zu wachsenden Teilen ihrer Wählerschaft) einen Austritt Griechenlands aus der Gemeinschaftswährung um fast jeden Preis verhindern wollte. Dass sie im Zweifelsfall eher die Übernahme der griechischen Wirtschaftspolitik einen EU-Kommissar in Erwägung zog, verriet allerdings einen erstaunlichen Mangel an historischer Sensibilität gegenüber einem im Zweiten Weltkrieg von deutschen Truppen besetzten Land.

28 Genauer gesagt: Das Übergreifen des (auch durch Spekulationen aktiv geschürten) Misstrauens auf den Finanzmärkten gegenüber den griechischen, dann italienischen usw. Staatstiteln – ein Misstrauen, das schliesslich auch hinter dem wachsenden Druck auf die griechische und italienische Regierung stand, der in beiden Ländern zum Rücktritt ihrer Regierungschefs und zur Einsetzung ‹technokratischer› (freilich durch parlamentarische Mehrheiten getragener) Übergangsregierungen führte. – Nota bene: Im Sommer 2012, gut ein halbes Jahr später, wurde diese Ansteckungsgefahr durch eine Bankenpanik (in Ländern wie Portugal oder Irland) bei einem möglichen Austritt Griechenlands aus der EURO-Zone als nicht mehr so wahrscheinlich angesehen: immerhin wurden inzwischen die ‹Brandmauern› EFSF und ESM eingezogen, welche die anderen Länder abschirmen; und die griechischen Staatsschulden seien ohnehin von den Gläubigern längst abgeschrieben. (Vgl. die Berichte von Ph. Ricard u. a. Le ‹poison grec› tétanise de nouveau l'Europe, Le Monde, 11. Mai 2012, Le scénario d'une zone EURO sans Grèce s'installe, Le Monde, 16. Mai 2012, ähnlich auch N. Busse in der FAZ, 16. Mai 2012: Ein nicht mehr ganz so ernster Ernstfall). Nun allerdings galten bedeutendere Volkswirtschaften wie Spanien und Italien als gefährdet.

29 Radoslaw Sikorski erinnerte an das mit dem Ende der gemeinsamen Währung des Dinar einsetzende Ende der jugoslawischen Föderation und die darauffolgenden Balkankriege der 1990er Jahre. Die im Satz «Ich fürchte die deutsche Macht weniger als die deutsche Untätigkeit [sc. bei der Verhinderung des Ausgreifens der griechischen Schuldenkrise auf den EURO-Raum]» gipfelnde Rede des liberalen Aussenministers wurde in Polen alsbald von nationalistischer Seite als servile ‹Berliner Huldigung› verleumdet. Sikorski, Ich fürchte die deutsche Untätigkeit; zur polnischen Debatte darüber siehe den Kommentar von Adam Krzeminski, Die Republik Europa; sowie zuletzt das Interview mit Sikorski, in: Der Spiegel, Nr. 20/2012.

Dass der bevorstehende *default* des EU-Mitglieds Griechenland (als eines der 17 Länder der EURO-Zone) eine gesamteuropäische Vertrauenskrise einleiten konnte, lag also nicht so sehr an der (mit gerade mal 3 Prozent des Bruttoinlandsprodukts der EURO-Zone) eher schmalen Bedeutung der griechischen Ökonomie für den europäischen Wirtschaftsraum. Die von der griechischen Zahlungsunfähigkeit ausgelösten Konflikte waren vielmehr im umfassenden Sinne politischer Natur. In angelsächsischer Fachterminologie betrafen sie ebenso die politischen Prozesse (in) der Europäischen Union, also die *politics* der EU, wie zentrale Politikfelder oder *policies,* die für ihre Zukunft und ihren Zusammenhalt entscheidend sind und die damit auch Europa als *polity* bestimmen.

- Auf einem zentralen *policy*-Feld der Europäischen Union, nämlich dem für den Einigungsprozess konstitutiven Bereich der Währungs- und Finanzpolitik,[30] kam es – erstens – zu vielfältigen und weitreichenden Auseinandersetzungen über die alternativen Methoden der nationalen Schuldeneindämmung mit dem Ziel regionaler Währungsstabilisierung, über ihre Ressourcen und Institutionen.
- Diese Konflikte führten – zweitens – zu einer regelrechten Zerreissprobe für den gesamten komplizierten Prozess der europäischen *politics,* also die Mechanismen der in mehreren Jahrzehnten von EG und EU «erworbenen innereuropäischen Form des Konfliktmanagements».[31] Auf eingeübte europäische Routinen der Konfliktartikulation, Verhandlungsführung und Entscheidungsfindung schien plötzlich – in der Situation des Ausnahmezustands – kein Verlass mehr; sie wurden daher durch informelle Spitzenkontakte ersetzt (oder konditioniert), bevor (so ist zu

30 Konstitutiv ist die Währungsunion für die europäische Gestalt des Politischen nicht zuletzt durch ihre beiden Asymmetrien: (a) zwischen EURO-Zonen-Mitgliedern und anderen Staaten der EU; und (b) zwischen vergemeinschafteter Währungspolitik (und einer unabhängigen EZB) und einer weiter beibehaltenen nationalen haushaltspolitischen Souveränität: Bekanntlich setzten sich bei der Einführung des EURO die ‹Monetaristen› der Währungsunion-zuerst-Schule gegenüber den ‹Ökonomisten› durch, welche die gemeinsame Währung erst als ‹Krönung› einer zuvor wirtschaftlich und politisch geeinten Union einführen wollten. (Vgl. H. Zimmermann, Die gnadenlose EURO-Logik; Böckenförde, Welchen Weg geht Europa?, 81ff.)

31 In dieser Gestalt des Politischen, einem «ständigen institutionalisierten Verhandlungs- und Konsensfindungsprozess von Politikern, Beamten, Experten aus Wirtschaft und Wissenschaft, in dem nationale und gemeinschaftliche Interessen zusammengeführt werden», sieht Gerhard Brunn «die grösste Errungenschaft des europäischen Integrationsprozesses». (Brunn, Europäische Einigung, 321f.).

erwarten) ein neues institutionelles (und machtpolitisches) Gleichgewicht dann auch zu neuen Routinen führen kann.

- Denn in dieser Krise manifestierte sich zugleich – drittens – eine allenthalben spürbare, doch bisher weitgehend informelle Machtverlagerung innerhalb der vertraglich verfassten *polity* der Europäischen Union selbst. Ob diese auch formelle oder (quasi-)konstitutionelle Konsequenzen haben wird (oder sollte), die sich dann u. U. in institutionellen Innovationen oder Kompetenzverschiebungen niederschlagen könnten (oder müssten), mag sich zeigen.

3. *Policy*-Streitfragen: Stabilität und Liquidität

Zunächst – und in erster Linie – ging es natürlich um die Massnahmen und finanzpolitischen Mechanismen der Reduktion der griechischen und dann spanischen, italienischen (usw.) Staatsschulden. Diese Auseinandersetzung fand unter dem beständigen Druck der internationalen Finanzmärkte statt; vor dem Hintergrund der täglichen Quotierungen des Zinsen-*spread* der griechischen, portugiesischen (usw.) Staatstitel im Verhältnis zu deutschen Bundesanleihen; und in Erwartung der ‹Vertrauensnoten› amerikanischer Rating-Agenturen: Als diese dann Mitte Januar 2012 den Verlust der Triple A-Note für Frankreich und Österreich bescheinigten, welcher dann seinerseits eine Herabstufung der Kreditwürdigkeit des Europäischen Rettungsschirms EFSF nach sich zog – wurden diese Einstufungen von den *dramatis personae* an den Börsen von London, Frankfurt, Mailand oder in den Regierungssitzen Rom, Paris, Berlin wie Gottesurteile erwartet.[32] Und all dies geschah vor dem Horizont einer sich 2012 weltweit und insbesondere für die EURO-Zone abzeichnenden Rezession.[33]

Eine zentrale *policy*-Kontroverse betraf die Alternative zwischen ‹harter› und ‹weicher› Geldpolitik der Zentralbank: zwischen einer eher ‹engen› oder ‹weiten› Interpretation des Mandats der Europäischen Zentralbank (EZB),

32 Auf solche impliziten Theologumena der Finanzwirtschaft werden die Forschungen der dritten Arbeitsgruppe des Zentrums für Religion – Wirtschaft – Politik en détail zurückkommen.

33 Auch für Nicht-Ökonomen verständliche Überblicke vermitteln S. Tilford/Ph. White, Why Stricter Rules Threaten the Euro-Zone, und L. Larivera SJ, La crisi finanziaria dell'Eurozona. Paul Krugmans Panorama und Gefahrendiagnose «Can Europe Be Saved?» von Januar 2011 wirkt im Rückblick, ein Jahr später, nahezu prophetisch.

die just zum 1. November 2011 einen turnusgemässen Führungswechsel vom Franzosen Jean-Claude Trichet zum Italiener Mario Draghi erlebte.[34] Hier war die wichtigste Streitfrage – und sie bleibt, *mutatis mutandis*, auch für 2012 bestehen: Darf die EZB ihre wirtschaftspolitische Zurückhaltung aufgeben, wie sie ihr durch die europäischen Verträge, also die implizite wirtschaftspolitische ‹Verfassung› von EU und EURO-Zone vorgeschrieben wird? Sollte die EZB ihre qua Satzung exklusive Beschränkung auf die Wahrung der Währungsstabilität lockern?[35] Könnte die EZB die dramatisch zutage getretenen Liquiditätsklemmen in der EURO-Zone (die faktisch unbezahlbaren Zinsen für Staats- und zunehmend auch Privatkredite in den PIGS-Ländern) nicht dadurch überbrücken, dass sie in der Rolle des *lenders of last resort* zahlungsunfähige Staaten direkt unterstützt – analog zur Politik der U.S.-amerikanischen *Federal Reserve* gegenüber einzelnen U.S.-Bundesstaaten?[36]

Auch wenn nämlich eine explizite Übernahme dieser Rolle für die EZB bisher satzungsgemäss verschlossen bleibt, so könnte sie doch ihre stabilitätspolitischen Aufgaben beim Währungs- und Liquiditätsmanagement weiter oder enger auslegen.[37] Und dabei wird sie natürlich das wirtschaftspolitische Verhalten der wichtigsten EU-Regierungen in Rechnung stellen.

Für eine ‹konservative›, restriktive Auslegung des EZB-Mandats stand in den Monaten der EURO-Krise bekanntlich v. a. die deutsche Regierung – der französische Präsident Nicolas Sarkozy hingegen befürwortete (ganz im

34 Szenischer Hinweis: Die Abschiedsfeier für Trichet in der Frankfurter Alten Oper wurde – zu den Klängen von Rossinis «Barbier zu Sevilla» – am 19. Oktober 2011 Schauplatz einer dramatischen Peripetie der EURO-Krise: ‹Klärendes Gewitter› zwischen Merkel und Sarkozy – als Voraussetzung ihrer künftig engen Kollaboration; und ‹harte› und in der öffentlichen Berichterstattung zumeist als ‹deutsch› apostrophierte europäische Bedingungen für alle Stützungsaktionen bei der Sanierung der griechischen Staatsschulden – als Prämisse aller weiteren (und weiterhin endlosen) Sanierungsverhandlungen. Vgl. die Schilderung bei Walker/Forelle/Meichtry, Deepening Crisis.

35 AEUV, Art. 127–130; ausgeführt im «Protokoll über die Satzung des Europäischen Systems der Zentralbanken und der EZB» (Febr. 1992), 2007 übernommen in den Vertrag von Lissabon.

36 Das wäre die v.a. von angelsächsischen und amerikanischen Finanzexperten empfohlene ‹Bazooka›-Lösung (vgl. etwa den Bericht von René Höltschli in der NZZ 21. Nov. 2011).

37 Vgl. dazu den Kommentar von Lucrezia Reichlin, Ora la BCE intervenga (Corriere della sera, 26.11.2011); oder die Ausführungen von Adam Posen bei der Diskussion zwischen den Zentralbankiers bzw. Finanzökonomen Arminio Fraga (Brasilien), Adam Posen (Grossbritannien) und Kevin Warsh (USA). Siehe Council of Foreign Relations, Foreign Banking.

Einklang mit der staatsinterventionistischen Tradition der gaullistischen Fünften Republik) eine eher expansive Aktivität der EZB bei der Stützung wenn nicht der Solvibilität, so doch der Liquidität einzelner EU-Staaten. Sein Nachfolger François Hollande, der bereits angekündigt hat, den *fiscal compact* neu verhandeln zu wollen, geht weit darüber hinaus: Hollande will die finanzpolitischen Instrumente der EZB auch für einen Europäischen ‹Wachstumspakt› nutzen – worin er sich mit der bundesdeutschen grössten Oppositionspartei, den Sozialdemokraten trifft, deren Chancen, in der 2013 zu wählenden nächsten deutschen Regierung mitzuentscheiden (in welcher Koalition auch immer), deutlich gewachsen sind.

Eine expansivere Haltung wird auch vom neuen EZB-Chef Mario Draghi unterstützt, ebenso wie vom Ex-EU-Kommissar Mario Monti, dem neuen italienischen Regierungschef: Die zur Reduktion der Staatsschulden notwendigen Opfer hätten die Italiener, «wie alle Umfragen zeigen, klar und deutlich akzeptiert. Das Problem besteht aber darin, dass wir trotz dieser Opfer kein Entgegenkommen der EU, etwa in Form einer Senkung des Zinssatzes, erfahren. Die Opfer, die die Italiener heute bringen, werden sich in drei, fünf, zehn Jahren auszahlen, für unsere Kinder.» Aber – so Monti gegenüber einer deutschen Tageszeitung am Vorabend seines Antrittsbesuchs bei der deutschen Regierungschefin – «wenn es für die Italiener in absehbarer Zeit nicht greifbare Erfolge ihrer Spar- und Reformbereitschaft gibt, wird in Italien ein – sich heute schon abzeichnender Protest gegen Europa entstehen, auch gegen Deutschland, das als Anführer der EU-Intoleranz gilt, und gegen die Europäische Zentralbank».[38]

Auch eine Mehrzahl der nichtmonetaristischen Ökonomen befürwortete eine grössere Flexibilität in der Interpretation des Handlungsspielraums der Europäischen Zentralbank – nicht zuletzt zur Abwehr spekulativer Angriffe auf die Preisstabilität unter Bedingungen eingeschränkter Liquidität.[39]

38 Mario Monti, Warum Italien mehr wie Deutschland sein sollte, Die Welt, 11. Januar 2012.

39 Die Ökonomen des britischen Center for European Refom kritisieren die v. a. durch die deutsche Regierung (und die deutsche öffentliche Meinung) gestützte Weigerung der EZB «to act as lender of last resort to governments». Diese Haltung habe auf den Finanzmärkten Zweifel darüber aufkommen lassen, wieweit die Bank tatsächlich auf den Fortbestand der Eurozone verpflichtet sei und habe damit auch das Vertrauen der Finanzmärkte in zahlungsfähige Länder wie Italien und Spanien geschwächt. «For a variety of reasons, the ECB has been deeply uncomfortable straying from the narroewest interpretation of ist mandate. At times, the ECB has looked to be more concerned about inflation than about the eurozone's survival» (Tilford/White, Why stricter rules, 9).

Die Argumente beider Seiten und die konfligierenden Interessen in diesem währungs- und finanzpolitischen Streit können hier natürlich nicht erörtert werden; doch seien wenigstens die weiteren Streitpunkte benannt. Diese betrafen:

- die vornehmlich von deutscher Seite eingeforderte ‹freiwillige› Beteiligung privater Gläubiger am griechischen Schuldenschnitt;
- die Einführung neuer, gemeinschaftlicher EURO-Kreditgarantien, die sogenannten ‹EURO-Bonds›: *Gegen* diese hatte sich insbesondere die deutsche Bundesregierung ausgesprochen (v. a. der existenzbedrohte kleine Koalitionspartner der CDU: die liberale FDP); *für* EURO-Bonds hingegen setzte sich nicht nur die sozialdemokratische Opposition im deutschen Parlament ein, sondern vornehmlich auch der EU-Kommissionspräsident José Manuel Barroso;
- die Schaffung neuer, spezieller *bail-out*-Fonds bzw. die Aufstockung (oder ‹Hebelung›) bereits beschlossener Schutzschirme; und im Detail alle Modalitäten (Höhe, Zeiten, Zinsen) europäischer Schuldentilgungsprogramme (ESZE, ESM);
- sowie die Ausgestaltung der Kontrollen über die Einhaltung der gemeinsam vereinbarten Verpflichtungen und die eventuellen Sanktionen bei Nichteinhaltung. Genau diese hatten ja bisher bezüglich der Maastricht-Kriterien für die Wirtschaftspolitik der EU-Staaten weitgehend gefehlt – ein Umstand, der die Autorität der EU gegenüber den eigenen Mitgliedern zu unterminieren drohte.[40]

Erneut: Jede finanzpolitische Bewertung der konkreten Alternativen liegt hier ausserhalb unserer Kompetenz und Absicht. Doch man mag durchaus festhalten, dass nur sehr wenige Ökonomen davon ausgehen, mit dem schliesslich von 27 *minus* 1 EU-Mitgliedstaaten beschlossenen Anti-Krisen-Paket des Europäischen Gipfels vom 8./9. Dezember 2011 sei es tatsächlich gelungen, die Bedrohungen der EURO-Zone definitiv abzuwenden.

40 So darf etwa (laut AEUV, Art.126 und Zusatzprotokoll) das Defizit der Länder der EURO-Zone 3 Prozent nicht übersteigen, und die Staatsschuldenquote nicht höher ausfallen als 60 Prozent – de facto betrug freilich i.J. 2010 das Defizit der EURO-Länder 6,1 Prozent und die Staatsschuldenquote 85,4 Prozent. Der österreichische Globalisierungskritiker Christian Felber stellt angesichts solcher europaweiten ‹Vertragsbrüche› die keineswegs rhetorische Frage: »Wenn sich die Regierungen nicht an die Verträge halten, warum soll es irgendjemand sonst tun?» – und schlussfolgert: «Der Lissabon-Vertrag ist nichtig. Die EURO-Krise ist eine fundamentale Krise der EU.» (Felber, Retten wir den EURO, 32).

Zwar wurden erste operative Konsequenzen aus der nunmehr für alle Beteiligten unbestreitbaren Tatsache gezogen, dass sich die weiland mit der Einführung des EURO verbundenen Hoffnungen (zunächst des Maastricht-Stabilitätspaktes und dann der Lissabon-Strategie) auf eine wachstumsinduzierte ökonomische Konvergenz der EURO-Zonen-Länder nicht hatten verwirklichen lassen.[41] Die nun angestrebte gesamteuropäische Economic Governance geht in die Richtung stärkerer gemeinschaftlicher Kontrollen der Stabilitätspolitik einzelner Länder, die sich nun vorab darauf verpflichten, eine Schuldenbremse in ihre nationalen Verfassungen aufzunehmen..

Doch nur bei sehr optimistischer Interpretation hat der angekündigte «Durchbruch zur Stabilitätsunion» (Angela Merkel) auf dem Brüsseler Dezembergipfel 2011 bereits einen «Einstieg in die Fiskalunion» zustandegebracht.[42]

Genauer besehen kann nämlich von einer tatsächlichen Fiskalunion noch keine Rede sein: Es soll zwar aufgestockte finanzielle Rettungsschirme und (mit hohen Auflagen für die betroffenen Staaten verbundene) Stützprogramme geben. Diese sollen auch mit einer stärkeren europäischen Kontrolle der einzelstaatlichen Finanzpolitik kombiniert werden – mitsamt der Möglichkeit eines europäischen Durchgriffs auf die nationale Ebene, Sanktionen eingeschlossen. Aber auch die neu anvisierte Stabilitätsunion sieht eben *keine* gemeinschaftliche Schuldenversicherung vor, *keine* EURO-Bonds, *kein* gemeinsames Budget, und somit auch *keinen* automatisch wechselseitigen Haftungsmechanismus zwischen den beteiligten Staaten und Volkswirtschaften. Die Dimensionen und Modalitäten der EU als ‹Haftungsgemeinschaft› werden vielmehr weiterhin, je von Fall zu Fall, zwischen den Beteiligten ausgehandelt werden müssen.

41 Und dies weitgehend unabhängig von den tatsächlichen oder vermeintlichen ‹moralischen Schulden› unsolider Schuldner-Staaten. Schliesslich wäre die Verallgemeinerung des deutschen, exklusiv export-orientierten Wachstumsmodells auf alle Staaten der EURO-Zone unmöglich. Damit aber kann eine einheitliche Währung allein die unterschiedliche Bewertung der (ökonomischen Wachstumschancen der) EURO-Staaten durch die internationalen Finanzmärkte gar nicht beseitigen. Eine aktive, länderbezogen wachstumsbefördernde, ‹interventionistische› europäische Wirtschaftspolitik war in den Europäischen Verträgen gar nicht vorgesehen – weder programmatisch, noch institutionell.

42 Wie dies erstaunlicherweise der grüne Ex-Aussenminister Joschka Fischer kommentierte (Fischer, Ein Lob den Märkten).

Gewiss «liessen sich alle Probleme dadurch lösen, dass jeder EURO-Staat eine jährliche Wachstumsrate von 3–4 Prozent hätte».[43] Just zum Thema ‹Wachstum› hatten aber am Ende *alle* drei Krisengipfel im Herbst/Winter 2011 (im Oktober in Brüssel, im November der G20-Gipfel in Cannes, im Dezember erneut der Europäische Rat in Brüssel) wenig zu sagen.[44] Und so bleibt wohl auch im neuen Europa der ‹Stabilitätsunion› – *ohne* eine tatsächlich gemeinschaftlich verantwortete und garantierte Wirtschaftspolitik, aber *mit* weiterbestehenden regionalen Ungleichgewichten – das Misstrauen der internationalen Finanzmärkte gegenüber den südeuropäischen, wachstumsschwachen und staatsüberschuldeten Nationen der EURO-Zone weiterhin bestehen.

Dies zeigte sich bereits Mitte Januar 2012: Da zeichnete sich nämlich in den Neubewertungen der amerikanischen *Rating*-Agentur ‹Standard & Poor's›, welche die Kreditwürdigkeit der Staatsanleihen von neun der siebzehn Länder der EURO-Zone herabstuften (darunter Frankreich und Österreich – je von der Bestnote AAA auf AA+), ein Bild der Währungsunion ab als eines Wirtschaftsraums mit vier Geschwindigkeiten (bzw. mit vier Vertrauensstufen für Kreditgeber und Investoren).[45] Um derartig gravierenden Ungleichgewichten gegenzusteuern, bedürfte es wohl einer Art von europäischem Marshall-Plan, welcher die Investitionen in den wachstumsschwachen Defizitländern gezielt subventionierte.[46] Denn in der bisherigen Architektur der Währungsunion «fehlen reale Anpassungsmechanismen, um interne Ungleichgewichte im EURO-Raum abzubauen bzw. auszugleichen».[47] Der ökonomische Erfolg der EURO-Zone beruht schliesslich darauf, dass die europäischen Volkswirtschaften langfristig in ihrem makroökonomischen Verhalten stärker konvergieren. – Und hier liegt die eigentliche Herausforderung des mit dem Wechsel im französischen Präsidentenamt einsetzenden neuen politischen Zyklus in der EU: der nächsten Phase

43 Larivera, La crisi finanziaria, 620f.

44 «The EURO-zone's interconnected problems of weak sovereigns and banks would be eased by stronger growth. Instead it looks increasingly likely that these problems will be aggravated by the absence of growth.» Tilford/White, Why stricter rules, 15.

45 Nämlich: Risikofrei (AAA): Deutschland, Finland, Luxemburg, Niederlande; solide (AA+ bis AA-): Frankreich, Belgien, Österreich, Estland; Länder in grossen Schwierigkeiten (A+ bis BBB): Slovenien, Spanien, Slovakei, Irland, Malta, Italien; Junk bonds (BB und C) Portugal, Zypern, Griechenland. Vgl. den Bericht von Christian Lacombe in Le Monde (15./16. Jan. 2012): La décision de Standard & Poor's.

46 Siehe das Interview mit Fritz W. Scharpf in der Süddeutschen Zeitung, 23. Dez. 2011.

47 Straubhaar u. a., Der Euro in der Krise, 29.

neuer politischer Mehrheiten, Verhandlungen und Entscheidungen, die den ‹Stabilitätspakt› durch einen ‹Wachstumspakt› ergänzen soll.[48]

4. Arcana und Agenda: *Politics* im Ausnahmeverfahren

Die Ende 2011 ausgetragenen Auseinandersetzungen über den angemessenen Weg der Krisenbekämpfung verbanden sich nun mit einem zwar nicht immer explizit formulierten, aber deshalb kaum weniger realen Kompetenzkonflikt innerhalb der EU als vertraglich verfasster *polity*. Strittig waren eben nicht nur Inhalte und Instrumente der Krisenbekämpfung – also der ökonomisch sinnvolle, politisch konsensfähige und auch für die Geberländer akzeptable *mix* aus Austeritätsauflagen und Schuldentilgungsfonds, von Liquiditätshilfen und wachstumspolitischen Impulsen, zum *bail-out* zahlungsunfähiger Staaten und zur Rettung der Glaubwürdigkeit der Gemeinschaftswährung EURO. Strittig war eben – in zweiter Linie – zugleich, wer bzw. welche Institution über diese *policies* verbindlich zu entscheiden hat, sie gegenüber den Mitgliedsländern verantworten soll, ihre Durchführung kontrollieren und sanktionieren kann. Die explizit ausgefochtenen wirtschaftspolitischen Konflikte verdoppelten und verdichteten sich also zu einem parallelen, wenngleich zunächst *nicht* offen ausgetragenen Kompetenzkonflikt. Und dieser Streit betraf die wichtigsten institutionellen Akteure der Europäischen Union:

- die *nationalen* Regierungen bzw. ihre Wirtschafts- und Finanzminister;
- die *intergouvernementalen* Entscheidungsinstanzen: Europäischer Rat, Ministerräte, EURO-Gruppe;
- und die *supranationalen* Organe: EU-Kommission, EZB und im Prinzip auch das Europaparlament (wobei letzteres dann freilich in der Dramatik der Ereignisse *keinerlei* Rolle spielte).

48 «Making European economies converge, that is assuring that their domestic macro-economic behaviours are sufficiently similar to one another to permit a single monetary policy at a resonable cost» – darauf hat zuletzt der führende Vertreter der ‹liberal intergovernamentalists› in der politikwissenschaftlichen Interpretation der Europäischen Union in einem prägnanten Artikel hingewiesen – fordert nicht nur seitens der Schuldnerländer eine veränderte Wirtschaftspolitik: «For this to happen, both creditor countries, such as Germany, and the deficit countries in Southern Europe must aling their trends in public spending, competitiveness, inflation, and other areas.» (Andrew Moravcsik, Europe After the Crisis)

Der latente, virulente Streitpunkt der EURO-Krise wurde schnell manifest: Er betraf die Rolle der supranationalen EU-Kommission in ihrem Verhältnis zum intergouvernementalen Europäischen Rat der Regierungschefs (sowie zum Ministerrat der Finanz- und Wirtschaftsminister der EURO-Gruppe), also die Position des Kommissions-Präsidenten José Manuel Barroso. Konkret ging es um Barrosos Definitionsmacht beim *Agenda-setting* der EURO-Krisentherapie – und dies nicht zuletzt im Verhältnis zum informellen europäischen *Directoire* der beiden Regierungs- bzw. Staatschefs Deutschlands und Frankreich. (Das sich in der EURO-Krise profilierende Duo war in den Medien alsbald «Merkozy» getauft worden.)

Kommissionschef Barroso vertrat in diesem Kompetenzstreit bekanntlich die Auffassung, die «supranationalen Organe [seien] die beste Garantie für die Einhaltung der vereinbarten Grundsätze und Regeln [und] für bestimmte Entscheidungen jenseits des politischen Feilschens zuständig. Dadurch gewährleisten sie, dass die Finanzstabilität nicht zur Geisel der Politik wird. Dies ist die Bedeutung der Rolle der Kommission als Wirtschaftsregierung der Europäischen Union, soweit diese auf diesem Feld Befugnisse hat.»[49] Doch mit diesem generellen Anspruch auf Federführung bei der *Economic Governance* konnte sich Barroso im EURO-Konflikt nicht durchsetzen. Und auch seinen speziellen *policy*-Vorschlägen konnte der Kommissionspräsident in der jüngsten Krise keine Geltung verschaffen. Laut vernehmlich hatte sich Barroso für gemeinschaftliche EU-Bürgschaften, für EURO-Stabilitätsanleihen oder EURO-Bonds eingesetzt,[50] doch diese wurden bekanntlich von der deutschen Regierungschefin und insbesondere vom deutschen Finanzminister Wolfgang Schäuble explizit abgelehnt. Ergebnis: In der abschliessenden Erklärung des Brüsseler Gipfels vom 9. Dezember 2011 und dem am 2. März 2012 unterzeichneten Fiskalpakt war von den EURO-Bonds keine Rede mehr. – Freilich könnten sie in der nächsten Verhandlungsrunde um die Ausgestaltung einer Europäischen Transferunion, in einer u. a. durch die Forderungen des neuen sozialistischen Präsidenten Frankreichs François Hollande nach einem ‹Wachstumspakt› veränderten politischen Konstellation, wieder auftauchen.[51]

49 Barroso, Berliner Rede.

50 Etwa am 9. November 2011 in seiner Berliner Rede sowie am 16. November 2011 vor dem Europaparlament. Siehe dazu den Kommentar Martin Winters (Zerrüttete Beziehung, in der Süddeutschen Zeitung, 28. Nov. 2011).

51 Zu den (kurzfristigen) Vorteilen und möglichen (langfristigen) Nachteilen von EURO-Bonds siehe jetzt das zweite Szenario der Studie des HWWI: Straubhaar u. a., Der Euro

Jedenfalls wurde die jüngste («vorläufig endgültige») Lösung der EURO-Krise durch die ‹Stabilitätsunion› gerade nicht in den *supra*nationalen Organen Europas entschieden. Ausgehandelt, ausgefochten, festgelegt wurden die ökonomischen Stabilitätskriterien und europäischen Rettungsprogramme vielmehr ausschliesslich in *zwischen*staatlichen Verhandlungen.[52] Die formellen Entscheidungen traf der intergouvernementale Europäische *Rat*, dessen Präsident Herman Van Rompuy somit eine wichtige Moderatorenfunktion ausfüllte – nicht zuletzt die der Vermittlung zwischen den 17 Ländern/Regierungen der EURO-Gruppe und der gesamten Union von 27 Mitgliedern.

Ihre politische Gestalt nahmen der Konflikt und seine Lösung allerdings in einem Verhandlungsprozess an, dessen wichtigste prozedurale Filter *informelle* Runden waren. Wenngleich natürlich ohne expliziten Auftrag oder gar formelle Legitimation, vermittelten diese *quasi*-gouvernementalen internen Arenen gewissermassen zwischen den beiden ‹Souveränen›, welche die Politik der europäischen demokratisch-kapitalistischen Staaten bestimmen: den Nationen oder Staatsvölkern einerseits – und den internationalen Finanzmärkten andererseits[53]. Denn je komplexer die Agenda und je ‹unlösbarer› die Interessengegensätze sind, umso wichtiger wird das informelle *framing*: die Vorabklärung über den Rahmen und die möglichen Weichenstellungen und Alternativen der Entscheidungen.

Übermässig vereinfacht (also nicht zuletzt: bereinigt um den unvermeidlichen Prozess der beständigen Rückkoppelung und Abgleichung zwischen den nationalen Regierungschefs und den jeweiligen Fachministern einerseits – sowie mit der EURO-Gruppe, der Zentralbank und den Brüsseler Fachbürokratien andererseits) verlief in der jüngsten EU-Runde vom Ende 2011 dieser Prozess in etwa folgendermassen[54]:

in der Krise, 31–36.

52 «Monnet verliert gegen De Gaulle» (sprich: Das Europa der Vaterländer siegt über das föderale Europa) lautete denn auch ein Kommentar des (europhilen) britischen Think-Tanks «Center for European Reform» vom 28. November 2011 (unter www.cer.org.uk).

53 Nach einer treffenden Analogie Wolfgang Streecks (vgl. Streeck, Markets and Peoples). Wenn somit im komplexen «Wechselspiel zwischen Bürgern, Staaten und Finanzinvestoren» die nationalen «Regierungen zu Vermittlern zwischen der Logik demokratischer Politik einerseits und den Gesetzen globaler Finanzmärkte andererseits geworden sind» (Beckert/Streeck, Die Fiskalkrise, 10), dann haben die hier skizzierten Verhandlungsprozesse der Europäischen Governance noch zusätzlich zwischen den Interessen dieser nationalen Regierungen zu vermitteln bzw. zu entscheiden.

54 Für die dramatische Erzählung siehe erneut Walker/Forelle/Meichtry, Deepening Crisis.

- Die *policy*-Agenda der Schuldenkrise wurde in ihren Eckvorgaben und Lösungsanforderungen zunächst (vor-)strukturiert durch einen ‹Frankfurter Kreis›, der zugleich das *Interface* zwischen den internationalen Finanzmärkten und den europäischen Kompatibilitäten herstellte, wenn nicht gar direkt verkörperte.[55] Abgesehen davon nämlich verfügte diese «Gruppe über keine rechtliche Basis; sie hat sich selbst zusammengesetzt und ist niemandem gegenüber verantwortlich»[56].
- Danach wurden die wesentlichen Weichenstellungen zwischen Rettungsschirm und Stabilitätsunion vom deutsch-französischen Führungsduo «Merkozy» *intern* ausgefochten oder ausgehandelt (und in ihren Grundzügen bei wichtigen Wendungen oder neuen Schwierigkeiten jeweils adjustiert, aktualisiert, bekräftigt[57]).
- Schliesslich wurde dann die vereinbarte Lösung auf dem Brüsseler *Rats*treffen vom 7./8. Dezember 2011 mit (und gegenüber) den Partnern der anderen Regierungs- bzw. Staatschefs der EU durchgesetzt. Nur der britische Premierminister David Cameron lehnte im Dezember 2011

55 Zur Zusammensetzung dieses Kreises: Zur Frankfurter Runde gehörten der zum 31. Oktober 2011 scheidende Präsident der EZB Jean-Claude Trichet, bzw. danach sein Nachfolger Mario Draghi, der Präsident des Europäischen Rats Herman Van Rompuy, EU-Kommissionschef José Manuel Barroso, der EU-Kommissar für Wirtschaft und Währung Olli Rehn, der Präsident der EURO-Gruppe Jean-Claude Juncker, der französische Präsident Nicolas Sarkozy und die deutsche Kanzlerin Angela Merkel. – Kanzlerin Merkel hatte am 19. Oktober 2011, anlässlich der offiziellen Verabschiedung Trichets in Frankfurt, angekündigt, dass sie vor dem 23. Oktober 2011 (dem Datum einer erneuten deutschen Bundestagsdebatte und Abstimmung zum europäischen Rettungspaket) nicht bereit und in der Lage sei, dem Paket zur Bewältigung der griechischen Schuldenkrise zuzustimmen. EZB-Chef Trichet und Kanzlerin Merkel hatten bei derselben Gelegenheit in Frankfurt die französische Forderung Präsident Sarkozys zurückgewiesen, den zur Bewältigung der europäischen Finanzkrisen bereits geschaffenen Rettungsfonds EFSF auch durch Anleihen bei der Europäischen Zentralbank ‹aufstocken› zu können: Das Ansinnen widerspreche der Unabhängigkeit der Zentralbank gegenüber politischen Vorgaben oder Weisungen seitens der Union oder einzelner Mitgliedstaaten (AEUV, §.130). Am 26. Oktober 2011 einigte sich dann die Frankfurter Runde, verstärkt durch die Chefin des Weltwährungsfonds Christine Lagarde, mit dem Vertreter der Banken (Charles Dallara, Direktor des Internationalen Finanzinstitutes) auf einen ‹freiwilligen› Schuldenschnitt des griechischen Staatsdefizits um 50 Prozent. Dies war eine entscheidende Bedingung der deutschen Regierung für die Beteiligung am Rettungspaket für Griechenland gewesen.

56 Jan Zielonka, Paradoxien aus 20 Jahren Integration, 29.

57 Wenn nötig, mit aktuellen feed back (per SMS oder durch reitende Boten) nach Luxemburg oder Frankfurt, zur EURO-Gruppe und EZB.

und Januar 2012 das Gesamtbündel der von «Merkozy» vorgeschlagenen Massnahmen und Instrumente, inklusive der in die EU-Verträge zu inkorporierenden ‹Stabilitätsunion› definitiv ab. (Ob auch dieses dramatische britische Nein dabei einkalkuliert war oder nur ein ‹unnötiger› Betriebsunfall,[58] das lässt sich ex post nur vermuten.)

- Nach dem Gipfel ist vor dem Gipfel: Der nächste, der Implementierung der Dezemberbeschlüsse gewidmete *Rats*-Gipfel vom Ende Januar 2012 war nicht die letzte Verhandlungsrunde in Sachen ‹Umsetzung der Fiskalunion›; Ende Januar 2012 wurden organisatorische Konsequenzen für ihre Ausgestaltung vereinbart; im März wurde der Fiskalpakt von den Regierungschefs von 25 EU-Mitgliedsländern unterzeichnet.
- Beendet ist das Entscheidungsverfahren zur Regulierung der ökonomischen Gouvernance im Europa der ‹Stabilitätsunion› damit natürlich noch keineswegs. Es beginnt jetzt gewissermassen von neuem, freilich bezogen auf den vereinbarten Rahmen der ‹Fiskalunion›: Strittig werden nun die Elastizitätsspieläume der vereinbarten Stabilität der Staatshaushalte; in Verhandlungen mit den ‹Sünderstaaten› müssen die Margen jeweils noch austariert werden.
- In einigen EU-Staaten verändern sich die parlamentarischen Mehrheitsverhältnisse; es kommt zu neuen parlamentarischen Deliberationen und Abstimmungen über das Stabilitätspaket: Modifikationen, Re-Interpretationen, Korrekturen *nicht* ausgeschlossen …

Wir sehen: Öffentliche Dramaturgie und offizielle Gipfel-Choreographie *folgten* im Wesentlichen den vorab, in inoffiziellen Runden der zentralen *decision-makers*, intern vorentschiedenen Prioritätensetzungen und Konfliktagenden. Auf der europäischen Bühne der Spitzentreffen – und im Fokus der Medien – blieben dann im Lichte der Aufmerksamkeit am Ende nur wenige Protagonisten übrig, welche die kontrastierenden Politikalternativen gewissermassen als Darsteller verkörperten.

Ist nun bereits dieser Umstand eine Gefahr für die Legitimität des gesamten Versuchs, in intergouvernementalen Verhandlungen ein gemeinsames Europäisches Regime der *governance* in der Schuldenkrise zu finden?

Ein solches Urteil wäre voreilig. Schliesslich ist die hier verwandte Methode eines *Agenda-setting* durch Konflikt-Profilierung – inklusive der medialen Zuspitzung auf eine Personalisierung der Alternativen – auch inner-

58 Vgl. dazu den Kommentar des ehemaligen deutschen Aussenministers Fischer, Ein Lob den Märkten.

halb von Nationalstaaten mit moderner repräsentativer Demokratie *per se* nichts Ungewöhnliches. Und so ist auch die *inter*-gouvernementale Dramatisierung der Verhandlungen/Entscheidungen innerhalb der Europäischen Union durch Gipfeltreffen (den normalen Verhandlungsforen der EU, die freilich häufig vorab zu Schlüsselszenen stilisiert wurden[59]) – bis hin zur *post-festum*-Bilanz von nationalen ‹Gewinnern› und ‹Verlierern› – ein durchaus legitimes dramaturgisches Stilmittel der Vorbereitung und Kommunikation politischer Prozesse.

Dies gilt besonders bei weitreichenden, weiträumigen und weitgehend ‹abstrakten› Konfliktgegenständen wie der Staatsschuldenquote fremder Nationen, der Zeithorizonte und Zinssätze bei der Refinanzierung ihrer Fälligkeiten, der Konsequenzen finanzpolitischer Alternativen für die eigene Volkswirtschaft und die Zukunft der EU. Darum trägt eine solcherart über die nationalen Protagonisten und Arenen hinaus auf Gipfelentscheidungen hin medial stilisierte Dramatik (bis hin zur ‹moralischen› Physiognomie einzelner Protagonisten, à la ‹eiserne Kanzlerin›, ‹Mr. EURO›, ‹Merkozy›, u. ä.) durchaus zur Entstehung einer Europäischen Öffentlichkeit bei. Schliesslich führt die normale Praxis der Europäischen Politik in Verwaltung und Rechtsprechung i. d. R. kaum zur Überschneidung oder wechselseitigen Durchdringung der nationalen Öffentlichkeiten der EU-Mitgliedsländer. Eine gesichts-, geräusch- und reibungslose ‹Brüsseler› Bürokratie aber inspiriert bestenfalls Gleichgültigkeit. Bei harten Interessenkonflikten oder in Krisensituationen wird sie dann leicht zur idealen Zielscheibe für nationalistische oder populistische Agitatoren von rechts wie links. Wenn aber die Europäische Union nach mehreren Monaten politischer Kontroverse in den nationalen Öffentlichkeiten aller ihrer Mitgliedsländer über die Aufgaben von EU, EZB, EURO-Zone bei der Bewältigung der Schuldenkrise kein politisches Profil in den Augen ihrer Bürger gewinnen kann, wann sonst sollte sie dies bekommen?

5. Die verfasste *Polity*: Checks ohne Balance?

Die im Herbst/Winter 2011 hinter den Kulissen dieses dramatisch inszenierten Verhandlungsprozesses stillschweigend entmachtete EU-Kommis-

59 Siehe dazu Joscha Schmierers sarkastischen ‹Zwischenruf zur Aussenpolitik› vom 15.12. 2011: EU-Gipfel – Etwas ist geschehen, aber was eigentlich genau? (zugänglich unter www.boell.de/aussensicherheit).

sion dürfte freilich bald wieder an operativer Bedeutung gewinnen – dies jedoch im Nachhinein.[60] Entscheidend für die politische Machtbalance in Europa bleiben zwar weiterhin die Ergebnisse der *nationalen* Willensbildung – zuletzt der Wahlen in Frankreich und Griechenland vom 6. Mai 2012: die auch auf dessen Europapolitik zurückgehende Ablösung des französischen Präsidenten Nicolas Sarkozy sowie der katastrophale Einbruch der den Brüsseler Fiskalpakt mittragenden «grossen» Regierungskoalition in Athen. Auch alle jüngsten ‹Europäischen› Entscheidungen kamen schliesslich nur aufgrund von Vereinbarungen *zwischen* den Regierungen der EU-Mitgliedsländer zustande; und diese Verhandlungen artikulierten natürlich ihre komplexe (ökonomische und politische) Machtbalance.

Doch spätestens in der Phase der Implementierung der EURO-Haftungsgemeinschaft ab Sommer 2012 – also bei der Umsetzung des Fiskalpakts, seiner Anpassung an das sich schnell verändernde ökonomische Risikopanorama und die neue politische Landschaft in Europa, und erst recht im Falle seiner Erweiterung (durch eine ‹Bankenunion›) schlägt auch die Stunde der *supra*nationalen EU-Institutionen.[61] Rein funktional werden jetzt – in permanenter Abstimmung mit der finanz- und wirtschaftspolitischen *governance* der EURO-Gruppe – die Europäische Kommission, der Europäische Gerichtshof sowie die Europäische Zentralbank wichtig. Diese sollen nun die vertraglich vereinbarten Stabilitätskriterien überwachen, sie müssen die ‹nationale› Einhaltung der Schuldenbremsen kontrollieren und Abweichungen korrigieren, gegebenenfalls sanktionieren. Dafür gilt es zunächst, die bestehenden diversen und in der Vergangenheit teilweise im Wettlauf zwischen Europäischem *Rat* und Europäischer *Kommission* eingeführten Regularien, Gesetze und Verträge auf Stand bzw. mit den neuen Kredithebeln, Stabilitätskriterien und Sanktionsmöglichkeiten der im Herbst/Winter 2011 beschlossenen ‹Fiskalunion› in Einklang zu bringen.[62]

60 Dies formulierte bereits eine italienische Prognose unmittelbar nach dem Dezembergipfel: G. Sarcina, La governance – così rientra in gioco la commissione UE, in: Corriere della sera, 10. Dez. 2011.

61 Freilich vermutlich – wie bisher – mit einer signifikanten Ausnahme: der des Europaparlaments!

62 Dazu zählen u. a.: das Anfang 2011 eingeführte neue Finanzaufsichtssystem, die im Oktober 2010 von einer Task-force des Ratspräsidenten Van Rompuy vorgelegten Empfehlungen und das gleichzeitig vom Kommissionspräsidenten Barroso vorgelege Six-Pack neuer, schärferer Stabilitätsgesetze, der ‹Euro-Plus-Pakt› der Länder der EURO-Zone, sowie die im Herbst 2011 beschlossenen neuen Rettungsschirme (samt ihren Kredit-‹Hebeln›) bzw. der Europäischen Stabilitätsmechanismus ESM. Für einen instruktiven

Sie müssen gewissermassen *updated* werden – *ohne* freilich diesen neuen Stand dann zum EU-weiten Recht erklären zu können. Stellt sich damit endlich – nach dem Ausnahmezustand von Herbst und Winter 2011, nach einer riskanten Verhandlungssituation mit ungewissem Ausgang – in der unübersichtlichen Szenerie europäischer *politics* ein neuer operativer Normalzustand ein? – Ja *und* Nein.

Nein, denn die ökonomischen Ungleichgewichte innerhalb der EU, und insbesondere innerhalb der EURO-Zone, haben sich keineswegs vermindert: «Ten years after adopting a common currency, Europe is still not an optimal currency area.»[63] Auch die politische und (insbesondere in den Krisenländern des europäischen Südens) die soziale Lage hat sich unterdes keineswegs beruhigt; weder wurden die Schuldenkrisen des EURO-Raums insgesamt bereinigt noch die spezielle Wachstumskrise der Schuldnerstaaten überwunden (auf deren Austritt aus der gemeinsamen Währung auf den internationalen Finanzmärkten weiter spekuliert wird).

Auch wird die neue Routine des Krisenmanagements von Abstimmung und Kontrolle stabilitätspolitischer Richtlinien und Massnahmen durchaus der bisherigen Praxis entsprechen[64] –, wenn auch wohl mit informell stärker konzentrierten Kompetenzen: also mit hin zur EURO-Gruppe und ihrer Koordination mit der Europäischen Zentralbank verlagerten Gewichten.[65] Die auf den Krisen-Gipfeln seit Ende 2011 als Bedingung der verschiedenen europäischen Rettungsschirme und Haftungsgarantien beschlossenen Integrations- und Kontrollmassnahmen haben der Europäischen Währungsunion zwar neue Instrumente und Verfahren zur Koordination der Haushalts- und Wirtschaftspolitiken der EURO-Zonen-Länder an die Hand gegeben – wenngleich nur in Gestalt neuer zwischenstaatlicher Ver-

Überblick über diese unübersichtliche Vielfalt bereits beschlossener oder neu zu adjustierender wirtschafts- und finanzpolitischer Institutionen und Vereinbarungen in EU und EURO-Zone siehe Daniela Schwarzer, Economic Governance.

63 Moravcsik, Europe After the Crisis, 58.

64 Georges Prévélakis sprach hier am Beispiel des Pakets für die griechische ‹Rettung› von einem dritten Weg: «coupler le soutien économique [de l'Union Européenne] avec un intervention plus en plus directe dans la gestion de l'économie et de l'administration grecques» (Grèce, 19).

65 Nota bene: Eine reguläre formelle Übertragung weiterer Vollmachten der ‹Wirtschaftsregierung› auf supranationale Institutionen würde in Deutschland ja bereits am Einspruch des Verfassungsgerichts scheitern!

einbarungen[66]. Diese stellen aber «auch in ihrer Gesamtheit keinen Quantensprung an Integration dar […]. Bislang hat die Krise weder weitreichende Kompetenztransfers noch eine substanzielle Stärkung der supranationalen Ebene hervorgebracht».[67]

Und doch – *Ja*: auch wenn es de jure (noch) nicht zu einer Veränderung des konstitutionellen *status quo* kommt, so hat sich doch die Machtarchitektur innerhalb der EU verschoben. Denn die neue, operativ weitaus stärker integrierte europäische ‹Stabilitätsunion› erhöht de facto die Kontrollbefugnisse der supranationalen Ebene gegenüber den Einzelstaaten erheblich.

– Eine weitaus grössere Rolle als bisher wird in der künftigen europäischen ‹Fiskalunion› vor allem *eine* supranationale Institution spielen: die Europäische Zentralbank, die zunächst den EURO-Zonen-Sicherheitsfond (EFSF) verwalten bzw. danach den Europäischen Stabilitätsmechanismus (ESM) steuern soll – also die Operationen und Fonds, mit denen eine gemeinschaftliche Haftung Europas für einzelstaatliche Schulden gewährleistet werden soll.[68]
– Ganz allgemein gilt dabei: Je mehr Europa zur Haftungsunion wird, umso entscheidender wird die materielle Kompetenz der EU-Zentralbank. Und dies gilt *a fortiori* auch für alle möglichen und nun ab Mai 2012 u. a. vom neuen französischen Präsidenten eingeforderten ‹wachstumspolitischen› Erweiterungen oder Implementierungen des Fiskalpakts (etwa durch spezifische ‹Projekt›-Bonds) –, deren Kreditvolumen ja von der EZB garantiert werden muss.

66 Diese sind in Ermangelung einer Einstimmigkeit zwischen den 27 EU-Mitgliedern notwendig; als erfolgreiches Modell gilt hier ‹Schengen›: das 1985 zwischen zunächst fünf Ländern der Europäischen Gemeinschaft ausserhalb des vertraglichen und institutionellen Rahmens der EG im luxemburgischen Moselort Schengen abgeschlossene Abkommen zur Abschaffung von Personenkontrollen an den Binnengrenzen. 1997 wurde es (mit dem Amsterdamer Vertrag) zum Bestandteil des Unionsvertrags; und im Jahr 2007 erweiterte sich der Schengen-Raum um die osteuropäischen neuen Mitgliedsländer auf 22 Staaten.

67 Schwarzer, Economic Governance, 23.

68 Dies auch deshalb, weil sich der Vorschlag einer Ausgabe von durch alle Mitgliedsländer der EU gemeinschaftlich garantierten EURO-Bonds auf dem Brüsseler Dezember-Gipfel 2011 und bei den Folgeverhandlungen im Frühjahr 2012 nicht hatte durchsetzen können. Immer mehr wird damit die EZB zum Adressaten von Forderungen, durch den Aufkauf von Staatsanleihen «überschuldeten EU-Staaten zu günstigen Zinskonditionen jenes Geld [zur Verfügung zu stellen], das für diese auf privaten Kapitalmärkten nicht mehr zu haben ist» (Straubhaar, Der EURO in der Krise, 51f.)

- EU-Staaten, welche die zwischen den 25 Unterzeichnern des *fiscal compact* vereinbarte Schuldenbremse in ihrem nationalen Recht nicht umsetzen, sollen nun vom Europäischen Gerichtshof (EGH) mit Geldstrafen belegt werden können.[69]
- Und damit würde dann auch die Rolle der Europäischen Kommission wieder aufgewertet, wird sie doch zur unabhängigen Partei bei Streitfragen der Ahndung von Verstössen gegen den Stabilitätspakt.[70]

Die damit für die operative Umsetzung der Stabilitätsunion entscheidenden Kontrollorgane, Europäische Zentralbank und Europäischer Gerichtshof, sind nun in ihren Entscheidungen gegenüber den politischen Organen der EU wie ihrer Mitgliedstaaten unabhängig.[71] Sie unterliegen somit auch keinen europäischen Abstimmungsmehrheiten (weder im Rat noch im Europaparlament); sie sind also durch den demokratischen Prozess nicht zu steuern.[72] – Und abgesehen davon: Bereits in der jüngsten Krise spielte das *Europäische Parlament*, i. d. R. für alle Vertreter des Europäischen Föderalismus der entscheidende Anker für die Ausweitung demokratischer Legitimität in der Union als supranationaler Institution, überhaupt keine Rolle. Eine substanzielle Erweiterung seiner Kompetenzen ist, jedenfalls für die absehbare Zukunft, nicht in Sicht.

69 Dies liefe auf eine Modifikation oder Streichung von AEUV, Art. 10 hinaus (der das Recht auf Klageerhebung bei Verstössen gegen die Haushaltsdisziplin ausschliesst).

70 «Zwar soll [die EU-Kommission] weiterhin nicht direkt vor dem EGH klagen können, wenn die Unterzeichner des Pakts die Schuldenbremse nicht angemessen verwirklichen. Die Unterzeichner des Pakts sollen sich aber verpflichten, den EGH anzurufen, wenn die Kommission dies empfiehlt.» So skizzierte die Frankfurter Allgemeine Zeitung Ende Januar den Stand der Verhandlungen (FAZ, 21. Jan. 2012: «Berlin setzt Forderungen für Fiskalpakt durch»).

71 Zur EZB siehe AEUV, Art. 130. – Dass damit die EZB «more independent than any comparable national [Central] bank» ist, hat für Andrew Moravcsik ausschliesslich politische Gründe: «it was Germany's price for creating the EURO. The result is a system tilted toward German priorities: low inflation, austerity, and the repayment of creditors» (Moravcsik, Europe After the Crisis, 66).

72 Der Präsident des Europäischen Parlaments Martin Schulz (SPD) spricht im Interview davon, dass sie «durch die Selbstermächtigung des Europäischen Rats eine dramatische Entparlamentarisierung in Europa [erlebten]. Beim Europäischen Semester, also der Abstimmung nationaler Haushaltspläne, wird es so sein, dass die Entwürfe der Finanzministerien nicht etwa an die Haushaltsausschüsse der Parlamente, sondern zunächst an die Kommission nach Brüssel gehen. Dort bewerten ‹Bewerter den Haushaltsentwurf nach Kriterien, die nicht das Europäische Parlament beschlossen hat, sondern die die Beamten selbst definiert haben» (in: Das Parlament, Nr. 20/21 – 14. Mai 2012).

Last, but not least: Wenn zudem an der Spitze der unter dem (Ein-) Druck der EURO-Krise neugewählten Übergangsregierungen Griechenlands und Italiens mit Lucas Papademos und Mario Monti im Bankenwesen ausgebildete Eurokraten standen, dann verhandelten die Brüsseler Bürokraten in den betroffenen Hauptstädten der Schuldenstaaten nur mehr mit Ihresgleichen. Ein konservatives britisches Magazin konnte im Dezember 2011 sarkastisch formulieren: «In recent weeks, the EU has made explicit what was implicit all along. Bureaucrats in Brussels now deal directly with bureaucrats in stricken peripheral states. The people and their elected representatives have been cut out. Greece is now as much a satrapy of the European Commission as it ever was of the Ottomans. Its people are learning at first hand that you can have European integration or you can have full democracy, but you can't have both.»[73]

Der linksliberale deutsche Philosoph Jürgen Habermas hingegen, ein überzeugter Europäischer Föderalist, hat den mit dem Lissabon-Vertrag beschrittenen und seit Sommer 2011 durch die deutsch-französische Linie in der EURO-Krise noch deutlicher markierten Weg eines (auf *inter*-gouvernementaler Abstimmung im Europäischen *Rat* beruhenden) Exekutivföderalismus geradezu als «Verkehrung des Europäischen Projekts in sein Gegenteil» gebrandmarkt: «Angela Merkel und Nicolas Sarkozy haben am 22. Juli 2011 einen vagen und gewiss auslegungsbedürftigen Kompromiss zwischen deutschem Wirtschaftsliberalismus und französischem Etatismus geschlossen [...]. Alle Zeichen deuten darauf hin, dass beide den im Lissabon-Vertrag angelegten Exekutivföderalismus zu einer – dem Geist des Vertrags zuwiderlaufenden – intergouvernementalen Herrschaft des Europäischen Rats ausbauen möchten. Auf diesem Wege könnten sie die Imperative der Märkte an die nationalen Haushalte weitergeben. Aus dem ersten demokratisch verrechtlichten supranationalen Gemeinwesen würde ein Arrangement zur Ausübung postdemokratisch-bürokratischer Herrschaft.»[74]

Ein vormals führender christdemokratischer Politiker, der ehemalige Ministerpräsident Baden-Württembergs Erwin Teufel, stimmt zwar nicht in den Alarm-Ton von Habermas ein, doch gibt er dem linken Philosophen der Sache nach ausdrücklich recht: «[I]n der aktuellen Währungs- und Schuldenkrise haben die Staats- und Regierungschefs der EURO-Zone die Kompetenzen in regelmässigen Sitzungen und immer kürzeren Zeiträumen an sich gerissen, am Europäischen Parlament vorbei, zum Teil zu Recht,

73 Hannan, How Brussels Stifles Democracy in Europe.

74 Habermas, Zur Verfassung Europas, 81.

weil Finanz-, Währungs- und Haushaltsrechte noch zu grossen Teilen in nationaler Zuständigkeit sind, zum Teil auch schlicht an den vertraglichen Zuständigkeiten von Parlament und Regierung vorbei.»[75]

6. Das Unbehagen in der Union

6.1 Legitimationskrise oder Akzeptanzklemme?

Der Streit um ihre Legitimität zeichnet die EU bzw. ihre Vorläuferin EG seit ihrer Geburt aus – umstritten war schliesslich bereits die Idee eines Vereinten Europa selbst. Doch gilt es, die sozusagen ‹konstitutionelle› Frage nach der Legitimität der EU als eines übernationalen politischen Gemeinwesens sowohl von der (zuweilen prekären) Akzeptanz ihrer komplizierten Institutionen und unübersichtlichen Verfahren zu unterscheiden als auch von der (stets fraglichen) Zustimmung zu konkreten ‹Brüsseler› Entscheidungen im Volk. Denn auch die ‹im Volk› (bzw. in diesem oder jenem Volk) abgelehnten Ergebnisse eines ‹Brüsseler› Verhandlungs-/Entscheidungsprozesses gelten ja deshalb noch nicht per se als illegitim.

Seit Bestehen der EU/EG lässt sich das Auf und Ab an Zustimmung zu ‹Europa› und Ablehnung von ‹Brüssel› – mithin ein Hin und Her der Akzeptanz der EU als eines supranationalen Gebildes – durch die Auswertung der seit 1974 europaweit periodisch erhobenen ‹Euro-Barometer›-Umfragen auch empirisch nachverfolgen. Dies soll hier allerdings nicht geschehen. (Die letzten, im Mai 2011 erhobenen ‹Euro-Barometer›-Ergebnisse zeigten, dass in der Krise jedenfalls zunächst nicht die Zustimmung zur EU abgenommen, sondern die Polarisierung zugenommen hatte.[76])

75 E. Teufel, Jürgen Habermas zur Verfassung Europas, 350. – Siehe hingegen Perry Andersons kritische Anmerkungen zum Wandel in Habermas› europäischen Positionierungen im letzten Jahrzehnt (Anderson, The New Old World, 512f.; und im Symposium zu «The New Old World», 51f.).

76 «Eine wirkliche Veränderung [im Trends einer generellen Zustimmung zur EU] ist nur beim Anteil der Befragten festzustellen, die auf diese Frage [ob das eigene Land aus der EU-Mitgliedschaft Vorteile ziehe] mit ‹weiss nicht› antworteten», fasst Nikolaus Busse (Im Grundsatz positiv, in: FAZ, 22. Okt. 2011) die Ergebnisse für 2011 zusammen: «Das waren vor zehn Jahren etwas mehr als zwanzig Prozent, danach sank dieser Wert ab, zuletzt auf 11 Prozent. Das Lager derjenigen, welche die EU-Mitgliedschaft ihres Landes als Nachteil empfinden, ist in der gleichen Zeit stetig gewachsen. Es scheint also, dass die EU stärker polarisiert als früher und dass die Euroskeptiker zunehmen, auch

In unserem Zusammenhang aufschlussreicher sind die Ergebnisse einer neueren Bremer Studie mit vergleichenden Diskursanalysen zu ausgewählten nationalen Öffentlichkeiten in Ländern der EU in der Bewertung ‹Europas› und für die dabei in der Presse geltend gemachten Motive. Dabei geht es nicht um eine flächendeckende Meinungsforschung der jeweiligen ‹Einstellungen› zu Europa, sondern um die in der veröffentlichten Meinung ausgewählter Länder tatsächlich artikulierten Fakten, Argumente und Bewertungen, m.a.W. um die ‹Diskurse›.[77] Das Frageraster der Studie erlaubt es zudem, unterschiedliche Quellen der Legitimation und differenzierte Grade der Bewertung zu berücksichtigen, lässt also nicht nur die Alternative legitim/illegitim zu, sondern erlaubt auch ‹prekäre› Zwischenlagen.

Diese mögen sich zum einen auf die Quellen der Legitimität beziehen: eine hohe Input-Legitimation bestimmter Massnahmen oder Gesetze (d.h. ihre Einführung durch demokratische Prozeduren) fällt ja nicht notwendigerweise zusammen mit ihrem positiven *output*: an wirtschaftlichem Wohlergehen, persönlicher Freiheit, öffentlicher Wohlfahrt, kollektiver Sicherheit o. ä.[78] Die Bremer Forschergruppe kommt hier zu dem auch aus anderen Untersuchungen hinlänglich bekannten Ergebnis, dass in der öffentlichen Berichterstattung und Diskussion eine an solchen *outputs* orientierte Legitimation bisher ganz zweifellos den Kern der Akzeptanz der EU durch die Bürger ihrer Mitgliedsländer darstellt – und zwar ebenso für die Entwicklung der öffentlichen Meinung(en) in der Bewertung ‹Europas› wie für die dabei in der Presse verhandelten ‹Gütekriterien›! Im Gegensatz zu einer *prozeduralen Legitimität* der politischen Teilhabe am Gemeinwesen der EU vermittelt also diese *output-Akzeptanz* der EU eine Art indirekter, häufig ökonomischer, doch im öffentlichen Bewusstsein mindestens gleichrangiger Legitimation.

wenn sie noch deutlich in der Minderheit sind.» – Ob die letzte Feststellung freilich auch für Mitte 2012 noch zutrifft, mag das nächste ‹Euro-Barometer› zeigen.

77 Veröffentlicht in Frank Nullmeier u. a., Prekäre Legitimitäten: eine feinabgestimmte quantitative Auswertung der Berichterstattung zu Themen und Kriterien politischer Legitimität anhand der Presse in ausgewählten EU- und Nicht-EU-Ländern, deren methodische und empirische Details uns hier allerdings nicht interessieren müssen. Zu Europa siehe dabei insbesondere den Beitrag von D. Biegón.

78 Zur Begrifflichkeit siehe F. Scharpf, Regieren in Europa, Kapitel 1: *Output*-Legitimation in der Politik betrifft die ‹Herrschaft für das Volk› – im Gegensatz zu einer *input*-Legitimation, die auf die an der Entscheidung Beteiligten, zu ihr Berechtigten abhebt und auf den (mehr oder minder demokratischen) Entscheidungsverfahren der ‹Herrschaft durch das Volk› beruht.

Zum anderen können bei trans- und internationalen Formen des Regierens jenseits des Nationalstaates ohnehin ‹Legitimität› und ‹demokratische Legitimität› keine Synonyma mehr bleiben.[79] Denn der zweite, normativ höherwertige Begriff bleibt jetzt i. d. R. auf Prozeduren *innerhalb* von Nationalstaaten beschränkt. Auf internationale Politikfelder ist er hingegen mangels demokratischer trans- oder übernationaler Prozeduren nicht mehr ohne weiteres anwendbar, sondern wird dies allenfalls indirekt: durch eine vermittelte, also delegierte oder gebrochene Übertragung der (nationalstaatlich ‹erworbenen›) demokratischen Legitimität auch auf inter-, trans- oder supranationale Instanzen. Nur *innerhalb* von demokratischen Staaten (inklusive Bundesstaaten) verbindet nämlich eine direkte, ununterbrochene ‹Legitimationskette› die Bürger mit ihren staatlichen Gewalten. Bereits in Staatenbünden jedoch – jedenfalls in Konföderationen, die ihren Mitgliedstaaten auch eine *exit*-Option zugestehen – verkompliziert sich diese Kette: Sowohl die Unterwerfung unter eine Entscheidung der höheren Bundesinstanz als auch ein Verlassen des Staatenbundes (nach gemeinsamen akzeptierten Regeln) wären hier im Prinzip legitime Entscheidungen.

Idealtypisch zugespitzt besteht also ein Gegensatz zwischen der demokratischen *Mehrheits*entscheidung *innerhalb* einer bereits bestehenden politisch konstituierten Gemeinschaft einerseits und der Verhandlung *zwischen* voneinander relativ unabhängigen Subjekten (Individuen, Gruppen, Staaten) andererseits, die auf ihre wechselseitige Zustimmung angewiesen sind, wenn sie ein gemeinsames Ergebnis erzielen wollen. Und dieses wird dann i. d. R. *einstimmig* sein: die Übereinkunft über das das *do ut des* geht hier dem Abkommen voraus.[80]

Ein *inter*-gouvernementales Abkommen zwischen Regierungen, die ihrerseits demokratisch gewählt wurden, ist darum selbst noch keine *demokratische* Entscheidung, auch wenn es als Verhandlungslösung *Legitimität*

79 Zum Folgenden siehe den instruktiven Beitrag von Frank Nullmeier und Martin Neuhoff, Der Wandel des Legitimitätsdenkens, in: Prekäre Legitimitäten, 16–43.

80 Siehe hierzu N.Bobbio, La regola di maggioranza, 393f. Natürlich ist dieser Gegensatz in seiner idealen Reinheit nirgendwo mehr anzutreffen: zum einen ratifizieren auch demokratische Mehrheitsentscheidungen innerhalb bestimmter Staaten oft genug nur mehr Kompromisse, zu denen vorhergehende formelle oder informelle Verhandlungen zwischen ihren wichtigsten Gruppen und Machtzentren gelangt sind; umgekehrt stehen sich heute auch bei zwischenstaatliche Verhandlungen, zumal solchen zwischen demokratischen Staaten, also solchen mit Meinungs- und Pressefreiheit unter Bedingungen der ‹Publizität› (Kant), die Partner oder Kontrahenten nicht mehr ausschliesslich als egoistische Souveräne gegenüber.

beanspruchen kann. Das mag sogar dann noch der Fall sein, wenn die Vertragsinhalte der eigenen Regierung aufgrund eindeutiger ökonomischer oder anderer Macht-Asymmetrien de facto aufoktroyiert wurden. Aber der Vertrag muss natürlich deshalb noch lange nicht *akzeptabel* sein. Und dies ist dann u. U. Anlass für eine neue demokratische Meinungsbildung oder Wahl: sei es eine Volksabstimmung wie im Sommer 2012 in Irland oder Parlamentswahlen wie in Griechenland im Mai und Juni 2012, die auch zum Rückzug aus der Vereinbarung führen *könnte* oder zum «Grexit» aus der gemeinsamen Währung – ja möglicherweise sogar aus der Union als *extrema ratio*. Nur in einem einheitlichen Bundesstaat darf auch ein in grundsätzlichen Fragen überstimmter Teilstaat die Föderation unter keinen Umständen verlassen. Diese extreme *exit*-Option war freilich aufgrund der damit verbundenen ökonomischen Sanktionen bisher in der EU so gut wie ausgeschlossen: Dass sie jetzt im Falle Griechenlands denkbar wurde, ist selbst bereits Bestandteil der griechischen Krise und Indikator ihrer Schwere: als Zahlungs- und Vertrauenskrise seitens der internationalen Finanzmärkte gegenüber Griechenland, als Investitions- und ergo auch Wachstumskrise der griechischen Volkswirtschaft selbst.

Somit ist die Frage nach ihrer demokratischen (oder *input*-)Legitimität nicht die einzige relevante Frage, die man an die Europäischen Institutionen richten sollte. Isoliert gestellt ist sie vielmehr irreführend. Es geht – heute[81] – den Bürgern der EU-Mitgliedstaaten in ihrer Beurteilung der Union vielmehr zunächst einmal um die Frage nach der effektiven (also *output*-relevanten) Handlungskapazität ihrer regierenden und regulierenden Institutionen. Diese aber wanderte im immer weiter integrierten Rechts- und Wirtschaftsraum der EU immer mehr von den souveränen Nationalstaaten weg und hin zu den supranationalen Institutionen: «In diesem *mixtum* sind die Regierungen der Nationalstaaten zwar demokratisch legitimiert, aber können mit dem Mandat ihrer Bürger wenig ausrichten, weil ihnen durch Kompetenzübertragung und wegen der faktischen Verhältnisse des einheitlichen Marktes wenig Handlungsspielräume bleiben, mit denen sie die Lebenschancen und Schutzinteressen ihrer nationalen Bevölkerungen gestaltend beeinflussen können.' Das tun vielmehr, und mit spürbar wachsender Eingriffstiefe, der Europäische Gerichtshof und die Europäische Kommission – wenn auch ganz überwiegend nach der Logik ‹nega-

81 ‹Heute› heisst natürlich auch: bereits über sechs Jahrzehnte nach dem Abschluss des Zweiten Weltkriegs, dessen direkte Erfahrung nur noch eine Minderheit von Europäern geprägt hat.

tiver› Integration, weil ihnen mangels politischer Legitimation das Mandat (und die fiskalische Grundlage) für eigene politische Gestaltungsinitiativen fehlt.»[82]

Umgekehrt ist der Zwang zur Einstimmigkeit im Europäischen Rat – anders gesagt: die Vetomacht eines jeden Mitgliedstaats bei allen zwischenstaatlichen Abkommen, Vereinbarungen und Institutionen – dafür verantwortlich, dass in der EU die Elemente ‹positiver› politischer Integration immer das Nachsehen behielten gegenüber der ‹negativen› Integration, die sich darauf beschränkt, nationale Differenzen und institutionelle Traditionen als Hemmnisse für den einheitlichen Binnenmarkt abzubauen. Eine solche, bloss ‹negative› (marktliberale) Integration aber liefert für die Union als supranationale politische Gemeinschaft keinerlei eigenständige Legitimationsressourcen.[83]

Die politischen Institutionen der Europäischen Union entsprechen somit weder einer Situation innerstaatlicher Demokratie (mit direkter ‹Legitimationskette› und republikanischer Identifikation) noch einer Situation zwischenstaatlicher Abkommen. In dieser Hinsicht den Charakteristika des Heiligen Römischen Reichs Deutscher Nation in den staatsrechtlichen Kontroversen der frühen Neuzeit gar nicht unähnlich, ist heute die EU ein *irregulare aliquod corpus,* ein irreguläres Gemeinwesen, *monstro simile* (Samuel Pufendorf)[84]: ein hybrides Gebilde, das zwei Typen von Legitimität kombiniert – und zwei Verfahren von Legitimation miteinander bzw. gegeneinander verschränkt.[85] Und insofern die EU *weder* die blosse Summe (oder ein

82 So Claus Offe in seiner bereits 1998 (!), also vor dem EU-Erweiterungsschub des folgenden Jahrzehnts, veröffentlichten luziden Diagnose: Demokratie und Wohlfahrtsstaat, 251.

83 Dazu siehe F. Scharpf, The Joint Decision Trap (in: ders., Community and autonomy, 53ff.)

84 Samuel Pufendorf, Severini di Monzambano De statu Germanici ad Laelium fratrum liber (Genevae 1667), cap. VI, §.9 (zit. nach Notker Hammerstein, Samuel Pufendorf, 190). – Im der «Governing Structure of the EU» gewidmeten Anhang seines Buches zum Vereinten Europa zitiert der amerikanische Journalist T. R. Reid das einschlägige angelsächsische Bonmot, ein Kamel sei ein Pferd «designed by a committee»: Da die Institutionen des politischen Europa ohne ein Grand Design eben nur Stück für Stück eingeführt wurden, als Ergebnis endloser zwischenstaatlicher Verhandlungen und Fachkommissionen, sei im Ergebnis die Regierungsstruktur unnötig komplex und redundant ausgefallen (Reid, The United States of Europe, 272–288).

85 Dies gilt a fortiori, wenn man wie Jürgen Habermas in seinem Europa-Manifest den Vertrag von Lissabon als Ergebnis einer zwischen den Bürgern der Union und den Mitgliedstaaten Europas in statu nascendi geteilten Souveränität interpretiert. Damit hätte sich die Legitimitätskette gewissermassen von Anfang an gespalten (Habermas, Wie de-

‹Null-Summen-Spiel›) von Interessen und Entscheidungen ihrer Mitgliedstaaten repräsentiert *noch* über eine übernationale Staatlichkeit aus eigenen, selbständigen Legitimationsquellen verfügt, kann sich auch ihre Legitimität nur *idealiter* auf den Einzelstaaten übergeordnete Ideale und längerfristig gemeinsame Interessen berufen.[86] Ihre *prozedurale* Legitimation aber darf sich nie abkoppeln von der gleichzeitigen Abstimmung mit und der Übereinstimmung zwischen den Mitgliedsländern.

Beobachtet man nun mit diesen Massstäben die Entwicklung der veröffentlichten Meinung europäischer Länder für den Zeitraum des letzten Jahrzehnts,[87] so sinkt das ‹Niveau› der *Akzeptanz* der EU-Institutionen in Diskussion und Berichterstattung der Presse jeweils desto auffälliger, je mehr im selben Zeitraum die ‹Intensität› der Diskussion über die *Legitimität* Europäischer Institutionen, ihrer Prozeduren und Entscheidungen zugenommen hat.[88] Dies betrifft ebenso die Massstäbe für Leistungen und Ergebnisse (also den *output* des politischen Prozesses) wie das Urteil über ihre vorhandene oder unzureichende Demokratizität (also über die Prozeduren und Beteiligung beim *input*). Eine Tendenz zur wachsenden ‹Demokratisierung› der Wertmassstäbe im letzten Jahrzehnt – also zur höheren Wertschätzung der Demokratie als Motiv für Zustimmung oder Ablehnung der Europäischen Union – lässt sich dabei *nicht* feststellen: «Weder demokratiebezogene noch nicht-demokratiebezogene Argumente nehmen [für das Jahrzehnt 1998–2007] im öffentlichen Legitimationsdiskurs zur EU zu.»[89]

mokratisch ist die EU?, 44f., ders., Zur Verfassung Europas, 70 und passim). Ich komme auf diese Konstruktion noch zurück.

86 Vgl. Offe, Demokratie und Wohlfahrtstaat, 263–269.

87 Das Bremer Forschungsprojekt verglich auf Basis einer quantitativen Inhaltsanalyse die Berichterstattung ausgewählter Zeitungen in vier Ländern (2 EU-Mitgliedern, die USA, die Schweiz) im Jahrzehnt 1998–2007; die Analyse zur Beurteilung der EU stammt von D. Biegón: Die Europäische Union – zwischen Effektivität und Demokratie, 186ff.

88 Hier bestätigt die Studie die Diagnose Claus Offes, der bereits Ende der 90er Jahre von einer ‹negativen Politisierung› der Europäischen Institutionen gesprochen hatte: Die Politisierung der Integration sei nicht das Ergebnis eines mobilisierenden *pull*, also der Zugkraft positiver politisch-normativer Einigungsziele, sondern des «push von normativ erheblichen negativen Nebeneffekten und Verschleisserscheinungen» für den aquis national sozial- und wirtschaftspolitischer Leistungen bzw. Steuerungskapazität (Offe, Demokratie und Wohlfahrtsstaat, 252).

89 D. Biegón, Die Europäische Union, 211. Die Autorin unterscheidet im öffentlichen Diskurs über die EU zwei positive ‹Legitimationsstile›: je nachdem, ob die Bewertung der EU nach ihrer Effizienz oder nach ihren demokratischen Entscheidungsverfahren im Vordergrund steht. Die Vertreter des letzteren bilden die deutliche Minderheit. (Auf

Das Ergebnis der Bremer Forscher ist mithin ernüchternd: Supranationale Institutionen und Dimensionen von ‹Europa› haben in der jeweiligen nationalen öffentlichen Meinung keinen beständig präsenten ‹Anker› für positive Legitimitätszuschreibung, und sie verfügen gegenüber nationalen Identitäten und Interessen über keine eigenständigen ‹Ressourcen.› (Gemeint sind mit ‹Anker› und ‹Ressourcen› typische Legitimationsmuster, die in der veröffentlichten Meinung überdurchschnittlich häufig für positive Bewertungen der EU herangezogen werden.[90]) Wichtig ist in diesem Zusammenhang, dass die Akzeptanz und unterstellte Legitimität der Demokratie im gleichen Zeitraum *nicht* abgenommen haben – diese wird vielmehr weiterhin mit der nationalen Selbstregierung identifiziert.[91] Offenbar bleibt das supranationale Gemeinwesen EU, *gerade* als Gegenstand demokratischer Deliberation, weiterhin ein Elitenprojekt.[92]

6.2 Konkordanzdemokratie und Konsensmanagement

Das Krisenmanagement auf den EU-Gipfeltreffen seit Ende 2011 und die voraussichtlichen Folgen des Fiskalpakts für die institutionelle Routine ‹Europas› befestigen den (realen wie ‹gefühlten›) Abstand zwischen den operativen politischen Eliten und den Bürgern der EU, oder sie vergrössern ihn noch. Für diese Distanz gibt es nun strukturelle Gründe in der institutionellen Architektur und politischen Pragmatik des vereinten Europa. Sie liegen zum einen im konkordanzdemokratischen Charakter seines politischen Systems,[93] zum anderen in den im Vergleich zur nationalen Gewaltenteilung nur schwachen parlamentarischen Kontrollmöglichkeiten gegenüber ihrer supranationalen Exekutive und Verwaltung.

Bis zu einem gewissen Ausmass ist für ein – geografisch, politisch, kulturell – extrem heterogenes politisches Gebilde wie die EU die Neigung

die quantitativen Proportionen, die ja nur im Kontext mit den Trends der Zeitungsberichterstattung aussagekräftig sind, gehe ich hier nicht ein.)

90 Biegón, Die Europäische Union, 197ff.

91 Ob man auch von einem Trend zur ‹Renationalisierung des Denkes› sprechen kann (Thomas Petersen, Umfrage des Instituts für Demoskopie Allensbach, in: FAZ, 20.7.2011), sei dahingestellt.

92 Siehe Max Haller, Die Europäische Integration als Elitenprojekt.

93 Den aus Arend Lijpharts Typologie demokratischer politischer Systeme bekannten Terminus ‹Konkordanzdemokratie› verwendet Max Haller in seiner elitentheoretischen Diagnose der Grenzen der demokratischen Teilhabe bei der Europäischen Integration (siehe Lijphart, Democracies; Haller, Europäische Integration als Elitenprozess).

zum präventiven Arrangement eines pragmatischen Konsenses zwischen den Entscheidungseliten wohl unvermeidlich, v. a. wenn man bedenkt, dass die Union eine Verbindung zwischen Staaten ganz unterschiedlicher Grösse und Bevölkerungszahl darstellt. Dies aus zwei Gründen: Zum einen gilt es zu verhindern, dass einige wenige bevölkerungsreiche Staaten einfach per Mehrheitsentscheidung den Rest der Union dominieren können. Und zum anderen gilt für die Regierung eines Gemeinwesens, ob nun im starken, traditionellen oder schwachen, koordinierenden, regulierenden Sinne (ob *government* oder *governance*): Je ethnisch, kulturell, religiös (o. ä.) heterogener dieses in seiner Zusammensetzung ist, desto eher ist eine halbwegs stabile Regierung angewiesen auf die präventive Abstimmung zwischen den funktionalen Eliten und den politischen Führungen von untereinander ansonsten wenig kommunizierenden Gruppen und Milieus, Parteien oder Bewegungen. Beide Faktoren stellen die *Konkordanzdemokratie* in einen idealtypischen Gegensatz zum Westminster-System einer *Konkurrenzdemokratie* des Wettbewerbs und der Alternanz zwischen Regierung und Opposition, in dem der Raum der politischen Gegensätze einheitlicher ausfällt und der Konflikt der politischen Parteien oder ‹Lager› vorwiegend einer oder nur einigen wenigen historischen Bruchlinien folgt.[94]

Die systemischen Imperative solcherart präventiver Konkordanz liegen dabei ebenso auf der Hand wie die demokratischen Nachteile einer solchen Praxis: «Während die Zusammenarbeit zwischen den Eliten gut funktioniert, haben die Bürger wenig Möglichkeiten zu politischem Einfluss».[95] Leider gehören im Kontext der EU nun Vor- wie Nachteile zum Konstruktionsprinzip der Europäischen *polity* selbst. Ihre Entscheidungen werden eben weder ausschliesslich *zwischen*staatlich ausgehandelt noch ausschliesslich *supra*national umgesetzt:

– *Weder* haben sich die Mitgliedstaaten der EU in blosse Instanzen eines supranationalen Bundesstaats aufgelöst: Sie behalten vielmehr auch im

94 Sprich: den für die Formation der nationalen Parteiensysteme Europas klassischen cleavages, wie Stadt/Land, Kapital/Arbeit, (religiöse) Tradition/(liberale) Moderne. Gibt es hingegen darüber hinaus mehrere innerhalb eines Staates gegeneinander verfestigte Sprach-, National- oder Konfessionskulturen (man denke an das niederländische ‹Säulen›-System), erhöht sich die systemische Neigung zur Konkordanz oder Abstimmung zwischen den Eliten.

95 Haller, Die europäische Integration, 23. In der EU fehlen bisher zudem die direktdemokratischen Gegengewichte, welche z. B. in einer Konkordanzdemokratie wie der Schweiz die Volksabstimmungen darstellen.

neuen Europäischen, geteilten Rechtsraum den Grossteil ihrer Prärogativen nationaler Souveränität bei;
- *noch* werden gesamteuropäisch beschlossene und verbindliche Entscheidungen auch von eigenen supranationalen ‹Unionsinstitutionen› implementiert: Der allergrösste Teil der auf Europäischer Ebene getroffenen, für alle EU-Länder verbindlichen Entscheidungen wird vielmehr ausschliesslich durch die Institutionen der einzelnen Mitgliedstaaten selbst umgesetzt, in denen ja die vertraglich vereinbarten EU-Rechtssetzungen (des sogenannten ‹sekundären› Unionsrechts) bindend sind.[96]

Die durch die zentrale Rolle des Europäischen Rates (quasi-)konstitutionell vorgegebene *inter*-gouvernementale Verhandlungs- und Entscheidungsmethode hat nun die skizzierte, im politischen System der EU bereits vorgegebene Tendenz zur informellen Vorabklärung und präventiven Konsensfindung zwischen wenigen politischen und funktionalen Entscheidungsträgern noch zusätzlich befördert. Zudem hatte sich die EU in nur wenigen Jahren (2004 und 2007) um Länder Mittelosteuropas, des Baltikum, vom Balkan und am Mittelmeer von 15 auf 27 Mitgliedstaaten erweitert: Die innere politische, kulturelle, ökonomische Heterogenität des vereinten Europa war dadurch extrem gewachsen; und dies musste das bereits vor dieser Ost- und Süderweiterung praktizierte System der ‹Konkordanzdemokratie› auf höchster Ebene noch weiter begünstigen.[97]

Mit den Verhandlungen zum Fiskalpakt beginnt dann 2011 der Versuch, diese informell zentralisierte(n) Regierungsmethode(n) auch auf Koordination und Kontrolle der (nationalen) Haushaltsstabilitäten anzuwenden und operativ zu verstetigen. Die anstehenden Weichenstellungen in der EURO- bzw. Schuldenkrise wurden ja, wie wir sahen, vornehmlich in kleiner Runde von Bankpräsidenten (der EZB, der Weltbank), nur zwei Regierungschefs (Deutschland und Frankreich), dem Vorsitzenden der EURO-Gruppe sowie den beiden EU-Präsidenten (von Rat und Kommission) vorstrukturiert – um erst dann im Ratsgipfel zwischen den Regierungen der Mitgliedsländer ausgehandelt und offiziell beschlossen zu werden.

Allerdings verbirgt sich in der seither zunehmenden Routine intergouvernementaler Vorabsprachen im kleineren Kreis von vor- oder zwischengeschalteten, den ‹entscheidenden› Ratsgipfel vorbereitenden ‹Mini-Gip-

96 Für alle Bürger der EU hat das Unionsrecht unmittelbare ‹Durchgriffswirkung› (Herdegen, Europarecht, 76).

97 Die Diagnose Max Hallers (Parlament ohne Bürger, 30–33) wurde durch den Verlauf der jüngsten Griechenland-Krise und ihre Folgen bisher eindrucksvoll bestätigt.

feln›[98] noch ein weiteres ungelöstes Strukturproblem der EU. Gemeint ist das Verhältnis der EURO-Zone zur gesamten Union.[99] Noch gibt es nämlich – von den Treffen der Finanzminister der EURO-Gruppe unter ihrem (bisher einzigen) Präsidenten Jean-Claude Juncker abgesehen – keine eigene politische Institution der EURO-Gruppe innerhalb der Union. Da aber nun die Wirtschafts- und Währungspolitik der EURO-Länder innerhalb der EU ein unzweifelhaftes Eigen-, wenn nicht Übergewicht besitzt, wenngleich dies in den Europäischen Verträgen und Institutionen kaum hinreichend berücksichtigt wird, kristallisierte sich im Prozess des Krisenmanagements (und im Kreise der Krisenmanager) als neue De-facto-Führungsrolle die des Präsidenten der EURO-Gruppe heraus. Weder Regierungschef noch supranationaler Amtsträger, gehört der EURO-Gruppenchef doch als Schlüsselfigur der *economic governance* – neben den Präsidenten des Rats, der EU-Kommission und der Europäischen Zentralbank – zu den entscheidenden Akteuren der gesamten EU.[100] Derzeit fungiert der Präsident der (Finanzminister der) EURO-Gruppe somit als eine Art informeller Platzhalter für das zukünftige Amt eines europäischen Finanzministers mit doppeltem Mandat: dem der EURO-Zone und dem der EU.

Kann diese informelle Lage nun formalisiert, sollte sie institutionalisiert werden; und wie könnte diese Institutionalisierung dann legitimiert werden? Sollte die EURO-Zone also ob der Schuldenkrise nicht auseinanderbrechen, dann stellt sie für die gesamte EU ein Effizienz- und Legitimitätsproblem erster Ordnung dar: wie kann ihrer währungspolitischen Autonomie gegenüber dem Rest der EU-Staaten und *zugleich* ihrem faktischen Gewicht für

98 Vom Duo ‹Merkozy› d.J. 2011 bis zum Quartett Hollande-Merkel-Monti-Rajoy im Sommer 2012.

99 Auf diese beim Erweiterungsprozess sowohl der EU als auch der EURO-Zone vernachlässigte Frage hat pointiert Hubert Zimmermann hingewiesen (Die gnadenlose EURO-Logik).

100 Dazu passt, dass diese vier genannten Amtsträger – Ratspräsident Herman Van Rompuy, Kommissionschef José Manuel Barroso, EZB-Chef Mario Draghi und EURO-Gruppen-Chef Jean-Claude Juncker – den letzten EU-Gipfel vom Ende Juni 2012 durch einen gemeinsamen Report vorbereitet haben, der für die *governance* der EURO-Zone ein «greater pooling of decision making on budgets commensurate with the pooling of risks» vorschlägt, langfristig aber offenbar eine Art EURO-Finanzministerium anvisiert: «a treasury office at the euro area level». Siehe: European Council. The President, Towards a genuine economic and monetary union (26. Juni 2012), zugänglich unter www.consilium.europa.eu. – Ein nicht unwichtiges Detail: Das Europäische Parlament (bzw. sein Präsident) war bei der Konzeption dieses ‹Masterplans› der Vierergruppe ausgeschlossen!

die Wirtschaftsentwicklung der gesamten Union Rechnung getragen werden? Idealtypisch wären zwei institutionelle Lösungen denkbar, eine exekutive und eine parlamentarische – und sie sind jüngst auch beide vorgeschlagen worden:

- Eine Institutionalisierung der EURO-Gruppe zu einem eigenen *inter*-gouvernementalen Organ mit eigenem Generalsekretariat und regulärem Sitzungsrythmus hat jüngst Giscard d'Estaing vorgeschlagen,[101] der ehemalige französische Präsident und weiland Vorsitzender des ‹Verfassungskonvents› von 2004. Macht und Legitimität dieses Koordinationsgremiums, das insbesondere die Haushaltsstabilität innerhalb der EURO-Zone kontrollieren müsste, blieben nach diesem Vorschlag weiterhin abhängig von den Regierungen der EURO-Länder.
- Eine stärkere parlamentarische Kontrolle über- und transnationaler politischer Institutionen in Europa scheiterte bisher (nota bene: nicht zuletzt in den Augen des deutschen Verfassungsgerichts) auch an der Tatsache, dass die Europa-Parlamentarier bekanntlich mit national weiterhin unterschiedlichem Wahlsystem gewählt werden. Dieses Problem liesse sich jedoch – wie der französische Ökonom und *Le- Monde*-Leitartikler Daniel Cohen anregt[102] – für die Länder der EURO-Zone dadurch umgehen, dass sich künftig diese Staaten darauf einigen könnten, ihre Europa-Parlamentarier auf transnationalen Listen und mit demselben Wahlmodus zu wählen. Dann könnten sich nämlich, wenn immer nötig, diese Europaparlamentarier der EURO-Zone auch separat versammeln, und dieses fakultative ‹EURO-Parlament› könnte dann für die Gruppe der beteiligten Länder eigene Budget-Entscheidungen treffen (oder ‹absegnen›).

Die genannten Vorschläge – eine intergouvernementale EURO-Exekutive oder ein (virtuelles) EURO-Gruppen-Parlament innerhalb des Europaparlaments – sind gewiss *nicht* die einzig möglichen (aber Vorsicht: sie lassen sich auf *keinen* Fall einfach miteinander kombinieren!). In ihren Weiterungen scheinen beide noch überhaupt nicht durchdacht. Aber immerhin: Sie thematisieren wenigstens die Frage der Kompatibilität zwischen den Politiken zwischen EURO-Zone und dem weiteren EU-Europa: das unbestreitbere Übergewicht der EURO-*policies* wird innerhalb der EU formaliter weder repräsentiert noch legitimiert. Und zweitens: für welche dieser

101 V. Giscard d'Estaing, Il faut créerr, und Organisation de coordination.
102 Daniel Cohen, Paris–Berlin – Le dialogue des sourds, in: le Monde, 23. Juni 2012.

oder ähnlicher Lösungen man sich auch entscheiden wollte, sie liefe auf die Institutionalisierung eines ‹Europa mit zwei Geschwindigkeiten› oder zwei Intensitäten der politischen Integration hinaus.[103]

6.3 Was heisst Demokratisierung der Union?

Hat sich ‹Europa› mit dem Stabilitätspakt – um das drastische Verdikt des Nobelpreisträgers für Wirtschaftswissenschaften Amartya K. Sen anzuführen – «ohne öffentliche Debatte und wohlinformierte Zustimmung» einer «einseitigen Expertenmeinung» ausgeliefert?[104]

Bereits die ab 2012 mit dem Europäischen Fiskalpakt angestrebte Konsolidierung *supra*nationaler Steuerungsroutinen und Kontrollinstanzen (EZB, Kommission und Gerichtshof) gegenüber den nationalen Wirtschaftspolitiken der EU-Mitgliedsländer entzieht ja die gemeinsamen Kriterien der Finanz- und Haushaltspolitik jeder weiteren Einflussnahme;[105] wesentliche Steuerungsinstrumente der europäischen *economic governance* liegen nunmehr in den Händen *nicht* gewählter Institutionen wie der EZB, die selbst keiner parlamentarischen Kontrolle unterliegen.

103 Im Falle eines fakultativen EURO-Parlamentes (als virtuelles ‹Parlament im EP›) entsprächen diesen beiden Intensitäten der politischen Integration auch zwei Legitimitätsmodi: primär intergouvernemental, also nur indirekt demokratisch legitimiert, wäre die gesamte Union – und (aufgrund des einheitlichen Wahlmodus) zusätzlich demokratisch legitimiert wäre das EURO-Parlament, als Versammlung aller EP-Abgeordneten der EURO-Zone für alle den EURO betreffenden Entscheidungen.

104 «Europe cannot hand itself over to unilateral views – or good intentions – of Experts without public reasoning and informed consent of ist citizens», warnte Amartya Sen, The Crisis of European Democracy (in: The New York Times, 22. Mai 2012). Dieses «public reasoning» ist gewiss ein Wert für sich; fraglich bleibt dennoch, ob deshalb auch schon Sen's Umkehrschluss zutrifft: «Partecipatory public discussion […] could have identified appropriate reforms over a reasonable span of time, without threatening the foundations of Europe's System of social justice» (sc. durch drastische Kürzungen des Staatshaushalts in den Schuldnerländern). Denn hier hängt schliesslich alles von der Bestimmung des «reasonable» Zeithorizonts ab; zudem existiert ja bis heute gerade kein europäisches Sozialsystem, sondern gibt es bestenfalls einige gemeinsame ‹quasi-konstitutionelle› Grundwerte, deren sozialpolitische Implementierung aber der in dieser Domäne noch weitgehend souveränen Politik der Mitgliedststaaten überlassen bleibt. Eine gemeinschaftliche Sozialpolitik ohne eine gemeinsame Steuerhoheit ist schliesslich unmöglich.

105 Sprich: nachdem sie einmal von den Mitgliedstaaten der *coalition of the willing* in ihre jeweilige nationale Verfassung aufgenommen wurden. Mindestens in Deutschland müssen sie dazu die Hürde des Bundesverfassungsgerichts nehmen. (Ich komme darauf zurück.)

Angesichts der im letzten Abschnitt skizzierten «Disjunktion von supranationaler Handlungsfähigkeit und nationalem Mandat» (Claus Offe) bleibt den nationalen Regierungen bzw. den sie kontrollierenden Parlamenten der EU-Mitgliedsländer häufig allenfalls ihre Veto-Macht gegenüber den Entscheidungen im Europäischen Rat bzw. Ministerrat.[106] Und das gilt insbesondere, wenn es sich um an Bevölkerung und/oder Wirtschaftsmacht ‹kleinere› Staaten handelt, deren Interessen und Belange nicht bereits, ohne dass sie gefragt worden wären, die gemeinsame Agenda der Union bestimmen oder beeinflussen. Damit aber bleibt die Veränderung der heimischen politischen Mehrheiten in *nationalen* Wahlen weiterhin die wichtigste Chance für die Bürger, auf die Europäische Politik überhaupt Einfluss zu nehmen.[107] Dieser Umstand aber könnte in Zeiten der Krise schliesslich auch die bislang von der Mehrzahl der EU-Bürger (trotz recht wechselhafter Akzeptanz) i. d. R. noch unterstellte Legitimität der supranationalen Europäischen Institutionen unterminieren – nicht zuletzt, wenn nun deren Legitimität selbst immer mehr zum Gegenstand nationaler Wahlkämpfe wird, wie zuletzt geschehen im Falle Griechenlands, Frankreichs und Irlands.[108]

106 Versuche der Regierung Merkel, das deutsche Parlament in diesen Einspruchsmöglichkeiten mit dem Hinweis auf drängende europäische Handlungs- und Verhandlungszwänge zu beschneiden – etwa durch Verfahrensbeschleunigung (beim ‹Schnüren› europäischer Rettungspakete), durch eine faktische Reduktion der Kontrollmöglichkeiten des Bundestags (etwa durch Verkleinerung des Kontrollgremiums auf ein Neunergremium), oder durch verzögerte oder unzureichende Information (zum Gesamtpaket des Europäischen Stabilitätsmechanismus ESM bzw. Euro-Plus-Pakt) –, hat das deutsche Verfassungsgericht mehrfach abgewiesen: Im November 2011 bestand es auf der Zustimmungspflicht des gesamten Parlamentes beim EURO-Rettungspakt (BVerfG: 2 BvE 8/11); im Juni 2012 gab es der Klage der Bundestagsfraktion der Grünen recht, die Bundesregierung sei ihrer Informationspflicht gegenüber dem Parlament im Zusammenhang mit dem ESM und dem EURO-Plus-Pakt nicht nachgekommen (BVerfG: 2 BvE 4/11); den Bundespräsidenten bat das Gericht zugleich, mit seiner Unterschrift unter die neuen Gesetze zum Stabilitätsmechanismus so lange zu warten, bis das BVerfG anstehende Klagen zur Verfassungsmässigkeit des Stabilitätspakts in Ruhe geprüft habe.

107 Sprich: mit dem Ziel, die geschlossenen Verträge zu modifizieren – oder zu kündigen. Solange es auf der Europäischen Ebene keine Möglichkeit von ‹voice› gibt, also von effektivem Dissens (nach der bekannten Unterscheidung A. O. Hirschmans: Exit, Voice and Loyalty), wird die voice–Option ebenso wie weitaus schwierigere die exit-Option den Weg der nationalen Institutionen wählen müssen.

108 «Across Europe, evidence is emerging of voters moving from questions of credibility and confidence to [questions of] legitimacy of European institutions. In some cases in the end the result is pro-European and in others it is not» – warnen Nader Mousavizadeh und Erik Jones vom Britischen Think Tank Oxford Analytica: «A real crisis of

Auch das neuerliche Wachstum diverser populistischer oder nationalistischer Anti-EU- (bzw. Anti-EURO-) Stimmungen, Parteien oder Protestbewegungen in fast allen EU-Ländern muss vor diesem Hintergrund verstanden werden![109]

Die bis heute in der öffentlichen Meinung geringe Wertschätzung der politischen Rolle des Europäischen Parlaments (das ja in der Tat während der Griechenlandkrise bisher so gut wie keine Rolle gespielt hat) bestätigt diesen Befund. Eine unweigerliche Konsequenz ist die im Vergleich zu allen nationalen Wahlen durchweg niedrigere – und zudem im Trend weiter abnehmende[110] – Wahlbeteiligung bei den Europawahlen. Gewiss ist diese Entwicklung besorgniserregend; noch bezeugt sie freilich eher ein abnehmendes Zutrauen der Wähler in die Macht des Europäischen Parlaments als ihre grundsätzliche Infragestellung seiner Legitimität. (Nota bene: Das EP hat bis heute noch keine echten legislativen Vollmachten, es kann nur Gesetzesvorlagen annehmen oder ablehnen, für deren Vorlage die EU-Kommission das Monopol hat.[111] Die Einführung eines formellen Initiativrechts für das EP könnte freilich das Institutionengefüge der EU entscheidend modifizieren.[112])

Mit der Erweiterung der EU und dem Wachstum ihrer Kompetenzen ist auch der Abstand zwischen EU-Bürgern und Eurokraten gewachsen – sprich: die Distanz zum Führungspersonal des komplizierten Institutionengefüges von ‹Brüssel› bzw. Strassburg (für das Europäische Parlament). Dass diese Entwicklung nicht nur die *Akzeptanz* weitreichender politischer Entscheidungen wie Stabilitätspakt und Fiskalunion unterminiert, sondern

legitimacy for Europe's institution threatens to emerge, and with it a political task far greater anjd more onerous than the one [sc. der Rettung des EURO] facing it's leaders today» (Europe's imperiled institutions, in: International Herald Tribune, 30. Mai 2012).

109 Diese Entwicklung hat natürlich auch andere Ursachen, insbesondere die lebensweltlichen Irritationen durch die Präsenz von Migranten in den zwar zunehmend multiethnisch und -religiös zusammengesetzten, aber auf diese Situation kulturell und politisch noch unvorbereiteten europäischen Nationen. Dass dabei ‹Fremdenangst› und Europaängste allerdings zusammenspielen können, bedarf hier keiner besonderen Belege. Als Indiz seien immerhin die beiden deutschen politischen Bestseller der letzten Jahre genannt, verfasst von einem Sozialdemokraten, ehemaligen Berliner Finanzsenator und zeitweiligen Bundesbanker Thilo Sarrazin: Deutschland schafft sich ab (2010), Europa braucht den Euro nicht (2012).

110 Von ca. 63 Prozent 1997 bis 45,7 Prozent 2004 (nach Haller, Parlament ohne Bürger, 23–25).

111 AEUV, Art.17 Abs.2.

112 Siehe dazu Franzius/Preuss, Die Zukunft der Europäischen Demokratie, 133–137.

auch die *Legitimität* der Europäischen Union gefährden kann, ist nach unserem bisherigen Überblick wohl keine allzu gewagte These mehr. Lautet die angemessene Abwehr dieser Gefahren nun: ‹mehr Demokratie›? – Offenbar kann die Antwort auf diese Frage eben *nicht* einfach Ja lauten. Eher schon: Ja, aber. – Solange und soweit wir nämlich an demokratische Herrschaft die Massstäbe von (und in) Nationalstaaten anlegen, muss die Forderung nach einer Demokratisierung der EU in die Irre führen.[113] Bereits mit Bezug auf die ‹horizontalen› Beziehungen der an der demokratischen Selbstbestimmung Beteiligten kann die Union ja nicht von demselben Grad an bürgerlichem *Vertrauen* untereinander (an das pflichtgemässe Handeln *aller* anderen EU-Bürger) und an ziviler *Solidarität* miteinander ausgehen, den demokratische Nationalstaaten voraussetzen können (oder müssen)[114]. Ein erprobtes Modell trans- oder übernationaler Demokratie aber gibt es nicht. (Im Europäischen Falle hiesse sie besser: *demoi*-kratie, denn die Pluralität der Staatsvölker soll sich ja in der EU nicht in ein *demos* auflösen).

Entscheidend für die Beurteilung von EU-Demokratisierungsforderungen oder -vorschlägen sollte ihre *Offenheit* (sprich: ihre Anschluss-, Ausbaufähigkeit) sowie ihre institutionelle *Kohärenz* sein. Sie sollten also mögliche Weiterentwicklungen nicht ausschliessen (aber auch nicht festlegen), und sie sollten die bereits bekannten institutionellen Fallen und Sollbruchstellen im Europäischen Gemeinwesen nicht noch vermehren oder vertiefen.[115] Um dies hier nur für einen Vorschlag anzudeuten: nach diesen Kriterien muss die Idee einer europaweiten *Direktwahl des Präsidenten der Kommission* mit hoher Skepsis betrachtet werden. (Diese Forderung wurde auch im Zuge der aktuellen Kontroversen zu Stabilitäts- und Fiskalunion von verschiedenen Seiten erneut vorgebracht.[116])

113 Die folgenden knappen Bemerkungen stützen sich v. a. auf die hervorragende Untersuchung von Claudio Franzius und Ulrich K. Preuss: Die Zukunft der Europäischen Demokratie.

114 Siehe Claus Offe, Demokratie und Wohlfahrtsstaat, 243–246.

115 Die in der Politikwissenschaft bekannteste dieser Fallen ist die von Fritz Scharpf rekonstruierte ‹Joint-decision-trap› der erforderlichen Einstimmigkeit von Entscheidungen im Europäischen Rat (s.o.).

116 In Deutschland wurde der Vorschlag u. a. von der bayerischen CSU-Führung gemacht, wohl auch als Antwort auf wachsende EU-Skepsis in ihrer eigenen Anhängerschaft (vgl. die Kritik von Nikolas Busse, Hinreichend legitimiert, in: FAZ, 18. Nov.); aber auch vom CDU-Finanzminister und gestandenen Europäer Wolfgang Schäuble angeregt (vgl. das Interview mit Schäuble, in: DER SPIEGEL, Nr. 26/2012, «Perfekte Lösungen brauchen lange»). Diskutiert wurde die Idee auch auf einer ‹Zukunftsgruppe› der Aus-

- Die europaweite Direktwahl des Präsidenten der Europäischen Kommission würde den durch diese Wahl gleichsam plebiszitär gestärkten Präsidenten, welcher allerdings weiterhin keiner echten Exekutive vorsteht, unweigerlich in Konkurrenz mit und Konflikt zu den Regierungschefs der Mitgliedstaaten im Europäischen *Rat* bringen.
- Das ohnehin schwache Europäische Parlament (EP) würde damit im Ergebnis noch mehr geschwächt, auch wenn es endlich das Recht erhielte, Gesetzesinitativen einzubringen (was in der Tat dringend erforderlich wäre).
- Eine Stärkung der demokratischen Legitimität des Europäischen Parlaments hingegen setzte freilich zuallererst eine Vereinheitlichung des Europäischen Wahlrechts voraus: Erst mit einem europaweit *einheitlichen Wahlmodus* könnten die EP-Abgeordneten ja beanspruchen, nicht mehr (wie bisher) vorrangig die Wählerschaft ihrer Herkunftsländer zu repräsentieren, sondern die Unionsbürger.[117]
- Dann – und nur dann – könnte es längerfristig durchaus plausibel werden, das EP auch die EU-Kommission (mit)wählen und nicht nur bestätigen zu lassen.
- Voraussetzung dafür dürfte allerdings ein sich entwickelndes transnationales europäisches Parteiensystem sein, für das es bisher noch kaum echte Ansätze gibt.
- Zukunftsträchtig könnte zudem das bereits vom Verfassungskonvent (2004) vorgeschlagene, aber erst 2011 geschaffene Institut der *Europäischen Bürgerinitiative* (EBI) werden, das es einer Mindestzahl von einer Million EU-Bürgern (ca. 0,2 Prozent der Bevölkerung) aus mindestens 7 Mitgliedstaaten erlaubt, Initiativanträge an die Kommission zu stellen. (Bislang sind der Grad der Verbindlichkeit einer erfolgreichen EBI und ihr mögliches Themenspektrum allerdings noch unzureichend.[118])

senminister von zehn EU-Ländern (Zwischenbericht 15. Juni 2012, unter www.auswaertiges-amt.de).

117 Wäre es deshalb sinnvoll (wie ebenfalls in jüngster Zeit wiederholt vorgeschlagen wurde), neben einem europaweit einheitlich gewählten Parlament noch eine zweite, die Staaten repräsentierende Parlamentskammer einzuführen (analog zur U.S.-amerikanischen Doppelung von Senat und Repräsentantenhaus)? – Die Frage kann hier nicht en passant beantwortet werden. Doch der Hinweis sei erlaubt, dass hier bereits die nächste Konsistenzproblematik lauert: nämlich das Verhältnis einer solchen parlamentarischen Staatenkammer zum Europäischen Rat, dem bisher entscheidenden Ausschuss der nationalen Exekutiven der Mitgliedsländer.

118 Franzius/Preuss kritisieren die Begrenzung auf Gegenstände im Kompetenzbereich der

7. Welcher Art Staatswesen aber ist die EU?

7.1 Integration und Interpretation

Es gibt keine wertfreie Beschreibung der staatsrechtlichen Verfassung der Europäischen Union – ebenso wenig wie eine geschichtsfreie ‹Quelle› ihrer ethisch-politischen Legitimationsgrundlagen.[119] Seit den Anfängen der EWG in den fünfziger Jahren ist zudem die begriffliche Bestimmung des sich entwickelnden europäischen Staatengebildes durch die politischen und Rechtswissenschaften in Europa (und den USA[120]) in ständiger Bewegung.

Im ersten Nachkriegsjahrzehnt artikulierten die ersten Protagonisten der europäischen Zusammenarbeit einen zwar programmatisch expliziten, aber operativ noch recht vagen Föderalismus. Dies sollte sich nach dem Scheitern der ersten, über die Anfänge der Montanunion (1952) hinausweisenden, institutionellen Gehversuche in Richtung auf eine Europäische Föderation ändern – insbesondere seit dem Fehlschlag der Europäischen Verteidigungsgemeinschaft (EVG) 1954, mit dem zugleich ihr versuchsweise initiierter politischer ‹Überbau› erledigt wurde, die Satzung für eine Europäische Politische Gemeinschaft (EPG).[121]

Union: «Was für die europäischen Bürgerinnen und Bürger interessant ist und sie aktivieren könnte, was sie bewegt und von der europäischen Politik nach ihrem Eindruck nicht aufgegriffen oder nur zurückhaltend verfolgt wird, das dürfen sie nach den geltenden Verträgen häufig gerade nicht zum Gegenstand einer EBI machen» (Für ein demokratischen Europa, 182f.; Die Zukunft der Europäischen Demokratie, 24–27, 119–122).

119 Auch die Befürworter einer expliziten, statuarischen Bekräftigung der «christlichen Wurzeln» oder Identität Europas berufen sich ja auf einen historischen Prozes, in dem besagte christliche Elemente «Wurzeln geschlagen» haben.

120 Perry Anderson, The New Old World (v. a. Kapitel 3: «Theories», 82ff.), weist auf ein Übergewicht U.S.-amerikanischer Studien hin. Allerdings vernachlässigt er selbst entscheidende europäische Beiträger (etwa Fritz Scharpf) – ganz zu schweigen von den Analysen aus der Verfassungs- und Rechtstheorie, von Autoren wie E. W. Böckenförde, Dieter Grimm, oder Udo Di Fabio, um nur drei deutsche Autoren (und Verfassungsrichter) zu nennen.

121 Den Entwurf hatte (auf Initiative des französischen Planungskommissars Jean Monnet und des belgischen Aussenministers Paul-Henri Spaak) eine ‹Beratende ad-hoc-Versammlung› der Montanunion konzipiert; der Wortführer der Europäischen Bewegung Altiero Spinelli, der den italienischen Regierungschef Alcide De Gasperi zur Unterstützung der Initiative gewonnen hatte, gehörte zu den Autoren des zwischen Föderalismus und Konföderation oszillierenden Satzungsprojekts. (Siehe Brunn, Europäische Einigung, 95f.; L.Levi, Altiero Spinelli)

Nunmehr wurden weitere institutionelle Schritte regionaler politischer Integration eher indirekt motiviert, bzw. durch ihre Ergebnisse legitimiert.[122] In der politikwissenschaftlichen Theoriebildung entspricht dies der neofunktionalistischen Deutung, welche die Fortschritte in der Europäischen Integration vornehmlich aus funktionalen Vorteilen ökonomischer Regionalisierung erklärt (man mag auch sagen: durch ihre funktionale Erfolge legitimiert). – Der wichtigste Erklärungsfaktor dieser (von Ernst B. Haas begründeten[123]) Schule von Theorien über die Europäische Integration liegt im *spill-over*-Effekt. Er bezeichnet das ‹Überspringen› von Integrationsimpulsen von einem *policy*-Feld auf andere Politikbereiche, also eine durch ökonomische Synergien angetriebene wechselseitige ‹Ansteckung› zwischen verschiedenen Sachbereichen regionaler Zusammenarbeit, einen Prozess, in dem es dann langfristig zu Einstellungsänderungen der nationalen Bevölkerungen kommen kann und der auch zu institutionellen Lernprozessen auf trans- oder supernationaler Ebene führen soll.[124]

Seit den fünfziger Jahren hat sich nun freilich nicht nur das Geflecht bzw. das heute gerne und vielgescholtene ‹Dickicht› europäischer Verträge, Verordnungen und Institutionen gewaltig vermehrt – inklusive ihres Brüsseler Personals aus Kommissaren, Generalsekretären, Rats- und Agenturmitgliedern, diversen interministeriellen Komitees, mit einer Buchstabensuppe von Abkürzungen und ‹eurokratischem› Korpsgeist[125]. Erweitert *und* vertieft hat sich parallel dazu auch das Feld der Europastudien und der (sozial-, politik-, rechts-)wissenschaftlichen Kontroversen über Natur, Grenzen und Telos der europäischen Integration.[126] Die institutionellen Entwicklungen der EG/EU seit der deutschen Wiedervereinigung (1990), die Vertiefung der politischen Union im Vertrag von Maastricht (1993), diverse

122 Zur *output*-Legitimation siehe Scharpf, Regieren in Europa, 17–28.

123 Haas' Rekonstruktion der Folgen der Montanunion (The Uniting of Europe) erschien zuerst 1958, also ein Jahr nach Unterzeichnung der römischen Verträge, die seine Deutung in schlagender Weise bestätigten (siehe Anderson, The New Old World, 80f.; Zimmermann, Die gnadenlose EURO-Logik, 60 f.).

124 Siehe Anderson, The New Old World, 13ff., 80ff.; Saurugger, Théories et concepts, 67–92.

125 Beliebter Anlass ebenso für volkstümliche wie kultivierte EU-Kritik, zuletzt etwa von H. M. Enzensberger, Sanftes Monster Brüssel, 24–35.

126 Für einen knappen Theorieüberblick siehe Hartmann, Das politische System, 47–53; für eine ausführliche Skizze vgl. Saurugger, Théories et concepts de l'integration européenne (v. a. Kap. 1–3); wie immer prägnant und polemisch ist die Darstellung Perry Andersons, The New Old World (v. a. ch. 2 «Outcomes» und ch. 3 «Theories»; vgl. dazu jetzt das Symposium in der New Left Review 73 (2012), hier v. a. den Beitrag von Philippe Schmitter, Classifying an Anomaly, 19–27).

Erweiterungsschübe der EU bis zum heutigen Bund aus 27 Mitgliedstaaten[127], die Einführung einer Währungsunion lassen sich daher mittlerweile nur noch mit extrem komplexen Theoriemischungen triftig beschreiben.[128] Darum gibt es heute zwar keine einfachen, völlig klar konturierten ‹Lager› der EU-Integrationstheorie mehr. Doch die ursprüngliche, ideale Alternative zwischen Föderalismus und Souveränitätsdenken lässt sich auch heute noch in den mittlerweile in hochspezialisierter Terminologie geführten Schulkontroversen wiedererkennen. Denn diese bewegen sich konzeptionell *grosso modo* zwischen zwei Polen:

- Das föderalistische Erbe wird heute eher bei den ‹Mehrebenen-Theoretikern› der *multilevel-governance* oder gar einer *multilevel-constitutionality* gehegt bzw. zu diesem Zwecke in das neue Theorievokabular übersetzt. Hier wird nämlich das Feld funktionaler Verflechtungen und institutioneller Kontrolle als Handlungsraum von und zwischen kollektiven Akteuren auch jenseits der nationalstaatlichen Entscheidungshoheit (an)erkannt, analysiert und u. U. legitimiert.
- Demgegenüber gehen aussenpolitische ‹Realisten›, in den Europa-Studien zumeist als ‹liberale Intergouvernementalisten› bezeichnet, weiterhin davon aus, dass jeder Fort- oder Rückschritt in der europäischen Integration in letzter Instanz auf das rationale Eigeninteresse der Nationalstaaten (verstanden als Repräsentanten ihrer Bürger und Interessengruppen) zurückgeführt werden kann (und muss).[129]

127 1995 kommen die vorher (in den Jahren des Kalten Krieges) neutralen Staaten Finnland, Österreich und Schweden hinzu; 2004 die ehemaligen Ostblockländer Estland, Lettland, Litauen, Polen, Slowakei und Tschechien (zusammen die ehemalige CSSR), Ungarn, sowie die ex-jugoslawische Teil-Republik Slowenien und die (zuvor neutralen) Mittelmeerstaaten Malta und Zypern; 2007 werden Bulgarien und Rumänien in die EU aufgenommen. – Ende 2011 – genauer: auf demselben Brüsseler Dezember-Krisengipfel, der den ‹fiscal compact› beschlossen hat! – wurde auch die Aufnahme Kroatiens beschlossen, das nun zum 1. Juli 2013 der EU beitreten wird. Mit Montenegro sollen 2012 Beitrittsverhandlungen aufgenommen werden; und alle anderen ehemalig jugoslawischen Teilrepubliken befinden sich auf verschiedenen Vorstufen eines Beitrittsprozesses. Ausserdem wird mit Island und der Türkei über einen Beitritt dieser Länder zur EU verhandelt.

128 Die Darstellung von S. Saurugger, Théories et concepts, vermittelt hier einen (in jeder Hinsicht) erschöpfenden Überblick.

129 «Si les approches divergent sur les facteurs prinicpaux à prendre en considération, leur prémisse reste la même: la souveraineté demeure la clef de voûte pour expliquer le fonctionnement des relations entre États.» (Saurugger, Théories et concepts, 128)

Ordnet man nun diese diversen Konzepte in ein Kontinuum ein, das sich zwischen der Zielsetzung einer *übergreifenden* Europäischen Staatlichkeit einerseits und der Leitidee der unbedingten Verteidigung der *nationalen* staatlichen Souveränität andererseits erstreckt, dann geht in der politologischen Literatur die Orientierung an der Zielvorstellung vom einheitlichen Bundesstaat seit den fünfziger Jahren bis in die Gegenwart zunehmend zurück.[130] Am Anfang, im «naiven Gründergeist» (Stephan Leibfried) der Euroföderalisten der fünfziger und sechziger Jahre, wurde diese Finalität noch hochgehalten. Freilich verfolgten dieselben Gründer in ihrer operativen Politik schon bald eine weitaus weniger naive oder idealistische Methode. Deren Realitätsprinzip ist dann vornehmlich von der auf die Arbeiten von Ernst Haas zurückgehenden neofunktionalistischen Politikwissenschaft theoretisiert oder rekonstruiert worden: Die sektoriale Integration von wirtschaftlichen Schlüsselbereichen konnte (und *sollte* im Kalkül ihrer Initiatoren) zugleich auch – indirekt – die politische Integration Europas vorantreiben, und zwar mit (oft nachholender) Zustimmung der öffentlichen Meinung und Wählerschaften.[131]

Der Neofunktionalismus in der Europa-Analyse kann also die pragmatische Kehrseite der operativen Implementierung des föderalistischen Ideals von Politikern wie Robert Schuman, Jean Monnet oder Alcide De Gasperi hervorragend erklären: Durch die Schaffung eines Raums ökonomischer Vorteile für regionale Wirtschaftsbewegungen sollten die institutionellen Mechanismen in Gang gesetzt werden, die dann am Ende auch eine politische Integration befördern müssten. Heute wird die von den europäischen *Founding Fathers* nach 1954 geübte Konzentration auf die ökonomische Integration in Feuilletons und Festreden gerne beklagt – als angeblich ‹ökonomistischer Geburtsfehler› der Europäischen Einigung. Genau dies aber war die ökonomische Integration nicht, vor allem nicht in den Intentionen ihrer Initiatoren[132] – sie war kein Geburtsfehler, sondern Mittel zum

130 Dies hat Stephan Leibfried im Rahmen eines Symposiums über das ‹Lissabon-Urteil› des deutschen Bundesverfassungsgerichts demonstriert (siehe Leibfried, Schritte zurück nach vorn?).

131 Freilich sollten die Auseinandersetzungen um den Beitritt Grossbritannniens zum Gemeinsamen Markt diesen funktionalen Optimismus schnell relativieren bzw. die Staatenpolitik wieder in ihr Recht setzen: «De Gaulle has proved us wrong», musste Ernst Haas in der Neuauflage seines Standardwerks zur Europäischen Einigung einräumen (Haas, The Uniting of Europe, XXII f., zitiert nach Saurugger, Théories et concepts, 81.)

132 Darauf komme ich weiter unten noch zurück.

Zweck: sie war der Motor, welcher die nationalen Institutionen auf den Europäischen Einigungspfad trieb!

In den siebziger und achtziger Jahren kommt es auch zur stärkeren Theoretisierung der Dimensionen von *supra*nationaler institutioneller Eigenständigkeit der Europäischen Gemeinschaft (als eine über eine bloss ‹völkerrechtliche› *Inter*nationalität hinausgehende Verbindung); und in den neunziger Jahren wird dann die Natur der europäischen *polity* selbst – und die Frage nach ihrer ‹Finalität›: Föderation oder Konföderation? – zum Gegenstand entgegengesetzter, politik- und rechtswissenschaftlich umkämpfter Ordnungskonzepte und Interpretationen des Gemeinwesens Europäische Union. Zwar sind die rivalisierenden Theorien inzwischen weitaus komplizierter geworden, doch können wir die grundlegende staatsrechtliche Alternative weiterhin gut identifizieren:[133]

– Europäische Politikwissenschaftler skizzieren die Europäische Union gerne als einen neuartigen Staaten- oder gar Verfassungsverbund mit mehreren Ebenen[134] – freilich ohne eigene, übergeordnete Staatlichkeit.[135] In solch einer *collusive democracy* mit ineinander verschränkten Institutionen und einer Proliferation neuer Rechtsstandards wird es freilich zunehmend schwieriger, den Ort der demokratischen Kontrolle präzise zu identifizieren; und die Routinen der Entscheidungsfindung sind nur noch Eingeweihten verständlich.[136]
– Derartige Legitimitätsfragen stellen sich für ‹realistische› oder ‹intergouvernementalistische› Theorien i. d. R. nicht. U.S.-amerikanische Analyti-

133 So auch Offe, Demokratie und Wohlfahrtsstaat, 247f.

134 An erster Stelle seien hier die Arbeiten Fritz W. Scharpfs genannt.

135 Verwiesen sei hier auf die nützlichen Sammelwerke von K. Nicolaidis/R. Howse (Hg.), The Federal Vision; und G. Bonacchi (Hg.) Una costituzione senza stato.

136 Nicht zuletzt deshalb, weil sowohl die Rechtsprechung des Europäischen Gerichtshofes (EGH) als auch ihre administrative Umsetzung zum Faktor oder Motor der expansiven Europäisierung aller möglichen Rechtsnormen wird, der selbst durch keine weiteren *checks and balances* mehr gehegt wird. Stefano Bartolini spricht in seiner voluminösen Synthese ‹Restructuring Europe› von einer collusive democracy bei der Formierung des Machtzentrums der EU – also von einer Vermengung zwischen legislativen und exekutiven Funktionen statt einer Teilung der Gewalten. Perry Anderson, auf dessen Resumé von Bartolinis Werk (The New Old World, 515–518) ich hier zurückgreife, pointiert polemisch: «In such a system, issues of legitimacy […] never arise. For legitimacy involves, by definition, principles, for which mere performance – capable at most of securing a passive assent, something very different – can never be a substitute. The resulting order is incoherent.» (517)

ker wie Andrew Moravcsic bestimmen die zunehmende Verschränkung der Rechts- und Wirtschaftsnormen der EU-Mitgliedstaaten eher als ein auf reziproken Vorteilen beruhendes, somit rational rekonstruierbares zwischenstaatliches Regime (sogenannter *liberal intergouvernementalism*) – andere, wie Giandomenico Majone, sehen sie als auf wirtschaftliche Steuerungsfunktionen eingeschränkte, konföderierte Staatlichkeit (die EU als *regulatory state*).[137]

Anlässlich der Diskussionen um einen Europäischen ‹Verfassungsvertrag› (2004) wurde dann schliesslich der zunehmend unübersichtliche Status der EU als Staatengebilde selbst zum Gegenstand von Auseinandersetzungen um ihre Legitimität. Der von einem Konvent unter Vorsitz des ehemaligen französischen Präsidenten Valéry Giscard d'Estaing erarbeitete Verfassungsentwurf war zwar von den Regierungen der EU-Staaten angenommen und am 29. Oktober 2004 in Brüssel unterzeichnet worden, scheiterte dann aber bekanntlich im Sommer 2004 in den Volksabstimmungen zweier Gründungsnationen der EG (von Frankreich und den Niederlanden). Daraufhin wurden die operativen Bestimmungen dieser Verfassung freilich nicht zurückgezogen, sondern alsbald als Ergebnis einer Entscheidung des Europäischen Rates im Vertrag von Lissabon (Dezember 2007) beschlossen: Eine vom Konsens der Völker nicht angenommene (Quasi-)Verfassung wurde somit nicht ratifiziert, aber durch Konkordanz der Regierungen in ihren praktischen Konsequenzen implementiert.[138]

7.2 Verbund und Verfassung

Welche also ist die Regierungsform der Europäischen Union – eines zwar *legitimen*, aber eben mit indirekter, allenfalls gebrochen *demokratischer* Legitimität zustande gekommenen Gemeinwesens?[139] Zwar entstand ein einheitli-

137 Siehe Anderson, The New Old World, 82–90 (zu Moravcsik); 106–118 (zu Majone). – Der wichtigste Vertreter dieser ‹liberal-intergouvernamentalistischen› Deutung der Europäischen Integration Andrew Moracsik hat diese theoriepolitische Charakterisierung selbst bestätigt, etwa in seinem Preface zur chinesischen Ausgabe von The Choice for Europe (2008), zugänglich unter www.princeton.edu~amoravcs.

138 «Eigentlich war er [der Lissabon-Vertrag] eine Tarnkappe für die stark verklausulierte für Laien unleserliche Neuvorlage von rund neunzig Prozent der Bestimmungen der gescheiterten ‹Verfassung›» (so mit Recht Brunn, Die Europäische Einigung, 318).

139 Ohne die direkte Rückoppelung einer wie immer erarbeiteten Europäischen ‹Verfassung› an die Gesamtheit der Unionsbürger bleibt Europas demokratische Legitimität hybride.

cher Europäischer Rechtsraum mit ‹durchgreifender› Rechtsprechung, aber die für die nationalstaatliche Ebene übliche Gewaltenteilung in Legislative, Exekutive und Judikative ist für die aus dem politischen Willen der Mitgliedstaaten entstandene, vor allem exekutiv verkoppelte und auf zwischenstaatlichen Verträgen beruhende Union offenkundig *nicht* ohne entscheidende Modifikationen anwendbar.[140] Der britische marxistische Historiker Perry Anderson hat denn auch die EU als Karikatur eines demokratischen Bundesstaats bezeichnet, dessen Parlament ohne legislative Kompetenzen bestenfalls eine machtlose «Merovingian legislature» abgibt, während ausgerechnet die nicht gewählte Exekutive (nämlich die Europäische Kommission) Gesetzesinitiativen einbringen kann. Hausmeier hingegen – also der eigentliche operative Machthaber – sei der Ministerrat bzw. der Europäische Rat der Regierungschefs. Und in einer kurz vor dem geplanten (und dann gescheiterten) Inkrafttreten des Europäischen ‹Verfassungsvertrags› veröffentlichten eingängigen Skizze setzt der amerikanische Journalist T. R. Reid einfach neben die drei klassischen Gewalten, also neben die *executive, legislative* und *judicative branches,* noch einen *board of governors*: Ministerrat und Europäischer Rat bilden demnach den Aufsichtsrat des Unternehmens Europäische Union.[141]

Während sich nun die Politikwissenschaft auf die Analyse von Mehrebenen-Überlagerungen, von Verflechtungen bzw. *collusions* zwischen nationalen und supranationalen Instanzen in der Europäischen Union beschränken mag, kann das Verfassungsrecht problematische normative Ambivalenzen feststellen. Dann übernimmt die (je nationale[142]) Verfassungsgerichtsbarkeit

Allgemein zur Unterscheidung zwischen Legitimität und demokratischer Legitimität siehe Nullmeier/Nonhoff, Der Wandel des Legitimitätsdenkens, 35–38.

140 Das EU-Kapitel in Christoph Möllers Untersuchung zur Gewaltengliederung (Die drei Gewalten, 172–194) vermittelt einen Einblick in dessen komplizierte Legitimationsstruktur. Am eindeutigsten erscheint ihm dabei die Stellung der judikativen Gewalt: des Europäischen Gerichtshofs, der – ohne jedoch diese Stellung im EU-Institutionengefüge beanspruchen zu können – am ehesten die Aufgaben nationaler Verfassungsgerichte übernimmt.

141 Anderson, The New Old World, 60f.; Reid, The United States of Europe, 272–288.

142 Denn es gibt ja kein europäisches Verfassungsgericht – so wie es auch keine Europäische Verfassung gibt. Insofern wäre es im Prinzip denkbar, dass die Verfassungsrichter in einzelnen EU-Ländern zu unterschiedlichen Schussfolgerungen kommen. – Unterdes hat das oberste Gericht Estlands am 12. Juli 2012 entschieden, dass der Vertrag über den Europäischen Stabilitätsmechanismus (ESM) der Verfassung des Landes nicht widerspricht, obwohl Estland (mit nur 0,186 Prozent Kapitalanteil – und daher Stimmenanteil beim ESM) faktisch keine Einflussmöglichkeiten auf Entscheidungen des ESM

die Aufgabe, die Legitimität der supranationalen EU-Institutionen und Entscheidungen in ihrem Verhältnis zur nationalen Souveränität zu bewerten, zu bestimmen – und damit auch: zu begrenzen.

Das politische Europa – schrieb der deutsche Verfassungsjurist Udo Di Fabio im Juli 2006[143] – habe gegenüber den die Union konstituierenden Nationalstaaten zunehmend *Kompetenzen* akkumuliert, aber «die *Macht* ist noch geteilt. Die Staaten bleiben die Herren der Verträge, bestimmen weiter, wer welche Kompetenzen ausübt, sie bestimmen im Rat aktiv die Europapolitik und ihre Richtung mit».[144] Diese Skizze der normativen Tatsachen innerhalb des europäischen ‹Staatenverbundes› (wie die leitende Terminologie des deutschen Bundesverfassungsgerichts lautet[145]) sollte alsbald operativ werden.

Im zweiten Senat des Bundesverfassungsgerichts formulierte Di Fabio das grundlegende Urteil vom 30. Juni 2009 entscheidend mit:[146] In ihm erklärt das höchste deutsche Gericht zwar die im Lissabon-Vertrag (2007) vereinbarte Ausgestaltung der Europäischen Union zum ‹Staatenverbund› für verfassungskonform, schliesst aber jede weitere Übertragung von staatlichen Hoheitsrechten der Mitgliedsländer auf die Europäische Union aus, sofern sie (etwa im Bereich der Strafverfolgung oder mit Bezug auf Auslandseinsätze der deutschen Bundeswehr) die ‹Substanz› der deutschen Staatsgewalt antasten und die ‹Identität› der bundesdeutschen Verfassung tangieren könnte.[147] Denn eine supranationale ‹Kompetenz-Kompetenz› zur

hat, aber mit über 8 Prozent seines Bruttosozialproduktes dafür haftet: Die Richter hielten mit knapper Mehrheit dafür, dass diese Souveränitätseinschränkung durch das Ziel der Bewahrung von Rahmenbedingungen der wirtschaftlichen Stabilität für Estland gerechtfertigt sei (nach FAZ, 13. Juli 2012). – Im Folgenden beschränke ich mich auf das deutsche Verfassungsgericht, das sich unter allen EU-Mitgliedsländern mit dem staatsrechtlichen Status der Union und ihrer Entscheidungen am ausführlichsten befasst hat.

143 Nota bene: Wenige Wochen zuvor, Ende Mai bzw. Anfang Juni 2006, war der ‹Europäische Verfassungsvertrag›, den ein vom ehemaligen französischen Staatspräsidenten Valéry Giscard d'Estaing geleiteter Konvent (2003) ausgearbeitet hatte und der vom Europäischen Rat (der Staats- und Regierungschefs) Ende Oktober 2004 unterzeichnet worden war, in zwei Volksabstimmungen (in Dänemark und in Frankreich) abgelehnt worden!

144 Udo Di Fabio, Die politische Gestalt Europas.

145 Seit seinem Urteil zum Maastricht-Vertrag (BVerfGE 89, 155) vom 12. Okt. 1993.

146 BVerfG, 2BvE 2/08 (30. Juni 2009), im Folgenden ‹Lissabon-Urteil›, mit Randnummern (Rn). – Zur Analyse und Bewertung dieses Urteils siehe die ausführliche Kontroverse zwischen M. Höpner, S. Leibfried u. a.: Kampf um Souveränität?; sowie C. Franzius, Vom Nationalstaat zum Mitgliedsstaat.

147 Lissabon-Urteil, Rn 334, 339, 340, 343.

Verfassungsänderung, welche die Verfassungssubstanz eines ihrer Mitgliedstaaten berühren könnte, besitze die EU ja auch nach dem Vertrag von Lissabon nicht. Dessen ‹Verbundprinzip› bestehe vielmehr gerade im «System verantwortlicher Hoheitsübertragung unter Fortbestand der Souveränität der Mitgliedstaaten».[148]

Dieser Kontrast zwischen einer vom deutschen Verfassungsgericht bestätigten Kompetenzen-Ausweitung der EU für zahlreiche Verwaltungs-, Rechtsprechungs- und Politikfelder einerseits[149] und der unzweideutigen Zurückweisung jeder ‹Überlagerung› der mitgliedstaatlich verankerten Volkssouveränität durch bundesstaatliche Elemente andererseits bildet das Leitmotiv der neueren Rechtsprechung des Bundesverfassungsgerichts zur EU. Ebenso wie das Lissabon-Urteil charakterisiert er alle späteren Entscheidungen, in denen das deutsche oberste Gericht einer weiteren Übertragung insbesondere haushaltspolitischer Kompetenzen an Europäische Gremien im Rahmen der Stabilitätsunion enge Grenzen setzte.[150] Denn alle im Lissabon-Vertrag neu begründeten Kompetenzen der Union seien rechtsnormativ gesehen, «jedenfalls bei der gebotenen Auslegung, keine ‹staatsbegründenden Elemente›, die [...] die souveräne Staatlichkeit der Bundesrepublik Deutschland [...] in verfassungsrechtlich bedeutsamer Weise verletzen» könnten.[151] Ein blosser Staaten*verbund* unter Fortbestand der Souveränität der Mitgliedstaaten und kein Bundesstaat sei die EU schliesslich bereits aufgrund der weiterhin bestehenden Möglichkeit des Austritts jedes Mitgliedslandes aus der Union.[152]

Durch die Aufhebung europäischer Binnengrenzen und den im Vertrag von Lissabon «supranationalisierten ‹Raum der Freiheit, der Sicherheit und

148 Lissabon-Urteil, Rn 322, 329.

149 Ausführlich geht das Urteil u. a. ein auf Strafrecht und Strafverfolgung (Lissabon-Urteil, Rn 352–366), zivile justizielle Zusammenarbeit in der EU (367–370), gemeinsame Handelspolitik und ihr völkerrechtlicher Status (370–380), den Auslandseinsatz deutscher Streitkräfte (Rn 381–391) und die sozialpolitischen Kompetenzen der EU (Rn 392 ff.).

150 Dieselbe Linie verfolgte dann insbesondere jenes Urteil desselben Zweiten Senats des BVerfG am 9. September 2011, das auch jede ‹supranational› agierende Europäische Wirtschaftsregierung von einer expliziten Verfassungsänderung abhängig macht – und die Legitimität der aktuellen Bewilligung der deutschen Garantiezusagen von 170 Milliarden EURO an eine ausdrückliche Legitimation durch den deutschen Bundestag bindet. Vgl. dazu das Gespräch mit dem Bundesverfassungsrichter Peter Michael Huber, Keine europäische Wirtschaftsordnung ohne Änderung des Grundgesetzes, in: Süddeutsche Zeitung, 19. Sept. 2011.

151 Lissabon-Urteil, Rn 351.

152 Lissabon-Urteil, Rn 329f.; siehe EUV, Art.50.

des Rechts»» sei schliesslich ebenso wenig das *Staatsgebiet* der Bundesrepublik Deutschland preisgegeben worden wie die Einführung einer (abgeleiteten) europäischen Unionsbürgerschaft zu einer «Überlagerung des primären Staatsangehörigkeitsstatus» geführt habe. Das *Staatsvolk* der Bundesrepublik Deutschland bestehe vielmehr innerhalb der politischen Union Europas als eine ihrer Komponenten weiter. Es gebe somit auch weiterhin kein eigenständiges Unionsvolk («das als sich selbst verfassendes Rechtssubjekt zur eigenen Selbstbestimmung berufen wäre»).[153] Die Unionsbürgerschaft sei «nichts kulturell oder normativ dem geltenden [sc. zwischenstaatlichen] Vertragsrecht Vorausliegendes», sondern durch die europäischen Verträge «allein aus dem Willen der Mitgliedstaaten abgeleitet›».[154] Das politische Wahlrecht in den einzelnen EU-Staaten sei ebenso wie die sozialstaatliche Solidargemeinschaft den (jeweils eigenen) Staatsangehörigen vorbehalten, demgegenüber bleibe auch «die Pflicht zur finanziellen Solidarität zwischen den Mitgliedstaaten in Form von Sozialleistungen gegenüber Unionsbürgern weiterhin eingeschränkt›».[155]

Nicht zuletzt: Im Rechtsraum Europas fehle eine für Bundesstaaten charakteristische einheitliche Rechtshierarchie. Das Europäische Unionsrecht bricht zwar einzelstaatliches Recht, aber es tut dies nur de facto, nicht de jure[156] (der Anwendungsvorrang Europäischer Bestimmungen vor einzelstaatlichen Regelungen folge aus keinem Geltungsvorrang[157]). Und erst dann, wenn der Satz ‹Unionsrecht bricht nationales Recht› «ohne irgendei-

153 Die Annahme, eine demokratische Verfassung Europas müsse über die (kon-)föderale Staatenverbindung hinaus auch die Existenz (bzw. das staatsrechtliche Konstrukt) eines Europäischen Demos oder Staatsvolkes unterstellen, wird von Kritikern dieser Rechtsauffassung gerne als veraltete Perspektive aus dem 19. Jahrhundert abgetan bzw. als kollektivistische Reifizierung der Volkssouveränität kritisiert. Siehe Dieter Grimm, Braucht Europa eine Verfassung? (239ff.), und Jürgen Habermas, Braucht Europa eine Verfassung?, sowie ders., Zur Verfassung Europas (43f. und 51f.) für die beiden Gegenpositionen.

154 Lissabon-Urteil, Rn 346–349.

155 Ebd., Rn 350.

156 Ebd., Rn 335, 339, 343.

157 Allerdings impliziert dieser funktionale ‹Anwendungsvorrang› (Claudio Franzius) des Europarechts häufig seine faktische Allzuständigkeit; und damit kann Europäische Rechtsprechung das soziale und politische Leben u. U. weitaus umfassender beeinflussen, als dies ein in seinen Auswirkungen präziser, auf bestimmte Bereiche des sozialen Lebens und policy-Sektoren beschränkter hierarchischer Rechts-Vorrang der höheren Ebene im Kontext einer bundesrechtlichen Ordnung vermöchte.

nen Vorbehalt auch im Verfassungsrecht der Mitgliedstaaten gilt, mutiert die Unionsordnung zu einem bundesstaatsähnlichen Gebilde».[158]

Solche doppelte – nationale und föderale – *Legalität* innerhalb der Europäischen Union müsste nun die nationale Verfassungsgerichtsbarkeit überhaupt nicht stören. Es sei denn, sie könnte die *Legitimität* von Europäischen Institutionen (und EU-Entscheidungen) beeinträchtigen. – Doch wann wäre dies der Fall? Wann würde die demokratische Ordnung der Bundesrepublik durch Entwicklungen (in) der EU tangiert? Wodurch könnte die ‹integrationsoffene Souveränität› Deutschlands innerhalb des Europäischen ‹Staatenverbunds› gefährdet werden?

Hier nun gilt es, sehr präzise hinzusehen. Schliesslich hat das höchste deutsche Gericht unbestreitbare Verdienste als Hüterin der Gewaltenteilung, die im demokratischen Staat eben nicht blosse Trennung der legitimen Gewalten bedeutet, sondern ihre wechselseitige Kontrolle ermöglichen soll. Dies gilt auch für den Prozess der Europäischen Integration, der ja eine vom bundesdeutschen Grundgesetz ausdrücklich bejahte Entwicklung darstellt. Und anders als etwa der bislang im Wesentlichen mit arbeits- und wirtschaftsrechtlichen Fragen befasste Europäische Gerichtshof hat das Bundesverfassungsgericht wiederholt – und zu Recht! – die Kontrollrechte des nationalen Parlaments im Europäischen Integrationsprozess verteidigt oder gestärkt. Es wandte sich damit explizit gegen ein ‹Durchregieren› der bundesdeutschen Exekutive und implizit gegen die 2011 mit dem Namen ‹Merkozy› bezeichneten Gefahren eines intergouvernemental beschlossenen und supranational durchgesetzten ‹Exekutiv-Föderalismus›. U. a. urteilte das Gericht:

- Zwar schützten Grundsatz und «Funktionenordnung» der Gewaltenteilung einen «Kernbereich exekutiver Eigenverantwortung» der Regierung, der auch ihre innen- wie aussenpolitischen Sondierungen, Verhandlungen oder Manöver betrifft und «einen grundsätzlich nicht ausforschbaren Initiativ-, Beratungs- und Handlungsbereich einschliesst» – so das Verfassungsgericht in seinem jüngsten einschlägigen Urteil.[159]
- Sobald indes die Regierung ihre interne Willensbildung abgeschlossen habe und sich bereits mit «Zwischen- oder Teilergebnisse[n] an die Öffentlichkeit» wende, müsse das Parlament einbezogen und dazu ausreichend informiert werden.

158 Herdegen, Europarecht, 80.
159 Urteil vom 19. Juni 2012 (BVerfG, 2 BvE 4/11), Pressemitteilung Nr. 42/2012.

- An Entscheidungen zum Europäischen Stabilitätsmechanismus (ESM), welche die Substanz des Staatshaushalts betreffen, müsse das Parlament *als ganzes* beteiligt werden (also nicht etwa nur ein Kleinstkontrollausschuss von neun Abgeordneten, wie zunächst im Bundestag vorgesehen) – so hiess es wenige Monate zuvor in einer anderen Entscheidung des Bundesverfassungsgerichts.[160]
- Der Umstand, dass der Stabilitätspakt (mangels Einstimmigkeit im EU-Ministerrat) die Gestalt eines völkerrechtlichen Vertrages zwischen den an der *coalition of the willing* beteiligten Mitgliedsländern angenommen hat, dürfe nun von der Regierung nicht zum Vorwand genommen werden, ihn als Domäne der Exekutive der vollen parlamentarischen Kontrolle zu entziehen.[161]
- Damit «das Parlament nicht in eine bloss nachvollziehende Rolle gerät», müsse es über geplante EU-Beschlüsse, Verträge und Kompetenzverlagerungen umfassend, frühzeitig und schriftlich informiert werden.[162]

7.3 Souveränitäten und Identitäten

Die genannten und vom Gericht monierten Gefahren für die Gewaltenteilung liegen in institutionell präzise verortbaren Kompetenzverlagerungen (hier: der Budgethoheit des Parlaments); in konkret benennbaren und korrigierbaren Entwicklungen deutscher Staatlichkeit beim Prozess der Europäischen Integration; in Entscheidungen von Regierung und Parlament unter dem Handlungsdruck der Schuldenkrise, dem Zeitdruck der Märkte, in den Verhandlungsengpässen der Politik. Ganz anders hingegen steht es um eine vom obersten deutschen Gericht seit einigen Jahren in der Begründung seiner Urteile bemühte Metaphysik oder Metaphorik: Es geht um die Behauptung einer zwar ‹unverfügbaren›, aber gleichwohl bedrohten und daher schutzbedürftigen ‹Identität› der Verfassung.[163] Mit dieser Redeweise

160 Urteil vom 28. Februar 2012 (BVerfG, 2BvE 8/11).

161 «Um eine Angelegenheit der Europäischen Union handelt es sich auch bei völkerrechtlichen Verträgen, wenn diese in einem Ergänzungs- oder sonstigen besonderen Näheverhältnis zum Recht der Europäischen Union stehen» (Pressemitteilung des Bundesverfassungsgerichts Nr. 42/2012 zum Urteil vom 19. Juni 2012 [2 BvE 4/11]).

162 Ebd.

163 Fast möchte es scheinen, als spräche das Gericht hier in Analogie zur Menschenwürde (die zwar ‹unverfügbar› ist, aber dennoch verletzt werden kann). Doch eine Verfassung, das normative Regelwerk eines rechtlich geordneten Gemeinwesens, ist kein Individuum, keine Person mit Identität oder Würde.

greift das Bundesverfassungsgericht seit einigen Jahren offenbar reale Befürchtungen gegenüber der Europäischen Union auf, um sie dann aber in fragwürdiger Weise begrifflich zu hypostasieren. Inwiefern müssen Bürger denn Angst vor einem Identitätsverlust der Verfassung haben?

Trotz manch dialektischer Formulierungskünste zum Verhältnis zwischen deutscher Verfassungsidentität und Europäischer Integration:[164] Die zu dieser Frage in der jüngsten deutschen Verfassungsrechtsprechung bemühten rechtsnormativen Grenzbegriffe sind *nicht* dazu angetan, die staatsrechtlichen Ambivalenzen bei der Bestimmung der EU zwischen übernationalem Bund und souveränen Nationalstaaten zu klären. Sie reproduzieren sie nur.[165] Gleichzeitig allerdings schreibt sich das bundesdeutsche Verfassungsgericht gegenüber den anderen deutschen Verfassungsorganen (und gegenüber der EU) eine neue Funktion zu, die hinausgeht über seine beiden bisherigen Prüfungsaufgaben im Kontext der Europäischen Integration:

- zum einen die prinzipielle und generelle (aber heute i. d. R. überflüssige[166]) *Grundrechts*-Kontrolle,
- zum zweiten die Prüfung eventueller Kompetenzüberschreitungen von Rechtsakten der Unionsorgane (sogenannte *Ultra vires*-Kontrolle).

Darüber hinaus beansprucht das Gericht heute noch eine spezielle Identitätskontrolle. Mit der Prüffrage ‹Wird durch die anstehenden Entscheidungen die Identität der deutschen Verfassung berührt?› soll offenbar

164 Ein Beispiel: «Integration und Identität erscheinen so als zwei Seiten derselben Medaille, als zwei verfassungs- und unionsrechtlich zu schützende Werte, deren Bewahrung und Förderung ineinandergreifen» (Andreas Vosskuhle, Fruchtbares Zusammenspiel, in: FAZ, 22. April 2011)

165 Schon mit dem Begriff Staatenverbund knüpfte das Gericht ja «nicht an eine im Völkerrecht oder in der allgemeinen Staatslehre anerkannte Typologie» an, sondern formulierte nur einen «interessanten Versuch, die Eigenheiten des Unionssystems [...] einzufangen» (Herdegen, Europarecht, 80).

166 Zwar hat das BVerfG seine generelle Kompetenz für die Überprüfung von sekundärem EU-Recht am Massstab der deutschen Grundrechte nicht aufgegeben, aber im berühmten ‹Solange II›-Urteil vom 22. Okt. 1986 faktisch bis auf weiteres suspendiert – «solange die Europäischen Gemeinschaften, insbesondere die Rechtsprechung des Gerichtshofs der Gemeinschaften einen wirksamen Schutz der Grundrechte gegenüber der Hoheitsgewalt der Gemeinschaften generell gewährleisten» (BVerfGE 73,339 [387]), zit. nach Herdegen, Europarecht, 239).

gegenüber dem ansonsten gefährlichen Selbstlauf des EU-Integrationsprozesses eine Art Notbremse installiert werden.[167]

Das Verfassungsgericht prüft also, ob der ‹Identitätskern› des deutschen Grundgesetzes im Zuge der Europäischen Integration verletzt wird.[168] Wird durch neue EU-Beschlüsse, Verträge oder Verpflichtungen dieser ‹unantastbare Kerngehalt der Verfassungsidentität› tangiert, so ist das fragliche Gesetz oder die fragliche Europäische Entscheidung unter der bestehenden Verfassungsordnung *eo ipso* illegitim. Sie müssen aufgegeben oder geändert werden. Oder aber es müsste der Weg einer Verfassungsänderung beschritten werden, etwa auf dem Wege der Volksabstimmung nach Artikel 146 des deutschen Grundgesetzes – so Verfassungsgerichtspräsident Andreas Vosskuhle.[169]

Die Identitätsklausel funktioniert also – *wenn* sie denn funktioniert – als mögliche (zusätzliche) Integrationsschranke. Als solche ist sie freilich gerade unter Verfassungsrechtlern ziemlich umstritten: So ist für Christoph Möllers etwa diese Notbremse nur eine fragwürdige «juristische Erfindung der späten 1980er Jahre und ein Versuch, sie durch Benennung konkreter Staatsaufgaben zu präzisieren, gilt als der schwächste Teil der Lissabon-Entscheidung» des Verfassungsgerichts;[170] nach Christoph Schönberger gehört sie ohnehin in den Kontext einer kulturell eher defensiven «Gegenbewegung zur Globalisierung».[171] Und für Oliver Lepsius verfällt das Gericht mit seiner selbstgestellten Aufgabe des Identitätsschutzes der Verfassung gar in einen Kategorienfehler: «Das Gericht schützt die Kompetenz eines Volkes, das es nur verfassungstheoretisch gibt, nämlich des *pouvoir constituant*. Die verfassungsgebende Gewalt des Volkes kann verfassungsrechtlich nicht geregelt werden, denn die Verfassung ist Ergebnis eines früheren

167 Von einem ‹Notbremse-Verfahren› spricht der Präsident des Bundesverfassungsgerichts A. Vosskuhle (Fruchtbares Zusammenspiel).

168 Siehe Herdegen, Europarecht, 236–238.

169 Siehe den Bericht über eine Diskussion Andreas Vosskuhles mit dem Bundestagspräsidenten Norbert Lammert. Gegenteiliger Auffassung ist freilich der ehemalige Präsident des Bundesverfassungsgerichts Hans-Jürgen Papier (Beide Artikel in: FAZ, 18. Nov. 2011). – Mittlerweile hat der deutsche Finanzminister Wolfgang Schäuble (und ehemalige Innenminister und Verhandler der deutschen Wiedervereinigung) den Gedanken aufgenommen: Gelinge es, in den Verhandlungen um Stabilitätsunion und Fiskalpakt tatsächlich eine stärker integrierte politische Union zu vereinbaren, dann werde in Deutschland eine Volksabstimmung über die entsprechende Grundgesetzänderung notwendig (DER SPIEGEL, Nr.26/2012, 25. Juni 2012, 30).

170 C. Möllers, An der Grenze, in: FAZ, 20. Okt. 2011.

171 Schönberger, Anmerkungen zu Karlsruhe, 62f.

pouvoir constituant. Die Geltung der Verfassung steht normlogisch immer unter dem Damoklesschwert eines revolutionären Akts der neuen Verfassungsgebung. [...] Das Verfassungsgericht geriert sich als Treuhänder des *pouvoir constituant*. Das wäre allerdings so, als ob das Kind die Geburt seiner Grosseltern arrangiert.»[172]

Sehen wir darum ab von dieser fraglichen Kategorie der Verfassungsidentität als Notbremse im Europäischen Integrationsprozess, so stellt für das deutsche Verfassungsgericht die Europäische Union «weiterhin einen *völkerrechtlich* begründeten Herrschaftsverband dar, der dauerhaft vom Vertragswillen souverän bleibender Staaten getragen wird».[173] Jeder Schritt heraus aus dieser ‹völkerrechtsanalogen› Herrschaftssituation eines Staatenverbundes und hin zu einem ‹staatsanalogen› europäischen Bundesstaat sei darum unter Beibehaltung des deutschen Grundgesetzes unmöglich (sprich: illegitim). Damit er möglich/legitim werde, setze jede weitergehende Integration Deutschlands in ein Europäisches Staatswesen eine Verfassungs*neu*schöpfung voraus.

Vielleicht ist es ja nur ein Zufall. Interessanterweise vertritt in Deutschland eine nahezu spiegelbildliche Kontraposition zu dieser urteilsbewehrten Lehrmeinung des Bundesverfassungsgerichts der politische Philosoph Jürgen Habermas. Folgt man nämlich den Argumenten seines letzten Europamanifestes (2011), so hat in der EU der Schritt einer Transformation des blossen Staaten(ver)bundes hin zum supranationalen Bund geteilter Souveränitäten im Grunde bereits stattgefunden – jedenfalls implizit. Und um diese implizite föderale Revolution explizit zu machen, komme es nur darauf an, die Europäischen Verträge recht zu interpretieren. Dann werde nämlich einsichtig, dass der geteilten Souveränität im Ergebnis (also: dem Vereinten Europa als Bund) auch eine ursprüngliche Teilung des verfassungsgebenden Subjekts vorausgegangen sein muss: ein doppeltes oder bereits geteiltes *pouvoir constituant*. Und so wären es dann am Ende (genauer gesagt: am Anfang) *zwei* konstituierende Subjekte, die Bürger Europas *und* die Nationalstaaten, die in der konstitutionellen Fiktion eines *pouvoir constituant mixte* im gleichursprünglichen Zusammenwirken die Europäische Union stiften. «Aus demokratietheoretischer Sicht verlangt dieses neue Element der Aufspaltung des verfassungsgebenden Subjekts in ‹Bürger› und ‹Staaten› allerdings eine gewichtige Qualifizierung. Die Bürger sind auf doppelte

172 O. Lepsius, Die massstabsetzende Gewalt, 229.

173 So die Zusammenfassung in der Pressemitteilung (Nr.72/2009) des BverfG zum Lissabon-Urteil.

Weise an der Konstituierung des höherstufigen politischen Gemeinwesens beteiligt, in ihrer Rolle als künftige Unionsbürger und als Angehörige eines der Staatsvölker.»[174]

Warum benötigt Jürgen Habermas neuerdings diese eigenwillige Denkfigur?[175] – Vermutlich deshalb, weil es immer noch keine *demokratisch* legitimierte (und legitimierende) Verfassung der Union gibt.[176] Ohne diese aber behält der demokratische Nationalstaat ihrer Mitgliedsländer bis auf Weiteres eine höherwertige demokratische Legitimität im Verhältnis zu den bloss abgeleiteten Europäischen Institutionen oder Entscheidungen.[177] Diese Lücke soll nun die normative Fiktion einer («gleichursprünglich») geteilten Volkssouveränität füllen, an der die Bürger der Europäischen Union immer schon gewissermassen doppelt, als gespaltene *personae* teilhaben.[178]

Offenbar betreten wir heute, sobald das staatsrechtliche Sanktuarium der Souveränität tangiert wird, weniger den Raum eines theologisch geladenen Imaginären (wie dies noch Carl Schmitt vermeinte[179]) als einen Raum psychologischer Metaphern. Ihr Thema ist der Souverän als ein Subjekt, das sich bedroht fühlt oder gefährdet weiss:[180]

174 Habermas, Zur Verfassung Europas, 67.

175 In Habermas' früheren europapolitischen Schriften (Braucht Europa eine Verfassung; Der gespaltene Westen; Ach Europa!) taucht die Fiktion des gespaltenen verfassungsgebenden Subjekts noch nicht auf. (Siehe auch Anderson, Symposium, 51)

176 Irgendwelche ‹Ermässigungen› demokratischer Legitimität in der über- oder internationalen Politik will Habermas aber nicht hinnehmen (Zur Verfassung, 54, FN).

177 Dies gilt sogar noch für die Institution des Europaparlaments, bei dessen Wahl nach national verschiedenen Wahlsystemes ja das Prinzip, wonach jede Stimme gleich zählt, noch nicht voll eingehalten wird: Seine Abgeordnete repräsentieren somit immer noch die Willensbildung ihrer nationalen *demoi.*

178 Habermas, Zur Verfassung, 70.

179 An Carl Schmitt knüpft in mancher Hinsicht die durchaus anregende Studie Ulrich Halterns an, der des weiteren eine ‹katholische› Souveränität (die Sakralität des Opfers) von einer ‹protestantischen› Akzentuierung des Sakralen im Rechts- oder Verfassungstext (Menschenwürde) unterscheidet. Selbst wenn nun diese kultur- oder konfessionsgeschichtliche Genealogie zutreffen sollte, bleibt offen, was daraus für die Europäische Union und die von ihren Mitgliedstaaten gepoolten, verkoppelten, geteilten Souveränitäten folgen soll. Der abschliessende Hinweis, auch ein kulturell noch so fragmentiertes und konstitutionell multiples Europa habe «Freunde und Feinde», und das sei «die eigentlich schlechte Nachricht» (Haltern, Souveränität, 109), besagt ja für die innere Verfassungsordnung der EU noch überhaupt nichts.

180 Dass genealogisch diese Idee freier und also gefährdeter Subjektivität in der westlichen Christenheit bzw. ihren (post-)säkularen Nachfolgerinnen ohne theologische Matrix

- Entweder ist der Bürger ein Souverän, welcher Herr im eigenen Hause (in der eigenen Seele) bleiben will und darum mithilfe des deutschen Verfassungsgerichts den ‹Identitätskern› seiner legitimen politischen Existenz sucht – bis er ihn endlich gefunden hat und dann juridisch bewehren oder begrifflich panzern kann.
- Oder er ist ein Bewohner gleich mehrerer Häuser (Räume oder Gemeinwesen), welcher sich in einem therapeutischen Rollenspiel der ureigenen ‹ursprünglichen Teilung› (seiner Seele) vergewissern muss, um nicht zum Untertan nur *einer* dominanten kollektiven Identität (der Volkssouveränität) zu werden.

Im ersten Fall wird somit das theoretische Konstrukt staatlicher Souveränität, die Jean Bodin und Thomas Hobbes in der frühen Neuzeit als Einheit der höchsten und unbegrenzten Herrschaftsgewalt bestimmt hatten,[181] gewissermassen personifiziert. Allerdings nicht mehr in der allegorischen Verkörperung durch eine starke und liebliche Jungfrau – auch nicht durch den historischen Volksgeist eines nationalen Kollektivs. Die Souveränität wird vielmehr zur Seele der Verfassung, welche nur eines nicht aufgeben darf: ihre vollständige Selbstbestimmung. Im zweiten Fall wird dann dieser Seele selbst eine gespaltene, wenigstens teilbare Identität zugemutet; andernfalls liesse sich die Volkssouveränität schliesslich nicht teilen oder ‹transnationalisieren›.[182] Darum tritt bei Jürgen Habermas «jede Person sich als europäische Bürgerin im verfassungsgebenden Prozess gewissermassen selbst als Bürgerin eines jeweils schon konstituierten Staatsvolkes gegenüber».[183] So könne den «Legitimationserfordernisse[n] eines entstaatlichten supranationalen Gemeinwesens» genüge getan werden.[184]

Die Spannung zwischen nationaler und supranationaler (föderaler) ‹Souveränität› wird mit dieser Fiktion vom ursprünglich gespaltenen Verfassungssubjekt natürlich nicht beseitigt, sie wird nur in einer kontrafaktischen

schlechterdings nicht denkbar wäre, versteht sich von selbst, steht aber auf einem anderen Blatt (das bekanntlich vor allem vom Heiligen Augustinus beschrieben wurde).

181 Zu Bodin siehe den Beitrag von Thomas Maissen in diesem Band (73–192). – Auf die keineswegs realistische, sondern kontrafaktische, antizipatorische Natur des Bodin'schen Begriffs weist zu Recht Dieter Grimm hin (Souveränität, 305f.); und mutatis mutandis liesse sich das auch für Thomas Hobbes' Postulat der absoluten Vollmacht und unauflösbaren Einheit des Leviathan sagen (vgl. etwa Norberto Bobbio, Thomas Hobbes, 49–62).

182 Habermas, Zur Verfassung, 51f.

183 Ebd., 70.

184 Ebd., 74.

Ursprungsfiktion repliziert und expliziert. Wer will, mag Jürgen Habermas dann auch noch darin folgen, diese Spannung geschichtsphilosophisch zu deuten. Die Parabel einer bereits im Ursprung geteilten Souveränität des Europäischen Bundes stünde dann für die (heilsame) systemische Unruhe im Lernprozess liberaler nationaler Staatlichkeit auf ihrem Wege zu einer rechtlich zivilisierten und vernünftig institutionalisierten Weltordnung.[185]

Allerdings stellt sich hier die Frage, ob das begriffliche Medikament (sprich: die gespaltenen *personae* der fiktiven Urszene einer künftigen EU-Verfassung) tatsächlich so viel bekömmlicher ist als die vermutete Krankheit der Europäischen Union, die es heilen soll (sprich: ihre hybride, indirekte, gedoppelte Legitimität). Diese geht ja auf nichts anderes zurück als auf ihren Bundescharakter. Nach Carl Schmitts Verfassungslehre (1928) bestehen in einem Bund «zwei Arten politischer Existenz nebeneinander, die Gesamtexistenz des Bundes und die Einzelexistenz des Bundesmitglieds [...] Das Wesen des Bundes liegt in einem Dualismus der politischen Existenz».[186] Das spricht freilich eher dafür, auf den monistischen Begriff eines *pouvoir constituant* bei der Beschreibung des Zusammenschlusses von Mitgliedstaaten zu einem Bund ganz zu verzichten.[187] (Jedenfalls eher als dafür, ihn in einer fiktiven Urszene begrifflich zu verdoppeln.)

Der vermeintliche Mangel der Europäischen Union als Bund besteht dann nur noch in der Tatsache, dass eine durch die Verkoppelung von (bereits demokratisch verfassten) Nationalstaaten entstehende politische Union über keine von diesen Staaten unabhängige, unmittelbare, homogene Legitimität verfügen kann.

Könnte denn diese (konstitutive wie konstitutionelle) Spannung zwischen den demokratischen Mitgliedstaaten und den supranationalen Kompetenzen der EU vielleicht durch die Entstehung einer transnationalen Öffentlichkeit wenigstens kommunikativ überbrückt werden?[188] Das ist

185 Zu dieser weltgeschichtlichen Perspektive siehe Habermas, Konstitutionalisierung des Völkerrechts; ders., Zur Verfassung Europas, 82–96; aber die kantisch-kosmopolitische Perspektive beschäftigt den deutschen Philosophen schon seit etlichen Jahren. – Geistesverwandte anglo-amerikanische Philosophen mit im Übrigen durchaus ähnlichen linksliberal-universalistischen Überzeugungen sind Habermas in seiner föderalistischen Einstellung nicht gefolgt: Vgl. John Rawls/Philippe van Parijs, Briefwechsel; Thomas Nagel, The Problem of Global Justice.

186 Carl Schmitt, Verfassungslehre, 371; zitiert nach Olivier Beaud (Nation-Building in a Federation, 85), dessen Auffassung ich mich hier anschliesse.

187 Vgl. auch die Bemerkungen Dieter Grimms, Souveränität, 308f.

188 Habermas, Ach Europa, 106–108.

durchaus fraglich. Denn die regulative Idee *einer* Europäischen Öffentlichkeit – als gegenüber *sowohl* den (National-)Staaten *als auch* den Institutionen der Union unabhängige Instanz[189] – fällt ja keineswegs zusammen mit der ‹segmentierten Europäisierung› einer Vielzahl bereits existierender transnationaler Fach-, Gruppen- und Teilöffentlichkeiten zu den diversesten Ideen und Interessen, die sich heute v. a. über das Internet-Medium verbreiten.[190] Mit solchen Teilöffentlichkeiten verknüpfte spezifisch politische Hoffnungen aber bleiben vorläufig ausserhalb englischsprachiger *Conference Centers* mit Colloquien «On the Future of Europe» ziemlich vage. Viel zukunftsträchtiger – aber eben darum europapolitisch *nicht* direkt verwertbar – ist da vermutlich die Lebenswelt von ERASMUS-Studenten.[191]

Eine einseitig akzentuierte Parlamentarisierung der supranationalen Union hingegen könnte diese Spannung u. U. sogar noch verschärfen.[192] – Nota bene: Das spricht natürlich nicht gegen die Aktivierung grösserer demokratischer Impulse auch auf der Europäischen oder Bundesebene, wohl allerdings dafür, diese nicht auf die Stärkung des Europaparlaments zu beschränken.[193]

Denn abschaffen lässt sich die Spannung zwischen Mitgliedstaaten und Union im Rahmen der aktuellen EU nicht – jedenfalls nicht ohne eine grundstürzende Verfassungsreform in Richtung Bundesstaatlichkeit. Selbst

189 Daher betonen Franzius und Preuss zu Recht: «Eine Stärkung der Bedingungen, unter denen sich eine Europäische Öffentlichkeit entfalten kann, ebnet der Europäischen Union keineswegs den Weg in die Staatlichkeit» (Die Zukunft der Europäischen Demokratie, 124).

190 Vgl. Bernhard Peters, Der Sinn von Öffentlichkeit.

191 Wohl eher in diese letztere Richtung weist der vom Soziologen Ulrich Beck und dem grünen Europarlamentarier Dany Cohn-Bendit initiierte und von den üblichen Verdächtigen aus der kosmopolitischen Kulturszene unterzeichnete sympathische Aufruf für ein von privaten Unternehmen zu finanzierendes Freiwilliges Europäisches Jahr für jugendliche Aktivisten – wobei freilich die Selbstanzeige «Manifest für eine Neugründung der EU von unten» ein wenig bombastisch daherkommt (in: DIE ZEIT, Nr.19/ 3.Mai 2012, zugänglich auch unter www.manifest-europa.eu).

192 Die Parlamentarisierung der EU könnte – so befürchtet Dieter Grimm – «die Rückbindung der Union an die Mitgliedsländer lockern, denn das Europäische Parlament ist seiner Konstruktion nach kein föderales, sondern ein zentrales Organ. Seine Stärkung ginge auf Kosten des Rats und müsste damit zwangsläufig zentralisierend wirken. Andererseits würde die geschwächte Rückbindung an die Mitgliedstaaten aber nicht durch eine vermehrte Rückbindung an die Bevölkerung der Union kompensiert.» (Braucht Europa eine Verfassung?, 248).

193 Dazu siehe jetzt die detaillierten Vorschläge von Claudio Franzius und Ulrich K. Preuss in ihrem Gutachten Die Zukunft der Europäischen Demokratie.

wenn nun ein solcher verfassungsgebender Prozess wünschenswert wäre, auf absehbare Zeit ist er wenig realistisch. Der letzte Versuch im Jahr 2004 (Unterzeichnung des ‹Verfassungsvertrags›) endete bekanntlich zwei Jahre später im Fiasko – in der Ablehnung dieser ‹Verfassung› durch französische und niederländische Volksabstimmungen.[194] Vielleicht aber ist eine solche Verfassungsneugründung nicht einmal wünschenswert, da sie ohne die alle beteiligte Staaten erschütternde Erfahrung eines Bruchs kaum zu haben[195] – und ausserdem nur schwer von der Konstruktionsidee eines Einheitsstaates abzulösen ist.

Eine europäische Einung in staatlich *geteilter* Souveränität muss aber keinen neuen, übergeordneten *pouvoir constituant* voraussetzen – in welcher Gestalt auch immer: ob als ein einheitliches *demos* oder als Fiktion der ursprünglich gespaltenen *personae* seiner Bürger. ‹Geteilte Souveränität› braucht auch kein Europäisches Staats- oder Bundesvolk, eher einen einvernehmlich geregelten Aushandlungsprozess, an dem sich Akteure aus den verschiedenen *demoi* beteiligen können, ohne deshalb ihre kulturelle Tradition oder politische Identität aufgeben zu müssen.[196]

Und wieso sollte aus dieser Situation eine die EU in ihrem Bestand bedrohende Legitimitätskrise erwachsen? Dies wäre in der Tat der Fall, würde man die Europäische Einigung ausschliesslich als einen teleologischen Prozess in Richtung Bundesstaat begreifen. Dann nämlich – und *nur* dann – bedeutete jeder konstitutionelle Stillstand oder Rückschritt bereits den potenziellen Tod ‹Europas›.

194 Siehe dazu die treffende Analyse J. W. Müllers, Our Philadelphia?

195 Im historischen Rückblick handelte es sich zumeist um Kriege oder Revolutionen. Hätten im Falle Europas die ‹Wende› von 1989 – das Ende des Kalten Kriegs und die antikommunistischen Revolutionen des Ostblocks – ein solches Gründungsereignis abgeben können? Auch ich habe das weiland gehofft. Im Rückblick erscheint diese Hoffnung allerdings fraglich: Für den Zusammenbruch des Kommunismus in Osteuropa war neben dem ökonomischen Scheitern des planwirtschaftlichen Systems und dem demokratischen Aufbegehren wider die Parteidiktatur politisch eher die nationale Frage bestimmend, also die Perspektive einer Befreiung vom Joch der sowjetischen/russischen Fremdherrschaft (siehe Kallscheuer, Hannah Arendt und die Berliner Republik; ders., Anschluss als Revolution).

196 Vgl. den anregenden Überblick über neuere Diskussionen zu dieser Frage von Justine Lacroix, Du fédéralisme européen.

8. Erwartung und Erinnerung: Europäische Zeithorizonte

8.1 Ökonomische und politische Zeit

In den Jahrzehnten des reibungsfreien Funktionierens der EG/EU erschien ihr Rekurs auf gemeinsame ‹Werte› und eine langfristig von allen Beteiligten geteilte ‹Finalität› eher als ein in aktuellen politischen Entscheidungen kaum relevantes, aber auch wenig störendes Dekorum und Ornament. Im Kontext funktionaler Krise, umzuverteilender Kosten und abnehmenden Konsenses hingegen wird diese früher nicht hinterfragte Hintergrundplausibilität prekär. Nun lassen sich die Fragen nach der legitimen Reichweite von Europäischer Politik[197] nicht mehr verdrängen oder auf die Zukunft verlagern, sie werden vielmehr (be-)drängend im doppelten Sinne. Zum einen sind sie ökonomisch nicht mehr länger aufschiebbar; zum anderen bedeutet allein der Umstand, dass diese Fragen in der politischen Öffentlichkeit verhandelt werden, dass ihre Antworten fraglich, umstritten, prekär geworden sind. – Zumindest darin ähnelt die EU einer Religion.

Sobald nämlich die ökonomische Bilanz der sich erweiternden politischen Union kein automatisches ‹Positiv-Summen-Spiel› für alle beteiligten Länder mehr darstellt, scheinen allein die Antworten zum *künftigen* Sinn des Europäischen Unterfangens auch jene wirtschaftlichen Opfer rechtfertigen zu können, welche die Bürger der Mitgliedsländer *jetzt* auf dem Altar der Europäischen Solidarität zu bringen bereit sind. Auch langfristige politische Grundentscheidungen werden nun stärker im Kontext kurz- und mittelfristiger ökonomischer Erwartungen bewertet, deren Zeitrythmen sich zudem (unter dem Diktat changierender Börsenkurse) ständig verkürzen; und die Plausibilität dieses Erwartungshorizonts beeinflusst nun zunehmend den Konsens, den die nationalen Elektorate ihren pro-europäischen Regierungen der rechten oder linken Mitte noch zugestehen. Die Krise eines bislang zumeist nicht hinterfragten Europa-Konsens geht zudem in der Regel mit einer stärkeren Polarisierung der nationalen Wählerschaften einher, wobei sich die Polarisierung zwischen ‹rechts› und ‹links› und der Gegensatz zwischen den *pro-* und *anti-*EU-Parteien keinesfalls decken, sondern eher überschneiden – aber damit auch wechselseitig zuspitzen, radikalisieren können. Dann dramatisiert sich nicht nur der ökonomische, sondern beschleunigt sich auch der politische Zyklus.

197 Im oben bereits erörterten Dreifachsinne (policies – politics – polity der Europäischen Union).

Für diesen Wechsel im Zeithorizont der Europäischen Integration war es symptomatisch, dass sich die politische Krise der Integration an der Schuldenfrage innerhalb der EURO-Zone entzündet hat. Folgt man nämlich Wolfgang Streecks Deutung der konfliktuellen Dynamik des demokratischen Kapitalismus der westlichen Nationen im letzten halben Jahrhundert, so beruhte dessen Erfolgsmodell zunehmend auf der Inanspruchnahme von ‹Zukunftsgütern›.[198] Staatliches *deficit-spending* und/oder private Kredite trugen dazu bei, den Abstand zwischen den systemischen Spielräumen kapitalistischer (strikt ökonomischer) ‹Grenzproduktivität› einerseits und erworbenen sozialen *entitlements* (also politisch legitimierten Bedürfnissen) demokratischer Mehrheiten andererseits zu überbrücken.[199]

Die politisch beschleunigte Erweiterung der EU – die nach dem Zusammenbruch des kommunistischen Ostblocks in atemberaubender Geschwindigkeit betriebene Aufnahme neuer Mitglieder, insbesondere aber die schnelle (und natürlich *auch* aus politischen Motiven forcierte) Erweiterung der EURO-Währungszone im ersten Jahrzehnt des neuen Jahrtausends – hatten nun diesen Mechanismus der Alimentierung des sozialen Konsens durch öffentliche und private Verschuldung gewissermassen in die sich erweiternde EU exportiert. Dies geschah über die für alle Länder der EURO-Zone ungeachtet ihrer sonstigen wirtschaftlichen Situation überaus günstigen Zinsraten.[200]

Doch bekanntlich stellte sich die dabei zielführende Annahme als unrealistisch heraus, über die politisch forcierte Währungsunion werde sich mittelfristig auch eine ökonomische Konvergenz der Volkswirtschaften der EU und ihrer Wirtschaftspolitiken einstellen[201] – ganz zu schweigen von politischen Hoffnungen auf eine europaweite soziale Angleichung der Lebens-

198 Der Ausdruck stammt von Eugen von Boehm-Bawerk, dem grossen Zinstheoretiker aus dem 19. Jahrhundert.

199 Zunächst geschah dies unter Rekurs auf Mechanismen der Inflation, dann durch öffentlich finanzierte Sozial- und Gesundheitspolitik, später durch ‹privatisierten Keynesianismus›, also die öffentliche Unterstützung privater Kredite (für Wohnungsbau, Aus- und Weiterbildung), bis am Ende, in der Bankenkrise von 2008, auch die privaten Schulden-‹Blasen› platzten. Der daraufhin folgende ‹Quantensprung› in der öffentlichen Verschuldung wäre dann auf den Umstand zurückzuführen, «that no democratic state dared to impose on ist society another economic dimension of the Great Depression of the 1930s, as punishment for the excesses of a deregulated financial sector». (Streeck, The Crises of Democratic Capitalism, 5–29, hier 20 f., Zusammenfassung 23 f.; vgl. ders. Markets and Peoples).

200 Siehe die treffende Analyse H. Zimmermans, Die gnadenlose Euro-Logik.

201 Siehe Moravcsik, Europe after the Crisis.

verhältnisse.[202] Beide Erwartungen hatten insbesondere in den neuen, der EU beitretenden Ländern des europäischen Südens und Ostens die *pro*-europäischen Motivationen beflügelt. Doch nun setzte der gegenläufige Prozess ein: Die Einheitswährung und die vereinbarten EU-Stabilitätsrichtlinien liessen jetzt ganz im Gegenteil die ökonomischen Gegensätze zwischen den nationalen Volkswirtschaften umso stärker hervortreten – während sie in den von der Schuldenkrise betroffenen Ländern der EURO-Zone die Instrumente kurzfristigen währungs- und finanzpolitischen Gegensteuerns (durch Währungsabwertung bzw. nationale Zinspolitik) beseitigt hatte. Die aktuellen Bemühungen um die Umsetzung des stabilitätspolitischen ‹Fiskalpakts› – um eine exekutiv forcierte Angleichung der Finanzpolitik zwischen extrem verschiedenen Volkswirtschaften innerhalb der EURO-Zone – droh(t)en bekanntlich an dieser Heterogenität zu scheitern.

Was nun auch immer künftige Verhandlungen um einen Europäischen ‹Wachstumspakt› ergeben mögen, ein von allen 27 Mitgliedstaaten der EU getragener substanzieller Transfer weiterer Prärogativen nationaler Souveränität auf supranationale Institutionen (der Europäischen Kommission oder gar des Europäischen Parlaments) erscheint vorläufig ausgeschlossen – und dies nicht nur wegen der Haltung des deutschen Verfassungsgerichtes.[203] Vermutlich wird aber kurzfristig das finanzpolitische Arsenal der Europäischen ‹Wirtschaftsregierung› um einige Instrumente erweitert oder ergänzt werden; ein ‹Wachstumspakt› könnte die Koordination und Kreditfinanzierung nationaler und regionaler Investitionsprogramme verbessern; eine europaweite (oder von einer *coalition of the willing* eingeführte) Finanztransaktions-Besteuerung konnte hierfür zusätzliche Mittel verfügbar machen; eine im Einzelnen noch wenig spezifizierte ‹Bankenunion› könnte Liquiditätsklemmen und Unterkapitalisierung bedrohter Banken verhindern helfen …

202 «Eine europaweite Bürgersolidarität kann sich nicht herausbilden, wenn sich zwischen den Mitgliedstaaten, also an den nationalen Sollbruchstellen, soziale Ungleichheiten strukturell verstetigen. Die Union muss gewährleisten, was das Grundgesetz der Bundesrepublik Deutschland (in Art. 106 Abs.2) die ‹Einheitlichkeit der Lebensverhältnisse› nennt.» Habermas, Zur Verfassung, 81f.

203 Der letzte Vorschlag des Vierergremiums der Präsidenten des Europäischen Rats, der Kommission, der EZB und der EURO-Gruppe zur Implementierung des Stabilitätspakts (durch Europäische Bankenaufsicht, Haftungs- und Fiskalunion und eine engere Abstimmung der Wirtschaftspolitiken) bleibt gerade bei der Frage der demokratischen Kontrolle eher vage, offenbar sollen eher die Mitwirkungsrechte der nationalen Parlamente gestärkt werden: European Comission, Towards a Genuine Economic and Monetary Union, 26. Juni 2012.

und nicht zuletzt: die operativen Kompetenzen der Europäischen Zentralbank werden wahrscheinlich erweitert werden – wenn nicht de jure, so doch de facto.

Führt nun diese verstärkte Koordination oder Konzentration der *economic governance* Europas auch zu einer auf der Ebene supranationaler Institutionen stärker integrierten Union? – Eine skeptische Antwort auf diese Frage formuliert Andrew Moravcsik.[204] Mit den Auseinandersetzungen um Stabilitätspakt und Rettungsschirm (samt den flankierenden fiskal-, wachstums- und finanzpolitischen Impulsen) habe die EU vermutlich eine Art natürliches Plateau erreicht, über das hinaus eine Vertiefung der Union weder wahrscheinlich noch wünschbar sei. Vielleicht seien ja die Schwierigkeiten, Währungs- und Finanzpolitik für einen derart heterogenen Wirtschaftsraum in Übereinstimmung zu bringen, Indiz für eine systemische Grenze der Integration, die zu überschreiten die ökonomischen Kosten über Gebühr steigen liesse und *ergo* die politische Instabilität unkontrollierbar machen könnte.

Damit – wohlgemerkt – vertritt Moravcsik keinerlei Euro-Pessimismus. Als führender Vertreter der Schule des ‹liberalen Intergovernementalismus›, welche die Europäische Integration im Wesentlichen aus ihren wechselseitigen ökonomischen Vorteilen für die Mitgliedstaaten erklärt,[205] warnt er nur vor einer Überbeanspruchung der EU in Situationen und Domänen, in denen dieser wechselseitige Vorteil nicht mehr gewährleistet sei. Die ökonomischen Vorteile gelte es durch Verbesserung der wirtschaftspolitischen *governance* zu stabilisieren; einen zusätzlichen Eigenwert weiterer Integration aber, gar ein über den aktuellen Zustand hinausgehendes *telos* ‹Europas› sieht Moravcsik nicht. Also müsse der Prozess der politischen Integration auch nicht zwanghaft weiter vorangetrieben werden. «The movement toward the ‹ever-closer union› of which the E.U.'s founding fathers dreamed when they signed the Treaty of Rome in 1957 will have to stop at some point; there will never be an all-encompassing European federal state. But within the increasingly clear mandate of a stable constitutional settlement,

204 Moravcsik, Europe After the Crisis.

205 «Issue-specific national interest» – so fasst Moravcsik seinen Ansatz im Vorwort zur chinesischen Ausgabe von ‹The Choice for Europe› zusammen – «is the motive force of integration. The EU is no theoretical exeption. It is not a tool designed to achieve some greater ideological or geopolitical goal. It is an end in itself» (Moravcsik, Preface).

Europe will continue to respond to the challenge of an increasingly interdependent world.»[206]

Von einer Legitimationskrise der Europäischen Union darf man also bei einer solchen Diagnose nicht sprechen. Vielmehr kommt es aus dieser Sicht (der Schule des Intergouvernementalismus) darauf an, überzogene politische Ansprüche an ein supernationales ‹Europa› zu deflationieren. Es gilt, den Zustand der EU zu stabilisieren: die Aufgaben Europäischer Institutionen und Rechtsregelungen im gegenwärtigen Stand funktional klar einzugrenzen, damit sich eine «pragmatic division between national policy und supranational policy» (Moravcsik) einspielen kann.

8.2 Die Union als Status, Prozess, Telos

Ist die Europäische Union ein *Zustand*? (Galt dies bereits für ihre Vorläuferin, die Europäische Gemeinschaft, die EG?) Und wie liesse sich dieser Zustand abbilden? Etwa als Summe der durch die Europäischen Verträge (von Rom, von Maastricht, heute von Lissabon) regulierten Institutionen. Das unterscheidet die EU etwa von der EVG: jene, die Europäische Verteidigungsgemeinschaft, hatte ja diesen institutionellen Status gar nicht erst erreicht. Trotz einem im Mai 1952 abgeschlossenen Vertrag zwischen den Regierungen Frankreichs, Italiens, Westdeutschlands und der Benelux-Länder genügte bereits das explizite Sich-nicht-Befassen der französischen Nationalversammlung mit dem EVG-Vertrag, um im August 1954 das Projekt sterben zu lassen.

Oder ist die EU eher ein *Prozess*? Dieser mag zwar durchaus durch vertraglich gestiftete und rechtlich geregelte Institutionen getragen und strukturiert sein, doch verstanden und angemessen charakterisiert würde er nur als ein über diese Institutionen hinausgehender Prozess – als die Bewegung einer ständig fortschreitenden Vereinigung Europas.[207] Subtile Denker vermuteten sogar noch in der Schulden- und EURO-Krise eine Art verborgenes Design oder eine unsichtbare Hand; engagierte Verfechter einer Europäischen Föderation sprachen von einer ‹List der ökonomischen Vernunft›: Erst der Druck der Finanzmärkte habe eine feige oder entscheidungsunfähige Politiker-Elite der europäischen Nationen zum Handeln

206 Ebd.

207 Jacques Delors hat dieses Postulat einmal griffig in das berühmte Bild eines Fahrrades gefasst: Sofern sich die EU nicht fortbewegt, kippt sie um wie ein Fahrrad, das stehenbleibt.

gezwungen und sie auf den Weg in Richtung auf eine stärkere supranationale Union gedrängt.[208]

Die für die Ideen der europäischen Aufklärung der Neuzeit so charakteristische Geschichtsphilosophie des Fortschritts, der *perfectibilité* menschlicher Institutionen, wird hier gewissermassen auf den Prozess der politischen Vereinigung der Staaten Europas selbst angewandt. Dabei sei die Frage nicht mehr, «ob es eine europäische Identität ‹gibt›, sondern ob die nationalen Arenen so geöffnet werden können, dass sich über nationale Grenzen hinaus die Eigendynamik einer gemeinsamen politischen Willens- und Meinungsbildung über europäische Themen entfalten kann».[209] Der realisierte Grad an supranationalem Föderalismus – das Ausmass an gemeinschaftlicher Überwindung der nationalen Souveränität der beteiligten Mitgliedsländer – wird damit zum Indikator des politischen Fortschritts in Europa. Und auf dass dieser Fortschritt *stabil* bleibe, sollten alle institutionellen (Fort-)Schritte in Richtung Föderation *irreversibel* ausfallen.[210]

In dieser Lesart wäre die EU in der Tat kein Zustand, vielmehr eine Entelechie, ein teleologischer Prozess.[211] Die real existierende Union antizipierte zugleich ein ideales Europa, sie repräsentierte dessen institutionalisierte Norm: die Aufforderung zur sich beständig intensivierenden *more*

208 Habermas, Zur Verfassung Europas, 77f.; vgl. auch Fischer, Ein Lob den Märkten.

209 Habermas, Der gespaltene Westen, 81.

210 Diese beiden Strukturideale des ‹Projekts Europa› hat der italienische Philosoph und zeitweilige Bürgermeister von Venedig Massimo Cacciari prägnant hervorgehoben (Cacciari, Pensare Europa, 199 ff., hier: 201). Beide Charakteristika, ‹Stabilität› und ‹Irreversibilität›, implizierten in seinen Augen freilich auch eine problematische ‹Entpolitisierung› der wichtigsten Entscheidungen, die nun als Automatismen, Sachzwänge, Wachstumsfolgen verstanden oder ausgegeben wurden – um dann freilich ‹politisch› zu scheitern (wie dies etwa in den nationalen Abstimmungen über den Europäischen ‹Verfassungsvertrag› geschah).

211 Von einer «Teleologie der europäischen Geschichte» hatte, freilich vor einem ganz anderen zeithistorischen Hintergrund, bereits 1935 der greise Edmund Husserl in seinem berühmten Wiener Krisis-Vortrag gesprochen. Diese Begrifflichkeit sollte freilich angesichts der damals aktuellen «Krise des europäischen Daseins» im Zeichen von Nationalsozialismus, Faschismus und Kommunismus eher als ein philosophisches Bekenntnis der Hoffnung auf einen geistigen «Begriff Europa» gewertet werden denn als eine historische Rekonstruktion oder Prognose: «Um das Unwesen der gegenwärtigen ‹Krise› begreifen zu können, musste der Begriff Europa herausgearbeitet werden als die historische Teleologie unendlicher Vernunftzeile» – so Husserl (Die Krisis des europäischen Menschentums, 68): «es musste gezeigt werden, wie die europäische ‹Welt› aus Vernunftideen, d.h. aus dem Geiste der Philosophie geboren wurde.»

perfect union.[212] Die ‹europäische Ideologie›[213] vom Fortschritt durch das Recht wird nach dieser Vision gewissermassen erst durch den Föderalismus operativ: durch die fortschreitende Reduzierung jenes Elementes an Gewalt noch der (National-)Staatlichkeit, das in der durch kein übergeordnetes Recht behinderten nationalen Souveränität fortbesteht. In diese Richtung weisen in der Tat die föderalistischen Europa-Manifeste seit den vierziger Jahren – und zwar in erstaunlicher Übereinstimmung, ob sie nun von katholisch-demokratischen oder liberal-sozialistischen Denkern verfasst wurden.[214] (Verfochten wird ihre Vision der Vordenker und Gründungsväter der späteren EG/EU von einer Elite ‹überzeugter Europäer› noch heute; und natürlich geniesst die Europäische Integration heute Zustimmung weit über einen engen Kreis intellektueller und politischer Eliten hinaus. Nur den *common sense* der Massen in den EU-Mitgliedstaaten hat eine solche Entelechie der Europäischen Institutionen nie erreicht.[215])

Derart teleologischen Deutungen der Europäischen Union wohnt somit ein normativer Mehrwert inne, eine überschiessende *dynamis.* Diese mag dann entweder ‹integralistisch› verstanden werden – und wird dann gerne angesiedelt in einer vorausgesetzten politisch-kulturellen Substanz ‹europäischer Werte›.[216] Oder aber sie wird ‹futuristisch› gefasst – und dann wäre die Finalität eines föderal geeinten Europa in einer geschichtsphilosophischen

212 Gewiss, auch in den Vereinigten Staaten von Amerika ist das Streben zur more perfect union häufig eher ein ideologischer Anspruch als eine empirische Bewegung – aber diese normative ‹Ladung› der U.S.-amerikanischen Zivilreligion (i. S. von Robert Bellah, Civil Religion in America) ist dann häufig selber ein realpolitischer Machtfaktor.

213 Der grosse italienische Rechtsphilosoph Norberto Bobbio sieht in der Verbindung der Antithese von Freiheit und Despotismus mit dem Gegensatz Fortschritt–Stagnation das Charakteristikum der ‹europäischen Ideologie› vom Fortschritt in der Freiheit, die damit zugleich als Gegensatz zwischen europäischer und orientalischer Staatlichkeit und Zivilisation verstanden wird. Eigentlich, so Bobbio, hätte darum diese europische Ideologie mit der Katastrophe des Ersten Weltkriegs zum Untergang verurteilt sein müssen – doch sie erhielt nun durch die Entstehung der Sowjetunion, die bald als ‹neue Inkarnation des orientalischen Despotismus› betrachtet werden konnte, eine neue *raison d'être* (N. Bobbio, Grandezza e decadenza dell'ideologia europea).

214 J. Maritain, De la Justice Politique; A. Spinelli, Il Manifesto di Ventotene; vgl. N. Bobbio, Il federalismo nel dibattito politico e culturale della resistenza.

215 Vgl. dazu die bereits zitierten Arbeiten von Max Haller.

216 Siehe Joas/Wiegand, Hg., Die kulturellen Werte Europas. – Vgl. zur Kritik an integralistischen Zügen der Werte-Debatte Robert Spaemann, Europa – Wertegemeinschaft oder Rechtsordnung?, und an ihn anknüpfend Vokhardt Krech, Europa als Wertegemeinschaft?

Logik völkerrechtlicher Lernprozesse zu verorten.[217] Kurz, das Sein des politischen Europa wird hier zum Sollen: Das Wesen der Union *ist* nun das institutionalisierte Streben der an ihr beteiligten Nationen oder Staaten hin zu einem künftigen Ziel, zu einem erst noch zu realisierenden Zustand. Die empirisch existierenden Institutionen der EU evozieren für diese Lesart der Europäischen Einigung das noch uneingelöste föderalistische Projekt als ihre *raison d'être*. Sie selbst sind nur Mittel zu einem höheren Zweck – der ‹Idee Europa›. Und also taugt auch erst diese ‹Finalität› zum Gradmesser ihrer Funktionalität.

Nach welchen Kriterien lässt sich denn – *vor* der Verwirklichung des föderalen Endzustands – die Eignung der Mittel, Regeln, Institutionen der real existierenden EU zu jenem idealen Endzweck beurteilen? Die in Europa-Diskursen übliche Antwort auf diese Frage lautet: danach, ob diese Institutionen und Entscheidungen die *Identität* Europas zum Ausdruck bringen, respektieren oder befördern.[218] Das Projekt der Europäischen Union muss somit als Verwirklichung einer dem Prozess der Europäischen Einigung bereits *zugrunde liegenden* europäischen Identität verstanden werden. Die gesuchte ‹Finalität› der EU wäre dann zugleich eine Aktualisierung dieser (vielleicht latenten oder verdrängten oder unvollendeten) Identität. – Worin aber besteht diese?

8.3 Modulationen: Gegenläufige Europa-Rhetoriken

Seit den intellektuellen Anfängen der Europäischen Einigungsbewegung des 20. Jahrhunderts, deren existenziell entscheidender Anstoss ja häufig

217 Diese geschichtsphilosophische Deutung in normativer Absicht gibt bekanntlich Jürgen Habermas seinen europapolitischen Interventionen, s. o.

218 Die Bibliografie von Publikationen zur ‹Identität› Europas ist längst uferlos geworden. Für meine knappe idealtypische Synthese habe ich vornehmlich folgende Arbeiten konsultiert: Gianluca Bocchi/Mauro Ceruti, Una e molteplice; Rémi Brague, Europe, la voi romaine; Hans Georg Gadamer, Das Erbe Europas; Marcel Gauchet, Le problème européen; Jürgen Habermas, Der gespaltene Westen, 68–82; Thomas Meyer, Die Identität Europas; Edgar Morin, Penser l'Europe; Herfried Münkler, Reich – Nation – Europa; Krzysztof Pomian, Europa und seine Nationen; Joseph Kardinal Ratzinger, Europas Identität; J. H. H. Weiler, Ein christliches Europa (v.a. 24–89). Auch ein neuerer Sammelband (hg. von H.Joas/K.Wiegand) Die kulturellen Werte Europas endet mit der üblichen skeptisch-affirmativen Antwort auf die Frage ‹Hat Europa eine kulturelle Identität?› (P.Wagner, 494–511). – Ein gutes Gegengift wider all solche (ob nun affirmativ oder ablehnend, progressiv oder regressiv gewendete) eurozentrische Geschichtsphilosophie liefern Dipesh Chakrabarty's postkoloniale Perspektiven: Europa als Provinz.

aus den Erfahrungen des Ersten Weltkriegs bzw. der nationalistischen Bewegungen und Regimes der Zwischenkriegszeit stammte, gibt es zahlreiche Kandidaten zur ideellen Identifikation von ‹Europa› – und mindestens ebenso viele mögliche Motive der Wertschätzung einer so bestimmten europäischen Identität. Nicht alle Varianten sind freilich miteinander kompatibel. Wenn wir aber für unsere Fragestellung diese verschiedenen Europa-Ideen einmal tentativ nach ihrem Verhältnis zum Zeithorizont der kulturellen und politischen Moderne ordnen, so können wir mindestens drei Charakterisierungen (oder argumentative Idealtypen) der Europäischen Einheitsidee(n) voneinander unterscheiden. In schematischer Vereinfachung qualifizieren sie die Europäische Einigung durch vormoderne, moderne oder postmoderne Qualitäten.

(A) Die Perspektive einer Wiedererweckung, Bestätigung oder Selbstbehauptung von Europas ‹*christlicher Seele*› gilt zwar heute zumeist als *vormoderne* (wenn nicht gar *antimoderne*) Nostalgie oder Reaktion. Doch sie war eine zunächst expansive Hoffnung des grossen polnischen Europäers Papst Johannes Pauls II. Er sah in der Überwindung der Ost-West-Spaltung des Kalten Krieges die Chance für Europa, endlich wieder mit ‹beiden Lungenflügeln› zu atmen: dem der lateinischen wie der orthodoxen Christenheit.[219] Sein Nachfolger hatte schon als Chef der römischen Glaubenskongregation die historische Diagnose der geistigen Herkunft Europas aus der weströmisch-byzantinischen Spannung und Spaltung mit einer teilweise kulturpessimistischen Diagnose von Europas Zukunft verbunden; nun setzt Benedikt XVI. auch für die politische Zukunft Alteuropas auf das Überleben der lateinischen Kirche als prägender ‹schöpferischer Minderheit› (Arnold Toynbee).[220]

(B) In einer keineswegs *ein*deutigen, vielmehr durchaus differenzierten Wahlverwandtschaft zu Strukturprinzipien des Föderalismus stehen die teils republikanischen, teils liberalen Traditionslinien der europäischen Aufklärung.[221] Vor ihrem komplizierten ideengeschichtlichen Hintergrund mag

219 Siehe dazu ausführlich Kallscheuer, Glaubensfragen, 34 ff.

220 Ratzinger, Europas Identität (hier: 73f., 88); an ihn anknüpfend der italienische Philosoph und Politiker (zeitweilig Senatspräsident) Marcello Pera, Perchè dobbiamo dirci cristiani; sowie der Wiener Erzbischof Kardinal Christoph Schönborn in einem Vortrag an der Catholic University Of America in Washington (2010), Cristianesimo e Occidente – il fattore estraneità.

221 Aber gibt es ‹die› Aufklärung überhaupt? Neben der politischen Unterscheidung zwischen Republikanismus und Liberalismus muss diese vermeintlich einheitliche Bewegung der ‹Aufklärung› ja auch philosophisch ausdifferenziert werden: etwa mit Bezug auf ihre Einstellung zur Metaphysik und/oder die Annahme eines einheitlichen Vernunft-

man dann gleichwohl die europäische Verwirklichung eines «Föderalism freier Staaten» (Immanuel Kant)[222] als die endlich gefundene Form der Verwirklichung der politischen Ideale der klassischen *Moderne* verstehen: der rechtlich institutionalisierten allgemeinen Freiheit als einzig vernunftgemässer Form des Gemeinwesens (der *res publica*).[223]

(C) Das Lob der historisch gewachsenen und erkämpften nationalen und kulturellen *Vielfalt* der Staatenwelt Europas und ihrer normativ mannigfach kontrastierenden Lebenswelten kann hingegen als eine *historistische* oder heute – nach dem Ende der grossen Einheitserzählungen[224] – als *postmoderne* Antwort auf die Frage nach der Identität Europas gelten.[225]

Man könnte diese miteinander konkurrierenden Akzentsetzungen der Europa-Idee auch als variabel miteinander kombinierbare Legitimations-‹Module› im Europa-Diskurs verstehen – jedenfalls solange man zugleich berücksichtigt, dass *nicht* alle drei Identitätsprofile auch miteinander vereinbar sind. Europäische Legitimität ist also nicht *nur* kumulativ, nach dem Baukastenprinzip konstruierbar. Zumeist stehen daher in der Argumentation jeweils nur zwei der drei hier genannten Akzente im Vordergrund, die einander argumentativ wechselseitig stützen sollen – und dabei *idealiter* das je dritte Modul ausschliessen.

begriffs. In der Alternative zwischen Rationalismus und Empirismus vertritt die empiristische Strömung der britischen Aufklärung politisch eher liberale Einstellungen, die französischen *Lumières* hingegen blieben eher rationalistisch geprägt – und dies sollte später auch den französischen Republikanismus prägen.

222 Imanuel Kant, Zum ewigen Frieden, Zweiter Definitivartikel; ders., Metaphysische Anfangsgründe der Rechtslehre, §. 61 [s. AA VI, 350f.; AA VIII, 354–357].

223 In der aktuellen Diskussion knüpft bekanntlich Jürgen Habermas am direktesten, wenngleich nicht unkritisch, an diese Kantische Perspektive an, etwa in: Der gespaltene Westen, 113–192. Mit perspektivisch verschobenem (französischen) Blickwinkel auf Europa als «articulation des acteurs nationaux» vor dem Hintergrund des «théatre universel» einer entstehenden weltweiten Zivilisation von Demokratie und Menschenrechten akzentuiert Marcel Gauchet (Le problème européen) ähnliche Fragen anders. Zu den Unterschieden des Demokratieverständnisses in den französischen, dueutschen, britischen Diskursen über Europa siehe Larry Siedentops griffigen ideenpolitische Überblick: Siedentop, Demokratie in Europa. Detailliert über die sehr verschiedenen nationale Zugänge zur Europaidee in den nationalen Öffentlichkeiten der Gründungsländer der Römischen Verträge, der Neuzukömmlinge aus der südlichen Peripherie, der ‹Heimkehrer› aus dem ehemaligen Ostblock, und der EU-Anwärter informiert ein von Justine Lacroix und Kalypso Nicolaidis hg. Sammelband: European Stories.

224 Vgl. Jean-Francois Lyotard, La condition postmoderne.

225 Als charakteristische Exempel siehe Edgar Morin, Penser l'Europa; Gianluca Bocchi/Mauro Ceruti, Una e molteplice; vgl. auch Wagner, Hat Europa eine kulturelle Identität?

So mag z. B. für ein christliches Europabild die zumeist fiktive Erinnerung an das Idealbild einer gleichzeitig ‹katholisch› integrierenden und ‹pluralistisch› gegliederten christlichen Reichsordnung[226] auch als Garantin für die Aufrechterhaltung kultureller Unterschiede taugen [das wäre also die Kombination der Akzente (A) *plus* (C)]. Heute kann diese Kombination auch wider eine ‹jakobinische› Moderne der staatlich forcierten Gleichmacherei nach abstrakten Vernunftprinzipien [also *contra* (B)] ins Feld geführt werden.

Zum Schutze des kulturellen Pluralismus kann freilich ebenfalls ein Föderalismus aus Vernunft angerufen werden [das wäre dann eine Kombination der Akzente (B) *plus* (C)], jedenfalls sofern dieser explizit gegen eine religiöse Festlegung oder Einengung der Europäischen Einheit Stellung bezieht [und somit *contra* (A) votiert]. Dann gilt die «demokratische Verrechtlichung der Europäischen Union» als einziger Weg, auf dem «die nationale Vielfalt und der unvergleichliche kulturelle Reichtum des Biotops ‹Alteuropa› inmitten einer rasant fortschreitenden Globalisierung überhaupt vor Einebnung geschützt werden kann».[227]

Oder liegt vielleicht, ganz im Gegenteil, die politische Chance der Europaidee gerade in der Überwindung der bestehenden ethnisch oder kulturell bunten, aber politisch-moralisch kriterienlosen Vielfalt [mithin in einer Wendung *contra* (C)]? Die europäische Einheitsidee wäre dann mehr als bloss die Kehrseite der historisch gewachsenen oder erkämpften nationalen Staatlichkeit oder pluralistischen Kulturlandschaft. Sie forderte vielmehr eine bewusste, gesamteuropäisch explizite Annahme oder (Re-)Konstruktion einer einheitlichen politischen Kultur, gemäss Kriterien der universellen Vernunft.

War es denn nicht der Kultus der nationalen Differenzen gewesen – ihrer in grossen Teilen ‹erfundenen› Traditionen,[228] sowie die im 19. Jahrhundert durch zivilreligiöse Liturgien beförderte «Nationalisierung der Massen»[229] –,

226 Gemeint ist i. d. R. das ‹Alte Reich›, das Heilige Römische Reich deutscher Nation. Dass dessen Ordnungsidee natürlich keineswegs im konfessionellen Sinne ‹katholisch› verstanden werden darf, machen in der frühen Neuzeit nicht zuletzt die politischen Schriften G. W. Leibniz' deutlich. Und die übliche ‹katholisierende› Deutung von Novalis' berühmter Rede «Die Christenheit oder Europa» (1799) ist hingegen ein völliges Missverständnis dieses frühromantischen Manifests (siehe dazu en détail: Kallscheuer, Zukunft des Abendlandes, 73–89).

227 Habermas, Zur Verfassung Europas, 81 f.

228 Vgl. Hobsbawm/Ranger, Hg., The Invention of Tradition.

229 Um den Titel der bedeutenden Studie von George L. Mosse zu zitieren.

welche die europäischen Staaten in die kriegerisch endende blutige Sackgasse des Nationalismus geführt hatte?[230] Nach dem Schrecken zweier Weltkriege im 20. Jahrhundert müsse Europa daher wieder auf einem gemeinsamen, universellen Wertekanon gegründet werden.[231] Eine Art kulturelle Vorläuferin jenes künftigen, zugleich klassischen wie modernen Europa bilde die *vor*nationale, doch normativ integrierte *respublica christiana* des mittelalterlichen und frühneuzeitlichen Europa[232] – die humanistische Öffentlichkeit einer (lateinischsprachigen) *respublica litterarum* fand später mit dem Buchdruck ihr Leitmedium; ihre (bereits französisch schreibenden) Nachfolger des 17. und 18. Jahrhunderts formulierten ihre Kritiken an theologisch dogmatisierten Gegensätzen auch in irenischer Absicht: als Beitrag zur Überwindung der konfessionellen Spaltung Europas.[233] Und nach dem auf die Französische Revolution folgenden zweihundertjährigen dramatischen Intermezzo des modernen Nationalismus in Europa müsse nun diese vormoderne (früher einmal durch das christliche Naturrechtsdenken gestiftete) normative Einheit durch den *post*nationalen Einheitsgedanken einer universellen Vernunftmoral aufgehoben, also weitergeführt und überwunden werden [die rechte Identität der ‹Idee Europa› ergäbe sich also aus einer Kombination der Module (A) *plus* (B)].

8.4 Anamnesis: ‹Europa› als platonische Idee?

Die letztgenannte These, Europas Einigung lasse sich *nur* im Rekurs auf universale Grundwerte der im Verlauf der europäischen Kulturgeschichte entfalteten/entdeckten universellen Vernunft verwirklichen, ist natürlich älter als der dann tatsächliche zur Europäischen Union führende Einigungspro-

230 Diese grobe argumentative Skizze entspricht in etwa der (umstrittenen) Diagnose und Kritik des romantischen Nationalismus in den Schriften Sir Isaiah Berlins, wie er sie etwa in seinem Vortrag «European Unity and ist Vicissitudes» auf dem dritten Kongress der Fondation Européenne de la Culture (Wien 1959) vorgetragen und später für die amerikanische Zeitschrift «Foreign Affairs» (1972) zusammengefasst hat [beide Beiträge jetzt in: I. Berlin, Das krumme Holz der Humanität, 222–259; 297–325].

231 «In gewisser Weise tritt hier die alte Idee des Naturrechts wieder in Erscheinung, allerdings, wie einige sagen würden, im empiristischen Gewand – ohne sich auf theologische oder metaphysische Elemente stützen zu müssen. Wenn wir unsere Werte objektiv und universell nennen, bedeutet dies daher nicht, dass es einen objektiven Kodex gibt […], es bedeutet vielmehr, dass wir nicht umhin können, diese Grundprinzipien zu akzeptieren, weil wir Menschen sind.» (Berlin, Das krumme Holz, 257)

232 Dazu vgl. Pomian, Europa und seine Nationen.

233 Es mag genügen, hier an die Namen Pierre Bayle und G. W. Leibniz zu erinnern.

zess seit den fünfziger Jahren des letzten Jahrhunderts. Besonders wortmächtig hatte sie in der Zwischenkriegsperiode der französische Philosoph Julien Benda verkündet, als er 1933 (!) – mit einem bewusst auf J. G. Fichtes deutsche Reden anspielenden Titel – seine «Rede an die europäische Nation» veröffentlichte.

Freilich spezifizierte Benda, auch hierin Fichte folgend, die politischen, geografischen, institutionellen Konturen dieser ebenso *a*-nationalen wie *über*-nationalen ‹Nation Europa› so wenig, dass die Vermutung nicht ganz fehlgehen mag, es sei ihm in erster Linie um eine moralpsychologische Reform des europäischen Menschen oder ‹Geistes› gegangen[234] – um eine erneute ‹Umwertung der Werte›. Diese hätte zugleich ihre erste, vitalistisch intonierte und dann nationalistisch interpretierte Umwertung durch Friedrich Nietzsche rückgängig machen müssen. Für Benda bedeutete also die Orientierung an der ‹Idee Europa›[235] eine platonische Anamnesis – und diese erfordert die Rückkehr zu jenen universalen Werten der Vernunftmoral, von denen die europäische *Intelligenzija* der Zwischenkriegszeit im Zuge ihrer *trahison des clercs*[236] abgekommen war. Ja, in diesem Sieg des ‹Abstrakten› der universalistischen Moral über das ‹Konkrete› dieser oder jener Gruppenidentitäten, d. h. über jede Identifikation mit der jeweiligen nationalen Gemeinschaft, bestehe geradezu die Idee Europas.[237]

Im Grunde war Julien Bendas *Discours* also nichts anderes als die Fortsetzung seiner Kritik am «Verrat der Intellektuellen» (1927), seiner leidenschaftlichen Verurteilung der ideologischen Leidenschaften in den politischen Kämpfen der zwanziger Jahre: des nationalistischen Engagements oder der kommunistischen Parteilichkeit vieler politisch aktiver Intellektueller seiner Generation. Nein, hatte Benda dagegen gehalten: Die wahre

234 Siehe dazu die treffenden Bemerkungen J. W. Müllers, Supranational und ohne Leidenschaften, NZZ, 16. Okt. 2004.

235 «L'Europe a souvent existé; mais l'idée d'Europe n'existait pas» – doch ohne diese Idee wollte Europa nicht geeint sein. (Benda, Discours, 22.)

236 In Julien Bendas Pamphlet «Der Verrat der Intellektuellen» (1927/1946) sind die Nationalisten und die Kommunisten die beiden Prototypen dieses Verrats am Universalen. – Vgl. auch das schöne Benda-Porträt in Michael Walzers Porträtgalerie von Gesellschaftskritikern des 20. Jahrhunderts (Walzer, Zweifel und Einmischung, 47–67).

237 «Autre renversements de valeurs necessaires [...] L'Europe sera une victoire de l'abstrait sur le concret» (Benda, Discours à la nation européenne, 41). – «L'Europe n'aura de portée morale que si, loin d'être une fin à elle même, elle n'est qu'un moment de notre retour en Dieu, òu doivent sombrer tous les distincts, avec tous les orgueils et touts les égoismes.» (Benda, Discours, 125)

Aufgabe des Intellektuellen als *clerc* – als «Offizier der abstrakten Gerechtigkeit» – bestehe im Gegenteil darin, allen kollektiven Leidenschaften zu widerstehen, seien es nun nationale oder soziale.[238]

Mit der einen, unwandelbaren, abstrakten (ob platonischen oder cartesischen) Vernunft gelte es zugleich, den unüberschreitbaren Wert des Individuums gegenüber jedem Kollektiv zu verteidigen. Und in seiner Proklamation der ‹europäischen Nation› skizziert Benda zugleich das Profil des universalistischen Intellektuellen oder «Funktionärs der Menschheit» (Edmund Husserl) – des Klerikers der unwandelbaren Prinzipien der Vernunft. «Kehret zurück zum System der sokratischen Werte», ruft er seinen Zeitgenossen zu: «Verkündet Europa, dass es ohne eine gewisse Abwertung der sinnlich wahrnehmbaren Welt und ohne ein gewisses Nachlassen des praktischen Sinns nie entstehen werde. Die reine Religion des Praktischen wird nie zu etwas anderem führen als zum Kriege.»[239]

Ein Entwurf für ein politisches Gemeinwesen war solch eine Europa-Idee freilich nicht. Sie konnte dies ebenso wenig sein wie die zwei Jahre später formulierten philosophischen *Krisis*-Diagnosen Edmund Husserls, der zwei Jahre später in Wien die «Krise des europäischen Daseins» zwar nicht im Verrat der Intellektuellen, so doch in einer Art von intellektuellem Versagen der europäischen Wissenschaften gegenüber dem unbedingten Wahrheitsanspruch des philosophischen Logos bzw. der monotheistischen Religion angelegt sah.[240] Ein «sich verirrende[r] Rationalismus», der sich in einer Art «Naturalisierung des Geistes» einem naiven Objektivismus verschrieben hatte,[241] musste in den Augen Husserls «die geistige Gestalt Europas» verfehlen: jene «sich ausbreitende Synthese der Nationen, in welcher jede dieser Nationen gerade dadurch, dass sie ihre eigene Aufgabe im Geiste der Unendlichkeit anstrebt, ihr Bestes den mitvereinten Nationen schenkt.

238 Bendas Europa ist also gewiss ein Philosophie-Professoren-Europa: Denn sein politisches Europa könne nur als Ergebnis allgemeiner moralischer Werte entstehen, damit ergebe sich die «necessité, pour ses educateurs (sic!), de croire à une action morale, transcendante à l'economique; de revenir de Marx à Platon». Benda, Discours à la nation européenne, 13.

239 Benda, Discours à la nation européenne, 44f.

240 Husserl, Die Krisis des europäischen Menschentums, 50f. – Der Überwindung jenes philosophischen Gegensatzes der europäischen Moderne zwischen physikalistischem Objektivismus und idealistischem Subjektivismus widmete der 77-jährige Husserl dann seine Spätschrift: Die Krisis der europäischen Wissenschaften (veröffentlicht 1936 im I. Bd. der in Belgrad erscheinenden Zeitschrift *Philosophia*).

241 Husserl, Krisis des europäischen Menschentums, 53 und 56.

In diesem Schenken und Empfangen steigt das übernationale Ganze mit all seinen aufgestuften Sozietäten empor, erfüllt von dem Geiste einer überschwenglichen, in vielfacher Unendlichkeit gegliederten, und doch einzigen unendlichen Aufgabe».[242]

Natürlich konnten Manifeste wie Julien Bendas «Nation Europa» oder Appelle wie der des greisen Philosophen Edmund Husserl an den «Heroismus der Vernunft»[243] später – *nach* dem Zweiten Weltkrieg – den realpolitischen Prozess nicht anleiten, in dem auf etlichen Umwegen und mit einigen Fehlversuchen tatsächlich eine Europäische Gemeinschaft entstehen sollte, nach einem *trial-and-error*-Verfahren. Haben sie ihn denn inspiriert?

Wie zahlreiche anderen Aufrufe, Manifeste und Essays – von Sigmund Freud bis Thomas Mann – von Benedetto Croce[244] bis Hannah Arendt[245] – von Jacques Maritain bis Hermann Broch – war auch Julien Bendas «Nation Europa» eher ein Indiz für die ethisch-politische Erschütterung europäischer Schriftsteller und Intellektueller angesichts des Sieges von Nationalismus und Totalitarismus nach dem Ersten Weltkrieg in Europa.[246] Die Erinnerung an diese Erschütterung steht auch am Anfang jener Neubesinnung auf die Europaidee, die dann erst *nach* dem Zweiten Weltkrieg operativ werden sollte – doch nun in einer ganz anderen weltpolitischen Situation.[247] Das neue Europa beginnt nicht mit der Proklamation eines

242 Ebd., 51f.

243 «Die Krise des europäischen Daseins hat nur zwei Auswege: Den Untergang Europas in der Entfremdung gegen seinen eigenen rationalen Lebenssinn; den Verfall in Geistfeindschaft und Barbarei, oder eine Wiedergeburt Europas aus dem Geiste der Philosophie durch einen den Naturalismus endgültig überwindenden Heroismus der Vernunft.» (Husserl, Krisis des europäischen Menschentums, 69)

244 Seine ‹Geschichte Italiens im neunzehnten Jahrhunderts›, de facto das Manifest des liberalen Antifaschismus Italiens, erschien 1935 im (sic!) Europa-Verlag in Zürich.

245 Siehe H. Arendt, Das ‹deutsche Problem›; dies. Europa und Amerika.

246 Für die Schriftsteller deutscher Sprache siehe die beiden schönen Anthologien von P. M. Lützeler (Hg.), Plädoyers für Europa; ders. (Hg.), Hoffnung Europa.

247 Ein hervorragend geschriebenes ‹Feuilleton›, das der in Fribourg lehrende grosse italienische Philologe Gianfranco Contini über die dem Thema ‹Europa› gewidmeten Rencontres Internationales de Genève von 1946 (mit der Teilnahme auch von Julien Benda) geschrieben hatte, wurde kürzlich wiederveröffentlicht. Contini liefert eine präzise Momentaufnahme des Umbruchs: Nunmehr wird die Genfer Szene ideologisch und existenziell bereits bestimmt vom Duell Karl Jaspers *versus* Georg Lukàcs, in dem sich bereits die neuen Frontlinien des Kalten Kriegs andeuten (siehe Contini, Dove va la cultura europea?).

‹Irdisch Absoluten›,[248] sondern mit der Gründung der Europäischen Gemeinschaft von Kohle und Stahl – *vulgo* der Montanunion.

9. Konvergenzen und Synergien

9.1 Founding Fathers – Blick zurück nach vorn

> «Europa bleibt eine Frage von Krieg und Frieden und der Friedensgedanke also das Bewegungsgesetz der europäischen Integration»
>
> Helmut Kohl, BILD-Zeitung

Die Auffassung des ehemaligen deutschen Bundeskanzlers in einem anlässlich der Diskussionen um die Krise der Gemeinschaftswährung EURO verfassten Beitrag für das Massenblatt des deutschen Boulevards ist in Europa *communis opinio.*[249] Der vorrangige Zweck einer gesamteuropäischen Ordnung – für manche ihrer Verfechter auch ihr einziger – war und bleibt zweifellos der Frieden.

Aber wie präzise ist dieses Ziel? Um welchen Frieden handelt es sich? Um die blosse Abwesenheit von Krieg? – Um die Eintracht der Herzen? Geht es um die strukturelle Nicht-Angriffsfähigkeit einer vertraglich fixierten Staatenordnung[250] – oder um die Überwindung staatlicher Souveränität

248 Ähnliche Akzente formuliert der österreichische Schriftsteller Hermann Broch (1886–1951) in seinen im amerikanischen Exil entstandenen, zu Lebzeiten z. T. unveröffentlichten oder unvollendeten [und jetzt in Bd. 11 und Bd. 12 der Kommentierten Broch-Werkausgabe veröffentlichten] Schriften und Studien aus den 1940er Jahren. Broch spricht vom ‹Irdisch Absoluten› als notwendiger Begründung der Menschenrechte [Bd. 12, 456 ff.]; allerdings orientierte er sich schon nicht mehr an einer Europäischen Föderation, sondern an der «City of Man», einem erneuerten Völkerbund als Weg zur ‹Weltdemokratie›.

249 Kohl fuhr fort: «Die aktuelle Diskussion in Europa und die krisenhafte Lage in Griechenland dürfen jetzt nicht dazu führen, dass wir das Ziel des geeinten Europa aus den Augen verlieren oder gar infrage stellen und zurückweichen. Das Gegenteil ist richtig: Wir müssen die Krise als Chance nutzen. Wir brauchen – gerade jetzt – mehr und nicht weniger Europa.» (H.Kohl, Wie soll das Europa der Zukunft aussehen?) Ausführlicher skizzierte der Altbundeskanzler seine Auffassungen, die auch eine Kritik am Krisenmanagement seiner Nachfolgerin Angela Merkel einschlossen, in einem längeren Gespräch (Kohl, Wir müssen wieder mehr Zuversicht geben).

250 Darauf läuft (in Jean-Jacques Rousseaus Rekonstruktion) Abbé de Saint-Pierre's «Projèt de Paix Perpétuelle» hinaus, über das der *citoyen de Genève* abschliessend bemerkt, das Sys-

überhaupt?[251] Und ist die Herstellung einer Europäischen Föderation oder Konföderation der angemessene, gar der einzig mögliche Weg zur Vermeidung neuer Kriege in Europa – neuer Weltkriege?[252] Das ist noch heute das Credo einer Mehrheit der führenden Politiker in den Mitgliedsländern der EU – und ebendies war ganz gewiss die Auffassung der Gründungsväter der Europäischen Gemeinschaft.[253]

Ein gleichzeitig historisch rekursiver wie politisch projektiver (Selbst-) Vergewisserungsmodus ‹Europas› war denn auch bereits in den ersten Schritten des Europäischen Einigungsprozesses präsent. Dieser nahm in *West*europa im Schatten des Kalten Krieges Gestalt an – ein offenes und trotz zeitweiliger Hindernisse und Rückschläge auch im Rückblick erstaunliches politisches Experiment: die Entwicklung, Vertiefung und Erweiterung der Europäischen Integration, von der Montanunion bis hin zu einer

tem des Abbé sei «zu gut, um angenommen zu werden». (Rousseau, Friedensschriften, 105, sowie ebd., 81: «Wenn dieser Friedensplan trotzdem nicht zur Ausführung gelangt, so liegt das nicht daran, dass er ein Hirngespinst ist, sondern daran dass die Menschen verrückt sind, und es eine eigene Art Irrsinn ist, weise unter lauter Irrsinnigen zu sein.») – Rousseau hatte sein Resumé und seine Beurteilung des *Projet* um 1756 verfasst, veröffentlicht wurden sie 1761, also ein Jahr vor der Publikation seines *Contrat Social* (1762).

251 Vgl. Jean-Jacques Rousseaus Fragment ‹Prinzipien des Krieges› (307–317), das offenbar ebenfalls im Umfeld seines «Contrat social» entstanden ist: dasselbe Prinzip des Gemeinwillens, das im Innern des Gemeinwesens den zivilen oder Rechtszustand konstituiert, begründet zugleich den aussenpolitischen, zwischenstaatlichen *état de guerre*.

252 Ein blinder Fleck der meisten (pro-)Europäischen Projekte und Theorien besteht in der Ausblendung der Konsequenzen der kolonialen Vergangenheit der meisten (west-)europäischen Mächte. Historisch waren schliesslich die Entkolonialisierung – u. a. die indische Unabhängigkeit, das Ende der Grossmachtrolle Frankreichs und Grossbritanniens im Suez-Konflikt, der Befreiungskrieg Algeriens – und die ersten Schritte zur Europäischen Einigung parallele Entwicklungen. Die Entstehung und Entwicklung der EG vollzog sich innerhalb des nunmehr von den U.S.A. dominierten Westens, während sich die ehemaligen Kolonien als Staaten einer gegenüber der bipolaren Weltordnung des Kalten Krieges ‹Dritten Welt› verstanden und teilweise auch als ‹Blockfreie› organisierten.

253 Mit dieser bewusst anachronistischen Analogie zwischen den Alteuropäern Schuman, De Gasperi, Monnet, Adenauer (etc.) und den Amerikanern Hamilton, Jefferson, Washington (etc.) will ich vor allem die Unterschiede zwischen dem U.S.-amerikanischen und dem europäischen Föderierungsprozess betonen: Die Staatswerdung der U.S.A. beginnt nach dem Unabhängigkeitskrieg mit der Diskussion von Verfassungsalternativen, den «Federalist Papers»; der staatenübergreifende Prozess der Europäische Einigung hingegen beginnt mit den von den ‹Architekten Europas› durchaus bewusst einkalkulierten Synergie-Effekten der Montanunion.

Wirtschaftsgemeinschaft in politischer Perspektive, später dann zur Politischen und zur Währungsunion.

Bereits die von Jean Monnet inspirierte und 1950 vom französischen Aussenminister Robert Schuman ergriffene Initiative zur Montanunion war von Anbeginn an zugleich ethisch-politisch motiviert *und* in einem Vorverständnis europäischer Identität oder Zivilisation grundiert: «La contribution qu'une Europe organisée et vivante peut apporter à la civilisation est indispensable au maintien des relations pacifiques» – so lautet der zweite Satz des Schuman-Plans vom 9. Mai 1950. Und schon der nächste Absatz formulierte die im nächsten halben Jahrhundert geübte inkrementelle ‹Methode Monnet› (die natürlich erst später so genannt wurde): «L'Europe ne se fera pas d'un coup, ni dans une construction d'ensemble; elle se fera par des réalisation concrètes, créant d'abord une solidarité de fait.»[254]

Einerseits sahen nämlich die europäischen Founding Fathers in der wirtschaftlichen Verflechtung selbst ein entscheidendes Element der Kriegsvorbeugung. Damit standen sie damit durchaus im Einklang mit der von ihnen beanspruchten Aufklärungstradition: «Es ist der Handelsgeist, der mit dem Krieg nicht zusammen bestehen kann, und der früher oder später sich jedes Volks bemächtigt.»[255] Andererseits beruhte nach ihrer Überzeugung die Perspektive der Europäischen Einigung eben nicht allein auf wirtschaftlicher Konvenienz, sondern sie gründe (oder ‹wurzele›) in einer bestimmten, trans- oder vorpolitischen Idee Europas *als* Identität *in* Vielfalt,[256] die bei den Gründungsvätern Adenauer, Schuman und De Gasperi katholisch grundiert war und dann – in der ideologischen Auseinandersetzung mit dem kommunistischen Ostblock – gerne auch als übergreifende Zivilisation des Westens oder des Abendlandes begriffen wurde.[257]

254 Schuman, Une Europe pour la paix, 9.

255 Immanuel Kant, Zum ewigen Frieden. Erster Zusatz (AA, Bd.VIII, 368).

256 Der wirtschaftliche Austausch erscheint hierbei – wiederum gut aufklärerisch – als Mittel zum Zweck, die (kulturelle, nationale, konfessionelle) Vielfalt innerhalb einer höheren Einheit aufrechtzuerhalten, insofern diese eben nicht auf Eroberung oder Unterwerfung gegründet ist: «Les conquêtes sont plus propres à établir partout les mêmes moeurs qu'à en donner de bonnes. [...] Il y a bien de la différence entre le moeurs que le commerce inspire et celles qu'une vaste conquête force de prendre.» Montesquieu, Pensées, 558 (n.1799); vgl. auch ders., Geist der Gesetze, 2.Bd., 3f. (XX.2).

257 Auch die Identität des Abendlandes speist sich natürlich in hohem Masse aus ‹Inventions of History› (Hobsbawm/Ranger). Über die mannigfachen dabei verarbeiteten und/ oder verdrängten historische Brüche und internen Konflikte habe ich mich andernorts geäussert. Siehe Kallscheuer, Zur Zukunft des Abendlands. Vgl. Bocchi/Ceruti, Una e molteplice.

Der nationenübergreifende Einigungsprozess stelle somit ‹nur› den politischen Rahmen oder das zu vereinbarende vertragliche Gerüst dar,[258] innerhalb dessen jene ältere(n), historisch gewachsene(n) Identität(en) als Einheit in Vielfalt gedeihen könnte(n), statt sich erneut in Kriegen zwischen verfeindeten Nationen oder Staaten zu zerfleischen. Dabei treffen sich katholische Demokraten wie der neuthomistische Philosoph Jacques Maritain, nach dem Krieg französischer Botschafter beim Vatikan, und liberale Sozialisten wie Altiero Spinelli in der Ablehnung des souveränen Nationalstaats als ordnungspolitische Leitidee für die Nachkriegsarchitektur Europas: Die Konzeption der nationalen Souveränität sei in der Neuzeit auf demselben Amboss geschmiedet worden wie die des absoluten Staates – und daher müssten in einer europäischen Friedensordnung *beide* gemeinsam überwunden werden: «Ils doivent être ensemble mis au rebut» (Jacques Maritain).[259]

Verwundern müssen uns diese Übereinstimmungen nicht. Europas Gründungsväter gehörten jener im Ersten Weltkrieg und der Zwischenkriegsperiode formierten ‹politischen Generation› an, welche das Scheitern der Hoffnungen des Treffens von Locarno, der Friedenspläne eines Gustav Stresemann oder Aristide Briand erlebt hatten. Was sie nun – *nach* der Katastrophe des Zweiten Weltkriegs – auszeichnete, war, dass sie die ‹Idee Europa› nicht allein als moralische Verpflichtung zum Aufbau einer dauerhaften Friedensordnung empfanden, sondern sie auch realistisch zu implementieren wussten. Sie handelten dabei mit einer (kulturell durchaus ‹katholischen›) Kombination aus unverrückbarer ‹Werteorientierung› und realpolitischem Pragmatismus, wie sie von den christlich-demokratischen Gründungsvätern Konrad Adenauer, Alcide De Gasperi und Robert Schuman nahezu idealtypisch verkörpert wurde. Freilich brauchten diese Staatsmänner dann dazu auch Staatstechniker und *fonctionnaires:* Spezialisten, die ihnen im rechten Moment strategische Stichworte, mehrheitsfähige institu-

258 Wohlgemerkt: *nicht* zwangsläufig die Perspektive einer Verfassung. Die Europa-Idee eines (Nationen- oder Staaten-)übergreifenden ‹politischen Körpers› ist ja nicht an ein einheitliches Verfassungssubjekt oder ein einziges *pouvoir constituant* gebunden. – Wie Thomas Maissen in diesem Bande mit Bezug auf Sebastian Münsters *Cosmographia unversalis* zeigt, impliziert zudem die ältere ‹organologische› Metapher vom politischen Körper als Europa-Allegorie gerade einen Kontrapunkt zur ‹neuen›, im absoluten Königtum bzw. in der unteilbaren Republik gipfelnden Souveränitätsidee. Diese aber wurde nach dem Zweiten Weltkrieg von den christlich-demokratischen wie liberal-sozialistischen Europäern der ersten Stunde explizit abgelehnt.

259 Maritain, L'Europe et l'idée féderale, 99–128; Spinelli, Il Manifesto di Ventotene, 67–72.

tionelle Modelle und Vertragsentwürfe liefern konnten. Und diese eigentlichen konzeptionellen ‹Väter Europas› – Jean Monnet, Altiero Spinelli – stammten aus derselben politischen Generation wie ihre politischen Chefs, wenngleich nicht notwendigerweise aus demselben parteipolitischen Lager.[260]

So ist auch die in europapolitischen Debatten beliebte Entgegensetzung zwischen einer Schritt für Schritt vorgehenden ‹inkrementellen› Methode Jean Monnets und einer eher ‹visionären› Konzeption Altiero Spinellis zumindest irreführend. De facto nämlich war beiden Politikern nicht nur die Perspektive der Vereinigten Staaten von Europa gemeinsam; beide arbeiteten auch am ersten (gescheiterten) Projekt der Politischen Gemeinschaft Europas federführend mit: der französische Plankommissar Jean Monnet wie der italienische liberale Sozialist Altiero Spinelli, Führer der Föderalistischen Bewegung, später (ab 1970) Europa-Kommissar und schliesslich Europa-Parlamentarier. Der Antifaschist Spinelli hatte 1941 gemeinsam mit Ernesto Rossi auf der italienischen Gefängnisinsel Ventotene das Manifest «Per un'Europa libera e unita» verfasst, eines der Gründungsdokumente des Europäischen Föderalismus.[261]

Der weltgewandte Finanzier und französische Patriot Jean Monnet, den General de Gaulle 1945 zum Chef des neugegründeten Commissariat du Plan berufen hatte, war der Inspirator des 1950 vom französischen Aussenminister initiierten Schumann-Plans, der mit dem Vorschlag, die französische und deutsche Kohleförderung und Stahlproduktion unter eine gemeinsame Aufsichtsbehörde zu stellen,[262] zur Konstituierung der Europäischen Montanunion (1952) führte und damit eine der Grundlagen der Schaffung eines gemeinsamen europäischen Wirtschaftsraums legte.[263] Monnets lang-

260 Der liberale Sozialist Altiero Spinelli kooperierte mit dem christdemokratischen Parteichef Alcide De Gasperi und der kosmopolitische Banker Jean Monnet mit dem tiefgläubigen Katholiken Robert Schuman. (Vgl. dazu Luciano Levi, Altiero Spinelli, 170f.; und zu Monnet die Bemerkungen Perry Andersons, New Old World,12 ff.)

261 Altiero Spinelli, Il Manifesto di Ventotene; zum ideenpolitischen Hintergrund siehe die Analyse Norberto Bobbios, Il federalismo nel dibattito politico e culturale della resistenza.

262 In der bemerkenswerten (und von Jean Monnet redigierten) Erklärung des französischen Aussenministers Schumann vom 9. Mai 1950 wird die Zusammenlegung der Stahl- und Kohleproduktion gleichermassen friedenspolitisch wie ökonomisch motiviert: «La solidarité de production [de charbon et acier] qui serait ainsi noué manifestera que tous guerre entre la France et l'Allemagne devient non seulement impensable, mais matériellent impossible» – und als «erste Etappe der europäischen Föderation» qualifiziert (Robert Schuman, Une Europe pour la paix, 10).

263 Brunn, Die Europäische Einigung, 69–81.

fristig angelegte Strategie einer beständigen Erweiterung der europäischen Integration durch schrittweises Wachstum war indirekt angelegt – auf «incremental totalization».[264] Sie zielte auf die Schaffung gemeinschaftsbildender Sachzwänge oder (in der Sprache der neofunktionalistischen Integrationstheorie) von *spill over*-Effekten als Weg zur politischen Union. Sie hat sich im Wesentlichen als erfolgreich erwiesen.[265] Erst in einer Situation ökonomischer Nullsummenspiele und/oder aussenpolitischer Interessengegensätze funktioniert sie nicht mehr.

Altiero Spinellis Versuche hingegen, Europa auf direktem Wege und durch explizite Übereinkunft eine föderale Verfassung zu geben, scheiterten.[266] Der erste dieser Versuche, an denen Spinelli konzeptionell mitarbeitete,[267] wurde übrigens von Jean Monnet initiiert: Anlässlich der kurzlebigen Initiative zu einer Europäischen Verteidigungsgemeinschaft (EVG) erhielt eine Beratende Versammlung aus Vertretern der Teilnehmerländer von Montanunion und künftiger EVG den Auftrag, eine konföderale Satzung Europas

264 «Relying on what he called a ‹dynamic disequilibrium›, Monnet's strategy was an incremental totalization, en route to a hiherto unexampled objective – a democratic supranational federation», Anderson, The New Old World, 24.

265 Auch die spätere Währungsunion kann durchaus als projektive Umsetzung der neofunktionalistischen Methode gelten, durch ökonomische Sachzwänge politische Fortschritte in der Integration zu initiieren. vgl. Zimmermann, Die gnadenlose Euro-Logik, 62; Böckenförde, Welchen Weg geht Europa, 81–88.

266 Ausführlich dazu siehe L. Levi, Altiero Spinelli.

267 Und zwar im Auftrage des christdemokratischen Führers und italienischen Aussenministers (und zwischen 1948 und 1953 achtfachen Regierungschefs) Alcide De Gasperi. Hier wird in der Tat ein ‹overlapping consensus› zwischen liberal-sozialistischen und christdemokratischen Föderalisten fassbar. Ein bemerkenswertes Dokument dieser frühen europäistischen Vision ist De Gasperis Rede bei der Entgegennahme des Aachener Karlspreises am 24. September 1952: «Was uns aber am meisten von den [sc.: föderalistischen, friedenspolitischen] Versuchen der Vergangenheit unterscheidet, ist die Tatsache, dass wir diesmal nicht nur Grundsätze aufstellen und Verträge unterzeichnen, sondern wirksame Organe schaffen, die dazu bestimmt sind, die Idee zu verstärken und ihre Entwicklung zu gewährleisten. Das Geheimnis des Schuman-Planes liegt eben darin, dass der gute Wille der teilnehmenden Staaten sich sofort in verbindlichen und gemeinsamen Organen der gemeinsamen Solidarität und Verantwortung kundtut. Wenn nächstens auch der Vertrag für die gemeinsame Verteidigung ratifiziert wird [d. h.: die 1954 gescheiterte EVG-Initiative], werden wir einen Boden geschaffen, urbar gemacht und befruchtet haben, auf dem der gute Samen des Friedens und der Einheit üppig spriessen wird unter der neuen Generation.» De Gasperi, La politica come servizio, 148 (deutsche Originalfassung).

als Politische Gemeinschaft (EPG) vorzubereiten[268] – doch dieses Unterfangen fand dann 1954 am Veto der französischen Nationalversammlung zur EVG sein schnelles Ende. Ein zweites Mal initiierte Spinelli dann in den achtziger Jahren als Mitglied der Europäischen Parlaments das Projekt einer Europäischen Union, zusammen mit gleichgesinnten Parlamentariern des von ihm gegründeten ‹Krokodilsclubs›. Dessen 1983 vorgelegter Verfassungsentwurf erhielt zwar am 14. Februar 1984 eine überwältigende Mehrheit im Europaparlament (238 Zustimmungen, 31 Gegenstimmen, 43 Enthaltungen), wurde aber von den Regierungen der Länder der EG allenfalls zur Kenntnis genommen.

Es sollten vielmehr erst die in den folgenden Jahren vom neuen Präsidenten der Kommission Jacques Delors vorangetriebenen Erfolge bei der Schaffung des Binnenmarkts und der Währungsunion sein, die dann im Kontext eines neuen weltpolitischen Umbruchs – des Endes des Kalten Krieges und der deutschen Wiedervereinigung – tatsächlich zur Europäischen Union führten. Das dritte Scheitern einer Europäischen Verfassung sollte Altiero Spinelli nicht mehr erleben: die Ablehnung des im Oktober 2004 von den Regierungen aller EG-Mitgliedsländer unterzeichneten Verfassungsvertrags durch die Volksabstimmungen in Frankreich und den Niederlanden Ende Mai 2006. Er war 1986 gestorben.

9.2 Kairos Kalter Krieg

Worin bestand nun die in der Europäischen Gemeinschaft bzw. dann Union operativ gewordene Leitidee von ‹Europa› – auch europäische ‹Identität› oder europäischer ‹Geist› genannt? Im Einzelnen wurde die europäische ‹Finalität› von verschiedenen Wortführern der Europäischen Einigung ja in durchaus unterschiedlichen Sprachspielen akzentuiert – und diese lassen sich, wie wir bereits sahen, auf einem recht breiten Spannungsbogen verorten: zwischen einem aufgeklärten ‹Bund freier Republiken› einerseits und einer vage gemeinschaftlichen christlichen Tradition andererseits, bei deren Vergegenwärtigung für christlich-demokratische Politiker und konservative

268 Jean Monnet hatte mit Paul-Henri Spaak, dem belgischen Aussenminister diesen Plan entwickelt, die Montanunion und die (noch zu gründende) Verteidigungsunion in einer (kon-)föderal verfassten Politischen Gemeinschaft zusammenzufassen. (Vgl. Brunn, Europäische Einigung, 95f.)

Kultureliten zuweilen auch auratische Reminiszenzen eines vor- oder transnationalen ‹christlichen Abendlandes› eine Rolle spielten.[269]

Nun handelte es sich genau besehen bei keiner der beiden bemühten, institutionell noch vagen, idealtypischen Legitimationsfiguren *allein* um historische Reminiszenzen; aber ebenso wenig handelte es sich bei diesen Europa-Ideen um *rein prospektive*, auf die Zukunft gerichtete Programme:

- Weder konnte ja die Leitidee des christlichen Abendlandes auf eine den ganzen Kontinent politisch vereinende *respublica christiana* verweisen, die es zu irgendeinem Zeitpunkt in der Europäischen Geschichte jemals tatsächlich gegeben hätte. Jene «schöne[n] glänzende[n] Zeiten, wo Europa ein christliches Land war, wo Eine Christenheit diesen menschlich gestalteten Welttheil bewohnte», hatte bereits der Frühromantiker Novalis nur im Duktus eines poetischen Märchens – als kontrafaktische Utopie zur politisch zersplitterten und ideologisch zerstrittenen Gegenwart Europas 1799 formuliert.[270]
- Noch war die europäische Föderationsidee ein blosses Vernunftprodukt. Schon der Vernunftrepublikaner Immanuel Kant hatte jedenfalls sein Projekt eines «freie[n] Föderalism» nicht als reinen Zukunftsprospekt verstanden. Die in der Perspektive eines «freilich immer wachsende[n] Völkerstaat[es]» formulierte Konzeption einer offenen Konföderation freier Republiken (bis zu einer am Ende weltweiten *civitas gentium*[271]) war auch für Kant keine politische Utopie ohne historische Ansatzpunkte und Präzedenzen. Der Königsberger Philosoph verwies vielmehr auf Erfahrungen europäischer Friedenskongresse, «wo die Minister der meisten europäischen Höfe, und selbst der kleinsten Republiken, ihre Beschwerden über die Befehdungen, die einem von dem anderen wider-

269 Siehe für Westdeutschland etwa die Fallstudien von Axel Schildt, Zwischen Abendland und Amerika.

270 Die poetische Verfremdung in der Folie einer sagenhaften, in «Ehrfurcht und Gehorsam» geeinten Christenheit macht ein doppeltes Manko der politischen Konstitution Europas 1799 sichtbar. Die mittelalterliche katholische Kirche war transnational – genauer gesagt: vornational. Aber sie handelte dennoch einig: «Ohne grosse weltliche Besitztümer lenkte und vereinigte *Ein* Oberhaupt, die grossen politischen Kräfte». Denn ihr Klerus genoss «Kindliches Zutrauen». Das Negativbild von Europas politischer Gegenwart – und darin insbesondere die Situation der deutschen Lande – zeichnet sich hingegen durch extreme Zersplitterung aus; und es gibt kein diese Länder und Fürstentümer übergreifendes Netzwerk, das unter ihnen hätte Vertrauen stiften können (Novalis, Die Christenheit; vgl. dazu Kallscheuer, Epochenbruch).

271 Immanuel Kant, Zum ewigen Frieden, Zweiter Definitivartikel (AA, Bd.VIII, 356f.).

fahren waren, anbrachten, und so sich ganz Europa als einen einzigen föderierten Staat dachten».[272]

Für den Europäischen Einigungsprozess bestimmend wurden diese beiden Legitimationshorizonte ‹Europas› vielmehr erst durch die neuen Konstellationen der Weltpolitik – und d. h. in erster Linie durch den Ost-West-Konflikt, der sich spätestens ab 1947 als ‹Kalter Krieg›, als bipolare Konfrontation zweier ideologisch-politischer, militärischer und ökonomischer Machtblöcke verfestigte. Dass die beiden genannten Akzente (oder ‹Module›) des europäischen Geistes – aufgeklärter Republikanismus (B) und christliches Abendland (A) – an sich keineswegs ‹spontan› miteinander harmonierten, trat nun weitgehend in den Hintergrund. Weltpolitisch entscheidend wurde jetzt vielmehr, dass Vernunftrepublikanismus und abendländische Christenheit zugleich *antikommunistisch* und *antinationalistisch* pointiert waren.

In diesem Sinne war die Europäische Einigung im Westen in der Tat ein Ergebnis des Kalten Krieges.[273] – Nota bene: Dies darf freilich nicht missverstanden werden. Die Einigungs- und Integrationsbewegung war eben kein automatisches *by-product* geopolitischer Konstellationen, sondern das Produkt erfolgreicher Politik, der politischen *Wahr*-Nehmung und Entscheidung einer politischen Elite der EG-Gründergeneration: ihre Wahrnehmung eines *window of opportunity* in der europäischen Nachkriegssituation, und ihre Option für eine tentative, ergebnisoffene Methode der Annäherung und Integration, welche die politische Union schliesslich eher auf dem indirektem Weg der ökonomischen Synergien verfolgte als auf dem direkten Weg einer Verfassungs-Entscheidung.

Bedarf diese Behauptung noch ausführlicher Belege? – Zur Erinnerung an den Ausgangszustand wenigstens so viel: Im besiegten Deutschland fiel angesichts der Besetzung durch die Alliierten und dann der von der Sowjetunion oktroyierten Teilung in den drei Westzonen bzw. der späteren Bundesrepublik die anti-kommunistische Entscheidung für die Westbindung mit einer pro-europäischen Einstellung gewissermassen automatisch zusammen. Der rheinisch-katholische Christdemokrat Konrad Adenauer verkörperte diese Konvergenz aus seiner persönlichen Geschichte und Überzeugung heraus ebenso glaubwürdig wie er als Bundeskanzler vermeintliche Alternativen mit allen Mitteln diskreditierte: etwa die 1952 in

272 Immanuel Kant, Metaphysische Anfangsgründe der Rechtslehre, §.61 (AA, Bd.VI, 82).
273 Diese These hat Perry Anderson in extenso demonstriert (The New Old World, passim).

einer ‹Stalin-Note› angebotene deutsche Wiedervereinigung als neutralisierter Staat.[274]

Insbesondere in den südeuropäischen Ländern deckten sich in der Nachkriegszeit zudem die antinationalistische Einstellung und die antikommunistische Frontstellung unter den christlich-demokratischen, liberalen und republikanischen Kräften mit ihrer innenpolitischen Gegnerschaft zu den Kommunistischen Parteien: Damals verfolgten die (bekanntlich im antinationalsozialistischen Widerstand erstarkten) kommunistischen Parteien Frankreichs und Italiens nämlich eine Linie der ‹nationalen Einheit› und suchten dabei auch Bündnisse mit antiwestlichen und/oder neutralistischen Kräften. Jede Perspektive einer Europäischen Wirtschaftsgemeinschaft hingegen lehnten sie ab – diese sei nur die Kehrseite oder ein Köder des ‹US-imperialistischen› Marshallplans. (Diese Anti-EG-Haltung sollte erst ein Vierteljahrhundert später, in der kurzen ‹eurokommunistischen› Phase einiger KPs des Mittelmeerraums, fallengelassen werden.)

9.3 Overlapping Consensus – vier Einigungsmotive

Keine platonische «Idee Europa» (Julien Benda) oder (im Sinne von René Descartes) ‹klare und deutliche› Definition europäischer Identität war für den europäischen Einigungsprozess leitend. Das politische ‹Europa› ist kein apriorischer Begriff, sondern ein historisches Gebilde. Wir können allerdings einige charakteristische Elemente europäischer Identität benennen (oder auch: ‹Module› europäischer Legitimität), aus deren Reservoir sich fast jede ideenpolitische Bilanz bedient hat und die bis heute auch die meisten ‹kulturellen Diskurse› zur Legitimation der EU speisen. Diese prototypischen Legitimationen für eine Europäische Föderation bzw. Union gehen vornehmlich auf *zwei* prägende Perioden der Europäischen Bewegung zurück:[275]

– *zuletzt* auf die ‹reale› operative Gründerzeit der Europäischen Gemeinschaft in den fünfziger Jahren des letzten Jahrhunderts; sowie

274 Insofern hatte in Westdeutschland die proeuropäische Haltung tatsächlich zunächst ein konfessionell katholisches Übergewicht, während sich die national-neutralistischen Haltungen etwa der Gesamtdeutschen Volkspartei eher aus protestantischer Gesinnungsethik speisten.

275 Vgl. die Überblicke von Frank Niess, Die europäische Bewegung; Lacroix/Nicolaides, European Stories (Introduction, 1–27).

– *zuvor* auf ihre ‹ideale› Inkubationsphase in der älteren Europabewegung der dramatischen Zwischenkriegszeit, deren Träger gegenüber den sozialistischen oder nationalistischen Stimmungen der europäischen Massen weitgehend isoliert geblieben waren.

Und welche Rolle aber spielte der letzte welthistorische Umbruch, das Ende des Kalten Krieges? Die nach 1989 mit dem (de facto durch den Anschluss an die Bundesrepublik vollzogenen) EU-Beitritt der DDR einsetzende Öffnung der Union nach Mittel- und Osteuropa führte zwar alsbald zum Quantensprung der Erweiterung um neue Mitgliedstaaten.[276] Doch ein neues europäisches Selbstverständnis, gar eine veränderte politisch-kulturelle Legitimation der Union hat diese Erweiterung bisher *nicht* hervorgebracht. (Eine Ausnahme bildete allenfalls die zeitweilige, für den Umbruch wichtige, doch danach schnell wieder versiegende ‹Mitteleuropa›-Debatte, auf die ich noch kurz zurückkomme.)

In zugegebenermassen grober, aber für unseren Überblick zulässiger Vereinfachung können wir im Rückblick wenigstens *vier* Legitimitätsmotive in den politisch vielfältigen Europa-Diskursen unterscheiden (und drei dieser ‹Module› kennen wir bereits).

(A) Die mehr oder weniger akzentuierte Tradition der lateinischen Christenheit – genauer gesagt: ihr Ideal als bei aller internen Differenzierung (und *durch* ihre Differenzierung[277]) einiges *corpus christianum*. Auch Papst Johannes Paul II. wollte zwar die westliche Christenheit durch die Spiritualität der orthodoxen Kirchen Osteuropas ergänzen und beleben – an die politisch-institutionellen caesaropapistischen Traditionen der russischen, serbischen (usw.) Orthodoxie dachte er dabei allerdings nicht.[278]

276 Siehe Kallscheuer, Anschluss als Revolution.

277 Nicht zuletzt durch ihre in jahrhundertelangen Autoritätskonflikten erkämpfte und umkämpfte Trennung zwischen geistlichen und weltlichen Gewalten, die als eine der Triebkräfte für die moderne Ausdifferenzierung von zivilen und religiösen Mächten und Wertsphären gelten kann. Zwei heutige Grundlagenwerke zur Genealogie dieser entscheidenden Differenz der lateinischen Christenheit zu den meisten anderen religiös-politischen Traditionen sind: Harold Berman, Recht und Revolution; Paolo Prodi, Eine Geschichte der Gerechtigkeit. Als idealistisch-freiheitspolitische Würdigung vgl. aber bereits die Bemerkungen Benedetto Croces, Perchè non possiamo non dirci cristiani; ders., Stato e Chiesa in senso ideale.

278 Vgl. dazu Kallscheuer, Zur Zukunft des Abendlandes, Kapitel II (v.a.34–45).

(B) Die *aufklärerischen* Ideale von sich frei verbindenden Republiken, von Städte- oder Staatenbünden – und ihre mehr oder minder idealisierten historischen Vorläufer.[279]

(C) Das *historistische* Bewusstsein der geografischen, kulturellen, linguistischen, politischen Vielfalt von Alteuropa – das heute auch hyper- oder postmodernen Werturteilen entgegenkommt.

Oben haben wir die verschiedenen möglichen Modulationen europäischer Legitimationsdiskursen aus diesen drei thematischen Akzentsetzungen bereits ebenso skizziert wie ihre internen Sollbruchstellen. – Darüber hinaus aber spielte in den politischen Diskussionen des zwanzigsten Jahrhunderts um eine Einigung Europas von Anfang an auch ein ganz anders gelagerter Akzent eine Rolle, nämlich die Sorge über die *geopolitische* Zukunft des Alten Kontinents:

(D) Das mit der politischen Einigung erhoffte (bzw. ohne diese Einigung bedrohte) grössere wirtschaftliche und machtpolitische Gewicht ‹Europas› im Konzert der Weltmächte war bereits im und nach dem Ersten Weltkrieg ein wichtiges Motiv für das föderalistische Engagement und die paneuropäischen Projekte intellektueller Avantgarden – ein Motiv, das auch später je nach weltpolitischer Lage anders akzentuiert wurde.

Diese vier diskursiven ‹Module› pro-europäischen Engagements haben sich dann im Prozess der europäischen Annäherung *nach* dem Zweiten Weltkrieg wechselseitig beeinflusst – einander teilweise korrigiert – bald wieder

279 Wenigstens eines dieser im charakteristischen Modus des antizipatorischen Rückblicks formulierten Europa-Projekte sei erwähnt. In seinen Ideen zur Philosophie der Geschichte der Menschheit (1784) charakterisiert J. G. Herder unter den Ordnungen der «Deutschen Völkerverfassung» die europäisch vernetzte Hanse als multinationalen «Handelsstaat», die korporativen Traditionen der Selbstverwaltung von Zünften und «gelehrten Städten» – den Universitäten. «In Deutschland und den Niederlanden, in den nordischen Reichen, Polen, Reussen, Russ- und Liefland lagen diese Städte, deren Fürstin Lübeck war, und die grössten Handelsörter in England, Frankreich, Portugal, Spanien und Italien gesellten sich zu ihnen; vielleicht der wirksamste Bund, der je in der Welt gewesen.» Somit habe die Hanse «Europa mehr zu einem Gemeinwesen gemacht als alle Kreuzfahrten und römischen Gebräuche: denn über die Religions- und Nationalunterschiede ging er hinaus, und gründete die Verbindung der Staaten auf gegenseitigen Nutz, auf wetteifernden Fleiss, auf Redlichkeit und Ordung. Städte haben vollführt, was Regenten, Priester und Edle nicht vollführen konnten und mochten: sie schufen ein gemeinschaftlich wirkendes Europa.» (Herder, Ideen zur Geschichte usw., 892).

reziprok verstärkt. Dabei trat jetzt der in den Europa-Konzeptionen der Vorkriegszeit prominente Faktor *Machtpolitik* (D) als explizites Argument eher in den Hintergrund. Er war nun nämlich in den grösseren Horizont des Ost-West-Systemgegensatzes im Kalten Krieg integriert, und in diesem Kontext verstand sich dann die geopolitische Verortung (West-) Europas sozusagen von selbst: als Bestandteil und Stütze der Einheit der Freien Welt gegenüber der Bedrohung durch den Kommunismus.[280] (Ich komme darauf noch im nächsten Abschnitt kurz zurück.) Hingegen liessen sich die *kulturellen* Identitätspotenziale von (A), (B) und (C) durchaus kumulieren – und zwar, *ohne* deshalb argumentativ zu einer einheitlichen, umfassenden Lehre fusionieren zu müssen (i. S. von John Rawls: zu einer *comprehensive doctrine*[281]). Das nämlich hätte die oben beispielhaft durchgespielten Diskrepanzen etwa zwischen christlich-traditionaler und modernistisch-progressiver Europarhetorik als explizite Widersprüche hervortreten lassen – und eine politisch explizite Road map hätte den Kontrast zwischen dem Plädoyer für eine supranationale Einheit Europas und dem Ziel eines «Europa der Nationen» (Charles de Gaulle) akzentuieren müssen. Als historisch-kulturelle Identifikationsmuster aber konnten sie – *trotz* möglicher Friktionen etwa zwischen (A) und (B), zwischen christlichen und weltlichen Föderationsmotiven – einen idealen *overlapping consensus* tragen: den der Legitimität des abendländischen Westens.

Dessen ‹Religion der Freiheit›[282] allein hat zwar die Europäische Einigung gewiss *nicht* realpolitisch zu initiieren vermocht – wohl aber hat sie das Projekt der Einheit Europas ‹idealpolitisch› legitimiert und in den Überzeugungen ihrer Vordenker und Vorkämpfer gesinnungsethisch gestützt.[283]

280 Ein spezifisches Argument für eine Europäische Föderation (mit Souveränitätsverlusten der Nationalstaaten) liess sich daraus freilich nicht gewinnen.

281 Zu den Begriffen ‹umfassende Lehre› und ‹übergreifender Konsens›: Ich verwende diese aus der Konzeption des sogenannten ‹Politischen Liberalismus› des amerikanischen Philosophen John Rawls entlehnten Begriffe hier natürlich nur *cum grano salis*. John Rawls ging es um eine realistische (und damit auch moderat relativistische) Korrektur seiner zunächst apriorisch-konstruktivistischen Gerechtigkeitsdoktrin zum Zwecke ihrer verfassungspolitischen Anwendbarkeit unter den Bedingungen des für die kulturelle Moderne «reasonable fact» des weltanschaulichen Pluralismus [siehe J. Rawls, Political Liberalism, 143–172; ders., Gerechtigkeit als Fairness, 63–72]. Ich stelle hier nur eine *faktische* Konvergenz von politischen Grundwerten oder ideologischen Diskursfeldern fest, über deren theoretische Vereinbarkeit untereinander damit noch gar nichts gesagt ist. Nicht jede Synergie beruht auf Konsistenz!

282 Vgl. Benedetto Croce, Geschichte Europas, 1. Kapitel (7–19).

283 So hat etwa, um auch hier wiederum nur ein Beispiel zu nennen, der Neothomist

9.4 Zweierlei Mitteleuropa

Die vierte genannte, macht- oder geopolitische Motivation (D) für eine europäische Einigung stand vornehmlich in den (im Einzelnen recht verschiedenen) Europadiskursen der ersten Jahrzehnte des 20. Jahrhunderts im Vordergrund. Das gilt sowohl für die deutsche liberal-imperialistische ‹Mitteleuropa›-Idee des sozialliberalen Reformers Friedrich Naumann (1915) als auch für die vom ‹kakanischen› Kosmopoliten Richard Coudenhove-Kalergi in der Zwischenkriegszeit begründeten Pan-Europa-Bewegung (1923).[284] Beider politische Projekte hatten freilich im Panorama der Zwischenkriegszeit, gekennzeichnet durch konkurrierende Ideologien nationaler Selbstbehauptung oder Suprematie, keinerlei Chancen auf Verwirklichung. Bei philosophischen Soziologen und Schriftstellern wie Georg Simmel und Paul Valéry mischte sich in etwa derselben Zeit bereits eine stärker ‹geschichtsphilosophisch› gefärbte Vision vom weltpolitischen Niedergang Europas gegenüber Amerika und Russland mit ‹tragischen› Einsichten in dessen Ursachen – im Erfolg der als europäische Bewegung verstandenen Moderne. Europa werde also machtlos, so Valérys Leitidee *weil* die Welt sich mehr und mehr ‹europäisiere› und weil ihre neuen Vormächte (Amerikanismus und Bolschewismus) die im alten Europa entwickelten Methoden von Macht und Fortschritt effektiver (und vielleicht skrupelloser) anzuwenden wüssten als die sich in nationaler Konkurrenz aufreibenden Europäer selbst.[285]

Friedrich Naumann veröffentlichte seine geopolitische Programmschrift ‹Mitteleuropa› 1915.[286] Er warb darin für eine dauerhafte Verbindung zwi-

Jacques Maritain gerade aus seinen katholischen und metaphysischen (neothomistischen) Überzeugungen heraus für eine weltliche Demokratie aus ‹evangelischer Inspiration› argumentiert. Entscheidend für ihn war dabei die Erfahrung des amerikanischen Exils (Maritain, Christianisme et démocratie, 727ff.; dazu siehe Kallscheuer, Gottes Wort und Volkes Stimme, 68–73).

284 In F.Naumanns Mitteleuropa-Buch siehe v.a. das 1. Kapitel (1–32); R. Coudenhove-Kalergi (Pan-Europa, 90f.) will die Weltpolitik durch fünf überstaatliche Völkergruppen zu einem neuen Gleichgewicht führen: die panamerikanische, die paneuropäische, die britische, die russische und die mongolische (asiatische) Mächtegruppe.

285 Vgl. u.a.: Georg Simmel, Die Idee Europa (1915), ders., Europa und Amerika (1915); sowie Paul Valéry, Die Krise des Geistes (1919), ders., Notizen über Grösse und Niedergang Europas (1927), sowie: Amerika – Projektion des europäischen Geistes (1938).

286 «Während ich dies schreibe, wird im Osten und Westen gekämpft. Absichtlich schreibe ich mitten im Krieg, denn nur im Krieg sind die Gemüter bereit, grosse umgestaltende Gedanken in sich aufzunehmen» – beginnt Naumann seinen Programmschrift, um ei-

schen Preussen-Deutschland und Österreich-Ungarn als Gravitationszentrum einer in ihrem Umfang nicht genau präzisierten Staatenallianz – und zwar auch nach dem Kriege![287] Denn nur in einem solchen Staatenbund könnten diese beiden multinationalen Reiche nicht allein im Krieg überleben, sondern sich im Frieden ebenso gegenüber Russland behaupten wie gegenüber den Westmächten: «In dieser heraufziehenden Geschichtsepoche der Staatenverbände und Massenstaaten ist Preussen zu klein und Deutschland zu klein und Österreich zu klein und Ungarn zu klein. [...] Darum ist heute der mitteleuropäische Bund kein Zufall sondern eine Notwendigkeit.»[288] Andernfalls seien beide Reiche vor ihrem unweigerlichen Zerfall nicht zu bewahren – und diese Entwicklung sollte dann nach dem Weltkrieg auch in der Tat das Ergebnis der Vierzehn Punkte von US-Präsident Woodrow Wilson bzw. der Pariser Vorortverträge sein, die das Ende der multinationalen Reiche als ‹Völkergefängnisse› besiegelten.[289]

Zwar wollte der sozialliberale Reichstagsabgeordnete Naumann, ein enger Freund Max Webers, den künftigen mitteleuropäischen Staatenbund vor allem aus der neuen Rolle von ‹Grossstaaten und Weltwirtschaftsgebieten› unter den veränderten Bedingungen der Weltwirtschaft herleiten.[290] Doch ist seiner liberal-imperialistischen Programmschrift die Weltkriegssituation auch semantisch deutlich anzumerken. Bereits die (nicht mehr ganz) neue militärische Technologie des Stellungskriegs in Schützengräben habe den Zwang mit sich gebracht, «schon bei Anlage der militärischen Befestigungen sich darüber klar zu sein, mit wem man unter allen

nige Seiten weiter vom Krieg als «Schöpfer einer mitteleuropäischen Seele» zu sprechen. Sein Buch ist gewissermassen der Versuch, einer vermuteten strategischen Notwendigkeit für Deutschland und Österreich-Ungarn diese Seele zuzuschreiben, welche «zeitiger da zu sein anfängt als die Ausgestaltung der zu ihr gehörigen greifbaren Formen»: Form follows function. (Naumann, Mitteleuropa,1, 4 und passim).

287 Sie sollte *grosso modo* etwa das Gebiet zwischen Galizien und Schleswig Holstein umfassen. Weitaus detailfreudiger ist Naumann bei den Zoll- und Verwaltungsfragen zwischen preussischer und Habsburger Staatlichkeit (Mitteleuropa, Kap. VII und VIII).

288 Naumann, Mitteleuropa, 4

289 Die historische Antwort auf Naumanns deutsches Mitteleuropa war «Das neue Europa», die Kampfschrift des ersten tschechoslowakischen Präsidenten Thomas Garrigue Masaryk, dessen tschechoslowakische Legion an der Seite der Westmächte für die 1918 errungene nationale Unabhängigkeit gekämpft hatte.

290 Neben den «drei Grosskörpern» Grossbritannien (dem sich der Kriegsverbündete Frankreich als eine Art «zweites Portugal» werde unterordnen müssen), Amerika und Russland könne «im besten Falle, soweit heute Menschenaugen sehen, Mitteleuropa der vierte Weltstaat werden» (Naumann, Mitteleuropa, 167).

Umständen in Freundschaft zu leben gedenkt. Europa bekommt [sc. nach dem Ersten Weltkrieg] zwei lange Wälle von Norden nach Süden, von denen der eine irgendwie vom Unterrhein bis zu den Alpen geht, der andere von Kurland bis rechts und links von Rumänien. Das wird eine grosse und unvermeidliche Dreiteilung des Erdteils sein. Die mitteleuropäische Frage ist nun, ob sich zwischen den zwei grossen nordsüdlichen Wällen noch ein Zwischenwall zwischen Deutschland und Österreich-Ungarn notwendig macht.»[291]

Eine auf den ersten Blick (freilich *nur* auf den ersten Blick!) verwandte historische Legitimationserzählung mit ähnlich projektivem Duktus sollte sieben Jahrzehnte später noch einmal in relevanten Teilen der intellektuellen Öffentlichkeit Europas prominent werden: Gegen Ende des Kalten Krieges kommt es zu einer Nationen und Blöcke übergreifenden intellektuellen Diskussion zur Identität ‹Mitteleuropas›. Auch diese Mitteleuropa-Debatte stand im Zeichen der Überwindung von Wällen, freilich ging es ihren Protagonisten um die Durchlöcherung und schliessliche Überwindung des Eisernen Vorhangs. Die Wortführer wollten die politisch bereits bröckelnde und ideologisch längst kriselnde Blockspaltung Europas intellektuell unterminieren oder überwinden. Dabei ordneten nun insbesondere Intellektuelle aus der CSSR, aus Polen und Ungarn ihre Länder einer eigenen historischen und kulturellen Einheit zu – und diese Region ‹Mitteleuropa› warte seit Jahrzehnten vergeblich darauf, sich mit dem westlichen Rest Europas zu verbinden.[292] In Publikationen östlich des Eisernen Vorhangs blieb vor 1989 diese Botschaft i. d. R. noch implizit – in ihren westlichen Veröffentlichungen hingegen hiess es bald schon *expressis verbis*:[293] Eigentlich gehör(t)en unsere Länder überhaupt nicht zum kulturellen Ostblock, zum byzantinischen, russischen oder orthodox-christlichen Kulturkreis. Sie gehör(t)en vielmehr von Rechts wegen erstens zur lateinischen Christenheit und (daher) zweitens zur westlich liberalen Tradition – jedenfalls weder zur kulturellen Einflusssphäre des zaristischen Russland noch

291 Naumann, Mitteleuropa, 7f.

292 Für kritische historische und politische Erörterungen zum Mitteleuropa-Konzept vgl. J. Szücs, Die drei historischen Regionen Europas; Timothy Garton Ash, Mitteleuropa?; Pierre Hassner, Das Zentrum als Peripherie; Kallscheuer, Raumordnung und moralische Verwirrung.

293 Erinnert sei hier auch an Ost/West-Zeitschriftengründungen wie «Lettre Internationale» (Paris), «Transit» (Wien) und politische Initiativen wie «Palais Jalta» (Frankfurt/M.). Anders als in Frankreich verlief in Westdeutschland die Rezeption dieser Diskussionen eher zurückhaltend.

zur politischen Unruhezone des ‹Balkan›. Länder wie Polen, Tschechien, Ungarn seien also historisch, kulturell und politisch zum Westen zählende Nationen. Nur aufgrund der Folgen des Zweiten Weltkriegs, v. a. des Abkommens der Grossmächte in Yalta waren sie auf der falschen Seite des Eisernen Vorhangs gelandet. In Milan Kunderas Worten war Mitteleuropa also ein vom Sowjetischen Kommunismus «gekidnappter Westen».[294]

Man sieht, dieses ‹Mitteleuropa› der intellektuellen Opposition Polens, der CSSR und Ungarns im Kalten Kriege hatte nicht das geringste mit jener älteren Mitteleuropa-Idee gemein, die vom protestantischen Pfarrer und sozialliberalen Reichstagsabgeordneten Friedrich Naumann im Ersten Weltkrieg entwickelt wurde.[295] Während Friedrich Naumanns geopolitische ‹Mitteleuropa›-Idee die Völker der österreich-ungarischen Monarchie unter deutscher Ägide gegen die Westmächte verbünden wollte, um ihren Staatenbund auch als ‹weltwirtschaftlichen Grossstaat› handlungsfähig zu machen, war das antikommunistische ‹Mitteleuropa› der Milan Kundera, Vaclav Havel, Janos Kis oder Adam Michnik ohne jegliche Ambivalenzen pro-westlich eingestellt und auf den Anschluss an die Europäische Gemeinschaft orientiert.[296]

Was aber war unterdes aus der ‹Paneuropa›-Vision Richard Coudenhove-Kalergis geworden? – Der Kalte Krieg hatte just in derselben Periode, als im Westen Europas effektiver Fortschritte auf dem Wege zu einem föderalen Europa gemacht wurden, die geopolitischen Akzente völlig verschoben. Darum trat jetzt die Vision einer europäischen Selbstbehauptung gegenüber den Grossmächten zunehmend in den Hintergrund – und zwar nicht nur in den Proklamationen der Europäischen Föderalisten (um Altiero Spinelli), sondern auch in den Programmen der Pan-Europäisten. Richard Coudenhove-Kalergi bemühte sich in der Nachkriegszeit zunächst um eine Versammlung europäischer Parlamentarier, um dann in General Charles de Gaulles ‹Europa der Vaterländer›, insbesondere in der Versöhnung zwischen

294 M.Kundera, The Tragedy of Central Europe.

295 Dies vermutet oder behauptet freilich der Brite Perry Anderson: «geopolitical concepts rarely escape their origin altogether. The idea of Mitteleuropa was a German invention» (The New Old World, 40f.).

296 In mancher Hinsicht bereitete diese Debatte in Europa eine neue geopolitische Sensibilität für religiös geprägte Kulturzonen oder Zivilisationen vor, die dann mit Samuel Huntingtons Diagnose des «clash of civilizations» nicht nur tagespolitische Aktualität erhielt, sondern darüber hinaus das Bewusstsein wichtiger Sektoren der westlichen aussenpolitischen Elite prägen sollte. Siehe Huntington, The Clash of Civilizations; und dazu Kallscheuer, Zukunft des Abendlandes, 52ff.

Deutschland und Frankreich, den Weg zur Europäischen Einigung zu erblicken. In den letzten Jahrzehnten des Kalten Krieges schliesslich versuchte sich die unterdes vom Europa-Parlamentarier[297] und österreichischen Kaiserenkel Otto von Habsburg geführte Paneuropa-Union an einer Art *Geo*-Politisierung der christlichen Tradition [also der Kombination der Motive (A) *plus* (D)]; vehement unterstützte sie das von Papst Johannes Paul II. proklamierte Anliegen einer christlichen «Neuevangelisierung Europas» auf beiden Seiten des Eisernen Vorhangs.

Warum? – Nun, der geopolitische Ort des zu einigenden Westeuropa war spätestens ab 1947 durch den Blockgegensatz gewissermassen vorentschieden. Die Multipolarität der Weltpolitik war – jedenfalls in Europa – durch den Zwei-Block-Gegensatz ersetzt worden. Unter den Bedingungen des Kalten Krieges würde der Europäische Einigungsprozess nur unter dem politisch-militärischen Schutzschirm der Nord-Atlantischen Allianz vonstattengehen können – und genau so, d. h. als ‹wirtschaftlicher Arm der NATO›, war die EWG/EG in ihren ersten beiden Jahrzehnten vonseiten der Staaten des Warschauer Pakts auch wahrgenommen worden.

9.5 Westliche Konvergenzen – neue Unübersichtlichkeit

Zu den effektiven Entstehungsbedingungen der Europäischen Gemeinschaft gehörten freilich nicht nur gemeinsame historische Erfahrungen, sondern auch veränderte geopolitische Konstellationen. Grundlegend für die politischen Eliten Nachkriegseuropas allgemein und für die Europäischen Gründungsväter im Besonderen war die von den meisten europäischen Ländern geteilte Erfahrung der Radikalisierung des Nationalismus: Aus kompetitiven Mitspielern im ehemaligen europäischen «Konzert» des 19. Jahrhunderts waren einige europäische Nationalstaaten im 20. Jahrhundert zu normativ rücksichtslosen Akteuren geworden, deren imperiale Projekte auch eine Neuordnung des Kontinents einschlossen – und zwei Weltkriege hervorriefen. Der Hinweis auf die Idee unbeschränkter nationaler Souveränität als Wurzel der Kriege des letzten Jahrhunderts fehlt in keinem der programmatischen Manifeste für die Vereinigten Staaten von Europa, die bereits während des Zweiten Weltkriegs verfasst wurden.[298]

297 Gewählt auf der Liste der bayerischen CSU.

298 Siehe v. a. Altiero Spinellis ‹Manifest von Ventotene› und Jacques Maritains Artikel zur föderalen Idee Europas.

Die neue Weltordnung des Ost-West-Konflikts oder ‹Kalten Kriegs› war hingegen ein ebenso politischer Kampf wie ein meta-politischer (oder ‹Werte›-)Konflikt zwischen zwei modernen Universalismen; und das US-amerikanische Eingreifen in die Suez-Krise (1956/57) sanktionierte gleichzeitig das Ende der imperialen Rolle der europäischen Grossmächte und ihre Ablösung durch die USA als westliche Weltordnungs- oder ‹Supermacht›.[299]

Nach der geopolitischen Aufteilung von Yalta hatte der globale Ost-West-Konflikt mit dem Eisernen Vorhang als europäische Spaltung auch eine regionale Gestalt angenommen – damit aber wurde das westliche Nachkriegseuropa in seiner Gegnerschaft zum Sowjetkommunismus zusätzlich auch ‹nach innen› normativ-politisch vereinheitlicht.[300] Und dafür gab es zusätzlich in den Ländern des (kontinentalen[301]) Westeuropa eine Reihe von realen, ökonomischen, sozialen wie politisch-kulturelle Ansatzpunkten: eine aktuelle ökonomische und sozialpolitische Erfolgsgeschichte, vom Marshallplan zur christdemokratisch bzw. sozialdemokratisch interpretierten ‹soziale Marktwirtschaft›, und eine damit verbundenen Tradition sozialer Konsensbildung, die durchaus *indirekt* religiöse Wurzeln hat.[302] In Ländern mit starker ‹volkskirchlicher› Tradition und Präsenz setzten staatliche Sozialpolitiken die kirchlichen Fürsorge-Imperative ebenso fort wie sie diese säkularisierten (und ein kirchlich kollateraler Gesundheits- und Sozialsektor hatte bereits Anknüpfungspunkte oder Modelle für sozialintegrative kooperative Lösungen entwickelt). – Nota bene: Derartige sozialpolitischen und sozialintegrativen Familienähnlichkeiten westeuropäischer *policies* haben zwar die Europäische Einigung ganz gewiss nicht hervorgebracht, doch sie haben das Verständnis der westeuropäischen Eliten erleichtert (und wohl auch den wenig parlamentarischen, sondern korporativ-konsoziativen Politikstil der europäischen ‹politischen Klasse› und ‹eurokratischen› Administration mitbestimmt).

299 Darauf hat Dan Diner wiederholt hingewiesen (u. a. zuletzt in: Zeitenschwelle), vgl. auch Eric Hobsbawm, On Empire.

300 Vgl. Kallscheuer, Raumordnung und moralische Verwirrung, sowie die weiteren Beiträge in *Transit*, Nr.7 (1994).

301 In der Differenz zwischen dem «rheinischen» Kapitalismus (neo-)korporativ integrierter Marktwirtschaften und der britischen Entwicklung deutet sich bereits eine sozialpolitische Distanz an, an die auch Grossbritanniens später geringere Bereitschaft zur wirtschaftlichen Integration ins «Brüsseler» EG/EU-Europa anknüpft.

302 Vgl. Philipp Manow.

In diesem Kontext wurden also auch politisch-religiöse Identitätsmuster wichtig – nicht zuletzt über die ‹abendländische› Ausrichtung christlicher Milieuparteien. Dass in Deutschland und Italien, also den beiden nationalimperialistisch ausgerichteten totalitären Achsenmächten des Zweiten Weltkriegs nunmehr katholische Volksparteien (und damit aus ihrer Politiktradition explizit *nicht* nationalstaatlich orientierte Parteien[303]) die Nachkriegsentwicklung prägten, mit *auch* aus religiöser Motivation antikommunistischem Profil und sozialpolitisch integrativer Tradition, gehört also zu den kulturell prägenden Voraussetzungen der europäischen Einigung. Umgekehrt bildete z. B. der Umstand, dass in Frankreich die entsprechende christlich-demokratische Volkspartei (der M. R. P., der Partei Robert Schumans) im Zuge des Übergangs von der IV., parlamentarischen zur V., präsidialen Republik Charles De Gaulles scheiterte, die Kehrseite der jahrzehntelangen französischen Ablehnung aller Formen übernationaler Souveränitätseinbusse.

In der Geschichte (und unmittelbaren Vorgeschichte) der EG wirkten also die normative Diskreditierung des Nationalismus und der auch ideologische Ost-West-Konflikt als einander wechselseitig verstärkende Elemente ebenso zusammen wie das Ende der alten Imperien – und bald schon die ökonomischen Synergieeffekte der Montanunion. Und auch wenn in der internationalen Politik noch ehedem imperiale ökonomische und kulturelle Einflusszonen und politische Traditionen bis heute weiterwirken,[304] so bedingte doch das Ende der alten Kolonialreiche eine weitgehende Auskoppelung jeder traditionell macht- und militärpolitischen Agenda aus dem (binnen-)europäischen Integrationsprozess. Trotz der bekannten Ausnahmen und zeitweiligen Friktionen[305] waren nun die zuvor imperialen Dimensionen ‹grosser› Weltmachtpolitik (und die militärischen Dimensionen demokratischer Raumordnung) gewissermassen ausgelagert – sie waren an die USA bzw. an die NATO ‹delegiert› worden. Im aussenpolitischen Jargon war die Europäische Union eher ‹Konsument› als ‹Produzent› von Sicher-

303 In Italien aufgrund der «römischen» Frage, bzw. in Deutschland als Folge des Kulturkampfs, die für etliche Jahrzehnte das Verhältnis des politischen Katholizismus zum jeweiligen Nationalstaat negativ konditioniert hatten. Auch die interkonfessionelle christliche Volkspartei CDU blieb vom Wählermilieu und der Mehrheit ihrer politischen Elite katholisch dominiert.

304 Wie die «frankophone» Zone und die politische Mentor-Rolle Frankreichs im ehedem kolonialen Afrika bzw. das britische Commonwealth.

305 Dazu gehört die nukleare ‹Souveränität› der ehemaligen Weltmächte Frankreich und England, der Streit mit Frankreich um NATO.-Integration, *force d frappe* etc.

heit – und dieses Manko könnte sich, gelingt es nicht, es zu korrigieren, für die Zukunft als verhängnisvoll herausstellen.

Denn ebendiese Entlastung der Europäischen Integration von den ‹harten Fragen› der Aussen- und Sicherheitspolitik ist nun, nach dem Sieg des Westens im Kalten Krieg, durch den Funktionswandel (oder Funktionsverlust?[306]) der sich ja nach dem Zusammenbruch des Warschauer Pakts ebenfalls erweiternden NATO immer weniger mehr möglich: und dadurch erhöhen sich *auch* die Komplexität und Konfliktualität der (inner-)europäischen Politik der EU. All dies gilt somit ganz unabhängig von der aktuellen Schulden- und Wachstumskrise, von Rettungsschirmen und Stabilitätspakten.

Übrigens: Ein Ergebnis dieser unreflektierten Delegation weltpolitischer Fragen an die atlantische Solidarität ist nicht zuletzt die leidige Frage des Beitritts der Türkei zur Europäischen Union: Das Angebot an den NATO-Mitgliedsstaat Türkei war ja in den ersten Jahrzehnten der EU ein rein symbolischer Scheck «‹westlicher Solidarität›» ohne jede (kulturelle, ökonomische, politische) Deckung gewesen. Heute aber wird die *legitime* Frage einer möglichen EU-Mitgliedschaft der Türkei zu einer Identitätsfrage an die Union.

10. Dreierlei Europa – drei Hinsichten von Legitimität

«Europas grösste Gefahr ist die Müdigkeit.» Edmund Husserl (1935)

Welches Europa bedarf also der Legitimation? Und um welche Legitimität geht es dabei? Wir sehen erneut davon ab, dass noch die knappste kulturhistorische Bilanz ethisch-politischer ‹Werte› und/oder der kulturell-religiösen ‹Identität› Europas nach etlichen Sammelbänden aus einer seit der karolingischen Renaissance kontinuierlich wachsenden Bibliografie verlangt. Und wir konnten bereits feststellen, dass sich in der Situation der ungleichgewichtigen Verschuldungs- und Wachstumskrise (in) der Europäischen Union die Kriterien ökonomischer Effizienz, demokratischer Legitimation, politischer Akzeptanz, kultureller Identifikation und sozialer Solidarität nicht mehr umstandslos miteinander decken oder wechselseitig verstärken. Die Zeiten solcher ‹spontaner›, automatischen Synergien sind definitiv

306 Andrew A. Michta, «NATO-Enlargement post–1989: Successful Adaption or Decline?, in: Conemporary European History, Vol.18/3, August 2009, 363.

vorbei, ebenso wie die während des Kalten Krieges mögliche (ja, rationale) europäische ‹Abstinenz› in der Sicherheitspolitik. Jedes Projekt ‹Europa› erfordert heute bewusste Entscheidungen über Alternativen und Prioritäten.

Die aussen- und weltpolitischen Herausforderungen ‹Europas› sind also seit dem Sieg des Westens im Kalten Krieg und mit der auch durch diese tektonische Verschiebung veränderten weltpolitisch (und -ökonomisch) polyzentrisch gewordenen Lage weitaus stärker gewachsen als das Problembewusstsein der europäischen politischen Eliten – und mehr noch: als die institutionelle Kapazität der Europäischen Union, mit weltpolitischen Krisen, mit militärischen, Identitäts- und Interessenkonflikten in ihrem geografischen Umfeld umzugehen.

Diese Situation, zu der auch die neuen, nicht nur hoffnungsvollen Entwicklungen im arabischen Raum zu zählen sind, fordert von den Mitgliedsländern der EU und ihren gemeinsamen Institutionen – ebenso wie von anderen, ob nationalen oder supranationalen kollektiven Akteuren in der Weltgesellschaft auch – ein *Mehr* an koordinierter, verlässlicher, durchsetzungsfähiger Handlungsfähigkeit, im Jargon aussenpolitischer ‹soft power›.

Dazu gehört auch ein normativ glaubwürdiges Selbstbewusstsein, ein Vertrauen in das eigene Gesellschaftsmodell[307] – das nicht mit imperialen Ansprüchen oder ideologischer Mission zu verwechseln ist. Doch all dies scheint gerade jetzt schwer zu haben: ‹Europa› mangelt es an Koordination und an Selbstvertrauen. *Diese* Dimension der kommenden Krisen Europas ist weit grösser als diejenige, aktuelle, der Verschuldungskrise, an der sich heute *in* Europa die Legitimitätsfrage stellt und die hier unser Thema war.

Unsere Erkundung des *aktuellen* Diskursfeldes im Streit um die Zukunft der Europäischen Union hat immerhin deutlich werden lassen, dass dabei mindestens dreierlei politische Gestalten ‹Europas› involviert sind:

- *Europa*[1]: Die variationsreiche kulturelle Landschaft und die vielfältigen politischen Identitäten ‹Europas› sind das Produkt historischer Brüche und der von ihnen gestifteten Kontinuitäten, die ein geeintes Europa verteidigen, bewahren, entwickeln soll.[308]
- *Europa*[2]: Die Europäische Union, jenes Mehrebenengebilde oder «Monstrum» (Pufendorf) von Verfassungsbausteinen, ist ein kompliziertes

307 Vgl. die anregende knappe weltpolitische Skizze solcher normativen Gesellschaftsmodelle für das 21. Jahrhundert von Mair und Perthes, Ideen und Macht.

308 Vgl. unter den oben angeführten Studien etwa Bochi/Ceruti, Una e molteplice; Brague, Europe – la voie romaine; Münkler, Reich – Nation – Europa; Pomian, Europa und seine Nationen.

rechtliches Regelwerk, verbunden durch internationale Verträge, gebunden durch nationale Konstitutionen und Legislationen, initiiert und getragen durch wechselseitige ökonomische Vorteile wie gemeinsame geopolitische Interessen – doch bislang wird es eher reguliert als regiert (*governance* statt *government* der Union).[309]

– *Europa³*: Die Währungsunion der EURO-Zone bildet das ökonomische Gravitationszentrum von *Europa²*; sie soll derzeit zu einer operativ koordinierten Fiskal-, Stabilitäts- und Wachstumsunion ausgebaut werden (und erhielte damit wohl eine Wirtschaftsregierung), könnte bei dieser Reorganisation aber auch scheitern.

Schematisch vereinfacht verweisen die Fragen der supranationalen politischen Legitimität vornehmlich auf *Europa²*, also auf die Europäische Union; doch deren wichtigstes Forum der Legitimation stellen bisher weiterhin die *nationalen* Öffentlichkeiten (und demokratischen Institutionen) der Mitgliedsländer dar. – Die ökonomische Tragfähigkeit der fortschreitenden Integration (und damit auch der sozialen wie politischen Akzeptanz ‹Europas›) entscheidet sich allerdings hauptsächlich an der Frage der ökonomischen *governance* von *Europa³*: d. h. an der Frage, ob es gelingt, die Währungsunion durch eine koordinierte Wirtschaftsentwicklung der gesamten EURO-Zone zu stützen und zu vertiefen.

Wie eng nun müssen *Europa²* und *Europa³* miteinander verkoppelt werden? Welcher Grad an politischer Union des EU-*Europa²* ist für die Fiskalunion innerhalb von EURO-*Europa³* überhaupt notwendig? Und umgekehrt: wie weit muss sich das EU-*Europa²* von den Interessenkonflikten und Koordinationsproblemen des EURO-*Europa³* «in Geiselhaft nehmen lassen»?[310] Diese Fragen institutioneller Architektur, demokratischer und kontraktueller Legitimität, aber auch finanzieller Solidarität (welche Volkswirtschaften garantieren welche Schutzschirme und Stabilitätsmechanismen?) sind im derzeitigen Krisen- und möglichen Reformprozess der EU Verhandlungsgegenstand.

Und die für die Zustimmung der europäischen Bürger zu den Solidarpflichten von *Europa²* und *Europa³* (also *sowohl* innerhalb der EURO-Zone *als auch* zur politischen Union) erforderlichen und insbesondere in Krisen- und Transformationsperioden erforderlichen Motive und mobilisierbaren

309 Scharpf, Regieren in Europa; ders. Community and Autonomy.

310 Um den Protest der dänischen Ministerpräsidentin auf einem der letzten Rats-Gipfel zu zitieren.

Sinnressourcen beziehen sich immer auch zugleich auf den Horizont von *Europa*^{1}. – Anders gesagt:

- Das EURO-*Europa*^{3} befindet sich zumindest in einer Steuerungskrise;
- das Unions-*Europa*^{2} erfährt eine doppelte Beanspruchung der Grenzen seiner Legitimität: seine ‹vertikale› Spannung zwischen demokratischer (nationaler) und föderaler (oder bündischer) Legitimität wird die Union nicht ablegen können oder jedenfalls nicht wollen[311];
- Mitgliedsländer und Bürger von *Europa*^{2} erfahren aber zugleich eine ‹horizontale› Krise des *Vertrauens* und (daher) der zumutbaren *Solidarität* zwischen den EU-Ländern;[312] diese Vertrauenskrise aber ist nur durch Solidität, also durch politisch-ökonomische Erfolge zu überwinden;
- und nicht zuletzt: die historisch-kulturellen Identitätsressourcen von *Europa*^{1} liefern zur Beantwortung dieser legitimen politischen Streitfragen *keine* eindeutigen Antworten.

Ausserdem sind unterdes mit den letzten europäischen Generationen auch neue kulturelle Gestalten von trans- und postnationaler Identität ‹Europas› hinzugekommen: etwa das studentische ERASMUS-Europa und das längst nicht mehr allein touristische EASYJET-Europa; die transnationale Spezialisierung, Mobilisierung und Flexibilisierung eines zunehmend europäischen Arbeitsmarkts; aber auch (und nicht zuletzt) das ausgeprägt ‹europäische› Selbstbewusstsein einer neuen Generation transnationaler religiöser und/oder ethnischer Minderheiten, etwa von jungen Juden und Muslimen in Europa.[313]

Bisher berühren solche *multi*identitären Facetten [eines künftigen ‹*Europa*^{4}?] die Legitimität der Europäischen Union scheinbar vorwiegend peripher oder nur indirekt. Doch dieser Eindruck täuscht seit langem: an den Aussengrenzen der Union, bei staatlichen Beitrittsverhandlungen – aber auch im innen- und rechtspolitischen Streit über Dimensionen religiöser Toleranz und öffentlicher Kultur[314] – geht es zugleich um das Selbstverständnis der Europäischen Union. Hier werden Kernfragen jenes nor-

311 Denn: die überwiegende Mehrzahl der 27 Mitgliedstaaten wird einer solchen Transformation der EU zur bundesstaatlichen Einheit nicht zustimmen.

312 Vgl. C. Offe, Demokratie und Wohlfahrtsstaat.

313 Siehe meine Bemerkungen zum Islam als Kontrastfolie Europas, in: Der Islam als Kontrastfolie Europas?

314 Vgl. José Casanova, Das Problem der Religion.

mativen Minimums europäischer Rechtsstaatlichkeit verhandelt, dessen *overlapping consensus* in der Europäischen Charta der Grundrechte verbindlich kodifiziert worden ist.

Literatur

(Hinweis: Um das Literaturverzeichnis nicht noch mehr zu überfrachten, wurden nur besonders wichtige aktuelle Artikel bzw. Stellungnahmen aus der Tages- oder Wochenpresse aufgenommen; wird auf sie nur im Text verwiesen, dann ist die Quelle in der entsprechenden Fussnote angegeben.)

Anderson, Perry, The New Old World, London /New York, 2009, ²2011.

Anderson, Perry u. a. Symposium zu «The New Old World», in: The New Left Review 73, Jan.-Febr. 2012, 19–72 (zugänglich unter: www.newleftreview.org).

Arendt, Hannah, Das deutsche Problem (1945); dies., Europa und Amerika (1954), in: dies., Zur Zeit. Politische Essays, hrsg. von M. L. Knott, Berlin 1986, 23–42 und 71–94.

Ash, Timothy Garton, Mitteleuropa? Aber wo liegt es?, in: Transit. Europäische Revue, Nr. 16 (Winter 1998/99), 133–147.

Aussenministergruppe zur Zukunft Europas [Erklärung des Vorsitzes/ Zwischenbericht 15. Juni 2012], Die Zeit für eine Debatte über die Zukunft Europas ist gekommen (zugänglich über: www.auswaertiges-amt.de).

Barberis, Maurizio, Europa del diritto, Bologna, 2008.

Barroso, José Manuel Durâo, Berliner Rede («Zu unserem Glück vereint»), in: Frankfurter Allgemeine Zeitung (zugänglich unter: www.faz.net), 10. November 2011.

Beaud, Olivier, Nation Building in a Federation. Über die Besonderheiten des ‹Bundesvolks›, in: Stein/Buchstein/Offe, Hg., Souveränität, Recht, Moral [= FS Ulrich K.Preuss], Frankfurt/New York, 2007, 82–91.

Beckert, Jens/Streeck, Wolfgang, Die nächste Stufe der Finanzkrise, in: Frankfurter Allgemeine Zeitung (zugänglich unter: www.faz.net), 20. August 2011.

Beckert, Jens/Streeck, Wolfgang, Die Fiskalkrise und die Einheit Europas, in: Aus Politik und Zeitgeschichte, 62. Jg., Nr. 4/2012, 23.01.2012, 7–17.

Bellah, Robert N., Civil Religion in America (1966), in: The Robert Bellah Reader (ed. R.N. Bellah und St.M. Tipton), Durham and London, 2006, 225–245.

Benda, Julien, Der Verrat der Intellektuellen (1927/1946). Mit einem Vorwort von Jean Améry, München, 1978.

Benda, Julien, Discours à la nation européenne (1933), Paris, 1979.

Berlin, Isaiah, Das krumme Holz der Humanität, Frankfurt/M., 1992.

Berman, Harold J., Recht und Revolution. Die Bildung der westlichen Rechtstradition, Frankfurt/M., 1991.

Biegón, Dominika, Die Europäische Union – zwischen Effektivität und Demokratie, in: Nullmeier, Frank u. a., Prekäre Legitimitäten, Frankfurt/M./New York, 2010, 186–220.

Bobbio, Norberto, Thomas Hobbes, Torino, 1989.

Bobbio, Norberto, La regola di maggioranza – limiti e aporie, in: ders., Teoria generale della politica (ed. M. Bovero), Torino, 1999, 383–410.

Bobbio, Norberto, Il federalismo nel dibattito politico e culturale della resistenza, in: Spinelli, Altiero, Il M Manifesto di Ventotene, Bologna, 1991, 9–27.

Bobbio, Norberto, Grandezza e decadenza dell'ideologia europea, in: ders., Teoria generale della politica (ed. M. Bovero), Torino, 1999, 604–618 [eine dt. Version erschien in: Lettre International, Sommer 1988].

Bocchi, Gianluca/Ceruti, Mauro, Una e molteplice. Ripensare l'Europa, Milano, 2009.

Böckenförde, Ernst-Wolfgang, Welchen Weg geht Europa? (1997), in: ders., Staat, Nation, Europa, Frankfurt/M., 1999, 68–102.

Böckenförde, Ernst-Wolfgang, Wissenschaft, Politik, Verfassungsgericht, Berlin, 2011.

Bonacchi, Gabriella, Hg., Una costituzione senza stato [Ricerca della Fondazione Lelio e Lisli Basso/Issoco], Bologna, 2001.

Brague, Rémi, Europe, la voie romaine, Paris, 1992.

Broch, Hermann, Kommentierte Werkausgabe, hrsg. von Paul Michael Lützeler, Frankfurt/M., 1974–1981 [Bd. 11: Politische Schriften; Bd. 12: Massenwahntheorie].

Brunn, Gerhard, Die Europäische Einigung, Stuttgart, ²2009.

Cacciari, Massimo, Pensare l'Europa, in: MicroMega, Nr. 4/1999, 199–207.

Casanova, José, Das Problem der Religion und die Ängste der säkularen europäischen Demokratien, in: ders., Europas Angst vor der Religion, Berlin 2009, 7–30.

Chakrabarty, Dipesh, Europa als Provinz. Perspektiven postkolonialer Geschichtsschreibung, Frankfurt/New York, 2010.

Contini, Gianfranco, Dove va la cultura europea? Relazione sulle cose di Ginevra (1946), hrsg. von Luca Baranelli, Macerata, 2012.

Coudenhove-Khalergi, Richard N., Pan-Europa (Wien 1923), Nachdruck mit einem Vorwort von Otto von Habsburg, Augsburg, 1998.

Council of Foreign Relations, Central Banking in the Age of Improvisation [= Beiträge von Arminio Fraga, Adam Posen und Kevin Warsh], 28. Nov. 2011 (zugänglich unter: www.cfr.org)
Croce, Benedetto, Geschichte Italiens im nejunzehnten Jahrhundert (1935), Frankfurt/M., 1979.
Croce, Benedetto, Perchè non possiamo non dirci ‹cristiani›, in: ders., La mia filosofia, Milano 1993, 38–53.
Croce, Benedetto, Stato e Chiesa in senso ideale e loro perpetua lotta nella storia, in: ders., La mia filosofia, Milano 1993, 38–53.
Gadamer, Heinz Georg, Das Erbe Europas, Frankfurt/M., 1989.
Gasperi, Alcide De, La politica come servizio (Schriften- und Redenauswahl mit einem Vorwort von Andrea Riccardi), Milano, 2011.
Delors, Jacques, Das neue Europa, München, 1993.
Di Fabio, Udo, Die politische Gestalt Europas, in: Frankfurter Allgemeine Zeitung, 22.Juli 2006 (zugänglich unter: www.faz.net).
Di Fabio, Udo, Ewige Bindung oder flüchtige Liaison? (Rede am 22. Sept. 2011), zugänglich unter: www.faz.net (Rubrik Staat und Recht).
Diner, Dan, Zeitenschwelle, München, 2010.
Enzensberger, Hans Magnus, Sanftes Monster Brüssel oder Die Entmündigung Europas, Berlin, 2011.
Epimeteo, Finis Europae. Una catastrofe teologico politica (Vorwort von Mario Tronti), Napoli, 2007.
European Council. The President, Towards a Genuine Economic and Monetary Union (Brüssel, 26. Juni 2012), zugänglich unter: www. consilium.europa.eu.
Felber, Christian, Retten wir den EURO, Wien, 2012.
Fischer, Joschka, Vom Staatenbund zur Konföderation. Gedanken über die Finalität der europäischen Integration, Frankfurt/M., 2000.
Fischer, Joschka, It's the sovereignity, stupid!, 31. Juli 2011 (zugänglich unter: www.project-syndicate.org).
Fischer, Joschka, Ein Lob den Märkten. Europa wird eine Haftungsunion, in: Süddeutsche Zeitung, 31. Dez. 2011.
Fischer, Joschka, Europa steht in Flammen, in: Süddeutsche Zeitung, 4. Juni 2012.
Frankenberger, Klaus-Dieter, Ein Tabu ist gefallen, in: Frankfurter Allgemeine Zeitung, 4. Nov. 2011.
Franzius, Claudio, Vom Nationalstaat zum Mitgliedstaat und wieder zurück?, in: Leviathan (2010) 38, 429–464.

Franzius, Claudio/Preuss, Ulrich K., Für ein demokratisches Europa. Zur Zukunft der europäischen Demokratie, in: Heinrich Böll Stiftung, Hg., Solidarität und Stärke. Zur Zukunft der Europäischen Union [= Heinrich Böll Stiftung. Schriften zu Europa, Bd. 6], Berlin, 2011, 167–185.

Franzius, Claudio/Preuss, Ulrich K., [= Heinrich Böll Stiftung. Schriften zu Europa, Bd. 7] Die Zukunft der europäischen Demokratie, Berlin, 2012.

Gauchet, Marcel, Le problème européen, in: ders., La condition politique, Paris 2005, 465–504.

Giscard d'Estaing, Valéry, Il faut créer une organisation de coordination de la zone euro, et vite!, in: le Monde, 23. Juni 2012.

Grimm, Dieter, Braucht Europa eine Verfassung?, in: ders., Die Verfassung und die Politik, München 2001, 215–254.

Grimm, Dieter, Souveränität – zur aktuellen Leistungsfähigkeit eines rechtlich-politischen Grundbegriffs, in: Stein/Buchstein/Offe, Souveränität, Recht, Moral [= FS Ulrich K.Preuss], Frankfurt/New York, 2007, 304–310.

Haas, Ernst, The Unifying of Europe. Political, Social, and Economical Forces 1950–1957, Stanford, Cal., ²1968.

Habermas, Jürgen, Braucht Europa eine Verfassung?, in: ders., Zeit der Übergänge. Kleine politische Schriften IX, Frankfurt, 2001, 104–129.

Habermas, Jürgen, Der gespaltene Westen. Kleine politische Schriften X, Frankfurt/M., 2004.

Habermas, Jürgen, Ach Europa! Kleine politische Schriften XI, Frankfurt, 2008.

Habermas, Jürgen, Konstitutionalisierung des Völkerrechts und die Legitimationsprobleme einer verfassten Weltgesellschaft, in: ders. Philosophische Text, Bd. 4, Politische Theorie, Frankfurt/M., 2009, 402–424.

Habermas, Jürgen, Wie demokratisch ist die EU?, in: Blätter für deutsche und internationale Politik 8/2011, 37–48.

Habermas, Jürgen, Rettet die Würde der Demokratie, in: Frankfurter Allgemeine Zeitung, 5. Nov. 2011.

Habermas, Jürgen, Zur Verfassung Europas, Berlin, 2011.

Haller, Max, Europäische Integration als Elitenprozess. Das Ende eines Traums?, Wiesbaden, 2009.

Haller, Max, Ein Parlament ohne Bürger?, in: Forschungsjournal NSB, Jg. 22, H.2/2009, 20–35.

Haller, Max, Die Europäische Integration als Elitenprojekt, in: Aus Politik und Zeitgeschichte, Nr.23–24/2. Juni 2009, 18–23.

Haltern, Ulrich, Was bedeutet Souveränität?, Tübingen, 2007.

Hammerstein, Notker, Samuel Pufendorf, in: Stolleis, Michael, Hg., Staatsdenker im 17. und 18. Jahrhundert, Frankfurt/M. 1977, 174–197.
Hannan, Daniel, How Brussels Stifles Democracy in Europe, in: Standpoint (Great Britain), December 2011 (zugänglich unter: www.standpointmag.co.uk/node/4208)
Hartmann, Jürgen, Das politische System der Europäischen Union, Frankfurt/New York, 22009.
Hassner, Pierre, Das Zentrum als Peripherie, in: Transit. Europäische Revue, Nr.7 (1994), 15–27.
Herder, Johann Gottfried, Ideen zur Philosophie der Geschichte der Menschheit (hrsg. M. Bollacher), in: Werke, Bd.6, Frankfurt/M., 1989.
Herdegen, Mattthias, Europarecht, München, 142012.
Hirschman, Albert O., Exit, Voice and Loyalty. Responses to Decline in Firms, Organizations and States, Cambridge, Mass., 1970.
Hobsbawm, Eric J./Ranger, Terence O., Hg., The Invention of Tradition, Cambridge, 1992.
Hobsbawm, Eric J., On Empire, New York, 2008.
Höltschi, René, Zwischen Bazooka und Todsünde, in: Neue Zürcher Zeitung, 21. Nov. 2011.
Höpner, Martin u. a., Kampf um Souveränität? Eine Kontroverse zur europäischen Integration nach dem Lissabon-Urteil des Bundesverfassungsgerichts, in: Politische Vierteljahresschrift, Jg. 51 (2010), 323–355.
Huntington, Samuel P., The Clash of Civilizations, in: Foreign Affairs, Summer 1993, 22–49.
Husserl, Edmund, Die Krisis des europäischen Menschentums und die Philosophie (1935) [aus: Husserliana, Bd. VI]. Mit einer Einführung von B. Waldenfels, Weinberg, 1995.
Husserl, Edmund, Die Krisis der europäischen Wissenschaften und die transzendentale Phänomenologie (1936) [aus: Husserliana, Bd. VI], hrsg. von E. Ströker, Hamburg, 1982.
Jestaedt, Matthias u. a., Das entgrenzte Gericht. Eine kritische Bilanz nach sechzig Jahren Bundesverfassungsgericht, Berlin, 2011.
Joas, Hans/Wiegand, Klaus, Hg., Die kulturellen Werte Europas, Frankfurt/M., 2005.
Kallscheuer, Otto, Glaubensfragen. Über Karl Marx & Christus & andere Tote, Frankfurt/M., 1991.
Kallscheuer, Otto, Raumordnung und moralische Verwirrung, in: Transit. Europäische Revue, Nr.7 (1994), 3–14.
Kallscheuer, Otto, Gottes Wort und Volkes Stimme, Frankfurt/M., 1994.

Kallscheuer, Otto, Epochenbruch und poetische Ökumene, in: Neue Rundschau, 107.Jg. 1996/ Heft 3, 83–94.

Kallscheuer, Otto, Hannah Arendt und die Berliner Republik, in: Blätter für deutsche und internationale Politik, 10/1997, 1257–1267.

Kallscheuer, Otto, Anschluss als Revolution. Ein Rückblick auf die deutsche Vereinigung, in: Blätter für deutsche und internationale Politik, 10/2009, 83–89.

Kallscheuer, Otto, Zur Zukunft des Abendlandes, Springe, 2009.

Kallscheuer, Otto, Der Islam als Kontrastfolie Europas?, in: Pfleiderer, Georg/Heit, Alexander, Hg., Religionspolitik II. Zur pluralistischem Religionskultur Europas, Zürich, 2012, 227–242.

Kohl, Helmut, Wir müssen wieder mehr Zuversicht geben (Interview), in: Internationale Politik, 66. Jg., Nr.5, September/Oktober 2011, 10–17.

Kohl, Helmut, Wie soll das Europa der Zukunft aussehen?, in: BILD, 28. Febr. 2012 (zugänglich unter: www.bild.de)

Krech, Volkhardt, «Europa als Wertegemeinschaft?, in: Alker, Stefan/ Deuser, Hermann/Linde, Gesche, Hg., Religiöser Fundamentalismus, Tübingen, 2005, 45–61.

Krugman, Paul, Can Europe be Saved?, in: The New York Times Magazine, 12.01.2011 (zugänglich unter: www.nytimes.com).

Krzeminski, Adam, Die Republik Europa, in: Polityka Nr.50, 7. Dezember 2011 (www.portalpoint.info/de,rubryki,10,3464,1.html).

Kundera, Milan, The Tragedy of Central Europe, in: New York Review of Books, 26. Apr. 1984.

Lacombe, Christian, La décision de Standard&Poor's confirme une zone EURO à quatre vitesses, *Le Monde* 15./16. Jan. 2012.

Lacroix, Justine, Du fédéralisme européen, in: Critique, Nr. 697–698, Juin-Juillet 2005, 507–517.

Lacroix, Justine/Nicolaidis, Kalypso, Hg., European Stories. Intellectual Debates on Europe in National Contexts, Oxford, 2010.

Lamers, Karl/Schäuble, Wolfgang, Überlegungen zur Europäischen Politik, 1. Sept. 1994 (zugänglich unter: www.cducsu.de).

Larivera SJ, Luciano, La crisi finanziaria dell'Eurozona, in: La Civiltà Cattolica 2011, IV (quaderno 3876), 616–625.

Leibfried, Stephan, Schritte zurück nach vorn?, in: Höpner, Martin et al., Kampf um Souveränität? Eine Kontroverse, in: Politische Vierteljahresschrift (2010) 51, 323–355.

Leibniz, Gottfried Wilhelm, Sämtliche Schriften und Briefe, hrsg. von der Berlin-Brandenburgischen Akademie der Wissenschaften, IV. Reihe:

Politische Schriften, Bd.1 und Bd.2, [Reprint Berlin u. München 1983 bzw. 1982].

Levi, Luciano, Altiero Spinelli, fondatore del movimento per l'unità europea, in: Spinelli, Altiero/Rossi, Ernesto, Il Manifesto di Ventotene, Milano, 2010, 123–176.

Limes. Rivista italiana di geopolitica, n.6/2011 (Themenschwerpunkt: «Alla guerra dell'Euro»)

Link, Werner, Es geht in Richtung Kerneuropa, in: Frankfurter Allgemeine Zeitung, 4. August 2011.

Lijphart, Arend, Democracies. Patterns of Majoritarian and Consensus Government in Twenti-One Countries, New Haven, 1984.

Lützeler Paul Michael, Hg., Plädoyers für Europa. Stellungnahmen deutschsprachiger Schriftsteller 1915–1949., Frankfurt/M., 1987.

Lützeler, Paul Michael, Hg., Hoffnung Europa. Deutsche Essays von Novalis bis Enzensberger, Frankfurt/M., 1994.

Lyotard, Jean-Francois, La condition postmoderne, Paris, 1979.

Mair, Stefan/Perthes, Volker, Ideen und Macht. Was definiert die relative Gewichtsverteilung in der Welt?, in: Internationale Politik, 66. Jg., Nr.3, Mai/Juni 2011, 10–23.

Makrides, Vasilios N., Die Wirtschaftskrise Griechenlande seit 2009 und ihr orthodox-kultureller Hintergrund, unv. Mskr. (2011).

Maritain, Jacques, De la Justice Politique. Notes sur la présente guerre, Paris, 1940.

Maritain, Jacques, Christianisme et démocratie (1943), hier zit. nach: Jacques et Raissa Maritain, Oeuvres Complètes, Bd. VII, Paris/ Fribourg, 1989.

Maritain, Jacques, L'Europe et l'idée fédérale, Paris, 1993.

Meier, Thomas, Die Identität Europas, Frankfurt/M., 2004.

Michta, Andrew A., NATO-Enlargement post–1989: Successful Adaption or Decline?, in: Contemporary European History, Vol.18/3, August 2009.

Mitterand, Francois, Für eine europäische Konföderation (1990), in: ders., Über Deutschland, Frankfurt/M., 1996, 171–185.

Möllers, Christoph, Die drei Gewalten. Legitimation der Gewaltenteilung in Verfassungsstaat, Europäischer Integration und Internationalisierung, Weilerswist, 2008.

Möllers, Christoph, Legalität, Legitimität und Legitimation des Bundesverfassungsgerichts, in: Jestaedt, Matthias u. a., Das entgrenzte Gericht, Berlin, 2011, 281–422.

Monti, Mario, Warum Italien mehr wie Deutschland sein sollte, Interview mit Thomas Schmid, in: Die Welt, 11. Januar 2012 (www.welt-online.de).

Montesquieu, Vom Geist der Gesetze (übs. Ernst Forsthoff), Tübingen, 1951, ²1992.

Montesquieu, Pensées. Le Spicilège (éd. Par Louis Desgraves), Paris, 1991.

Moravcsik, Andrew, The Choice for Europe. Social Purpose and State Power from Messina to Maastricht, Ithaca, 1998.

Moravcsik, Andrew, Preface [= The Choice for Europe, Preface to the Chinese Edition (2008), www.princeton.edu~amoravcs].

Moravcsik, Andrew, Europe After the Crisis, in: Foreign Affairs, May-June 2012, 54–68.

Morin, Edgar, Penser l'Europe, Paris, 1987.

Mosse, George L., Die Nationalisierung der Massen, Frankfurt/New York, 1993.

Münkler, Herfried, Reich – Nation – Europa. Modelle politischer Ordnung, Weinheim, 1996.

Münkler, Herfried, Alle Macht dem Zentrum, in: DER SPIEGEL Nr. 27/2011.

Müller, Jan Werner, ‹Our Philadelphia›? On the Political and Intellectual History of the ‹European Constitution›, in: Journal of Modern European History, Vol.6 (2008), Nr.1, 137–153.

Nagel, Thomas, The Problem of Global Justice, in: Philosophy & Public Affairs 33 (2005), n.2, 113–147.

Naumann, Friedrich, Mitteleuropa, Berlin, 1915.

Nicolaidis, Kalypso/Howse, Robert, Hg., The Federal Vision. Legitimacy and Levels of Governance in the United States and the European Union, Oxford/New York, 2001.

Niess, Frank, Die europäische Idee, Frankfurt/M., 2001.

Novalis, Die Christenheit oder Europa, in: Lützeler, Paul Michael, Hg., Hoffnung Europa. Deutsche Essays on Novalis bis Enzensberger, Frankfurt/M., 1994, 27–45.

Nullmeier, Frank u. a., Prekäre Legitimitäten. Rechtfertigung von Herrschaft in der postnationalen Konstellation, Frankfurt/M./New York, 2010.

Offe, Claus, Demokratie und Wohlfahrtsstaat. Eine europäische Regimeform unter dem Strass der europäischen Integration, in: ders., Herausforderungen der Demokratie, Frankfurt/New York, 2003, 239–273.

Pera, Marcello, Perchè dobbiamo dirci cristiani. Il liberalismo, l'Europa, l'etica (mit einem Brief von Papst Benedikt XVI. an den Autor als Vorwort), Milano, 2008.
Peters, Berhard, Der Sinn von Öffentlichkeit, Frankfurt/M., 2007.
Pomian, Krzysztof, Europa und seine Nationen, Berlin, 1990.
Poupard, Cardinal Paul, Robert Schuman, donner une âme à l'Europe, Scy-Chazelles, Moselle, 2004.
Prévélakis, Georges, Grèce: les raisons historiques de la faillite, in: ESPRIT, no. 379, novembre 2011, 18–29.
Prodi, Paolo, Eine Geschichte der Gerechtigkeit. Vom Recht Gottes zum modernen Rechtsstaat, München, 2003.
Ratzinger, Joseph Kardinal, Europas Identität, in: ders., Werte in Zeiten des Umbruchs, Freiburg i.Br., 2005, 68–88.
Rawls, John, Political Liberalism, New York, 1993.
Rawls, John, Gerechtigkeit als Fairness. Ein Neuentwurf, Frankfurt/M., 2003.
Rawls, John/Parijs, Philippe van, [Briefwechsel über Europa], in: Revue de philosophie économique, 7 (2003), Sondernummer «Autour de Rawls», 7–20 (italien. Übs.: Dialogo sull'Europa, in: MicroMega 3/2012, 197–220).
Reichlin, Lucrezia, Ora la BCE intervenga con più forza sui mercati, in: Corriere della Sera, 26. Nov. 2011.
Reid, T. R., The United States of Europe. The New Superpower and the End of American Supremacy, New York/London, 2004.
Riley, Patrick, Leibniz's Universal Jurisprudence: Justice as the Charity of the Wise, Cambridge, Mass., 1996.
Roldán, Concha, Leibniz und die Europaidee, in: Jahrbuch für Europäische Geschichte, Bd. 2 (2001), 261–272.
Rousseau, Jean-Jacques, Friedensschriften. Französisch-Deutsch (ed. M. Köhler), Hamburg, 2009.
Rousseau, Jean-Jacques, Prinzipien des Krieges (übs. M. Bloch), in: Deutsche Zeitschrift für Philosophie, Bd.58 (2010), H.2, 307–317.
Saurugger, Sabine, Théories et concepts de l'intégration européenne, Paris, 2009.
Scharpf, Fritz W., Regieren in Europa. Effektiv und demokratisch?, Frankfurt/New York, 1999.
Scharpf, Fritz W., Community and Autonomy. Institutions, Policies and Legitimacy in Multilevel Europe, Frankfurt/New York, 2010.

Schildt, Axel, Zwischen Abendland und Amerika. Studien zur westdeutschen Ideenlandschaft der 50er Jahre, München, 1999.

Schmierer, Joscha, EU-Gipfel: Etwas ist geschehen, aber was eigentlich genau? (Zwischenruf zur Aussenpolitik, 15. Dez. 2011, zugänglich unter: www.boell.de/aussensicherheit).

Schmitt, Carl, Verfassungslehre (1928), München, [6]1983.

Schmitter, Philippe, Classifying an Anomaly, in: New Left Review 73 (2012), 19–27.

Schneider, Hans-Peter, Gottfried Wilhelm Leibniz, in: Stolleis, Michael, Hg., Staatsdenker im 17. Und 18. Jahrhundert, Frankfurt/M., 1977, 198–228.

Schönberger, Christoph, Anmerkungen zu Karlsruhe, in: Jestaedt, Matthias u. a., Das entgrenzte Gericht, Berlin, 2011, 9–76.

Schönborn, Christoph Kardinal, Cristianesimo e occidente, il fattore estraneità, in: Vita e pensiero, N.6, Okt.-Nov. 2011 [nachgedruckt in: il Foglio quotidiano, 21. Jan.2012, vi-vii].

Schuman, Robert, «Une Europe pour la paix» (Erklärung des französischen Aussenministers, Quai d'Orsay 9 mai 1950), Neuveröffentlichung: Paris/ Le Monde 2011.

Schwarzer, Daniela, Economic Governance in der EURO-Zone, in: Aus Politik und Zeitgeschichte, 62. Jg., Nr. 4/ 2012, 23. Januar 2012, 17–24.

Sen, Amartya, L'euro fait tomber l'Europe, in: Le Monde, 02. Juli 2011.

Sen, Amartya, The Crisis of European Democracy, in: The New York Times, 22. Mai 2012.

Siedentop, Larry, Demokratie in Europa, Stuttgart, 2002.

Sikorski, Roland, Ich fürchte die deutsche Untätigkeit, in: DIE ZEIT, Nr.49/1. Dez. 2011.

Simmel, Georg, Die Idee Europa; ders., Europa und Amerika, in: Gesamtausgabe, Bd. 13 (ed. K. Latzel), Frankfurt/M., 2000, 112–116; 138–142.

Spaemann, Robert, Europa – Wertegemeinschaft oder Rechtsordnung?, in: Transit. Europäische Revue 21 (2002), 172–185.

Spinelli, Altiero, Il Manifesto di Ventotene (1941/44), mit einer Einleitung von Norberto Bobbio, Bologna, 1991.

Spinelli, Altiero/Rossi, Ernesto, Il Manifesto di Ventotene, (mit dem Vorwort zur Ausgabe von 1944 von Eugenio Colorni u. Beiträgen von Franco Venturini, Tommaso Padoa Schioppa und Lucio Levi), Sonderausgabe: Milano/Corriere della sera, 2010.

Stolleis, Michael, Hg., Staatsdenker im 17. Und 18. Jahrhundert, Frankfurt/M., 1977.

Straubhaar, Thomas (mit M. Bräuninger, J. Hinze, H. Vöpel, N. Winkeljohann), Der Euro in der Krise. Vier Szenarien zur Zukunft des Euro [Hrsg. Hamburgisches Weltwirtschaftsinstitut/Pricewaterhouse Coopers] Hamburg/Frankfurt/M., April 2012 (zugänglich unter: www.pwc.de).

Streeck, Wolfgang, The Crises of Democratic Capitalism [= Max Weber Lecture d.J. 2011 am Europäischen Hochschulinstitut Florenz], in: New Left Review 71, September-October 2011, 5–29 (zugänglich unter: www.newleftreview.org).

Streeck, Wolfgang, Markets and Peoples, in: New Left Review 73, Jan. – Febr. 2012, 63–71 (zugänglich unter: www.newleftreview.org).

Szücs, Jenö, Die drei historischen Regionen Europas, Frankfurt/M., 1990.

Teufel, Erwin, Jürgen Habermas über die Verfassung Europas, in: Stimmen der Zeit, H.5/Mai 2012, 349–350.

Tilford, Simon/White, Philip, Why Stricter Rules Threaten the EURO-Zone, London (Center for European Reform: Essays) November 2011 (zugänglich unter: www.cer.org.uk).

Trichet, Jean-Claude, Die grösste Krise seit dem Weltkrieg, in: CICERO, Nr. 11/2011, 102–105.

Valéry, Paul, Die Krise des Geistes; ders., Notizen über Grösse und Niedergang Europas; ders., Amerika – Projektion des europäischen Geistes, in: Werke, Bd. 7 (ed. J.Schmidt-Radefeldt), Frankfurt/M., 1995, 26–55; 166–173; 326–329.

Vosskuhle, Andreas, Fruchtbares Zusammenspiel, in: *Frankfurter Allgemeine Zeitung*, 22. April 2011.

Walker, Marcus/Forelle, Charles/Meichtry, Stacey, Deepening Crisis Over Euro Pits Leader Against Leader, in: The Wall Street Journal, Dec. 30, 2011 (zugänglich unter: www.wsj.com).

Walzer, Michael, Zweifel und Einmischung. Gesellschaftskritik im 20. Jahrhundert, Frankfurt/M., 1991.

Wagner, Peter, Hat Europa eine kulturelle Identität?, in: Joas/Wiegand, Hg., Die kulturellen Werte Europas, Frankfurt/M., 2005, 494–511.

Weiler, J. H. H., Ein christliches Europa. Erkundungsgänge, Salzburg/München, 2004.

Zielonka, Jan, Paradoxien aus 20 Jahren Integration und Erweiterung, in: Aus Politik und Zeitgeschichte, 62. Jg., Nr. 4/2012, 23. Januar 2012, 24–30.

Zimmermann, Hubert, Die gnadenlose Euro-Logik, in: Blätter für deutsche und internationale Politik, 57. Jg., Heft 1/2012, 59–65.

Abkürzungen, Verträge und Urteile

AA: Immanuel Kant, Gesammelte Schriften, Akademie-Ausgabe.

AEUV: Vertrag über die Arbeitsweise der Europäischen Union, nach dem Vertrag von Lissabon (13. Dez. 2007), in: Europa-Recht, hrsg. von Claus Dieter Classen, München 2011.

EUV: Vertrag über die Europäische Union, nach dem Vertrag von Lissabon (13. Dez. 2007), in: Europa-Recht, hrsg. von Claus Dieter Classen, München 2011.

‹Lissabon-Urteil› des deutschen Bundesverfassungsgerichts vom 30. Juni 2009 (BVerfG, 2 BvE 2/08). – Dieses sowie andere zit. Urteile des Gerichts, u. a. zur parlamentarischen Kontrolle des Eursopäischen Stabilitätsmechanismus/ESM vom 28. Februar 2012 (BVerfG, 2BvE 8/11), sowie zum Organstreit ‹ESM/Euro-Plus-Pakt› vom 19. Juni 2012 (BVerfG, 2BvE 4/11) sind zugänglich unter: www. bundesverfassungsgericht.de.

Fernsehsendung

Lamby, Stephen/Wech, Michael, «Der Domino-Effekt: Kippt der EURO?», ARTE, 17. Januar 2012.

Raja Sakrani

Religion als Legitimation einer Geltungskultur? Islamische Rechtskulturen in Europa im Wandel[1]

1 Für die Übersetzung zahlreicher Passagen aus dem Französischen möchte ich Werner Gephart herzlichst danken. Jenny Hellmann gebührt der Dank für Korrekturen und Literaturrecherchen.

Einleitung

Die Erfahrung des arabischen Frühlings hat weitgehende Konsequenzen für das Bild der islamischen Welt. Es war fester Bestandteil des okzidentalen Blicks, eine prinzipielle Unvereinbarkeit von Islam und Demokratie zu behaupten. Diese These ist nicht mehr aufrechtzuerhalten, so schwierig auch die Institutionalisierung rechtstaatlicher, demokratischer Strukturen im Einzelnen ist.

Ist an die Stelle der Religion im idealtypischen Legitimationsmodell islamischen Rechts und islamischer Herrschaft ein anderer Legitimitätsproduzent getreten? Das Volk, das Internet, die Öffentlichkeit? Haben gar Legitimationsprobleme arabisch-despotischer Herrschaft, nämlich eines Ausschlusses der Gesellschaft von den weltlichen Gütern durch Korruption und Despotie die arabischen Revolutionen erst ausgelöst? Die Frage von «Legitimität und Religion» ist im islamisch-arabischen Kontext neu zu stellen, insbesondere weil in den nunmehr durchgeführten demokratischen Wahlen nicht die säkularen, sondern die religiösen Parteien den Sieg davon getragen haben.

Der folgende Beitrag möchte sich mit einem besonderen Problem muslimischer Präsenz in europäischen Gesellschaften befassen, die zu einem Konflikt nicht nur von Rechts-, sondern auch von Geltungskulturen[1] in Europa führt.

Hierbei geht es um Konflikte der folgenden Art:

– Lässt sich das Internet als ein neuer Ort der Normenproduktion identifizieren für eine Minderheitenjurisprudenz? Zwischen den muslimischen Bevölkerungen, die in Europa leben, sowie den Fluren der Gerichtsgebäude artikuliert sich nämlich eine Art «Minoritätenjurisprudenz» im gewöhnlichen Alltagsleben und im Internet. Der Widerspruch ist mitunter eklatant – zwischen einer europäischen Rechtsprechung als Werk von Richtern und Rechtsexperten auf der einen Seite und einem «droit culturel» der Minoritäten als Produkt einer transnationalen rechtsdogmatischen Anstrengung und der Übersetzer im Internet andererseits, die territoriale Grenzen, auch Geltungsgrenzen, ins Virtuelle verlegen.

1 Diese, im Rahmen meines Fellowships am ZRWP Basel entwickelte Studie, ist ausserordentlich bereichert worden durch ein gemeinsam mit Werner Gephart am Käte Hamburger Kolleg «Recht als Kultur» durchgeführtes Forschungsvorhaben zum Thema «Geltungskultur».

- Wenn es eine Besonderheit der muslimischen Religion ist, dass sie nicht nur auf Fragen der Heilsfindung Antwort zu geben, sondern auch das alltägliche Verhalten zu bestimmen sucht, dann gewinnt die Bestimmung eines Verhaltenscodes, der mit dem Gütesiegel des *«halal»* versehen ist, eine besondere Bedeutung. Hunderte von Unternehmen haben dieses «religiöse Gütesiegel» für ihre Produkte in Deutschland, der Schweiz oder Österreich erhalten.[2] So scheint sich die Welt in eine Zone des Erlaubten und des Unerlaubten aufzuteilen, die freilich für eine sich in der «Diaspora» imaginierende religiöse Gemeinschaft zu erheblichen Konflikten führen kann.
- Wie ist der Tatbestand zu deuten, dass es massive Aufforderungen zur Konversion an diesem neuen Ort der Normproduktion – dem Internet – gibt, obwohl sich im Koran durchaus Anhaltspunkte für eine Religionsfreiheit finden, wie in der berühmten Koranstelle: «Es sei kein Zwang im Glauben» (Sure 2, Vers 257)?
- Schliesslich ist das Familienrecht besonders sensibel für Differenzen in der Ausgestaltung des Alltagslebens. So ist gerade das Adoptionsrecht, also die willkürliche «Konstruktion» eines familialen Zusammenhangs über die «natürlichen» Bande hinweg, zwischen den Kulturen ganz unterschiedlich geregelt. In muslimischer Rechtstradition ist die Adoption nicht gestattet, sondern durch ein Substitut, die sogenannte *Kafala* geregelt. Andererseits bietet die Adoption doch Schutz und Nachfolgerechte in Vermögensbelangen, die unter Umständen gerade sozial von den Parteien erwünscht sind. Sie wird ihnen aber zum Teil verweigert unter Hinweis auf ihre rechtskulturelle Besonderheit, die man doch zu respektieren wünscht. Wie lassen sich derartige paradoxe Effekte analytisch schärfer fassen und in ihren Auswirkungen auf die soziale Lage von europäischen Minderheiten interpretieren, die – wie später zu sehen ist – doch eine enorme Quantität aufweisen.

Zur Analyse dieser Konfliktlagen bietet sich folgendes Vorgehen an: Zunächst ist ein idealtypisches Modell der Legitimationsquellen von Recht und Staat im islamischen Kontext zu zeichnen (I.). Hieran schliesst sich eine Analyse der Grenzverläufe von Geltungskulturen an, die auch in ihrem jeweiligen Legitimationsmodus bestehen. Dies wird am Beispiel von familienrechtlichen Konfliktfällen und der Entwicklung eines Minoritätenrechts erläutert (II.). Schliesslich wird diskutiert, welche Bedeutung der gegenwär-

2 Firmen mit Halal-Produkten sind aufgelistet unter www.halal.de; www.halal.ch.

tig beschleunigte Legitimationswandel in den islamischen Herkunftsländern für die Geltungsansprüche islamischer Minoritäten in Europa auf eine eigene, separate, normative Welt haben mag (III.).

I. Legitimationsquellen von Recht und Herrschaft im islamischen Kontext: das traditionelle Verständnis

Untersuchungen zur Legitimitätsgrundlage eines normativen Komplexes, der hier «Geltungskultur» genannt wird, können den Streit um Theorien der Legitimation nicht ausblenden. Dies gilt umso mehr, als die Anwendung dieser okzidentalen Kategorie auf eine ausserokzidentale Welt nicht selbstverständlich ist. Hierzu muss man keine Bekenntnisse zu postkolonialer Begriffsbildung ablegen, aber es ist fraglich, inwiefern auch ausserhalb des dominanten Diskurses im Westen die Frage gestellt wird, ob eine Herrschaft und eine normative Ordnung nicht nur faktisch gälten, sondern auch als «gerechtfertigt» erscheint. Es besteht ein eindeutiger Konsens darüber, dass die mehrfache Ausarbeitung einer Legitimitätskategorie zu den grossen Erfindungen Max Webers gehört; insofern bleiben auch die gegensätzlich angelegten Perspektiven von Jürgen Habermas und Niklas Luhmann dieser Tradition durchaus verpflichtet. Im Folgenden kann es freilich nicht darum gehen, diese Bibliotheken füllende Thematik neu erschliessen zu wollen, sondern den möglichen Theoriegewinn für das Verständnis von «Geltungskulturen» und ihrem Konfliktpotenzial im europäischen Raum herauszuarbeiten.

1. Theorien der Legitimation von Recht und Herrschaft: Weber, Luhmann, Habermas

1.1 Legitimation und «Einverständnis»: Max Weber

In der Weber'schen Herrschaftslehre spielt die Kategorie der «Legitimität» eine zentrale Rolle.[3] Sie stellt ein Scharnier her zwischen «Ideen» und «Interessen», ideellen und materiellen Grundlagen von Recht und Herrschaft. Sie ist zugleich, als Legitimitäts*glaube* akzentuiert, das Einfallstor für den

3 In dem Kommentarband zur Herrschaftssoziologie von E. Hanke und W. J. Mommsen (Max Webers Herrschaftssoziologie, Tübingen 2001) gibt es hierzu keine eigene Abhandlung, dafür in dem Teilband «Herrschaft» der Gesamtausgabe (MWG I/22–4) umso zahlreichere Hinweise.

Einfluss der religiösen Sphäre, ohne auf eine Opiatfunktion reduziert zu werden. Immer wieder betont Weber die ausserordentliche Bedeutung nicht einer objektiven Legitimität, sondern des Glaubens daran, dass die jeweilige Ordnung auch gerechtfertigt sei. Der Bezugspunkt dieses Glaubens auf ausserordentliche Kräfte einer Person (Zuschreibung von Charisma), der Eingelebtheit des schon immer so Gewesenen (traditionale Herrschaft) oder der merkwürdige Glaube an eine Legitimität kraft Legalität (legal-rationale Herrschaft) gibt die Grundlage seiner viel zitierten Typologie ab. Das Konstruktionsprinzip des Legitimitätsglaubens liefert zugleich die Grundlage für die weitere Ausdifferenzierung der sozialen Dimension der Herrschaft in Herrscher, Herrschaftsunterworfene und Herrschaftsstab, die Subdifferenzierungen der Verwaltungsstäbe von präbendaler Verwaltung bis zur bürokratischen Herrschaftsform, und die von Weber in historisch komparativer Art, über die eigentliche Herrschaftssoziologie hinausgehenden Beobachtungen zur Fähigkeit dieser Herrschaftsformen, soziale Ordnung auf Dauer zu erstellen. Das berühmte Thema der «Veralltäglichung» des Charisma lässt sich zum Beispiel auch auf das Charisma von Revolutionen anwenden, das zu seiner Verstetigung ja gerade der Verfahren, «Kommissionen zur Überwachung der Errungenschaften der Revolution» – wie gegenwärtig in Tunesien – bedarf.

Dass für Weber die legal-rationale Herrschaftsform einen Gipfelpunkt, in ihrer bürokratischen Konsequenz auch den Schrecken moderner Herrschaft darstellen kann, bedeutet nicht, traditionale Herrschafts- und Legitimationsmodelle für moderne Gesellschaften völlig auszuschliessen oder aber, in einem globalen Kontext, die Wirkmächte einer solchen traditionalen Herrschaftsform zu unterschätzen. Denn gar der revolutionäre Impetus einer Legitimität kraft Legalität wird im gewachsenen Rechtsstaat zu einer Tradition, an die in mehr oder minder grossem Umfang auch faktisch geglaubt wird. Während die Verzahnung von Recht und Herrschaft für die legal-rationale Ordnung evident ist, muss sie bei der traditionalen und charismatischen Herrschaftsform erst explizit gemacht werden, sie ist nicht Begriffsmerkmal wie in der legal-rationalen Herrschaft, sondern Teil des Bedingungsgefüges, in dem sich traditionale Herrschaft entfaltet, während die charismatische grundsätzlich rechtsfeindlich eingestellt ist. Insofern lässt sich schon aus Webers Analysen erschliessen, dass Konflikte idealtypischer Natur zwischen traditionaler Herrschaft und ihren Legitimationswelten sowie der legal-rationalen Herrschaft des «modernen» Typus angelegt sind. In der abgezirkelten Welt idealtypisch konstruierter Geltungsterrains tauchen Widersprüche nur an den *äusseren Grenzen* dieser Gebietsherrschaft auf. In einer globalisierten Welt der durchmischten Kulturen und Migrationsströme, in denen zwar das Monopol «legitimer» Gewaltsamkeit prinzipiell im Staat verbleibt – so Webers Staatsdefinition –, sich aber unterhalb der staatlichen Ebene andere Geltungsansprüche entwickeln, scheint der Konflikt *innerhalb einer Gesellschaft* vorprogrammiert. Welche Rolle die Legitimitätsgründe, oder wie Weber auch an anderer Stelle sagt, das «Legitimitätseinverständnis», für eine religiös geprägte «Geltungskultur» einnehmen, und wie islamische Traditionen ein solches Legitimitätseinverständnis prägen, bleibt zu erörtern.

Mit der Kategorie des Einverständnisses[4], das in andere Sprachen in missverständlicher Weise zumeist als «consensus» übersetzt wird, scheint sich Weber im Übrigen einer Position zu nähern, wie sie von der Theorie kommunikativen Handelns vertreten wird, die im Folgenden, aufgrund ihrer offenkundigen Verwandtschaft, aber auch Unterschiedlichkeit zu der auf Entzauberung setzenden Theorie von Weber, zu betrachten ist.

1.2 Legitimation und kommunikatives Handeln: Jürgen Habermas

Der Beitrag von Jürgen Habermas zur Legimitationstheorie kann als eine Auseinandersetzung mit Weber gelesen werden. Nach seiner Analyse[5] stehen im Spätkapitalismus Legitimationskrisen an, wenn der Staat, also der Herrschaftsapparat, nicht mehr in der Lage ist, durch faktische Leistungen das Versagen kapitalistischer Märkte legitimationsschaffend zu kompensieren. Besonders skeptisch gegenüber dem Typus «legal-rationaler» Herrschaft diagnostiziert Habermas in der «Theorie kommunikativen Handelns»[6] eine Überwältigung der «Lebenswelt» durch die «Systemwelt», insbesondere durch ein «formales» Recht. Die Lebenswelt erscheint als der ideale Ort kommunikativen Einverständnisses und wird geradezu zerrissen, wenn das Recht die Lebenswelt «kolonialisiert». Hier bleibt anzumerken, dass Habermas in dieser rhetorischen Figur an postkoloniales Denken anzuschliessen scheint, auch wenn er sich dessen Idee eines «legal pluralism» nicht zu eigen macht. Erst in «Faktizität und Geltung» gelangt Habermas zu einer Anerkennung der formal-rationalen Qualitäten des modernen Rechts, die der Bezugspunkt von Webers Legitimitätsglauben sind. Aber wie soll eine sol-

4 Vgl. insbesondere die Ausführungen im Kategorienaufsatz: Weber, Soziologie. Zur zentralen Bedeutung dieser Kategorie vgl. einerseits die Ausführungen von Hanke in: MWG I/22–4, S. 122ff., und von Gephart im Rechtsband: MWG I/22–3, 46.

5 Vgl. Habermas, Legitimationsprobleme.

6 Habermas, Theorie kommunikativen Handelns, 127–178.

che «Legitimität kraft Legalität» – so der Titel der Tanner-Lectures – möglich sein? Und wie soll er massenwirksame «Rechtfertigung» leisten können, wenn dieser Legitimitätsglaube nahezu inhaltsleer ist?

Hier treten unüberbrückbare Differenzen zu Webers Idee einer Einverständnisgeltung bzw. eines Legitimitätseinverständnisses auf, die den fiktionalen Charakter eines solchen Legitimitätsglaubens, ein Handeln danach, «als ob» die jeweilige Ordnung gerechtfertigt sei, betonen, während Habermas doch an dem emphatischen Sinn des Einverständig-Seins festhält. Diese vornormativen Sicherheiten mag die Lebenswelt bieten, vielleicht aber auch die «Religion». Denn in der an Durkheim orientierten These der «Versprachlichung des Heiligen»[7] war Sprache vermittels der illokutionären Bindungseffekte, die an Sprechakte geknüpft werden, in die Rolle einer Einverständnis erzeugenden Institution gerückt. Aber vielleicht gibt es ja auch über diese These vom Verlust des Heiligen eine Art Wiederentdeckung des «Heiligen», die genau jene Bindungsressourcen des Einverständnisses bereitstellen würde, die im Legitimitätsglauben gefordert sind. So führte auch bei Habermas ein Theorieweg zu Religion,[8] wenn es um das Verständnis von Legitimationsproblemen in Gegenwartsgesellschaften geht, und das heisst heute wohl: im Kontext von mehrdimensionalen Globalisierungsprozessen. Dass Luhmann gegenüber Vorstellungen von «Einverständnis» als faktischer Willens- und Wertübereinstimmung skeptisch blieb, gibt allein die Theorie symbolisch generalisierter Kommunikationsmedien wieder: «Sie sollen plausibel machen, wie *Einverständnislücken* übersprungen werden können.»[9]

1.3 «Legitimität» ohne Einverständnis: Niklas Luhmann

Luhmanns Analyse einer neuen Legitimationsform, einer «Legitimation durch Verfahren», ist zum geflügelten Wort der Theoriesprache geworden. Hier berührt sich dann einerseits die Theorie von Habermas mit Luhmanns ernüchternder Deutung. Prozedurale Legitimation soll die Legitimationskräfte beschaffen, die in modernen Gesellschaften notorisch knapp sind und sich nunmehr den von Weber so genannten «formalen» Qualitäten des modernen Rechts nähern. Denn aus der Sicht von Luhmann ist dies ein Grundübel der Legitimitätstheorien, dass sie «von vorübergehenden Moden

7 Ebd., 118ff.

8 Dies ist zunächst noch als «Bewusstsein von dem was fehlt» umschrieben, entwickelt sich aber zu einer eigenen Theorie der Religion: Habermas, Bewusstsein.

9 Gephart, Gesellschaftstheorie, 163.

der transzendentalen bzw. phänomenologischen Philosophie»[10] profitieren, indem die Semantik der Legitimität in der Sprache von Wertbeziehungen ausgedrückt wird. Luhmanns Verdikt über die Leistungsfähigkeit von Legitimitätsformeln ist vernichtend: Da das Alltagshandeln und insbesondere Politik durch unausweichliche Wertkonflikte geprägt ist, das sieht Weber nicht anders, enthält die Sprache der Werte, also die «Legitimitätssemantik», selbst keine Möglichkeiten, diese Wertkonflikte zu entscheiden. Vielmehr geschehe dies situativ und eben nicht «wert-rational», mit anderen Worten, so Luhmann: «opportunistisch». Daher findet sich in «Die Politik der Gesellschaft» die entzaubernde Formel: «Legitimität ist also immer Mitlegitimation des Opportunismus».[11] Etwas freundlicher formuliert: «Die sogenannte ‹Prozeduralisierung› der Legitimität heisst im wesentlichen: Einstellung auf eine unbestimmte Zukunft, in der entgegengesetzte Wertungen zum Zuge kommen können.»[12] Daher wird Legitimität als «Kontingenzformel» interpretiert, jedenfalls für moderne Gesellschaften, denen eine selbstverständliche Wertgeltung abhandengekommen ist. Insofern war ja bereits bei Weber in der Kategorie des «Einverständnisses» eine Unterstellung mitgedacht, wonach die Kraft des Legitimitätseinverständnisses gerade auf einer, sehr nützlichen, Konsens*fiktion* beruhe.

1.4 Was bedeutet diese Forschungsperspektive für eine Analyse des Islam?

Aus diesem skizzenhaften Überblick über Legitimationstheorien, die für unsere Fragestellung der Bedeutung von Religion für die Legitimation von Geltungskulturen relevant sind, erweist sich daher der Ansatz Webers als besonders fruchtbar: Während Luhmann die Fiktion einer Wertübereinstimmung noch gerade zu den Illusionen einer modernen Gesellschaft zählen mag, einer Legitimitätssemantik zur Lösung von Wertkonflikten innerhalb moderner Gesellschaften freilich misstraut, und Habermas tendenziell jedenfalls das *«Legitimitätseinverständnis»* von seinen Fiktionen diskursiv befreien möchte, scheint es im Weber'schen Modell sowohl Raum für partikularistische, religionsgebundene Geltungskulturen zu geben, als auch für solche, die ihre Geltungskraft aus den, wie es in dem zentralen Text zur Entwicklung des Rechts heisst, «formalen Qualitäten des modernen Rechts»[13]

10 Luhmann, Politik, 123.
11 Ebd., 123.
12 Ebd., 124.
13 So der 8. Paragraph der sogenannten Rechtssoziologie Max Webers, MWG I/22–3, 615–639.

beziehen. Insofern stossen säkulare und religiös bedingte Geltungskulturen (s. näher unten) aufeinander. Und wie wir sehen werden, wird gar der Religionsbezug innerhalb einer islamisch geprägten Rechts- und Geltungskultur mehrdeutig.

Welche Legitimationstheorie man nun auch immer zugrunde legen mag, so ist für moderne Gesellschaften der Bezug auf *formelle Verfahrensregeln* entscheidend. Und damit stellt sich die entscheidende Frage: Sind solche Regeln, die eine bestimmte Idee der Gerechtigkeit implizieren – des Bürgers als eines Rechtssubjekts, der Verteilung von Rede- und Verfahrensrechten im Prozess, von Gerechtigkeit als Gleichheit der Rechtsbehandlung – sind all diese Momente des «Rechtsstaates» mit islamischen Rechtskulturen unvereinbar aufgrund divergierender Vorstellungen über den Menschen, Gott, das «Gesetz», die «Gerechtigkeit»?

Eine solche Art von Unvereinbarkeit oder zumindest von «Spannung» zwischen Grundprinzipien der genannten Rechtskulturen muss freilich, im Zuge der jüngsten Entwicklungen, neu gedacht werden. Denn konnte man vor dem arabischen Frühling noch bezweifeln, ob es in dieser Region der Welt überhaupt demokratisch zu nennende Gesellschaften gab, so stellt sich nun die Frage nach dem Verhältnis von Islam und Moderne, Demokratie und Rechtsstaat, Legitimation und Geltung in neuartiger und noch keineswegs abgeschlossener Weise.

2. Religiös-traditionaler Legitimitätsglaube im Islam als spezifische «Geltungskultur»

Welche Grundelemente islamischen «Rechts» lassen sich als Ausdruck einer spezifischen «Geltungs- und Legitimitätskultur» herausfiltern? Zunächst sind die Grundzüge eines solchen Legitimitäts- und Geltungsglaubens in idealtypischer Weise zu entfalten:

2.1 Islamisches Recht

Dies läuft auf die Frage hinaus: Was ist das «islamische» Recht? Haben wir es mit einem Phantom zu tun, wie Baudouin Dupret[14] behauptet? – Um jegliche Art von Essenzialismus zu vermeiden, hat man der Verschiedenheit der Rechtsschulen, wie sie vor allem Wael Hallaq entdeckt hat, Rechnung zu tragen versucht und folgte darüber hinaus den ganz unterschiedlichen

14 Dupret, La Shari'a, 121–173.

Rezeptions- und Anwendungsgebieten sowie Verbreitungsgeschwindigkeiten des Islam. Hierzu gehört es eben auch, dass in der Rechtswirklichkeit islamisch geprägter Gesellschaften, wie etwa in Tunesien, islamische Rechtsbezüge im Familienrecht durch die Reformen Bourgibas systematisch ausgeschlossen waren. Wir haben es also in Gegenwartsgesellschaften mit einer sehr komplizierten Lage einer Durchmischung von islamisch geprägten Rechtsbezügen und positivem, «modernem» Recht zu tun, wie es auch in den vormals autokratischen Regimes zur Geltung kam, selbst wenn die Institutionalisierung der Verfassung etwa hinter einer autoritären Verfassungspraxis zurückblieb.[15] Welche Bedeutung schliesslich der religiöse Bezug für die Produktion und Anwendung rechtlicher Normen haben wird, wenn die islamistischen Parteien den Wahlsieg davongetragen haben – auch hier sind etliche Unterschiede zwischen Tunesien, Ägypten, Libyen, Jemen und Syrien auszumachen –, bedarf sorgfältiger Beobachtung und Einzelanalyse. Während in dieser Region der Welt vor und nach den Revolutionen die normativen Ordnungen von positivem Recht, religiösen Scharia-Bezügen und schlichten Phantasmagorien durchsetzt sind, ist der Import rechtskultureller normativer Projektionen aus arabisch-islamischen Gesellschaften weder einheitlich, noch in irgendeiner Weise positiviert. Überdies ist auch die Beschreibung einer idealtypischen Grundlage der Normfindung in islamisch geprägten Kulturen problematisch. Es ist leicht, immer wieder vor dem Trugschluss zu warnen, einer fremden Rechtskultur okzidentale Kategorien der Reflexion über Recht überzustülpen.[16] Es ist aber ungleich schwerer, dies zu vermeiden. Eine Beobachtung islamischer Rechtsformen kann sich andererseits nicht auf deren Selbstbeschreibung beschränken, sondern es ist der Tatsache Rechnung zu tragen, dass sich zahlreiche Gelehrte, von Ignác Goldziher bis Joseph Schacht[17], Louis Millot und Hervé Bleuchot[18], Baber Johansen oder Wael Hallaq[19], von juristischer Seite in Deutschland jüngst auch Mathias Rohe, dieser auch methodisch schwierigen Aufgabe in umfangreichen Werken gewidmet haben.

15 Vgl. zum Beispiel Lavourel, Les constitutions.
16 Vgl. grundlegend Menski, Comparative law.
17 Siehe: Schacht, Introduction.
18 Bleuchot, Droit musulman.
19 Vgl. insbesondere: Hallaq, An Introduction.

2.2 «Gerechtigkeit»

Ist «Gerechtigkeit» in okzidentalen Rechtskulturen auf die Gleichheit der Behandlung von Rechtsfällen, gleiche Fälle gleich und verschiedene auch verschieden zu behandeln, als Wertorientierung reduziert, so spielt das islamische Recht einen Wert materialer «Gerechtigkeit» ein. Und es ist sogleich anzumerken, dass die Klärung dieser Traditionslinie von höchstem Interesse für eine Analyse der Wertorientierungen der arabischen Revolutionen seit dem arabischen Frühling ist, denn «Würde», «Freiheit» und «Gerechtigkeit» waren die Leitbegriffe der verschiedenen Bewegungen (vgl. hierzu näher unter III).

Im Unterschied zu einer Justitia, der – im Laufe der historischen Entwicklung – durch eine Augenbinde der «veil of ignorance» zugedacht ist,[20] um ihre Unparteilichkeit und Sachlichkeit auszudrücken, gilt dies für das Bild der Gerechtigkeit in islamischen Gesellschaften gerade nicht: «For this to happen, justice must not be blindfolded. On the contrary, it has to take the station and social relations of the individual(s) or group(s) involved into account in order to render justice, thereby establishing a social balance and harmony that had been threatened by a transgression of boundaries, be it a crime, misdemeanor, discord, or violence.»[21] Auch wenn zum Beispiel Gudrun Krämer die historische Vielfalt von konkreten Interpretationen der Gerechtigkeitsformel betont, ist nicht zu bestreiten, dass Gerechtigkeit einen besonders hohen Stellenwert in der Werteskala von Muslimen einnimmt. Der Anthropologe Lawrence Rosen liefert zugleich eine Begründung für den Vorrang dieser Wertbeziehung: «Justice is the most essential, if indeterminate, of virtues of Muslims, because it keeps open the quest for equivalence, a quest seen as central to both human nature and revealed orderliness in the world of reason and passion.»[22]

Vielleicht lässt sich erahnen, warum der Ruf nach Gerechtigkeit in den arabischen Strassen so laut geworden ist. Wenn ‹Gerechtigkeit› als höchster Wert im Islam, wenn auch mit jeweils unterschiedlichen theologischen Nuancen, aus der göttlichen Offenbarung geboren ist, ihren letzten *Geltungsgrund* also in Allah besitzt, dann stellt sich die Frage: Wer ist souverän im Islam – die Ethik, die Vernunft, der gerechte Herrscher? Souverän ist

20 Vgl. Hierzu demnächst González García, La Mirada, erscheint in der Schriftenreihe des Käte Hamburger Kollegs «Recht als Kultur».

21 So mit dem vergleichenden Blick: Krämer, Justice, 26.

22 Art. «Justice» in: The Oxford Encyclopedia of the Modern Islamic World, hg. von J. L. Esposito, 391.

zunächst nicht der Herrscher, sondern: der Text. Der Islam kann als eine Religion der Balance, des Abwägens verstanden werden – daher ein Recht, das diese Charakteristika auf den Begriff bringt. Ein besonders auffälliger Tatbestand in diesem Zusammenhang ist, dass einer der bedeutendsten arabischen Philosophen, Averroès (12. Jahrhundert), und der bekannte Historiker und vermutlich erste arabische Soziologe, Ibn Khaldun (14. Jahrhundert), beide im strikten Sinne *Kadhis*[23] waren. Bereits im 11. Jahrhundert verkündete der muslimische «Verfassungsrechtler» Mawerdi,[24] dass der schlechte, weil *unreligiöse* Kalif noch immer dem *ungerechten* vorzuziehen sei.[25]

Für den westlichen Leser bleibt zu beachten, dass die im Deutschen eingängige Differenzierung zwischen «Gerechtigkeit» und «Justiz» im Arabischen durch eine Differenz von *'adl* und *'adala* nur unzureichend abgebildet wird. Jedenfalls komme es – so Gudrun Krämer – in den Augen der Vertreter einer strikten muslimischen Obedienz, die sie als «Islamisten» bezeichnet, darauf auch gar nicht an. Denn: «What matters is the perception of justice as the supreme and overarching value of Islam, integrating all spheres of social life within one coherent moral and legal framework, or system, in which, at least according to the Islamists, ethics, morals, and the law are no longer differentiated (as they are convinced that they were under the influence of non-Islamic and hence alien legal concepts, practices, and institutions).»[26]

23 Es ist durchaus verständlich, dass immer wieder Anstoss an Webers Charakterisierung des islamischen Rechts als «Kadi-Justiz» genommen wird; so zuletzt Mathias Rohe in der zweiten Fussnote seiner umfassenden Darstellung: Das islamische Recht. Geschichte und Gegenwart. Webers Bild des Islams ist allerdings wesentlich komplexer, was auch Rohe zugibt.

24 Das Buch Al-Ahkâm al-sultâniyâ des Schafiiten Al-Mawerdi ist praktisch das einzige Werk über das «Öffentliche Recht». Die Auffassungen Mawerdis konvergieren mit einem hanbalitischen Autor: Al-farrâ' in seinem Werk Kitâb al'amr bi-lmâruf wa'nnahy an al-munkar: Das Kalifat oder das Imamat ist eine politische Institution, die sich ebenso aus dem Koran herleitet (IV, 59) wie die Pflicht zur Herrschaftsunterwerfung für alle Muslime, der Umma (IV, 59). Als weitere Konsequenz: Der Mangel an Gehorsam, selbst dem ungerechten Kalifen gegenüber, muss im Herzen verbleiben. Es scheint als die Antwort auf die Frage: Was ist eine legitime Herrschaft im sunnitischen Islam?

25 Die von Judith Jolen verfasste Studie über Legitimationsdiskurse politischer Herrschaft Ende der 90er Jahre gewinnt erneut an Aktualität, wenn man die Analyse der Reden Mubaraks (1981–1996) nachliest. Vgl. Jolen, The Quest.

26 Krämer, Justice, 28.

2.3 Das «Gesetz»

Was aber ist die Besonderheit des «Gesetzes» im Islam? Sein *Geltungs-* und *Legitimitätsbezug* ist zwar ein Text – der Koran – aber einer, der nicht menschlichen Ursprungs ist. Der Koran ist das Wort, das Gesetz Gottes – die «bouche de la loi sacrée», um Montesquieu zu paraphrasieren –, das dem Propheten Muhammed durch den Engel Gabriel offenbart wurde. Dieser *logos* hat unter der Herrschaft des dritten Kalifen Uthmân die Grundlage für eine Kompilation des Koran geliefert. Seitdem gibt es bis auf unsere Tage nur eine einzige offizielle Version des Koran, die den Gläubigen verbindlich in kanonisierter Form vorgegeben ist. Dieser Akt der *Ingeltungsetzung* des Gesetzes ist für eine gewisse Unsicherheit hinsichtlich seines Umfangs verantwortlich: Denn was waren die Kriterien der Aufnahme und des Ausschlusses der verschiedenen Koranverse, die von den Gefährten des Propheten in einer oralen Kultur, in der selbst der Prophet des Schreibens nicht mächtig war, auswendig gelernt wurden, um von verschiedenen Kompilatoren zusammengeführt zu werden? Damit gerät zugleich eine weitere Eigenart des islamischen Rechts in den Blick: Dieser heilige und als solcher unveränderbare Text, diese erste «Quelle» des Rechts im Islam, formuliert einen ewigen *Geltungsanspruch* für eine Gesellschaft, die im Wandel ist, immer differenzierter und heterogener wird. Angesichts dessen kann man fragen: Muss dieser Text seines heiligen *Legitimitätsursprungs* wegen unveränderbar bleiben?

Ein hier notwendigerweise knapper Vergleich mit den übrigen monotheistischen Religionen erweist: Die Bibel ist aus Texten entstanden, die von Menschen verfasst sind, die, wie inspiriert auch immer, die Worte Gottes wiedergeben, und Gleiches gilt für das Gesetz vom Sinai. So kann man Interpretationsmethoden spielen lassen, um diese oder jene Bestimmung in der Tora zu relativieren oder auch die Bergpredigt zu deuten.[27] Der laizistische Gedanke ist – wie manche meinen – zunächst in der Unterscheidung des Zeitlichen und des Geistigen bei den Evangelisten aufgetreten und wurde durch konkurrierende Interpretationen von Papst und weltlichen Gewalten bekräftigt. Nicht so in der islamischen Welt: Man muss innerhalb der Gesamtheit der Rechtstexte sorgfältig abwägen, was Ausdruck göttlichen Willens sei und was menschlicher Deutung entspricht und sozialen, ökonomischen, kulturellen und politischen Bedürfnissen jener Entstehungszeit entspringt. Der Koran enthält nämlich nur sehr wenige

27 Die Kunst der Auslegung, die Hermeneutik, weist eben neben einem juristischen auch einen theologischen Zweig in der okzidentalen Kultur auf!

Verse mit juridischer Bedeutung – er ist nicht als eine Kodifikation normativer Ansprüche, als «Normgeltungsbuch», formuliert. Er nimmt die Tradition des mosaischen Gesetzes auf, indem rechtliche Regeln verkündet, heilige Riten festgelegt und soziale Strukturen postuliert werden und indem eine Ethik formuliert wird.[28] So ist der Gott des Islam gleichzeitig *Gesetz-* und *Sinngeber.*[29] Daher vermittelt schon der Ausdruck muslimisches «Recht» einen falschen Eindruck: Handelt es sich hierbei doch eben um einen okzidentalen Begriff, der sich der juristischen Gedankenwelt vor allem derjenigen Rechte verdankt, die aus dem Römischen Recht und seiner Rezeption sowie aus dem Zeitalter des (sogenannten) Vernunftrechts hervorgegangen sind. Anders ausgedrückt und von den Rechtskulturen des Okzidents hergeleitet: der Tradition der römisch-germanischen *Lex* einerseits und der Tradition des Fallrechts, des angelsächsischen *Common Law*[30] andererseits. Gleichwohl evoziert das islamische Recht in gewisser Weise beide Traditionen: die einer *ratio scripta* aus einem «vertikalen» *Geltungs- und Legitimitätsgrund* (heilige «Quellen»[31]: Koran, Sunna, d. h. prophetische Traditionen, wie sie in den Überlieferungen, den *hadithen*, erzählt und ihrerseits von den *fuqaha* sakralisiert werden); und daneben gibt es eine «horizontale», über den Präzedenzfall *(Case Law)* vermittelte, *Legitimität* erzeugende *Geltungskette*, denn ebenso wie das angelsächsische ist das muslimische Recht Justizrecht. Gleichwohl werden die Dinge in dem Masse komplexer, in dem die dogmatische Form des islamischen Rechts (in Fallkommentaren, *fatwa* usf.), welches heilig in seinem Ursprung und rechtsdogmatisch in seiner Form ist, eine horizontale Ausweitung seiner *Normgeltung* bis zur reinen Kontingenz hin erlaubt. Um es ganz schlicht zu sagen: Es ist zwar «heilig» in seinem Geltungsursprung, vermag aber flüssig und weich in seiner Anwendung zu werden. Hiervon zeugen die *hiyal* oder die juristischen «Listen», wie sie vor allem von der hanafitischen Rechtsschule entwickelt wurden. Sie vermögen die Strenge des Gesetzes abzumildern – bis zur Verfäl-

28 Wenn die Sunniten vielfach an den Wortlaut des Koran gebunden sind, billigen die Schiiten dem vom Propheten abstammenden, auf Hussein zurückgehenden Imam eine Weisheit zu, die es ihm gestattet, den geheimen Sinn des Koran zu durchdringen. Er ist der Koran, der «spricht». Aber nach dem Verschwinden des letzten Imam (874) und seiner heimlichen Nachfolger stützt sich die Schia auf den *wilayat al-fiqh*, den jeweils am meisten erleuchteten Theologen, solange man auf die Entschleierung des letzten Imam, der versteckt lebt, wartet.

29 Dies wird treffend formuliert von Charnay, Esprit, 6.

30 Vgl. Assier-Andrieu, L'autorité.

31 Es lohnte sich, die arabische Metaphorik der Wurzel («usul») weiter zu verfolgen.

schung hin –, wenn etwa die verbotene Zinsnahme *(riba)* durch einen doppelten Verkauf derselben Sache religiös-rechtlich ermöglicht wird. Gleiches wäre von den Regeln der Repudiation zu sagen. Gleichzeitig sollte man glauben, man habe sich im Islam von einem «legalistischen Mythos»[32] verabschiedet. Das Gegenteil ist der Fall: Die intendierte Reinheit des Legalismus oder gar Hyperlegalismus im Islam versteht es, jede divergente oder gar innovative Meinung auszuschliessen, jede *bid'a* also, denn jede Innovation vergreife sich am heiligen Gesetz.

Auch wenn sich das muslimische Recht in seiner *Geltungsgeschichte* sicherlich gewandelt hat, so bleibt doch Folgendes festzuhalten:

2.4 Geltungs-und Legitimitätsquellen

(a) Das muslimische Recht ist seiner Substanz nach und von seinen *Geltungsquellen* (Koran und Sunna), aber auch von seiner Sprache (dem Arabischen) her: «heilig». Denn die Offenbarung *(tanzil)* hat sich der arabischen Sprache bedient und sie damit zugleich sakralisiert – eine Besonderheit des Islam. Es ist also «heilig» im doppelten Sinne, seinem *Geltungsursprung* und seinem *Geltungssinn* nach; so also, wie es Jean-Paul Charnay formuliert hat: «[…] religion, phénoménologie propre au fiqh, structures mentales telles que forgées par la syntaxe et la sémantique arabes, se conjuguent pour maintenir le croyant dans un système de normes irréductibles aux autres systèmes juridiques; normes perpétuant par les résonnances affectives et les constructions rationnelles conscientes, les valeurs et les comportements spécifiques de l'Islam.»[33]

(b) Der strikte Gesetzesglaube (Legalismus, wenn nicht gar Hyperlegalismus) des Islam ist der Tatsache geschuldet, dass die Scharia (der Koran und die Sunna sowie der *ijmâ'* der Rechtsgelehrten der *Umma*: d.h. der Konsens der muslimischen Gemeinschaft, wie er von den weisesten und respektiertesten *Ulama* oder *fuqaha* formuliert ist) zugleich die religiös-theologische Identität des Islam darstellt. Dies ist ein weiterer Beleg dafür, dass das islamische Recht weniger pragmatisch und weltlich konzipiert ist; auch wenn die Rechtssuche durch praktische Klientelinteressen motiviert ist, bleibt die Anwendung islamischen Rechts selbst ein frommes Werk, eine religiöse Handlung. Rechtsanwendung als performativer Akt ist religiös!

(c) Eine weitere Besonderheit ist hervorzuheben, die sich als spezifische Eigenschaft der Geltungskultur des Islam charakterisieren lässt: Die *Gel-*

32 Charnay, Esprit, 6.
33 Ebd., 11.

tungslogik ist von der okzidentalen grundsätzlich verschieden. Sie wird nicht in einem binären Code ausgedrückt, der nach Luhmann ja das Rechtssystem konstituiert. Die allermeisten Handlungen werden nämlich durch ein *Geltungsgefälle* zwischen dem, was verpflichtend *(wajib)* oder empfehlenswert *(mandub)* ist, dem, was rechtlich neutral oder indifferent *(mubah)* ist, und dem, was verboten (*mahdur*) oder verwerflich ist *(makruh)*, charakterisiert. So wird zum Beispiel von der Polygamie als Lebensform, entgegen westlichen Phantasmen, eher abgeraten, auch wenn sie im Islam grundsätzlich zulässig ist. Hierbei schreiben sich soziale Normen in das weite Feld ethischer Normen ein, die vielfach nicht von den rechtlichen und religiösen Geboten zu unterscheiden sind. Insofern ist die *Geltungskultur* des Islam durch eine Verschlingung von Recht, Religion und Moral gekennzeichnet.

(d) Gleiches gilt für diejenigen Sanktionen, die an die Verletzung von schuldrechtlichen und insbesondere vertraglichen Pflichten geknüpft sind. Die Ungültigkeit *(butlan)* entspricht keineswegs der Nichtigkeit. Als Beispiel kann der Vertrag mit auflösender Wirkung *(akd mawquf)* angeführt werden, der im Grunde bis zu seiner Anerkennung gültig ist – wie im berühmten Fall der letzten Krankheit –, der den Erblasser auf Dauer bindet, auch gegen seinen Willen und auch wenn er sich erholt.[34]

(e) Der Gegensatz zwischen dem «Gottesrecht» und dem «Recht der Individuen» ist eine Art der «Scheidung der Rechtsgebiete», wie Weber sagt, oder ein Prinzip der Binnendifferenzierung, wie heutige Rechtssoziologen es formulieren würden, die der klassischen Unterscheidung von öffentlichem und privatem Recht entspricht.[35] Jene Differenzierung bestimmt nun die weitere Differenzierung sachlicher Rechtsgebiete, die das Strafen sowie zivilrechtliche, familienrechtliche, handelsrechtliche oder öffentlich-rechtliche Beziehungen zum Gegenstand haben. Diese Unterscheidungen sind nicht nur wichtig, um nicht einem auf die Strafen am Körper fixierten Bild der islamischen Rechte zu verfallen, sondern auch, um die Anwendungsvielfalt und die Kollisionsrisiken mit westlichen Rechtssystemen ausreichend zu erfassen.

(f) Auf welche Art von «Einverständnisgeltung» der Rechtsgemeinschaft stützt sich das Recht? Der Begriff «Einverständnis»[36], der, wie wir sahen, ein fiktionales Element enthält, wird im Französischen als *consensus* übersetzt,

34 Siehe zum Beispiel aus der Hanafitischen Schule: Ibn Nadjim, Al-achbah, 26.

35 Vgl. zu den Einzelheiten Javad Javid, Droit naturel.

36 Ein zentraler Begriff der Weberschen Kategorien- und Rechtslehre, vgl. die Erläuterungen in: Gephart, Einleitung, 46.

Ijmâ' wäre die Entsprechung im Arabischen[37]. Im Islam allerdings zieht insbesondere der *Ijmâ'* auf politischer, juristischer und sozialer Ebene seine Kraft nicht aus einem Legalitätsglauben, sondern ausdrücklich und ausschliesslich aus der Religion. Insofern wäre auch die Annahme einer Verwandtschaft mit einer Kommunikations- bzw. Konsenstheorie des Rechts (s. o.) nicht zu halten. Dabei ist die Etymologie aufschlussreich, denn dem Begriff von «Legitimität» entspricht im Arabischen nicht nur ein Synonym für Religion, nämlich, *Maschru'* oder *Schari'a*, (das heisst: Der von Gott vorgezeichnete Weg), sondern diese arabischen Termini bezeichnen zugleich, was rechtens ist, weil es vorweg vermittels der Religion als legitim definiert ist: *Schar'i/Ghaïr Schar'i*, wovon das Wort *Scharia* stammt, das bedeutet letztlich: Die Gesamtheit der normativen Regeln.

Das Weber'sche Schema der Beziehung von normativer Ordnung und (religiöser) Legitimation ist praktisch umgedreht. In welchem Sinne? Während die normativen Ordnungen nach Weber einer «Einverständnisgeltung» bedürfen (siehe oben), also an sie geglaubt werden muss, fügt man den normativen Ordnungen im Islam nicht einen Legitimitätsgrund hinzu, sondern man muss ihnen Glauben schenken, weil die Religion per se – natürlich durch die juristisch-religiösen Spezialisten, die *Ulama*, vermittelt – bereits ihre Legitimität als Gesetz garantiert.[38]

Exkurs: Legitimitätsdiskurse arabisch-islamischer Gesellschaften im Umbruch

Man gewinnt den Eindruck, dass die Positionen der verschiedenen Akteursgruppen der revolutionären Bewegungen um die hier thematisierte Frage kreisen: Islamisten in Tunesien, die der Partei Ghannouchis folgen, berufen sich auf das laizistische Modell der Türkei, das seinerseits Bourgiba zum Vorbild diente und von auf der Eigenständigkeit des Islam bestehenden Intellektuellen, wie Tariq Ramadan, als Trugbild entlarvt wird, das nur den Eigeninteressen einer politischen Klasse gedient, aber einer Variante des Säkularismus entsprochen habe, der die Religion dem Staat untergeordnet habe und im Übrigen nur die ideologischen

37 Der Ijmâ' stellt neben Koran und Sunna die dritte Rechtsquelle im sunnitischen Islam dar. Er darf darum nicht mit einer Konsenstheorie normativer Wahrheit verwechselt werden. Er wurde von einem vorislamischen Prinzip zu einer religiösen Doktrin transformiert unter der schwierigen Kautel, aus der primären Quelle, dem Koran, herleitbar zu sein. Sehr klar formuliert bei Hallaq, On the Authoritativeness, 427–454. Über den Rest besteht zwischen Coulson, Hugronje, Houdrani u. a. erheblicher Streit!

38 Vgl. hierzu auch: Sakrani, Religion und Recht.

Vorurteile reproduziere, die von den kolonialen Eliten erfunden worden seien: die Trennung von Staat und Religion: «Le choix même de cette problématique, comme s'il s'agissait d'une priorité, poursuit l'agenda idéologique des colonisateurs du passé, qui voulaient faire croire aux colonies que leur retard tenait de l'incapacité de l'islam de réaliser le divorce entre le politique et le religieux.»[39] Dass sich diese, vielfach westlich orientierten Eliten einer säkularen Deutung verschrieben und sich in deren Akzeptanz, d. h. Legitimitätswahrnehmung verschätzt haben, belegen allein die Wahlergebnisse in Tunesien und Ägypten. Dass die Bewegungen ursprünglich von jungen Leuten getragen wurden, die sich weder auf den Islam bezogen, noch den ideologischen Versprechungen der säkularen Eliten Glauben schenkten, sondern mit elementaren Forderungen nach Freiheit und Gerechtigkeit in dem Medium ihre Botschaft formulierten, das der technologische Westen importiert hatte, in der Cyber-Welt, zeigt eine Position jenseits der Thesen von Trennung oder Vereinigung von Politik, Religion und Recht auf.

Nur was bedeutet der Religionsbezug, konkreter: der Bezug auf islamische Traditionen, für die Neugestaltung der zerbrochenen autoritären Regimes? Tariq Ramadan, Professor für Islamstudien in Oxford und Enkel des Begründers der Muslimbrüderschaft Hassan al-Banna, stellt folgenden Legitimitätsbezug her: «Les partisans de l'islam politique jouissent d'une légitimité historique reconnue pour s'être opposés aux dictatures et en avoir payé le prix par l'emprisonnement, la torture et/ou l'exil forcé.»[40] Und dies gilt auch dann, wenn die Revolution offenkundig von einer ganz anderen Trägerschicht ausgeht, insbesondere von jungen sozial Depravierten, zum Teil mit akademischen Titeln diplomiert, die hinsichtlich der politischen oder ökonomischen Teilhabe keinerlei gesellschaftliche Ansprüche vorbringen konnten. Richtig bleibt, dass in den Gesellschaften des Umbruchs, in Tunesien, Ägypten und Libyen, der Bezug auf den Islam auch in Zeiten eines vermeintlichen Säkularismus Bestandteil des Alltagslebens war. Nur, was bedeutet «Bezug auf den Islam» heute, wenn Salafisten in Ägypten und Tunesien nahezu konträre Standpunkte in der heiklen Frage einer Anwendung der Scharia einnehmen? Wobei fraglich bleibt, wie weit der Anspruch dieser «Geltungskultur» gezogen wird. Ist der verfassungsmässige Bezug auf die Scharia gemeint oder gar die Behauptung der Muslimbrüder: «Der

39 Ramadan, L'Islam, 139.
40 Ebd., 164.

Koran ist unsere Verfassung»? Im formellen Sinne der Verfassung gilt dies von Mauretanien, Libyen, Ägypten bis zum Sudan, Saudi-Arabien, den Vereinigten Arabischen Emiraten, Jemen, Oman, bis Kuweit, Bahrain und Katar. Für das Familienrecht müssten wir den Senegal, Sierra Leone, Nigeria, Somalia, Marokko, Algerien, mit Einschränkung Tunesien, Jordanien, Syrien, die Türkei, den Iran, Afghanistan, Pakistan und die Vereinigten Arabischen Emirate sowie, ohne Anspruch auf Vollständigkeit, die Golfstaaten hinzunehmen, während der westlichem Denken schwer nachvollziehbare Bezug auf ein archaisches Strafrecht Mauretanien, Nigeria, dem Sudan, Saudi-Arabien und Somalia sowie dem Iran, Afghanistan und Pakistan, Bangladesch und Indonesien vorbehalten bleibt.[41] Während sich die Experten darüber einig sind, dass mit dem Bezug auf die Scharia eine plurale, normative Wirklichkeit[42] gemeint ist, fehlt es nicht an Versuchen, an den etymologischen Sinn anzuknüpfen, indem Scharia nicht als ein Normenset begriffen wird, sondern als eine dynamische Perspektive der Normgenerierung, was dies auch immer bedeuten soll. So ist bei dem zuvor erwähnten Tariq Ramadan sicher mit Vorsicht aufzunehmen: «La sharî'a n'est pas une structure légale figée et sanctifiée, elle correspond plutôt à une dynamique spirituelle, sociale, politique et économique qui aspire à des finalités supérieures associées à une certaine idée de l'homme.»[43] Oder ist mit einem legitimatorischen Bezug eine sozialistische Interpretation des Islam gemeint, die ermöglicht, den «Widersprüchen» des Kapitalismus, insbesondere den jüngsten Katastrophen des Finanzkapitalismus entgehen zu können?[44] Jedenfalls ist kaum zu bestreiten, dass dem islamischen Bezug auf «Gerechtigkeit» eine eigene suggestive Überzeugungs- bzw. Verführungskraft innewohnt, die trotz dem Hinweis des Westens auf seinen Leerformelcharakter nicht kleiner wird.

41 Vgl. die nützliche karthografische Übersicht in: Moyen-Orient, 13, 17.

42 So ist allein zwischen den Rechtsschulen innerhalb der Sunna sowie der Schia, der Expertenmeinung der Juriskonsulten und dem *petit peuple* sowie den jeweiligen lokalen Anverwandlungen der malekitischen Rechtsschule in Tunesien, der hanafitischen in Lybien, der schafeitischen in Ägypten usf. zu unterscheiden. Vgl. nur den Überblick bei Lafrance, La charia, Le Monde, 10. Januar 2012.

43 Ramadan, L'Islam, 184.

44 Vgl. hierzu auch meinen Beitrag: Das Verbot von Zinsnahme und Risikogeschäften.

2.5 Max Webers Porträt

Versucht man diese Skizze des islamischen Rechts nochmals zu verdichten, so scheint Webers Porträt islamischer Rechtskulturen nach wie vor treffend. Durch Webers Interesse an der Eigenart okzidentalen Rechts ergibt sich eine spezifische Differenzwahrnehmung: Die religiös bedingten Kulturinhalte – nämlich die Beschränkung auf personale Geltung – stehen einer Universalisierung des Rechts entgegen. Auch hier gelten die von Weber allgemein beschriebenen Schranken «heiligen» Rechts:

> «Der Islam kennt der Theorie nach so gut wie kein Gebiet des Rechtslebens, auf welchem nicht Ansprüche heiliger Normen der Entwicklung profanen Rechts den Weg versperrten.»[45]

Zudem betont Weber, dass ein radikales Interpretationsverbot[46] einer «systematischen Rechtsschöpfung zum Zweck der inneren und äusseren Vereinheitlichung des Rechts»[47] zuwiderläuft. Damit sind sowohl die «Veränderbarkeit» des Rechts, seine Universalisierung sowie die Systematisierbarkeit als Gradmesser der Rationalisierung nach Weber in erheblicher Weise beschränkt. Schliesslich erscheint ihm die moralische Durchdringung des gesamten Rechts,[48] also die prinzipielle Berücksichtigung der «Gesinnung» der Rechtspflege, als äusserst suspekt. Der Streit, ob die von Weber besonders negativ bedachte Kahdi-Justiz zur Unberechenbarkeit des gesamten Rechts führt, oder aber, wie Rosen gegen Weber behauptet hat, durchaus einer eigenen sozialen Logik unterliegt – «quadi justice partakes of regularities which reveal not only Islamic legal history but also the interplay between Islamic law and the society in which ist is rooted»[49] –, bedarf hier keiner weiteren Klärung.

45 MWG I/22–3, S. 526. Diese Tatsache betont u. a. Goldziher, Vorlesungen. Die Konsequenzen eines solchen gemeinsamen Ursprungs, der etwa von David Santillana, dem charismatisch begabten Rechtspropheten, für eine gemeinsame Rechtskultur zwischen islamischem und okzidentalem Recht beschworen wird, sind noch nicht ausgelotet. Vgl. hierzu Sakrani, Au croisement.

46 Andererseits wird jemand, der nicht zu selbständigem Denken, Innovation oder zum Denken in Analogien befähigt ist, bei Mawerdi von der Qualifikation, Recht zu sprechen, ausgeschlossen. Aus den persönlichen Anforderungen an das Richteramt lässt sich im Übrigen sehr gut der Kern der islamischen Rechtslehre ablesen. Vgl. Al-Mawerdi: Les statuts gouvernementaux, 136; vgl. auch die an der Bonner Universität erarbeitete lateinische Übersetzung des arabischen Textes von Enger aus dem Jahre 1853.

47 MWG I/22–3, 531.

48 Vgl. den komparativen Blick bei Sakrani, Le jeu.

49 Siehe Rosen, Equity and Discretion, 217f.

Aber: Eine Rechtspflege, die «‹materiale› Gerechtigkeit [erstrebt], nicht formale Regelung eines Interessenkampfes»[50], hat Konsequenzen für die Integrationsfähigkeit oder Kompatibilität mit einer dominanten Rechtskultur, die auf ihre formalen Qualitäten setzt. «Je weniger Recht als kontingent gesatzt gilt, umso weniger ist es verhandelbar, umso höher ist sein Anspruch auf unbedingte Anerkennung. Und je mehr Recht bzw. der normative Geltungskomplex zugleich Ausdruck einer eigenen kollektiven Identität ist, umso stärker muss er als unverzichtbar erscheinen.»[51]

II. Konflikte von Rechts- und Geltungskulturen

Um die Eigenart dieser Konflikte schärfer zu erfassen, ist zunächst das Konzept der «Geltungskultur» näher zu betrachten. Es wurde im Zusammenhang der theoretischen Orientierung des Käte Hamburger Kollegs «Recht als Kultur» entwickelt und in einem ersten Schritt zur Diskussion gestellt.[52] Hier steht der Bezug zur Legitimitätsfrage im Vordergrund.

1. «Geltungskultur» und «Rechtskultur»

Wir hatten bereits gesehen, dass in der Weber'schen Herrschaftslehre die von einer Rechts- und Herrschaftsordnung erhobenen Geltungsansprüche und die ihnen korrespondierenden Befolgungsmotive als jeweiliger «Legitimitätsglaube» von zentraler Bedeutung sind. Der rechtstheoretische und philosophiegeschichtliche Hintergrund der Geltungslehre, der für Weber und seine Zeitgenossen und bis zu den gegenwärtigen Debatten über «Normativität», etwa in «Faktizität und Geltung» richtungsweisend ist, lässt sich hier nicht entfalten. Nur so viel:

In der nachkantianischen Rechtslehre spielt die Idee der «Geltung» eine zentrale Rolle.[53] Normative Ordnungen zeichnen sich dadurch aus, dass sie

50 MWG I/22–3, 535.

51 Gephart/Sakrani, «Recht» und «Geltungskultur», 116.

52 Vgl. ebd.

53 Schon bei Rickert findet sich die Gegenüberstellung unterschiedlicher (formaler) «Geltungsarten» von Begriffen der «beschreibenden» bzw. «erklärenden» Naturwissenschaften; vgl. Rickert, Die Grenzen, 86. Den Begriff «Geltungsart» führt Emil Lask zur Bestimmung der «Rechtswirklichkeit» als Gegenstand der empirischen Wissenschaft an, während Weber die empirische Geltungsart als unterstellte Voraussetzung der juristischen Systembildung behandelt; vgl. Lask, Rechtsphilosophie, 273. Vgl. auch Welzel: An

einen *Geltungsanspruch* erheben, also erwartet wird, dass ihnen Achtung entgegengebracht wird. Dies bedeutet, dass im Fall des Zuwiderhandelns – so jedenfalls im Allgemeinen – nicht die normative Ordnung sich anpasst, sondern das Recht – in der eingängigen Formulierung von Niklas Luhmann – «kontrafaktisch» darauf besteht, dass die Norm eingehalten wird.[54] Diese ‹gilt› *empirisch* in dem Masse, in dem der Anspruch aufrechterhalten wird, dass die Norm noch gelten solle. Wird der Geltungsanspruch auch von den Hütern der Rechtsordnung nicht mehr erhoben, dann gilt die Norm empirisch nicht mehr, selbst wenn sie weiterhin formal in irgendeinem Text oder Erinnerungsbruchstück bestehen sollte.

Normen sind nicht auf ewig eingerichtet, so jedenfalls das nichtreligiöse, säkulare Normverständnis. Nur bestimmten wird eine, freilich: relative, Ewigkeit zugedacht (etwa Art. 79 Abs. 3 GG). Daher kann es auch eine Art *Geltungswandel* geben, sowohl im empirischen wie im normativen Sinne. Ein Geltungswandel im normativen Sinne vollzieht sich dann, wenn eine Norm formal aufgehoben wird (dabei kann sie im Sinne einer sozialen Norm weiterhin Beachtung finden), oder aber auch dann, wenn der Normsinn erodiert und sich neue normative Projektionen Bahn brechen. Mit dieser Möglichkeit des Geltungswandels ist von vornherein die Vorstellung des normativen Wandels und der Wandelbarkeit von Normen verbunden. Geltungsansprüche lassen sich nicht in die Ewigkeit verlängern, es sei denn, wir behaupteten für einen spezifischen Normbereich, etwa den der religiösen Sphäre oder der Liebe, dass er doch ewig gelte – worin sich jene gar mit der Mode treffen, die ja zumindest von der *Illusion der ewigen Geltung* ihrer Unwandelbarkeitsansprüche zehrt.

Damit stellt sich die Frage, ob sich Typen normativer Ordnungen nach dem Charakter ihres Geltungsanspruchs unterscheiden, und auch nach der Art, in denen sie einen Geltungswandel zulassen und ermöglichen. Lassen sich Recht, Moral, Konvention, Religion und die im 19. Jahrhundert noch in einem Atemzug genannte Mode[55] gerade in dieser Hinsicht unterschei-

den Grenzen. Siehe auch näher die Einleitung zum Rechtsband (MWG 22/I–3, S. 34ff.) von Werner Gephart.

54 Diese Formulierungen knüpfen an Niklas Luhmanns Rechtssoziologie an.

55 Die Mode ist interessanterweise im 19. Jahrhundert z.B. bei Wundt, von Ihering, Gabriel de Tarde selbstverständlich noch nicht mit dem Makel der Illegitimität versehen, sondern gerade normtheoretisch gefasst. Vgl. Ihering: Der Zweck, 230–240. Vgl. ebenso Tönnies, Die Sitte, 74ff., 80; weit kritischer Wundt, Ethik, 219.

ISBN 978-0-8248-3538-5
90000
9 780824 835385
www.uhpress.hawaii.edu

University of Hawai‘i Press
Honolulu, Hawai‘i 96822–1888

den? Gibt es also eine Art *Verbindlichkeitsgefälle* je nach Geltungsintensität der normativen Ordnungen?[56]

Tabelle: säkulare und religiöse Geltungskulturen

Geltungs-glaube	**Symbolische Geltung**	**Normative Geltung**	**Organisa-tionsförmige Geltung**	**Ritual-dynamik**
religiöse Geltungskultur	Symbol. Repräsentanz der Selbstreferenz	Hierarchisierung normativer Ordnungen (Religion-Recht-Moral-Sitte-Mode)	Rechts- als Glaubens-gemeinschaft	Ritualer Formalismus
sakuläre Geltungskultur	Kontingenz-symbolik	Entkoppelung von Geltungsansprüchen und normativem Pluralismus	Differenzierung von Rechtsstab und religiösen Experten	Logik des «Verfahrens»

Unterscheidet man vier Geltungsdimensionen, die aus den Grunddimensionen sozialen Lebens hergeleitet sind,[57] nämlich eine *symbolische*, eine solche der *Normativität*, eine *organisationsförmig* gestützte und eine solche der *Ritual*verfasstheit, dann lassen sich die in der Tabelle aufgeführten Arten von Geltungskulturen idealtypisch unterscheiden.

Wenn ein Merkmal des «modernen» Rechts seine «beliebige Satzbarkeit» ist, die Positivität also eine Demarkationslinie zwischen modernem und traditionalem Recht schafft, dann stellt sich die Frage, ob nicht die Art und Weise, mit der ein Rechtssystem oder eine komplexe normative Ordnungsstruktur einer Gesellschaft mit diesem Phänomen umgeht, ein die Rechtskulturen differenzierendes Kriterium darstellt.

Zeichnet sich also etwa das Römische Recht durch seine spezifische Art des Umgangs mit der Unbedingtheit von Geltungsansprüchen aus, insbe-

56 Vgl. auch das Schaubild: Geltungs- und Verbindlichkeitsgefälle normativer Ordnungen, in: Gephart/Sakrani, «Recht» und «Geltungskultur», 108.

57 Vgl. zuletzt Gephart: Grundelemente, 34–37.

sondere im Bereich des sakralen Rechts? Welche Vorstellungen enthält das kanonische Recht bezüglich der Wandelbarkeit von Normgeltungsansprüchen? Lassen sich die religiösen Rechte des antiken Judentums, des Christentums und des Islams gerade unter diesem Blickwinkel der Veränderungsresistenz miteinander vergleichen? Wie reagieren andererseits normative Systeme, deren Identität gerade durch die Vorstellung der Unwandelbarkeit gekennzeichnet ist, darauf, dass sich das soziale Leben ändert und auch das Recht, bzw. seine Auslegungspraktiken, sich entsprechend fortbilden oder anpassen muss? Und inwiefern greift die Annahme unveräusserlicher Rechte im neuzeitlichen Naturrecht die Vorstellung ewiger Geltung wieder auf? Schliesslich: Sind moderne Rechtsordnungen nicht gerade dadurch gekennzeichnet, dass ihre normativen Projektionen *nicht* beliebigen *Geltungserwägungen* unterliegen, sondern in ihrem Verfassungskern dem *Geltungswandel* entzogen sind?

Mit der Beantwortung dieser und hier anschliessender Fragen lässt sich ein abgestuftes Bild von Geltungsansprüchen und vom Geltungswandel normativer Ordnungen gewinnen, das Differenzierungen erlaubt, die quer zu den herkömmlichen Unterscheidungen von Rechtskulturen liegen. Denn es können sich auf einmal Rechtskulturen gegensätzlichster Art in derselben Familie der Geltungskulturen wiederfinden, und scheinbar verwandte, historisch miteinander verwachsene Rechtskulturen unterschiedlichen Geltungskulturen angehören. Der Gesamtkomplex der so umrissenen und durch ihren jeweiligen Geltungsmodus bestimmten Tatbestände soll also mit dem Begriff der *Geltungskulturen* bezeichnet werden.

Geltungsansprüche und Geltungswandel innerhalb des Kosmos normativer Ordnungen können beobachtet werden, um Differenzen zwischen temporären und ewigen Geltungsordnungen zu erfassen, interkulturelle Gemeinsamkeiten zwischen verschiedenen Rechtskulturen zu eruieren und um auszumessen, welche partikularen Geltungsräume für ein Recht der «Anderen» von einer dominanten Rechtsordnung zugebilligt werden.

Es wird vermutet, dass sich religiös bzw. säkular codierte Rechtskulturen in Hinsicht auf ihre Geltungsvorstellungen grundlegend unterscheiden, und zwar in der Art und Weise, in der die normativen Ordnungen von Recht, Religion und Moral aufeinander bezogen sind: als Geltungshierarchien, Geltungskonkurrenz oder ungetrübte Verschmelzung der Geltung von Recht, Religion und Moral (so die obige Tabelle).

Wenn man die individuelle Handlungen übersteigenden sozialen Strukturen und Prozesse nicht als soziale «Systeme» oder «Felder» ansieht, sondern mit Webers Konzept der *Zwischenbetrachtung* als «*Sphären*»[58] bezeichnet, dann sind Wirtschaft, Politik, Verwaltung, Recht, Kunst, Musik, Architektur oder auch Liebe auf jeweils eigene Werte und Normen bezogen, die sich in einem Verhältnis der Konkurrenz, Überschneidung, Hierarchisierung oder Spannung zueinander befinden. Vor dem Hintergrund des bei Weber propagierten Ideals der *Sphärentrennung* bezeichnet *Sphärenfrevel* illegitime *Sphärenübergriffe*, während *Hybridisierung* auf neue Überschneidungszonen der idealtypisch voneinander getrennten Sphären verweist.

Sofern sich die verschiedenen Geltungsansprüche innerhalb einer konkreten Geltungskultur nicht nur unterscheiden, sondern sich widersprechen, stellen sich auf der Ebene der objektiven Normenordnungen wie auch auf der subjektiven Seite der Akteure *Geltungskonflikte* ein. Diese sind besonderer Art, wo komplexe Geltungskulturen in einem «Clash of legal cultures»[59] aufeinander stossen. Eine Variante dieser Konfliktlage sind diejenigen Spannungen, die zwischen einer dominanten Rechtskultur und der in sie eingeschlossenen partikularen Geltungskultur auftreten und zu einem *«legal pluralism»* führen, dessen Legitimität unterschiedlich eingeschätzt wird.

2. Rechtskulturkonflikte als Konflikte von Legitimationsmodi

2.1 Die normative Differenzierung von Geltungsgebieten

Muslimische Juristen haben in den Jahrhunderten, die auf die Offenbarung folgten, Konzepte entwickelt, die ihrem jeweiligen geopolitischen und religiösen Milieu angepasst waren. Sie unterschieden zwischen *Dar al-Islam* (wörtlich: Haus oder Gebiet Gottes), in dem die Völker je nach ihrer Lage und Religionszugehörigkeit (als Muslime, Nicht-Muslime, Freie und Sklaven) je eigene Rechte und Pflichten hatten, und *Dar al-Harb* (wörtlich Haus oder Gebiet des Krieges); *Dar al-Sulh* (Gebiet der «Waffenruhe»); oder *Dar al-'Ahd* (Gebiet des Paktes). Inmitten dieser zweiten Kategorie sind die Beziehungen zwischen Muslimen und Nicht-Muslimen minutiös geregelt: Dies gilt für die möglichen Handelsbeziehungen (mit *Dar al-Sulh*), es gilt für die Steuerabgabe auf der Grundlage einer Vereinbarung mit den nicht-

58 Vgl. Gephart: «Sphären» als Orte der okzidentalen Rationalisierung. Vgl. auch die Einleitung zum Band Sphärendynamik I: Grundelemente einer Theorie sozialer Sphären.

59 Vgl. Pieper: «The Clash of Civilisations».

muslimischen Mächten (der Fall des *Dar al-'Ahd*) oder aufgrund des «heiligen Krieges», das heisst die Kriegsbeute (im Fall des *Dar al-Harb*). Das Zusammenleben im *Dar al-Islam* ist auf strikte politische und fiskalische Regeln gegründet. Muslime haben obligate Almosen (*Zakat*) zu leisten; Christen, Juden wie Zoroastrier und auch andere Konfessionen können ihren Kult ausüben und haben eine Kopfsteuer zu entrichten (*Jizya*). Fremde müssen über einen Passierschein (*Aman*) verfügen, der ihre persönliche Integrität und ihren Besitz garantiert.[60] Man muss zugeben, dass diese Raumordnung des juridisch-religiös-politischen Denkens seine einstige Gültigkeit verloren hat. Es blieb solange gültig, als alle Muslime innerhalb der räumlichen Grenzen des *Dar–Islam* lebten. Die Kreuzzüge im Mittelalter, der Rückzug und schliesslich das Abbröckeln des Ottomanischen Reiches, die englischen und französischen Kolonisationen im 19. Jahrhundert, die Gründung des Staates Israel und die Immigrationswellen nach der Dekolonisation haben mehr oder minder ausgeprägte muslimische Populationen innerhalb politischer und religiöser Ensembles geschaffen, die nicht muslimisch bestimmt sind.

2.2 Demografische Verschiebungen der Geltungs- und Legitimitätsgemeinschaften

Die Unruhen in den Banlieus im Herbst 2005 in Frankreich, die im Anschluss an den Tod eines jungen Mannes maghrebinischer Herkunft nach einer Verfolgungsjagd durch die Polizei ausgebrochen waren, ebenso wie die im Sommer 2011 in Grossbritannien ausgelösten Unruhen als Folge der Tötung eines jungen Schwarzen durch einen Polizisten erfordern ein neues Problembewusstsein hinsichtlich der Rolle von Minoritäten, insbesondere von muslimischen Minoritäten in Europa. Denn die Tatsache, dass heute Folgegenerationen herangewachsen sind, ändert die Ausgangslage. «L'Islam d'Europe n'est plus un corps plus au moins étranger, intégré ou assimilé, il s'agit d'un produit européen. […] Les répercussions de cet enracinement européen et, par voie de conséquence, de cette européanisation de l'islam sont immenses.»[61] Der zunehmende Gebrauch von Ausdrücken wie «l'islam européen», «européanisation de l'islam» oder noch spezifischer, wie im Fall des laizistischen Frankreich, wo von einem «l'islam de France» gesprochen

60 Um diese normativ-räumliche Differenzierung der unterschiedlichen Diar (Häuser oder Gebiete) im Islam zu verstehen, vgl. insbesondere Kapitel XIII «De la capitation et de l'impôt foncier (le Kharaj)» und Kapitel XIV «Conditions différentes des diverses régions» in: Al-Mawerdi, Les Statuts gouvernementaux, 299–377.

61 Buresi, Les mondes de l'Islam, 45.

wird, zeigt, dass ein Konflikt der Rechtskulturen und ihrer Legitimitätsgrundlagen nicht nur den theoretischen Zugang, sondern auch den geografischen, anthropologischen und auch: politischen Ansatz verschiebt.

Was sagen zunächst die Statistiken? Nach dem Bericht des Pew Research Center's Forum on Religion and Public Life, benannt als «The Future of the Global Muslim Population», werden im Jahre 2030 26,4 Prozent der Weltbevölkerung Muslime sein, das heisst 2,2 Milliarden Menschen anstelle von 1,6 im Jahr 2010. Die demografische Wachstumsrate für die muslimische Bevölkerung wird auf 1,5 Prozent für den Zeitraum 2010–2030[62] eingeschätzt.

Die für uns interessantesten Daten beziehen sich auf Europa und den amerikanischen Kontinent. Für Kanada zum Beispiel hat das in Washington ansässige Forschungsinstitut *Pew Forum* eine Verdreifachung der muslimischen Bevölkerung für die kommenden Jahre vorhergesagt. Für die USA sieht man ein Anwachsen um mehr als 100 Prozent: von 2,6 Millionen im Jahre 2010 auf 6,2 Millionen im Jahre 2030. Europa wird diesem demografischen Umsturz nicht entgehen, man sagt eine Zunahme der muslimischen Bevölkerung um ein Drittel voraus, insgesamt erreicht sie damit 8 Prozent der europäischen Bevölkerung. Unter den europäischen Ländern weisen Frankreich (4,7 Millionen), Deutschland (4,1 Millionen) und Grossbritannien (2,9 Millionen) die meisten Muslime auf. 2030 sollen, den Vorhersagen zufolge, Muslime in Frankreich den grössten Anteil in Europa ausmachen, nämlich 10,3 Prozent[63], während Belgien mit 10,2 Prozent und Schweden mit 9,9 Prozent vertreten sein sollen. Spanien würde die stärksten Einwanderungsströme zwischen 2010 und 2015, vorwiegend marokkanischer Herkunft,[64] erwarten. Es bleibt zu erwähnen, dass die muslimische Bevöl-

62 Diese Zahl ist doppelt so hoch wie die jährliche Wachstumsrate nichtmuslimischer Bevölkerungsgruppen im selben Zeitraum. Des Weiteren werden in zwanzig Jahren 79 Staaten jeweils mehr als eine Million Muslime beherbergen, davon 60 Prozent im asiatisch-pazifischen Raum, 20 Prozent im Nahen Osten, 17,6 Prozent in Subsahara-Afrika, 2,7 Prozent in Europa und 0,5 Prozent in Amerika. Indonesien wird als Land mit der grössten muslimischen Bevölkerungsgruppe von Pakistan überholt werden. In Israel wird sich die Gruppe der muslimischen Einwanderer in den nächsten 20 Jahren auf 2,1 Millionen verdoppeln und 23,2 Prozent der Bevölkerung darstellen.

63 In Frankreich wird im Jahr 2030 jeder zehnte Staatsbürger Muslim sein.

64 Es sei hier darauf hingewiesen, dass von den Staaten des alten Kontinents Russland das Land mit der grössten muslimischen Gemeinde ist (16,4 Prozent, d.h. 11,7 Prozent der Gesamtbevölkerung des Landes). In den Balkanstaaten wie dem Kosovo, Bosnien, Albanien, Mazedonien, Montenegro und Bulgarien stellen Muslime einen wichtigen

kerung «jung» ist, mit 49 Prozent unter 30 Jahren, während der Anteil Jüngerer bei Nicht-Muslimen 34 Prozent erreicht. Im Übrigen hält einer der Forscher des *Pew Forum* fest, dass sich amerikanische Muslime durch ein vergleichsweise höheres Einkommen und ein höheres Bildungsniveau als Muslime in Europa auszeichnen.[65] In seiner Präsentation vom 28. Januar 2011 fügt der Forscher im amerikanischen Zentrum der ausländischen Presse in Washington hinzu, dass Muslime in Europa ethnisch homogener als in den USA seien. So wird die zahlenmässig stärkste muslimische Gruppe in Frankreich aus dem Maghreb und aus «Schwarzafrika» bestimmt, die deutsche setzt sich aus Menschen zusammen, die aus der Türkei stammen, während in Grossbritannien Inder, Pakistani und Südasiaten dominieren. Bedeutet dies, dass das Ausmass der Integration von Muslimen auf der einen Seite und das Mass von Rechtskulturkonflikten auf der anderen Seite, neben anderen Einflüssen, von einem ethnischen Faktor bestimmt werden? Sicher bedürfte dies weiterer, umfassender empirischer Untersuchungen. Aber es scheint gewiss, dass die bezeichneten demografischen Veränderungen tiefgreifende gesellschaftliche, kulturelle, ökonomische und politische Wandlungen nach sich ziehen werden, die das uns bekannte Mass übersteigen werden. In diesem Sinne ist seit einigen Jahren zu beobachten, dass in Europa neue Konzepte und «neue Politiken» entwickelt werden, die den Versuch unternehmen, den Islam besser «in den Griff» zu bekommen, der nunmehr diverse semantische Schattierungen annimmt : «l'islam de France», «l'islam républicain», «l'islam des lumières», «self islam», usf.

2.3 Von der Gebiets- zur spirituellen Gemeinschaft

Es ist wohl allgemeine Überzeugung unter Muslimen geworden, islamische Minoritäten als Teil der grossen *Umma* anzusehen. Dieser zunächst *kulturelle Habitus* hat sich sukzessive, mit der Intensität der Migrationsbewegungen, in eine Rückkehr des Religiösen verwandelt, während die Globalisierung den multiplen Facetten der Legitimitätsfindung eine neue Seite hinzufügt. Und genau in diesem Moment setzt die Rehabilitierung oder «Wiedererfindung» des muslimischen Rechts als Kultur par excellence ein und wird zu einem bestimmenden Moment normativer Ordnungen in der okzidentalen Welt. Der «innovative» Charakter erklärt sich aus historischen und kultu-

Anteil an der Bevölkerung dar, die sich jedoch wie in Russland und im Gegensatz zu Westeuropa bereits vor mehreren Jahrhunderten niedergelassen haben.

65 Bericht: http://pewforum.org/The-Future-of-the-Global-Muslim-Population.aspx (24.7.2012).

rellen Traditionen des Islam. Dieser hat in der Tat eine kohärente Theorie des juridischen Status muslimischer Minoritäten im *Dar al-harb*, das heisst ausserhalb islamischen Territoriums, nicht entwickelt. Das enorme Rechtsmaterial brachte zwar Regeln hervor (*Ahkam*), die auf nichtislamische Minoritäten auf islamischer Erde anwendbar sind, *Ahl al-dhimma* genannt. Vergleichbares allerdings für Muslime als Minoritäten ausserhalb des muslimischen Geltungsgebietes gibt es nicht. Gleichwohl, wenn sich heute «das» islamische Recht im Westen als eine vom Islam als Religion losgelöste «Sphäre» (Gebet, Nahrung, die *halal* ist, Pilgerreise, Opfergaben usf.) zu Wort meldet, dann hat es sich nicht von seinen religiösen Wurzeln abgekoppelt. Um es noch deutlicher zu sagen: Nicht nur wird das Recht «als» die typische Kultur der muslimischen Gemeinschaft (wieder) eingeführt, sondern es ist auch Erbe eines islamischen Rechts des Ursprungs, das jede kulturelle Ausprägung der unterschiedlichen Sphären des sozialen Lebens (Moral, Ritus, gute Manieren usf.) in sich, im Sinne der obigen idealtypischen Rekonstruktion, als eine religiöse Geltungskultur zum Ausdruck bringt.

2.4 Der prekäre Status der Vorläufigkeit und der traditionalistische Legitimationsmodus

Ein bezeichnendes Paradox verdient genauere Betrachtung: Ein grosser Teil der Menschen in Europa – die politische Klasse eingeschlossen – geht davon aus, dass die Präsenz von Muslimen in ihren jeweiligen Ländern vorübergehender Natur sei, selbst wenn sie bereits seit drei oder inzwischen vier Generationen im Land sind. Gleichzeitig behandeln einige traditionelle Juristen die Lage muslimischer Minoritäten so, wie es ihre geistigen Lehrer im Mittelalter taten. Sie sehen muslimische Migranten in gewisser Weise als Opfer der Umwälzungen an, die die arabisch-muslimische Welt mit den Kolonisationen im 19. Jahrhundert erlebt hat, und erwarten, dass sie eines Tages schon in ihre muslimische «Heimat» zurückkehren werden. Um in dieser transitorischen Phase zu überleben, hätten diese Minoritäten eine nahezu «heilige» Pflicht, ihre religiöse und kulturelle Identität zu «schützen». So sieht man, wie aus einer Gemeinschaft, die aus einer anderen hervorwächst – so insbesondere in den europäischen Gesellschaften –, zur Wahrung ihrer Identität eigenständige Formen der Legitimität von Lebensweisen entstehen.

Das Buch «Muslim Minorities, Fatawa Regarding Muslims Living as Minorities», verfasst von den beiden berühmten saudischen Muftis Cheikh Ibn Baz und Cheikh Uthaymeen[66], verleiht diesem Denken umfassenden Ausdruck. Der Respekt vor einem rigiden und hermetischen islamischen Gesetz wird auf die Spitze getrieben. So raten diese beiden Autoren strikt davon ab, nichtmuslimische Frauen zu heiraten[67], und dazu, sich in Scheidungsfällen oder in Sorgerechtsfragen nur dann an nichtmuslimische Gerichte zu wenden, wenn dies der Scharia nicht widerspricht.[68] Es wird ihnen gar untersagt, Christen ihre Glückwünsche zu Weihnachten oder bei anderen religiösen Festen auszusprechen[69]. Und wer sein Leben in Unreinheit fristen möchte, hat diesen Status zu verlassen «de gagner sa vie autrement que comme Allah l'a interdit, à savoir dans la mixité hommes-femmes, ce mode de subsistance doit être abandonné»[70]. Eine Lektüre dieses Werkes macht den traditionalistischen Legitimationsmodus sichtbar, der die Leitidee der vorgestellten Doktorin darstellt. Denn diese beiden Autoren verwenden den Begriff «Feindesländer», um nichtmuslimische Länder zu bezeichnen, in denen muslimische Minoritäten zu Hause sind. Dabei zielen sie nicht auf eine aktive, feindselige Haltung gegenüber den Gastgeberländern, verwenden aber die problembehaftete mittelalterliche Terminologie[71]. Gleichwohl ist der Rückgriff auf die klassischen Kategorien, das heisst diejenigen des Mittelalters *Dar al-harb* und *Dar al-islam*, am Ende unmissverständlich.

2.5 Auf dem Wege zu einer aufgeklärten «Minoritätenjurisprudenz» und einem neuen Legitimationsmodus?

Parallel zu dieser traditionalistischen Theoriebildung – oder bereits etwas vorher – trat eine neuartige Literatur über muslimische Minoritäten auf den Plan. Die Leitfiguren dieser Bewegung sind Islamwissenschaftler und muslimische Denker aus Europa und den Vereinigten Staaten.[72] Das Ergebnis ihrer Rekonstruktionen stellt gleichwohl kein festes rechtsdogmatisches

66 Ibn Baz/Uthaymeen, Muslim Minorities.

67 Ebd., 29.

68 Ebd., 74.

69 Ebd., 83.

70 Ebd., 75.

71 Muhammad Khalid Masud vertritt dieselbe Auffassung: Masud, Islamic Law, 17.

72 Am Beispiel der Forderung Ramadans, die Körperstrafen abzuschaffen, entfaltet Eric Brown ein changierendes Bild eines «clash» zwischen westlichem und «authentischem» Islam, vgl. Brown, After the Ramadan affair, 7–29.

oder theoretisches Normenkorpus in Bezug auf muslimische Minoritäten dar. Wahrscheinlich hat Taha Jabir al-Alwani[73], Präsident des nordamerikanischen Rates, des Fiqh Council, als Erster den Ausdruck *fiqh al-aqalliyat* («fiqh» der Minoritäten) in einer berühmten *Fatwa* von 1994 über die Beteiligung von Muslimen am politischen Leben der USA verwendet.[74] Es ist wichtig festzuhalten, dass die Debatte zunächst von Forderungen ausgelöst wurde, die Muslime selbst erhoben hatten. Die Geschichte dieser *Fatwa* belegt es: Einige Muslime in den USA wollten am politischen Leben nicht teilnehmen, in der Annahme, dass dies eine Allianz mit Nicht-Muslimen und die Unterwerfung unter ein nichtislamisches, laizistisches System bedeuten würde. Al-Alwani verwirft in seiner *Fatwa* jene Argumente und präzisiert, dass das amerikanische System nicht religiös sei, aber seine Laizität besage, dass es auf konfessionellem Sektor «neutral» bleibe.

Seine Position wird noch klarer, wenn er versichert «si les musulmans des pays musulmans ont l'obligation d'appliquer la loi islamique de leur État, ni la loi islamique ni la raison n'exige que les minorités musulmanes des États-Unis affichent les symboles de la foi islamique dans un État laïc, sauf dans la mesure où cet État le permet».[75] Mit dem Aufruf al-Alwanis, ein Konzept der «Minoritätenjurisprudenz» zu entwickeln, gelangen wir von einem traditionalistischen Legitimationsmodus zu einem eher pragmatischen und flexiblen Muster. Die Legitimität schöpft sich weder aus dem formellen Bezug auf die Regeln des klassischen islamischen Rechts, noch aus Kategorien, die im mittelalterlichen Kontext entwickelt und verfestigt wurden. Sie begründet die Basis einer autonomen Jurisprudenz (*fiqh des minorités*), die sich nicht blind auf die Scharia bezieht, sondern beachtet, was sie Muslimen in einer Minoritätensituation im Okzident bieten kann. Die Prämissen dieser neuen Legitimität weisen auf einige Texte und *Fatwas* zurück, die noch vor 1994 verfasst wurden, ohne dass sie nunmehr ein kohärentes Korpus rechtlicher islamischer Regeln darstellten.[76] Es bleibt das Wichtigste zu erwähnen: Das Konzept einer autonomen islamischen Jurisprudenz bedarf, nach al-Alwanis Sichtweise und der manch anderer, des Rückgriffs auf die Sozialwissenschaften und einer gründlichen Kenntnis des

73 Vgl. zur Analyse dieses Ansatzes Fishman, Ideological Islam.

74 In eben diesem Jahr hat der Nordamerikanische Rat das Projekt einer Entwicklung von «Recht» (*fiqh*) für Muslime angekündigt, die in nichtmuslimischen Gesellschaften leben.

75 Eine Fatwa, welche die Beteiligung von Muslimen im politischen Prozess der USA betrifft. www.amconline.org/newamc/imam/fatwa.html (10.3.2012).

76 Shadid/van Koningsveld, Political Participation, 84–115.

kulturellen lokalen Kontextes, innerhalb dessen diese neue Jurisprudenz eine wichtige Rolle für muslimische Minderheiten spielen soll.

Im Grunde könnte diese neue Art, islamisches Recht aufzufassen, dazu führen, neue Methoden des Nachdenkens über Recht und der Erzeugung normativer Projektionen zu entwickeln, ohne sich in den überlieferten Quellen oder kulturalistischen Eigenheiten zu verlieren. Das lässt sich daran erkennen, dass Begriffe wie der der Nützlichkeit (*Maslaha*), des Gemeinwohls, des praktizierten Brauchs, der Notwendigkeit, die es rechtfertigt, etwas als gültig anzusehen, auch wenn es im Grunde nicht *Machru'*, also legitim ist, eine herausragende Rolle dabei spielen könnten, das Recht an politische, ökonomische und soziale Lebensbedingungen von Muslimen im Minderheitenstatus anzupassen, in Europa und anderswo. Denn dies war ja das oben benannte Handicap eines traditionalen Legitimationsmodus, bei dem die Anpassung an gewandelte Lebensumstände zu misslingen droht, wenn die Legitimitätsgeltung ausschliesslich vom Bezug auf den heiligen und als invariant definierten Text abhängig gemacht wird. Ist es im Übrigen ein Zufall, dass der Rückgriff auf jene Konzepte während der Epoche der Kolonisation gerade zur Rezeption einer Reihe von Theorien und Rechtsfiguren des römischen und europäischen Rechts erfolgt, ein hybrides Recht par excellence, das seine Effizienz und Nachhaltigkeit unter Beweis gestellt hat?[77]

Wie dem auch sei, eine der Hauptimplikationen dieser neuen «aufgeklärten Jurisprudenz» besteht darin, dass der Ausgangspunkt einer normativ-religiös-geografischen binären Differenzierung der Welt in zwei *Geltungsgebiete* zwischen *Dar al-islam* (Gebiet des Islam) und *Dar al-harb* (Gebiet des Krieges) aufgegeben wird. Nach der Schlüsselfigur dieser neuen semantischen und theoretischen Richtung sind diese Kategorien heute nicht mehr in der überkommenen Weise anwendbar! Al-Alwani führt aus: «The council (North American Fiqh Council) will work to direct the Muslims to the approach, wherein the identity of the American Muslim is to be loyal to his homeland (Watan), America, due to his obligations towards it as a citizen, because the homeland for the Muslim is considered Dar al-Islam (Land of Islam) for him, as long as he is able to do his religious rituals inside it.»[78] Denn wo auch immer sich Muslime aufhalten, ihre Präsenz muss als möglicherweise dauerhaft und zugleich dynamisch begriffen werden. Eine dop-

77 Vgl. Sakrani, Au croisement.

78 www.asharqalawsat.com (21.7.2002).

pelte Identitätszurechnung ermöglicht ihnen, gleichzeitig Staatsbürger und Mitglied der *Umma* zu sein.[79]

So interessant freilich dieser neue Modus der theologisch-juristischen Legitimation, u. a. durch die Wiederaufnahme einer juridischen Vernunft, des *«Ijtihad»*[80], auch gerade in soziologischer Hinsicht sein mag, bleibt doch klar, dass sein Erfolg von zwei Grundbedingungen abhängig bleibt: Es handelt sich einerseits um die Haltung von Muslimen selbst und ihrer Fähigkeit, sich von der symbolischen und juridisch-normativen Macht klassisch-religiöser Legitimation zu lösen, und andererseits um Einwanderungspolitik, deren Objekt sie sind, und wie die Behandlung von Muslimen auf europäischem Boden einen eigenen normativen Gestaltungsraum ermöglicht.

2.6 Der arabische Frühling: ein neuer Legitimationsmodus?

Bei all dem sind wir überzeugt, dass die Umbrüche und Revolutionen in der arabischen Welt heute die Art und Weise, die Legitimität von Politik, Herrschaft und Recht zu fassen, auf unerwartete Art und Weise verändern wird. Welche Auswirkungen auf diese muslimischen Minderheiten und Europa selbst zeichnen sich denn ab? Es wäre verfrüht, dies abschliessend sagen zu wollen. Aber dies ist keine künstliche Fragestellung, denn diese «neue Branche» des islamischen Rechts ist nicht allein das Produkt der im Okzident lebenden Muslime. Die Jurisprudenz muslimischer Minoritäten ist weder homogen noch systematisch. Sie wird von Traditionalisten und fortschrittlichen Kräften gleichermassen in den USA und in Europa sowie in den arabisch-islamischen Ländern entwickelt, wobei wir hier – aus Gründen der Vereinfachung – den asiatischen Raum ausklammern.[81] Die *Fatwa* al-Alwanis hat in der Tat viele Reaktionen hervorgerufen und wurde von muslimischen Juriskonsulten und Muftis heftigst bestritten. Das gilt zum Beispiel für den Scheich Said Ramadan al-Buti. Dieser hat den Vorschlag al-Alwanis zugunsten einer Jurisprudenz der Offenheit für muslimische Minderheiten scharf zurückgewiesen, indem er diese Initiative als «complot pour diviser l'islam» abqualifizierte.[82] Dieser Scheich zögert nicht, seinen tiefsten Wunsch

79 Wichtig wird dann allerdings die Frage, wie im Konfliktfall der Pflichtenkollision aus dieser doppelten Zugehörigkeit zu entscheiden ist.

80 Der grosse Rechtsgelehrte des Islam, Wael Hallaq (Columbia University) bestreitet freilich, dass die Tore des Ijtihad je geschlossen waren. Vgl. hierzu: Hallaq, Was the Gate. Siehe auch derselbe: Can the Shari'ah be Restored?

81 Vgl. aber hierzu: Reid/Gilsenan, Islamic Legitimacy.

82 www.bouti.com/ulamaa/bouti/bouti_monthly15.htm.06–2001 (24.7.2011).

nach einer vollständigen Islamisierung der Welt zu offenbaren, wenn er sagt: «Notre satisfaction face au nombre croissant de musulmans en Occident était telle que nous espérons que leur adhésion à l'islam et leur respect de ses dogmes noierait dans le courant de la civilisation islamique la résistance de la civilisation occidentale à la dérive. Mais aujourd'hui, l'appel en faveur de la jurisprudence des minorités annonce un désastre contraire à nos espérances. Il annonce la noyade de l'existence islamique dans le courant de la civilisation occidentale à la dérive, or avec ce type de jurisprudence, c'est le désastre garanti.»[83] Parallel zu jenen radikalen Auffassungen, nach denen die islamische Kultur in der okzidentalen Zivilisation ertränkt würde, sollte sie sich einer Minoritätenjurisprudenz nähern, da sich seit etwas mehr als einem Jahrzehnt Juristen unterschiedlichster Couleur mit der Frage befassen. Khalid Abd al-Qadir stellt eine Kompilation von juristischen Ausnahmeregeln aus dem Islam für diejenigen zusammen, die ausserhalb «islamischer Erde» leben.[84] Zu Anfang des neuen Jahrtausend stellte der berühmte Prediger von al-Jazira, zugleich Präsident des Rates muslimischer *Ulama* und ehemaliges Mitglied der ägyptischen Muslimbrüderschaft, zwei Bücher zum Thema vor: «Fiqh of Muslim Minorities»[85] und «Fiqh al-aqalliyat al-muslima. Hayat al-muslimin wasta al-mujtamaât al-ukhra» (Fiqh der muslimischen Minoritäten. Das Leben der Muslime in anderen Gesellschaften).[86]

Angesichts dieser theologischen, juristischen und selbst geografischen Erweiterung des Feldes der Minoritätenjurisprudenz, drängen sich einige kritische Anmerkungen auf. Zunächst: Diese Debatte zwischen Modernisten und Traditionalisten verwandelt Fragen und Probleme von im Okzident lebenden Muslimen, hierbei auch den Begriff des Westens mit einbeziehend, in eine Angelegenheit, welche die Debatte zugleich globalisiert und kulturalisiert, die den europäischen und amerikanischen Raum überschreitet, um sich in die arabisch-muslimische Welt selbst einzuschreiben. Wird das die sozialen und identitären Schwierigkeiten von Muslimen auf seriöse Weise zu reflektieren helfen und gleichzeitig den Dialog mit Nicht-Muslimen aufrechterhalten? Oder wird dieser Rückgriff auf vergangene Traditionen, wenngleich im modernen Gewand, die Kluft zur Moderne nicht noch vergrössern? Wird der arabische Frühling in den kommenden Jahren eine

83 Ebd.
84 Abd al-Qadir, Fi Fiqh.
85 Al-Qaradhawi, Fiqh of Muslim Minorities.
86 Al-Qaradhawi, Fiqh al-akalliyat al-muslima.

wichtige Rolle in diesem Prozess spielen? Zweitens: das Konzept der Minoritäten stellt von Beginn an ein Problem dar. Es bezeugt eine semantische, juristische und kulturelle Distanz zu anderen Minoritäten im Islam: den nichtmuslimischen Minoritäten innerhalb des islamischen Herrschafts- und Normgeltungsraumes und muslimischen Minoritäten in anderen muslimischen Ländern. Die Behandlung der einen wie der anderen ist völlig unterschiedlich. Im Übrigen schwächt gerade, dass sie aufgrund der Religionszugehörigkeit als «Minoritäten» bezeichnet werden, ihre Rolle innerhalb europäischer Gesellschaften, in denen sie dies zahlenmässig ja gar nicht sind! In der Tat vermögen die ethnischen, sprachlichen und kulturellen Unterschiede der verschiedenen muslimischen Gemeinschaften zur weiteren Zersplitterung beizutragen, die, anstatt über ihre Staatsbürgerrolle oder nationale Zugehörigkeit Identität zu gewinnen, sich weiter an religiöse Zugehörigkeit klammern, um ihre Bedürfnisse nach kollektiver Identität oder, in Webers Worten, ihren Wunsch nach einem Legitimitäts- und «Gemeinsamkeitsglauben» zu erfüllen.[87]

Einige Beispiele innerhalb europäischer Rechtsprechung illustrieren sehr deutlich diese Klippen, wenn nicht Gefahren für Muslime, die, wenn sie für ihren Status als Bürger kämpfen, mehr dafür gewinnen, gleich an Rechten und Pflichten im Rahmen eines pluralistischen Modells zu sein, als wenn sie sich auf eine islamische Legitimitätskette als Rechtfertigung ihres Handelns und ihrer Lebensweise zurückziehen.

3. Beispiele für konfligierende Legitimitäts- und Geltungsfelder

Nunmehr lassen sich die eingangs beispielhaft formulierten Konfliktfelder genauer analysieren:

Als Jurist kann man heute in Europa etwas Merkwürdiges bemerken. Ein Legitimitätsbezug, der sich auf die juristische und moralische Autorität des islamischen Rechts bezieht und die Zustimmung in weiten Kreisen von Mitgliedern dieser Minoritätengemeinschaften findet, wird Stück für Stück funktionalisiert, sowohl von Muslimen selbst wie aber auch von Richtern in Europa, die sich zunehmend mit einem fremden und komplexen islami-

87 Zum Grundproblem kollektiver Identitätsbildung vgl. Gephart/Waldenfels, Religion und Identität; Gephart/Saurwein, Gebrochene Identitäten; ferner kritisch zu einer Funktionalisierung von Identitätspolitiken: Sen, Identity and Violence.

schen Recht konfrontiert sehen und das vor allem, wenn die anerkannten Regeln des Internationalen Privatrechts (IPR) bei der Lösung von Konflikten nicht recht weiter helfen. Bevor diese Fälle dargestellt werden, wird es nützlich sein, einen kurzen Blick auf die «Normenproduktion» und Legitimationsprozeduren gewisser sozialer Netzwerke des Islam in Europa zu werfen[88].

3.1 Das Internet als Ort der Normenproduktion

Wie lassen sich nun die Dimensionen einer «Geltungs-» und «Rechtskultur» identifizieren, die muslimische Minderheiten in Europa auf dem Wege eines vielfach über das Internet vermittelten Rechts bestimmen? – Wer einmal einen Blick in diverse Internetforen geworfen hat, wird sich des Eindrucks nicht erwehren können, sich auf einem Fatwa-Basar zu befinden, wo klassisch ausgebildete Gelehrte um ihre Autorität fürchten müssen und «Cyber-Imame» das Wort haben. Zwar gibt es nach Auffassung des Europäischen Fatwa-Rates keine grundlegenden Konflikte für Muslime, die in einem Staat mit säkularer Rechtsordnung leben, aber die Details der Lebensführung sind komplex.

Analytisch brauchbare Anknüpfungspunkte finden sich in den oben benannten vier Dimensionen von Geltungskultur. Das *Normative* stellt den Hauptpfeiler des legitimen juridischen Reiches dar, das durch die Kultur fundiert wird. Die Hauptsorge besteht darin, den Muslimen zu gestatten, islamisches Recht an ihrem Lebensort anzuwenden, das heisst innerhalb der Realitäten einer nichtmuslimischen Umwelt. So verhält es sich vor allem, wenn auf einen europäischen Richter zurückgegriffen wird, um einen Konflikt zu lösen oder einen juridischen Akt zu bewerten (eine Situation, die man sich, wie wir später am Beispiel der Adoption sehen werden, nicht hätte vorstellen können). Das Normative ist freilich nicht auf rein juridische Normen beschränkt, es geht auch um die Fragen des Moscheebaus, des Schleiers, des *halal*, des religiösen Unterrichts, der Mischehen usf. Das bedeutet: das *Ritual* stellt den Kern einer *religiös geprägten Geltungskultur* dar. Auch wenn die Legitimation leichter über das Recht zu fassen ist, so ist die legitimierende Funktion des Islambezugs in Kulturfragen (gegenwärtig über Internetseiten vermittelt) nicht zu vernachlässigen. So sind entscheidend die Fragen des Gebets, des Fastens, der Pilgerreise (mitunter gar ihrer Organi-

88 Es handelt sich hier keineswegs um abgeschlossene Überlegungen. Es geht eher um einige vorläufige Ergebnisse einer empirischen Untersuchung, die am Käte Hamburger Kolleg «Recht als Kultur» durchgeführt wird.

sation: Reise und Aufenthalt in Mekka)[89], des obligaten Almosens (*zaqat*) usf. Noch interessanter sind vielleicht die Vorschläge zur Lösung der Schwierigkeiten, die mit einer Verschiebung der Gebetszeit oder des Fastens im Ramadan verbunden sind.[90] Was die Ebene der *Organisation* angeht, so geht es hauptsächlich um die verschiedenen Geselligkeitsformen in den europäischen Aufnahmeländern, das heisst: Stätten der Begegnung, Orte religiöser Feiern, die Leitung der Moscheen, die Beteiligung am politischen Leben usf. Was die *symbolische* Dimension angeht, so ist es nahezu unmöglich, all das zu erfassen, was den Identitätsmarker oder die vorgestellte, imaginäre Gemeinschaft ausmacht. So ist die Frage des Schleiers symbolisch überfrachtet, so wie jede Frage einer Bildästhetik oder der Kleidermoden in ihrem Bezug auf Religion, Literatur, islamische Zivilisation, Heiratszeremonien, religiöse Feste usf.

3.2 Die Obsession des halal: das religiöse Gütesiegel

Diese Obsession ist in mehr als einer Hinsicht interessant. Zunächst wird auf einer Reihe von Internetseiten die Position al-Alwanis wiedergegeben, den wir oben bereits kennengelernt haben. Auf mehreren französischen und deutschen Internetseiten[91] ist die Legitimitätsreferenz koranisch. In der Tat heisst es: «Nicht belastet Allah eine Seele über Vermögen»[92], oder im Kontext des Fastens «Wer jedoch krank ist oder auf einer Reise, der (faste) eine (gleiche) Anzahl andrer Tage. Allah wünscht es euch leicht und nicht schwer zu machen …».[93] Dieses Prinzip wird durch die Scharia noch verstärkt: «Was nicht verboten ist, ist erlaubt». Regelkonform zu sein soll den Muslim in der Diaspora also nicht zusätzlich belasten. Die Sache wird komplexer und leidenschaftlicher, sobald der kommerzielle Aspekt hinzu-

89 Siehe zum Beispiel die Website des HDI (Haus des Islam e. V.): «Subhanallah! Es kommt einem vor, als ob der letzte Ramadan noch gar nicht so lange her ist. Doch es ist schon wieder fast ein Jahr um und dieser segenreiche Monat wird auch schon vor der Tür stehen. Dann wetteifern wir noch mehr um gute Taten. Und wo ist es am schönsten gute Taten zu verrichten, wenn nicht im Zentrum des Islam oder in der Stadt des geliebten Propheten Muhammad, Friede und Segen seien auf ihm. Wenn Du Dich für eine Umra im Ramadan entschieden hast, dann melde Dich doch an unter www.darulislam.de.» (http://hausdesislam.de/) (10.3.2012)

90 So werden die Gebetsstunden und der muslimische Kalender regelmässig angezeigt.

91 Siehe zum Beispiel: http://enfal.de (Enfal islamsayfasi); http://www.hausdesislam.de; http://aslama.com/rappels/jeunesse/facilite.php; http://n.lapietra.free.fr/eveil2lame/sunna/ReligionDeFacilite.htm; http://www.bladi.net/forum/187426-religion-facilite/(10.3.2012).

92 Sure 2, Vers 286.

93 Sure 2, Vers 185.

tritt. Man kann leicht eine Liste der Weltorganisationen erstellen, die die Qualität des *halal* zertifizieren.[94] Hunderte von Unternehmen haben dieses «religiöse Gütesiegel» für ihre Produkte in Deutschland, der Schweiz oder Österreich erhalten.[95] Jene so ausgezeichneten Waren sind eine Garantie dafür, ein muslimisches Publikum anzuziehen. Selbst Texte zu Achtung und Erhaltung der Natur, also eine Art islamisch-ökologische Ethik, auf Koran und Sunna gestützt, finden sich im Internet.

Es ist gleichermassen wichtig, die Variationsbreite an Vorschlägen zu sehen, die Muslimen erlauben sollen, ihre Religion und Identität zu bewahren. Eine Variation, die eine ganze paradoxe Palette umfasst, die vom muslimischen Recht gefordert sei. Die Frage des Schleiers oder die Heirat einer Muslima mit einem Nicht-Muslim stellen ausgezeichnete Beispiele dar, die eine Öffnung, wenn nicht einen Grad an Freiheit für das muslimische Publikum belassen, so aber auch vor einem «juridischen Pluralismus» inmitten islamischen Rechts warnen.[96] Während die Heirat einer Muslima mit einem Nicht-Muslimen auf einigen Websites kategorisch verworfen wird, indem man sich auf die klassische Doktrin beruft, ja gar durch den Imam validierte Heiratsverträge verlangt, zeigen sich andere weit offener.[97] Was die verschiedenen Formen der Verschleierung angeht, einschliesslich der Burka, so werden sie im Allgemeinen unter Bezug auf den Koran wie ein religiöses Gebot dargestellt. Oft spielt die ethnische, sprachliche und kulturelle Diversität muslimischer Gruppen eine entscheidende Rolle bei der Binnenlösung solcher Geltungskonflikte. So zögern die Aleviten in Deutschland nicht, eine genau entgegengesetzte Lösung zu vertreten: die Ver-

94 www.international.mq.edu.au/macquarie/halal-products (Macquarie University- Sidney); www.genetic-id.de; www.mekkafood.com; www.hdcglobal.com/Malaysia; www.eat-halal.com/Canada. (24.7.2012).

95 Firmen und Halal-Produkte: www.halal.de; www.halal.ch. (Anmeldeformular/Registration form) (24.7.2012).

96 Der juridische Pluralismus innerhalb des islamischen Rechts wird von den Sozialwissenschaften nur selten thematisiert und noch weniger von juristischer Seite. Man nehme nur das Beispiel des Maghreb, der im Rahmen seiner Kodifikationsprojekte gerade von diesem Pluralismus profitiert hat um ein zugleich hybrides wie offenes Recht herzustellen. Siehe zu dieser Thematik: Sakrani, Des ordres.

97 Siehe unter anderem: http://islamweb.net/grn/fatwaprint.php?id=122915, http:// www.izhamburg.com/dienstleistungen/Eheschliessung.php, http://www.islamiccentre.org/index.php?option=com_content&view=article&id=1148:can-a-muslim-man-marriage-christian-girl&catid=7:religious-faqs&Itemid=88 (30.3.2012).

schleierung stellt kein religiöses Gebot für alevitische Frauen dar.[98] Einzelne Internetseiten in den USA gehen noch weiter. So wird von der ersten Frau im Amt des Imam berichtet (Amina Wadud); die heikle Frage der Interpretation des Heiligen Textes stünde auch Frauen zu.

3.3 Die unerlaubte Konversion

Es verbleibt ein ausserordentlich beachtenswerter und paradoxer Tatbestand: die Aufforderung zur Konversion für Nicht-Muslime. Paradox, weil der Koran selbst Religionsfreiheit bestätigt[99] und Toleranz allenthalben behauptet wird. Gleichwohl sind ganze Internetseiten darauf angelegt, zum Islam zu verführen und zur Konversion zu bewegen[100].

Eine der wichtigen Schlussfolgerungen, die sich hier in Hinsicht auf Legitimitätsfragen stellt, besteht in der Heterogenität, die jene verschiedenen sozialen Netzwerke in Europa, den USA, Kanada und anderwärts auszeichnet. Diese Heterogenität, die mitunter diametral entgegengesetzte Formen annimmt, wird mit einer theoretischen Konsistenz verknüpft, mitunter gar Originalität, die man auf einigen englischsprachigen oder arabischen Seiten in der anglophonen Welt findet,[101] nicht aber in französischer Sprache[102] und noch weniger auf Deutsch. Im ersten Fall ist der rechtsdogmatische Charakter ernst zu nehmen, mitunter ist er innovativ und darum ist man bemüht, sich in die oben dargelegte Minoritätenjurisprudenz einzufügen. Der Diskurs über die Legitimität dieses neuen Zweiges des islamischen Rechts im Okzident, über seine Grundlagen, ist tatsächlich ein neuer Schritt der Entwicklung. Von einzelnen *Fatwas* oder der Meinung des einen oder anderen Juristen unterstützt, nimmt die Legitimation dieser *Fortentwicklung* des islamischen Rechts eine Richtung, welche über die klassischen, von Koran und Sunna gebildeten Rechtsquellen hinausgehen.

Zwischen den muslimischen Bevölkerungen, die in Europa leben, sowie den Fluren der Gerichtsgebäude artikuliert sich die Minoritätenjurisprudenz im gewöhnlichen Alltagsleben und im Internet. Der Widerspruch ist mit-

98 Siehe zum Beispiel: http://www.aleviten-in-nuernberg.de/html/alevitische_erziehung.html (24.7.2012).

99 «Es sei Kein Zwang im Glauben», Sure 2, Vers 257.

100 So zum Beispiel: http://enfal.de (24.7.2012).

101 Vgl. zum Beispiel: http://convertingtoislam.com (24.7.2012).

102 Es ist immerhin bemerkenswert, dass in einer der zahlenmässig stärksten muslimischen Gemeinschaften die jeweils offiziellen Websites, wie die des CFCM (Conseil Français du Culte Musulman), oder des UOIF (l'Union des Organisations Islamiques de France), keine soliden theoretischen Beiträge in der Sache anbieten.

unter eklatant – zwischen einer europäischen Rechtsprechung als Werk von Richtern und Rechtsexperten auf der einen Seite und eines «droit culturel» der Minoritäten als Produkt einer transnationalen rechtsdogmatischen Anstrengung und der Übersetzer im Internet andererseits, die territoriale Grenzen, auch Geltungsgrenzen, ins Virtuelle verlegen.

3.4 Die Anwälte und das Recht auf Rechte

Zunehmend spielen Juristen – vor allem Anwälte – eine Schlüsselrolle bei der Behandlung der Minoritäten in Europa. Wenn zum Beispiel Anwälte soziale und persönliche Fragen (eines fragilen, marginalisierten und in der Identität irritierten Publikums) in Rechtsbegriffe übersetzen, dann werden neuartige juristische «Fälle» erzeugt. Das Ergebnis besteht vielfach in Polemiken und neuen Bruchstellen[103]. Es bleibt festzuhalten, wie Aude Lejeune über die bedeutende Rolle der Anwälte im Kampf um das Recht auf Rechte ausführt: «L'action politique des professionnels du droit peut se manifester selon différentes voies: la défense de cause, la contestation du pouvoir en place mais également la promotion de nouveaux rapports des individus au droit. Les professionnels du droit ne sont alors plus uniquement les ‹boucheles de loi› dont parlait Montesquieu, mais également les ‹voix du droit›, porte-parole des messages multiples et pluriels véhiculés par le droit et les acteurs qui s'en saisissent.»[104] In der Tat, wie es der grosse Rechtssoziologe Jacques Commaille ausgeführt hat: «Les professionnels du droit ne sont pas de simples supports passifs d'une régulation juridique imposée. Ils s'affirment comme des agents actifs d'une pratique juridique immergée dans le social et le politique et témoignent d'une efficacité potentielle particulière dans le cadre d'une régulation sociale et politique plurivoque.»[105] Die juristische Debatte über die Rechte muslimischer Minoritäten in Europa, die Anwendung oder Nichtanwendung islamischen Rechts durch Richter in Europa, hat sich noch nicht ganz von nationalen Kontexten abgelöst oder die Debatten über die Höhe von Minaretten und Moscheen, des Schleiers oder Niquab hinter sich gelassen. Die Sichtbarkeit, wenn nicht Hypervisibilität des Islam,[106] versperrt häufig den Blick auf besser ausge-

103 In der Lille-Affäre verdiente auch die Rolle der Anwälte eine genauere Untersuchung. Einen besonderen Akzent legt Louis Assier-Andrieu in seiner Studie auf die Widersprüche des Globalisierungsprozesses. Vgl. Assier-Adrieux, Les Avocats, 161 ff.

104 Lejeune, Le droit, 10.

105 Commaille, La négociation, 43.

106 Zu den verschiedenen Arten des Schleiers sowie des Niqab vgl.: Sakrani, Die Präsenz.

wogene Analysen, die auch eher den Realitäten der Praxis und ihrer juristischen Durchdringung entsprechen.[107]

3.5 Die «Kafala»: Paradoxe Effekte der Anwendung einer familienrechtlichen Sonderinstitution

Abschliessend wollen wir uns der *Kafala*, einer islamischen Sonderinstitution, näher zuwenden.

Während in der berüchtigten Entscheidung von Lille, nach der im Irrtum über die Virginität der Braut ein zur Nichtigkeit der Ehe führender Eigenschaftsirrtum, nach republikanischem Recht (Art. 180 cc), gesehen wurde, der kulturell-religiöse Kontext in den Entscheidungsgründen verdeckt blieb und auch dadurch der Eindruck einer subkutanen Unterwanderung republikanischer Rechtstraditionen entstehen konnte[108], geht es bei der juristischen Auseinandersetzung um die Bedeutung der *«Kafala»* von vornherein um die *Geltungsweite* einer im islamischen Recht verbreiteten Einrichtung. Da nach islamischer Rechtsvorstellung die Adoption verboten ist, gleichzeitig aber eine Personenfürsorge rechtlich möglich sein soll, ohne dass diese die familien- und erbrechtlichen Folgen der Volladoption nach sich zieht, fragt sich, welcher Geltungsanspruch dieser familienrechtlichen Institution zukommt – und mit welchen Folgen zum Wohl oder Nachteil des Schutzbefohlenen innerhalb der französischen Rechtsordnung dies erfolgt.

Hierbei handelt es sich nicht um ein beliebiges Schulbeispiel zur Interferenz islamischer und westlicher Rechtsvorstellungen, sondern es geht um sehr praktische Fragen der Personenfürsorge für Kinder, die aus einem Einwanderungskontext heraus einen familienrechtlichen Status anstreben. Wird durch einen Richter des islamischen Rechtskreises einem elternlosen oder ausserehelichen Kind gegenüber, das aus Algerien oder Marokko[109] stammt, die *«Kafala»* ausgesprochen, wird ihm hierdurch die Einreise nach Frankreich ermöglicht. Der Schutzbefohlene ist in Frankreich nunmehr auf

107 In Frankreich, wo die Fragestellung besonderes Interesse, aber auch – aufgrund des Laizitätsprinzips, dieser *exception française* in Europa – besondere Schwierigkeiten hervorruft, gibt es merkwürdigerweise nur wenige Studien zu dieser Frage. Siehe unter bezeichnender Betitelung die interessante Studie von Lydie Fournier, Le fait musulman à Montpellier. Entre réalités sociologiques et enjeux politiques.

108 Vgl. Gephart/Sakrani, «Recht» und «Geltungskultur», 118 ff.

109 Für Tunesien stellt sich das Problem nicht, weil die Adoption dort rechtlich zulässig ist. Inzwischen fordert die politische Parteiung der Islamisten, Nahda, die Wiedereinführung der «Kafala»!

die Rechtswirkungen dieses islamischen Rechtsinstituts festgelegt, das eine – letztlich angestrebte – Adoption ausschliesst. In Art. 370 Abs. 3 des Code civil in der Fassung vom 6. Februar 2001 heisst es: «L'adoption d'un mineur étranger ne peut être prononcée si la loi personnelle prohibe cette institution, sauf si ce mineur est né et réside habituellement en France.» Damit befinden sich Kinder aus den ehemaligen Kolonialgebieten in einer juristischen Falle: Da sie nicht in Frankreich geboren worden sind, wird ihnen die Chance auf Adoption verwehrt – wobei die Adoption im Übrigen der Naturalisierung vorangeht. Ohne einen eigenen Rechtstitel aber, wie ihn die *«Kafala»* verleiht, können sie ihr Land, in dem es ihnen an elterlicher Fürsorge mangelt, gar nicht verlassen. Damit erweist sich das Gesetz, das einen «normativen Effekt» einer in Frankreich unbekannten Rechtsinstitution begründet,[110] als eine versteckte einwanderungspolitische Massnahme, die freilich nur scheinbar Respekt gegenüber dem Recht der anderen ausdrückt, denn diejenigen, die adoptiert werden wollen, insistieren ja gar nicht auf ihrem Herkunftsrecht, sondern sie wollen dieses ja gerade hinter sich lassen. *Sollte hinter der Verweigerung eines Rechts auf Adoption der Gedanke stehen, dass man sich nicht beliebig auf kulturelle Sonderrechte berufen dürfe, um nur die jeweils vorteilhaften Rechtsfolgen zu beanspruchen?* Denn es bleiben grosse Unsicherheiten hinsichtlich des schulbezogenen und auch für die medizinische Versorgung relevanten Sorgerechts. Jedenfalls steht das Missverständnis im Raum, dass einerseits alle rhetorischen Mittel aufgeboten werden, um die «Virginitätsehe», die bis heute der eherechtlichen Vorstellung der katholischen Kirche entspricht, im französischen Kontext eines säkularen Laizismus als kulturelle Aberration erscheinen zu lassen, während andererseits im gleichen ehe- und familienrechtlichen Kontext versucht wird, Migranten auf ewig auf ihre rechtskulturelle Herkunft zu verpflichten.

Wie kommt es, dass in Belgien – mit dem Gesetz vom 6. Dezember 2005 – unter gewissen Voraussetzungen die Adoption von Kindern erlaubt ist, die unter der *«Kafala»* stehen? Und wie ist es zu erklären, dass das schweizerische (Art. 77 LF.DIP) sowie das spanische Recht (art. 9–5 C.civ. esp.) die Adoption erlauben, trotz einem entsprechenden Rechtsverbot aus dem fraglichen Kulturkreis?[111] Nicht nur die Betroffenen setzen sich, auf Internetseiten und anderorts, mit dieser zentralen Frage, die die Paradoxien der Anwendung fremden Rechts offenlegt, intensiv auseinander. Die renommierte Zeitschrift *Droit de la famille* widmete das Januarheft des Jahr-

110 Vgl. Farge, Comment accueillir, 37f.

111 Vgl. Revillard, La kafala, 2185.

gangs 2009 (Dossierheft *«Kafala»*[112]) ausschliesslich dieser Frage, und zwar noch vor der Publikation einer neuerlichen Entscheidung des Kassationshofes vom 25. Februar 2009, der eine strikte Anwendung des Art. 370 Cc einforderte und mehrere Entscheidungen der Appellationsgerichte[113] aufhob, die eine weichere Linie verfolgt hatten.

III. Schluss

Am Ende verstärkt sich der Eindruck, dass der idealtypisch aufgezeigte Konflikt zwischen einer religiös-fundamental gegründeten Geltungskultur (A) und einer säkular-formalen Geltungskultur (B), die einerseits ihre letzte Legitimität aus religiösen Quellen schöpft und andere normative Ordnungen dieser unterwirft (A) und andererseits gerade religiöse und säkulare Geltungs- und Legitimitätsquellen entkoppelt (B), sich von beiden Seiten her aufweicht. Einerseits weisen die Theologie des Rechtsstaates sowie das Paradigma der auf das Recht angewandten Zivilreligion darauf hin, wie stark auch westliche Rechtskulturen historisch und systematisch auf religiösen Quellen beruhen, andererseits gibt es Tendenzen, etwa innerhalb der islamischen Rechtskulturen (die eine eigene Geltungskultur der Verknüpfung von Religion, Recht, Moral, Sitte, Etikette, Mode etc. aufweisen), Unvereinbarkeiten mit einer dominanten Rechtskultur auf dem Wege einer Fortentwicklung von Minoritätenjurisprudenz auszugleichen. Hierbei spielt das Internet als eine neue Quelle der Normproduktion offensichtlich eine wichtige Rolle.

Bleibt diese europäische und amerikanische Sonderwelt von normativ-religiös geprägten Lebensformen ganz unberührt von den Entwicklungen in der arabischen Welt? Sind Wechselwirkungen zwischen einer offenkundigen De-Legitimation des despotischen Herrscherideals einerseits, der neuartigen Besinnung auf religiöse Traditionen in arabischen Ländern, die einem autoritären Säkularismus verpflichtet waren, andererseits und den in Europa lebenden arabisch-islamischen Gemeinschaften derart denkbar, dass das massenhaft-revolutionäre Einklagen von *Menschenwürde*, Freiheit und Gerechtigkeit im arabischen Frühling sich auf ein Normen- und Religi-

112 Droit de la Famille.

113 Cour d'Appel d'Aix-en-Provence (24. Oktober 2006), Cour d'Appel de Limoges (1. Oktober 2007), Cour d'Appel de Toulouse (15. Februar 2005) und Cour d'Appel de Reims (2. Dezember 2004).

onsverständnis in muslimischen Gemeinschaften des Westens auszuwirken vermag?

Durch die Revolutionen in der arabischen Welt sind viele Bilder in Bewegung geraten. Islam erscheint nicht mehr als mit Demokratie unvereinbar. Moscheen können Orte demokratischer Bewegungen werden, derart, dass in Syrien im Fastenmonat Ramadan vom Staat auf Moscheebesucher geschossen wird – eine Ungeheuerlichkeit in der muslimischen Welt. Schliesslich zeichnet sich im Charisma der Revolutionen ein Wille ab, eine neue Ordnung der Gesellschaft zu verstetigen, in der Errungenschaften wie Zivilgesellschaft und Rechtsstaat einen festen Platz einnehmen sollen – so die tunesischen und ägyptischen Projekte jedenfalls im August 2011 –, so dass die Menschenrechte vielleicht weniger rechtskulturell oder geltungskulturell verankert sind, sondern in anthropologischen Befindlichkeiten ihren Ausgang nehmen, die das Problem des reinen Institutionen- und Rechtskulturtransfers als obsolet erscheinen lassen, auch wenn man sich möglicherweise von westlichen Modellen inspirieren lassen wird.

Ein spezifisches Problem der Legitimation von Herrschaft, und zwar genau im Sinne der Erzeugung «legitimer» Gewalt, sei abschliessend berichtet. Ein syrischer Soldat erhält auf die Frage, ob er im Befehlsnotstand berechtigt oder verpflichtet sei, tödliche Schüsse auf die revoltierenden Demonstranten abzugeben, wenn er selbst unter Todesdrohung stehe, von Muhamed Said Ramadan al-Bouti die folgende Antwort: Die *Fuqaha* bestimmen, dass derjenige, der einem illegitimen Tötungsbefehl ausgesetzt ist, diesem nicht zu folgen hat. Die Begründung ist ungemein interessant: denn der Tod des anderen sei dem, im Falle der Befehlsverweigerung zu erwartenden, eigenen Tod in seiner Verbrechensschwere gleichwertig. Dann aber sei die Rettung des eigenen Lebens durch die Tötung eines anderen nicht gerechtfertigt, mit dem Ergebnis, dass der Schiessbefehl auf Demonstranten aus religiösen Gründen zu verweigern sei![114]

Stimmt dann unsere Wahrnehmung von religiös-traditionalen und säkular-formalen Legitimationsmodi, mit denen diese Studie ihren Ausgang nahm, überhaupt noch? Bahnen sich neue Formen der Legitimitätsbildung und De-Legitimierung an, die auch dem Westen vielleicht etwas zu sagen haben? – In den Diskursen über eine Minoritätenjurisprudenz überschneiden sich die historischen Semantiken einer Legitimation von Recht im muslimischen Kontext mit den Erfordernissen einer säkularen Legitimationssemantik, die auf der Fiktion einer «Einverständnisgemeinschaft» (We-

114 Vgl. http://www.fikr.com/bouti (3.8.2011).

ber) ruht und die normativen Ordnungen der anderen nicht von vornherein ausschliesst. Dies erscheint wie ein Hoffnungsschimmer am Horizont einer religiös bestimmten Geltungskultur.

Literatur

Abd al-Qadir, Khalid, Fi Fiqh al-aqalliyat al-muslima, Tripolis, Dar-al-Iman, 1998.

Al-Mawerdi, Les status gouvernementaux ou règles de droit public et administratif, übers. von: Fagnan, Edmond, Paris, Le Syncomore, 1983.

Al-Qaradhawi, Yusuf, Fiqh of Muslim Minorities, Kairo, New Vision Press, 2003.

Al-Qaradhawi, Yusuf, Fiqh al-akalliyat al-muslima. Hayat al-muslimin wasata al-mujtamaât al-ukhra, Kairo, Dar al-Shuruq, 2001.

Assier-Adrieu, Louis, Les Avocats. Identité, culture et devenir, Lextenso éditions, Paris, Gazette du Palais, 2011.

Assier-Andrieu, Louis, L'autorité du passé. Essai anthropologique sur la Common Law, Paris, Dalloz, 2011.

Bleuchot, Hervé, Droit musulman 2. Fondements, culte, droit public et mixte, Marseille, Presses Universitaire d'Aix-Marseille, 2002.

Buresi, Pascal, Les mondes de l'Islam. Une foi, des cultures, Petite Encyclopédie, Paris, Larousse, 2008.

Brown, Eric, After the Ramadan affair: New Trends in Islamism in the West, Current Trends in Islamist Ideology, N° 2, 2005, 7–30.

Charnay, Jean Paul, Esprit du droit musulman, Paris, Dalloz, 2008.

Commaille, Jacques, La négociation comme expression d'une nouvelle économie de la légalité, in: Vrancken, Didier/Dubois, Christophe/ Schoenaers, Frédéric, Hg., Penser la négociation. Mélanges en hommage à Olgierd Kuty, Coll. «Ouvertures sociologiques», Bruxelles, De Boeck, 2008, 39–49.

Droit de la Famille, 2009–14, N° 1, 2009.

Dupret, Baudouin, La Shari'a comme référent législatif. Du droit positif à l'anthropologie du droit, Égypte/Monde Arabe, N° 25, 1996, 121–173.

Esposito, J.L., Hg., The Oxford Encyclopedia of the Modern Islamic World, Bd. 2, New York, Oxford University Press, 1995.

Fournier, Lydie, Le fait musulman à Montpellier. Entre réalités sociologiques et enjeux politiques. Préface de Franck Frégosi, Paris, Dalloz, 2008.

Farge, Michel, Comment accueillir les kafalas musulmanes?, Juris-Classeur-Droit de la Famille, N° 9, 2008, 37–38.

Fishman, Shammai, Ideological Islam in the United States: «Ijtihad» in the thought of Dr. Tahar Jabir al-Alwani, (www.e-prism.org).

Gephart, Werner, Gesellschaftstheorie und Recht. Das Recht im soziologischen Diskurs der Moderne, Frankfurt a. M., Suhrkamp, 1993.

Gephart, Werner/Waldenfels, Bernhard, Hg., Religion und Identität. Im Horizont des Pluralismus, Frankfurt a. M., Suhrkamp, 1999.

Gephart, Werner/Saurwein, Karl Heinz, Hg., Gebrochene Identitäten. Zur Kontroverse um kollektive Identitäten in Deutschland, Israel, Südafrika, Europa und im Identitätskampf der Kulturen, Opladen, Leske & Budrich, 1999.

Gephart, Werner, Sphären als Orte der okzidentalen Rationalisierung. Zu einer vergessenen Metapher in Max Webers Rationalisierungsthese, in: Aretz, Hans-Jürgen/Lahusen, Christian, Hg., Die Ordnung der Gesellschaft. Festschrift zum 60. Geburtstag von Richard Münch, Frankfurt a. M., Peter Lang, 2005, 125–159.

Gephart, Werner, Einleitung, in: Weber, Max, MWG I/22–3, Recht, Tübingen, Mohr & Siebeck, 2010, 1–133.

Gephart, Werner, Grundelemente einer Theorie sozialer Sphären. Die Religion im Prozess von Scheidung, Durchmischung und Differenzierung der Sphären, in: Pfleiderer, Georg/Heit, Alexander, Hg., Sphärendynamik I. Zur Analyse postsäkularer Gesellschaften, Baden-Baden, Nomos, 2011, 11–57.

Gephart, Werner/Sakrani, Raja, «Recht» und «Geltungskultur». Zur Präsenz islamischen Rechts in Deutschland und Frankreich, in: Gephart, Werner, Hg., Rechtsanalyse als Kulturforschung, Schriftenreihe des Käte Hamburger Kollegs «Recht als Kultur», Frankfurt a. M., Vittorio Klostermann, 2012, 103–137.

Gephart, Werner, Hg., Rechtsanalyse als Kulturforschung, Frankfurt a. M., Vittorio Klostermann, 2012.

Goldziher Ignác, Vorlesungen über den Islam, Heidelberg, Winter, 1924.

González García, José M., La Mirada de la Justicia, Schriftenreihe des Käte Hamburger Kollegs «Recht als Kultur» (im Erscheinen).

Habermas, Jürgen, Legitimationsprobleme im Spätkapitalismus, Frankfurt a. M., Suhrkamp, 1973.

Habermas, Jürgen, Theorie kommunikativen Handelns, Bd. 2, Frankfurt a. M., Suhrkamp, 1981.

Habermas, Jürgen, Ein Bewusstsein, von dem was fehlt, Frankfurt a. M., Suhrkamp, 2008.

Hallaq, Wael B., An Introduction to Islamic Law, New York, Cambridge University Press, 2009.

Hallaq, Wael B., Can the Shari'ah be Restored?, in: Haddad, Yvonne/Stowasser, Barbara, Hg., Islamic law and the challenges of modernity, Walnut Creek, Altamira Press, 2004, 21–53.

Hallaq, Wael B., On the Authoritativeness of Sunni Consensus, International Journal of Middle East Studies, N° 18, 1986, 427–454.

Hallaq, Wael B., Was the Gate of Ijtihad Closed?, International Journal of Middle East Studies, Vol. 16, N° 1, 1984, 3–41.

Ibn Baz, Cheikh/Uthaymeen, Cheikh, Muslim Minorities. Fatawa Regarding Muslims Living as Minorities, London, Message of Islam, 1998.

Ibn Nadjim, Al-achbah wa Anndhâ'ir, Kairo, ohne Datum.

Ihering, Rudolph von, Der Zweck im Recht, Stockstadt am Main, Keip, 1998/1877.

Javad Javid, Mohammed, Droit naturel et droit divin comme fondements de la légitimité politique. Une étude comparative du christianisme et de l'Islam, Toulouse, 2005.

Jolen, Judith, The Quest for Legitimacy. The role of Islam in the State's Political Discourse in Egypt and Jordan (1979–1996), Nijmegen, Katholieke Universiteit, 2003.

Krämer, Gudrun, Justice in Modern Islamic Thought, in: Amanat, Abbas/ Griffel, Frank, Hg., Shari'a, Islamic Law in the Contemporary Context, Stanford, Standford University Press, 2009, 20–37.

Lafrance, Pierre, La charia, une réalité plurielle, Le Monde, 10. Januar 2012.

Lask, Emil, Rechtsphilosophie, in: Lask, Emil, Gesammelte Schriften I, hrsg. von Herrigel, Eugen, Tübingen, Moor, 1923.

Lavourel, Sabine, Les constitutions arabes et l'Islam. Les enjeux du pluralisme juridique, Québec, Presse de l'Université de Québec, 2005.

Lejeune, Aude, Le droit au Droit. Les juristes et la question sociale en France, Paris, Editions des archives contemporaines, 2011.

Luhmann, Niklas, Die Politik der Gesellschaft, hrsg. von André Kieserling, Frankfurt a. M., Suhrkamp, 2000.

Masud, Muhammad Khalid, Islamic Law and Muslim Minorities, ISIM Newsletter, N° 11, 2002, 17.

Menski, Werner, Comparative law in a Global Context. The Legal Systems of Asia and Africa, New York, Cambridge University Press, 2006.

Moyen-Orient, Islam et Démocratie, N° 13, 2012.

Pieper, Stefan Ulrich, «The Clash of Civilisations» und das Völkerrecht. Kulturelle Einflüsse im internationalen Recht, in: Krawietz, Werner/ Riechers, Gert/Veddeler, Klaus, Hg., Konvergenz oder Konfrontation? Transformationen kultureller Identität in den Rechtssystemen an der Schwelle zum 21. Jahrhundert, Rechtstheorie, 29. Bd., Heft 3/4, Huntington-Sonderheft, 1998, 331–355.

Ramadan, Tariq, L'Islam et le réveil arabe, Paris, Presses du Châtelet, 2011.

Reid, Anthony/Gilsenan, Michael, Hg., Islamic Legitimacy in a Plural Asia, Oxford/New York, Routledge, 2007.

Revillard, Mariel, La kafala n'est pas une adoption, Repertoire du Notariat Defrenois, vol. 128, N° 19, 2008, 2181–2186.

Rickert, Heinrich, Die Grenzen der naturwissenschaftlichen Begriffsbildung, Tübingen, Moor, 1902.

Rohe, Mathias, Das islamische Recht. Geschichte und Gegenwart, München, Beck, 2011.

Rosen, Lawrence, Equity and Discretion in Modern Islamic Legal System, Law & Society Review, N° 15, 1980/81, 217–246.

Sakrani, Raja, Die Präsenz islamischer Traditionen im öffentlichen Raum. Widerstreitende Konzepte von «privatem» und «öffentlichem» Raum, in: Pfleiderer, Georg/Heit, Alexander, Hg., Religions-Politik II. Pluralität und Konflikte (im Erscheinen).

Sakrani, Raja, Das Verbot von Zinsnahme und Risikogeschäften. Theorie und Praxis islamischer Finanzethik, in: Pfleiderer, Georg/Seele, Peter, Hg., Wirtschaftsethik kontrovers, (im Erscheinen).

Sakrani, Raja, Des ordres normatifs fragmentés à l'hybridité juridique: le cas du Maghreb colonial, in: Gephart, Werner, Hg., Rechtsanalyse als Kulturforschung, Schriftenreihe des Käte Hamburger Kollegs «Recht als Kultur», Band 1, Frankfurt a. M., Vittorio Klostermann, 2012, 231–265.

Sakrani, Raja, Religion und Recht im Islam. Historisch-komparative Zugänge im Lichte der Weberschen Rechtssoziologie, in: Dingel, Irene/ Tietz, Christiane, Hg., Die politische Aufgabe von Religion. Perspektiven der drei monotheistischen Religionen, Göttingen, Vandenhoeck & Ruprecht, 2011, 91–101.

Sakrani, Raja, Au croisement des cultures de droit occidentale et musulmane. Le pluralisme juridique dans le code tunisien des obligations et des contrats, in: Conermann, Stephan, Hg., Bonner Islamstudien, Band 15, Schenefeld, EB-Verlag, 2009.

Sakrani, Raja, Le jeu d'échanges internormatifs. Droit, morale et religion dans les cultures de droit occidentales et musulmanes, Droit Prospectif: Revue de la recherche Juridique, Vol. 34, N° 129, 2009, 1695–1710.

Schacht, Joseph, Introduction au droit musulman. Englische Übers. von: Kempf, Paul/Magid Turki, Abdel, 2· Ed., Paris, Maisonneuve et Larose, 1983.

Sen, Amartya, Identity and Violence. The Illusion of Destiny, London, Norton, 2006.

Shadid, Wasif/van Koningsveld, Pieter Sjoerd, Political Participation and Identities of Muslims in non-Muslim States, Kampen, KOK Pharos, 1996.

Tönnies, Ferdinand, Die Sitte, Frankfurt a. M., Ruetten & Loening, 1909.

Weber, Max, Über einige Kategorien der verstehenden Soziologie, Logos. Internationale Zeitschrift für Philosophie der Kultur, N° 4, 1913, 253–294, abgedruckt in: Gesammelte Aufsätze zur Wissenschaftslehre, Tübingen, Mohr, 1973.

Weber, Max, MWG I/22–4, Herrschaft, Tübingen, Mohr & Siebeck, 2009.

Weber, Max, MWG I/22–3, Recht, hrsg. von Gephart, Werner/Hermes, Siegfried, Tübingen, Mohr & Siebeck, 2010.

Welzel, Hans, An den Grenzen des Rechts. Die Frage nach der Rechtsgeltung, Köln, Westdeutscher Verlag, 1966.

Wundt, Wilhelm, Ethik. Eine Untersuchung der Tatsachen und Gesetze des sittlichen Lebens, Stuttgart, Enke, 1903.

Namensregister

Autorenverzeichnis

Otto Kallscheuer, Dr. phil, Jahrgang 1950, seit 2008 Professor für Politische Philosophie an der Universität Sassari.

1977–1982 Assistent an der Freien Universität Berlin; 1984 Promotion an der Universität Frankfurt im Fach Philosophie; 1987–1991 Lektor des Berliner Rotbuch Verlags; 1993–1994 Mitglied des Institute for Advanced Study in Princeton (School of Social Science); 1997 Habilitation an der Justus-Liebig- Universität Giessen im Fachgebiet Politikwissenschaft; ab 1999 diverse Gastprofessuren und Lehraufträge in Giessen, Luzern, Bremen, Berlin, Neapel, Wien und Rom.

Forschungsschwerpunkte: Religion und Politik in westlichen Demokratien, Globalisierung und Monotheismus, Kommunitarismus, Tugendethik und Politische Philosophie.

Die Wissenschaft vom Lieben Gott. Eine Theologie für Recht- und Andersgläubige, Agnostiker und Atheisten, Frankfurt 2006; *Zur Zukunft des Abendlandes*, Springe 2009; *Norberto Bobbio. Ethik und die Zukunft des Politischen*, Berlin 2009. Neben seinen Buchveröffentlichungen schreibt er Aufsätze für die *Blätter für deutsche und internationale Politik*, die *Frankfurter Hefte*, das *Kursbuch*, *Leviathan* und das Forschungsjournal *Neue Soziale Bewegungen* sowie die *Neue Zürcher Zeitung*, die *Süddeutsche Zeitung* und *Die Zeit*.

Thomas Maissen, Dr. phil, Jahrgang 1962; seit 2004 Professor für Neuere Geschichte mit dem Schwerpunkt Frühe Neuzeit an der Universität Heidelberg.

Studium der Geschichte, Latein und Philosophie in Basel, Rom und Genf; 1993 Promotion in Basel; 1993–1995 Wissenschaftlicher Assistent an der Universität Potsdam; 1996–2004 Mitarbeiter der Neuen Zürcher Zeitung für Historische Analysen; 2002 Habilitation an der Universität Zürich; 2002–2004SNF-Förderprofessur an der Universität Luzern; seit 2007 Gründer und Sprecher der Heidelberger Graduiertenschule für Geistes- und Sozialwissenschaften (HGGS); 2009 Gastprofessur an der EHESS in Paris; 2010 Visiting Fellow am Institute for Advanced Study in Princeton.

Forschungsschwerpunkte: Historiographiegeschichte, Geschichte des politischen Denkens, Schweizer Geschichte.

Die Geburt der Republic. Staatsverständnis und Repräsentation in der frühneuzeitlichen Eidgenossenschaft, Göttingen 2006; Hg. mit Walther, Gerrit, Funktionen des Humanismus. Studien zum Nutzen des Neuen in der humanistischen Kultur, Göttingen 2006; Die Geschichte der Schweiz, Baden 2010.

Raja Sakrani, Dr. jur., Jahrgang 1972; seit 2010 Wissenschaftliche Koordinatorin am Käte Hamburger Kolleg «Recht als Kultur» (Universität Bonn).

Rechtsstudium in Tunis und Paris; 1996–1998 Diplôme d'Études Approfondies en droit (DEA); 2003–2007 wissenschaftliche Mitarbeiterin und Promotion an der Paris II Sorbonne; 2008 Postdoc-Stipendium Maison des Sciences de l'Homme (MSH); seit 2010 wissenschaftliche Mitarbeiterin am Institut für Politische Wissenschaft und Soziologie an der Universität Bonn.

Forschungsschwerpunkte: «Transitional justice» in der arabisch-islamischen Welt, Analyse hybrider Rechtssysteme, Präsenz und Anwendung islamischen Rechts in Europa, Kulturanalysen des Rechts.

Au croisement des cultures de droit occidentale et musulmane. Le pluralisme juridique dans le code tunisien des obligations et des contrats, Bonn 2009.

Arnulf von Scheliha, Dr. theol., Jahrgang 1961; seit 2003 Professor für Systematische Theologie an der Universität Osnabrück.

Studium der Evangelischen Theologie, Geschichtswissenschaft und Philosophie in Kiel, München, und Tübingen; 1991 Promotion in Kiel und Ordination zum Amt der Kirche; 1991–1993 Wissenschaftlicher Mitarbeiter an der Universität Kiel; 1993–1998 Assistent an der Universität Hamburg; 1997 Habilitation im Fach Systematische Theologie; 1997–2003 Privatdozent für Systematische Theologie an der Universität Hamburg.

Forschungsschwerpunkte: Das Selbstverständnis von Christentum und Kirche in der modernen Gesellschaft, Freiheit als Grundbegriff protestantischer Konfessionskultur, Interreligiöse Hermeneutik (insbesondere: das Verhältnis von Christentum und Islam), Ethische Probleme moderner Lebensführung, Politische Ethik, Wirtschaftsethik, Theologiegeschichte des 19. und 20. Jahrhunderts unter besonderer Berücksichtigung der Geistes- und Sozialgeschichte.

Hg. mit Schröder, Markus, Das protestantische Prinzip. Historische und systematische Studien zum Protestantismusbegriff, Stuttgart/Berlin/Köln 1998; Hg. mit Dierken, Jörg, Freiheit und Menschenwürde. Studien zum Beitrag des Protestantismus, (Religion in Philosophy and Theology; Bd. 16), Tübingen 2005; Hg. mit Goodman-Thau, Eveline, Zwischen Formation und Transformation. Die Religionen Europas auf dem Weg des Friedens, Göttingen 2011.

Helmut Zander, Dr. phil., Dr. theol., Jahrgang 1957; seit 2011 Professor für Religionswissenschaft an der Fakultät für Katholische Theologie an der Universität Fribourg.

Studium der Politikwissenschaft, Geschichtswissenschaft und der katholischen Theologie; 1987 Promotion in Politikwissenschaft in Bonn; 1995 Promotion in Katholischer Theologie in Bonn; 2002 Habilitation an der Humboldt Universität Berlin; Lehrstuhlvertretungen und Gastprofessuren in Berlin, Augsburg, Basel und Zürich.

Forschungsschwerpunkte: Europäische Religionsgeschichte, Innovation durch «Esoterik», Anthroposophie in Deutschland.

Geschichte der Seelenwanderung in Europa, Darmstadt 1999; Anthroposophie in Deutschland, Göttingen 2008; Rudolf Steiner, München 2011.

Formation und Transformation. Die Religionen Europas auf dem Weg des Friedens, Göttingen 2011.

ZRWP

ZENTRUM FÜR RELIGION | WIRTSCHAFT | POLITIK

Lange haben die zunehmende Ausdifferenzierung und Spezialisierung in den Sozial- und Geisteswissenschaften erhebliche Erkenntnisfortschritte erlaubt. Mittlerweile mehren sich aber die Zeichen, dass die entstandene Segmentierung und Abschottung der Disziplinen zu einer neuen Herausforderung geworden sind. Das weit verbreitete Erstaunen über die vermeintliche «Rückkehr der Religion» in der Gegenwart zeigt, dass ganze Bereiche der gesellschaftlichen Wirklichkeit aus dem Blick geraten waren: Wie mobilisiert Religion Menschen in modernen Gesellschaften? Wie legitimiert sie staatliche Herrschaft? Wie formuliert sie Kritik an Staat und Gesellschaft? Was bedeuten Religionen für die wirtschaftliche Entwicklung? Wie funktioniert der «Markt der Religionen»? Welche Herausforderungen und Chancen birgt religiöse Vielfalt in modernen Gesellschaften? Fragen wie diese kennzeichnen die Schnittbereiche von Religion, Wirtschaft und Politik, Schnittbereiche, die durch eine gemeinsame Anstrengung unterschiedlicher Wissenschaften neu erschlossen sein wollen.

Die Reihe «Religion – Wirtschaft – Politik» will dazu einen Beitrag leisten. Sie ist die wissenschaftliche Veröffentlichungsplattform des Zentrums für Religion, Wirtschaft und Politik (ZRWP, www.zrwp.ch), das von den Universitäten Basel, Lausanne, Luzern und Zürich und dem Collegium Helveticum gemeinsam getragen wird. Es ist Anliegen und Ziel des Zentrums, in Forschung und Lehre das Wechselverhältnis von Religion, Wirtschaft und Politik transdisziplinär und innovativ zu analysieren. Seine disziplinenübergreifend angelegte Religionsforschung untersucht die Zusammenhänge von Religion, Wirtschaft und Politik im Blick auf drängende gesellschaftliche Fragen der Gegenwart. Die Reihe will durch Monographien und Sammelbände inhaltlich und methodisch den Weg bahnen, Religion und ihre Wechselverhältnisse in einer sich globalisierenden Welt lokal, regional, national und transnational besser zu verstehen und zu erklären.